《美的结构》

人民文学出版社　1988

《审美价值结构与情感逻辑》

华中师范大学出版社　2000

《与西方文论的平等对话和争鸣》

山东文艺出版社　2021

孙绍振文集

美的结构

海峡出版发行集团 | 海峡文艺出版社

图书在版编目(CIP)数据

美的结构/孙绍振著. —福州:海峡文艺出版社,2025.6
(孙绍振文集)
ISBN 978-7-5550-3930-3

Ⅰ. I01-53

中国国家版本馆 CIP 数据核字第 2025RG4130 号

美的结构

孙绍振　著

出版人	林　滨
丛书统筹	林可莘
责任编辑	蓝铃松
出版发行	海峡文艺出版社
经　　销	福建新华发行(集团)有限责任公司
社　　址	福州市东水路 76 号 14 层
发行部	0591—87536797
印　　刷	上海盛通时代印刷有限公司
厂　　址	上海市金山工业区广业路 568 号
开　　本	787 毫米×1092 毫米　1/16
字　　数	370 千字
印　　张	19.5　　**插页**　1
版　　次	2025 年 6 月第 1 版
印　　次	2025 年 6 月第 1 次印刷
书　　号	ISBN 978-7-5550-3930-3
定　　价	98.00 元

如发现印装质量问题,请寄承印厂调换

出版说明

孙绍振先生是我国著名的文艺理论家、文学评论家、语文教育理论家、作家，是“闽派批评”的旗帜性人物。

他学贯中西、思通古今，全面梳理中国传统文艺理论中的重要命题，对当代西方文论进行了系统的分析和批判。他的文学研究贯穿着“实践真理论”的世界观和辩证方法论。他以一个“文学教练”的矫健身手，在“文学创作论”和“文学文本解读学”的坚实理论基础上，进行海量的经典文本分析，洞察小说、诗歌、散文等文类的艺术奥秘。由此，他建构了富有原创性的中国特色文学理论话语体系，在理论和实践结合方面发出中国声音。

他以先锋姿态投入“朦胧诗”大论战，业已留下重要的历史文献；以创新思维和精准表达，体现文学批评的力量与高度。

在语文教育改革中，他以犀利的思想拨乱反正，为语文教育的学科建设做出独特的贡献。其成就不仅深刻影响祖国大陆语文教育学界，还辐射至宝岛台湾，有力助推两岸学术、文化与教育交流。

作为一个作家，他钟情于诗歌、散文创作，产出丰硕的成果。其演讲体散文，卓尔成家。

为了全面展示孙绍振先生的研究成果和学术成就，我社组织出版“孙绍振文集”（20册），汇编其迄今为止的全部代表性学术著述和文学作品，涵盖文学理论建构、文艺评论、演讲、语文教育、文学创作等诸方面内容。希望这套文集能全面展示孙绍振先生的理论成就、评论成果和文学创作的整体风貌，呈现中国学派崛起的绰约风姿及其在世界学术话语体系中日渐突出的自主地位。

海峡文艺出版社

二〇二五年六月

目　录

第四辑　学术自述

附录

第一辑　艺术美的本体结构

形象的三维结构和作家的内在自由[1]

一、以生活与艺术的矛盾为出发点

如果有人问花是什么，我们回答说花是土壤，我们会遭到嘲笑，因为我们混淆了花和土壤最起码的区别，或者用哲学的语言说是掩盖了花之所以为花的特殊矛盾。同样，如果有人问酒是什么，我们回答说酒是粮食，我们也会遭到嘲笑，因为粮食不是酒，这个回答没有触及粮食如何能转化为酒的奥秘。然而在文艺理论领域中，当人们问及形象是什么，美是什么时，我们却不惜花费上百年的时间去重复这样一个命题：美是生活，形象是生活的反映。当然，在实际行文中不会这样简单地托出一个线性因果关系，但是不管经过多少曲折的环节，所强调的却是生活与形象的统一性，生活起决定作用，作家总是处于被动地位。这种思维的定势效应甚至影响到一些作家的创作经验。当他写了一个好作品，他就说这是由于深入了生活；当他写了一个失败的作品，他就说那是因为脱离了生活。从唐诗的繁荣到现代派的崛起，凡是要作理论的描述和说明，思维似乎就只有一条途径可循——生活与艺术的统一性，作家反映生活不能不带有被动性。

然而，在我看来，创作之所以称得上是创作，就是从摆脱对生活的被动依附开始的。只有摆脱了被动状态，重视生活与艺术的矛盾，作家才可能获得创作所必需的内在的自由。

研究艺术形象的逻辑起点应该在这里，正是在这里，有着形象产生过程的一切层次、一切矛盾，有着形象系统进化、矛盾发展的一切胚芽。从这个起点出发可以找到形象系统在方法、流派、风格上分化繁荣的内在根据和一切弊端、失误的根源。

① 发表于《文学评论》1985 年第 4 期。

任何一门学科都要以探求对象本身的内部矛盾为中心，也就是以对象的内部要素、内部结构、内部协同功能为中心，外部信息的输入是通过内部结构才起调节作用的。例如要研究性格，首要的任务是探求性格是否是二重组合（或者，在我看来，是三维结构，下文详述），懂得这个特殊机制才谈得上去研究这二重组合（或三维结构）如何反映生活，或者如何与生活统一。

长期以来我们满足于把反映论作为研究对象的唯一向导，甚至于产生了一种错觉：文艺理论主要就是探寻形象与本源之间统一性的科学。殊不知形象与其本源的关系并不是唯一的思路，二者也并不是一种单向的决定关系，并不一定是生活越丰富，形象就越精彩，经历丰富的作家也不一定必有卓越的形象创造力。相反的情况也多得是：生活过多的堆积使作家陷于被动的描述和阐释，作家的想象力受到抑制，形象反而臃肿，作家在纷纭的生活面前失去了驾驭的主动性，因而也就失去了创造的自由。

任何一个对象都可以从不同的角度去研究，反映论并不是唯一的角度。不能把坚持反映论和思路的固定、角度的固化联系起来。其实，坚持反映论也不能离开本体论的研究。不研究事物本身的结构、内在特殊矛盾，就不能获得更深刻的认识。把思路钉死在对象与本源的统一性上，使许多理论家失去了最珍贵的自由——思想的自由。当不同年龄、经历，不同智能结构，乃至持不同文学观念的作家和评论家挤在同一条思路上的时候，不论是秩序井然地鱼贯而前还是义愤填膺地争辩，思维空间仍然是极其狭窄的。

对于艺术形象的奥秘，人类已经钻研了数千年，其成效远不及对于遥远的天体的探求。这样的低效率可能与思路的狭窄分不开。我认为思路的转移远比观点的转移要深刻，把本体论作为一条自觉的思路，对打开艺术形象这个美丽迷宫可能是有益的。

二、形象的胚胎产生于生活和自我的二维结构

形象之所以成为形象就是因为它不再是生活，正如酒之所以成为酒因为它不再是粮食。模仿生活不管多么逼真，也不能成为艺术形象。艺术如果以逼肖生活为能事，就可能在与生活的竞赛中被淘汰。正是在这个意义上黑格尔才把以单纯复制生活为目的的“艺术”看成是“多余的”。他说：

> 靠单纯的模仿，艺术总不能和生活和自然竞争，它和自然竞争，那就像一只小虫爬着去追大象。[①]

① 黑格尔：《美学》第1卷，商务印书馆1981年版，第54页。

从形象本体结构来看，生活不过是形象的一个要素。不管是什么事物，光有一个要素是不可能形成结构的。艺术之所以具有感染人的功能，就是因为生活要素已经和另一个要素——作家的自我结合起来，形成一个不可分割的结构，这就是朱光潜根据克罗齐的学说揭示的：把作家自我的情趣放在意向里，就产生艺术形象，情趣与意向缺一不可。刘勰在《文心雕龙·物色》中说得更生动："写气图貌，既随物以宛转；属采附声，亦与心而徘徊。"物象与心象结成一个有机体，形象才能产生。

任何形象都产生于再现生活和表现自我的统一。只要生活和自我发生了互相统一的关系，就形成一个二维结构，就有了形象的胚胎。

在这二维结构中，生活与自我并不是简单的等量相加。相反，从量上来讲，二者并不是全部都进入二维结构中的。再现生活和表现自我的统一是有限的。无限的生活受到有限的自我选择，有限的自我也受到无限生活的选择，生活和自我并不是在一切方面都化合成一个结构，而是在互相贯通、互相弥合的那一个方面、那一个点上化合了。

进入二维结构的特点首先表现为互相限制、互相选择、互相分化，然后是互相同化。在互相适应、互相契合的那一点以外的被无情地排除了。同时互相弥合的那一点就形成了一个有机整体。

一旦形成了统一结构，其特点又表现为要素间的相互协同作用，生活和自我的协同既产生了大于生活和自我的能量，又产生了既不同于生活又不同于自我的质量，形象和生活的矛盾就是这样产生的。正是在形象与生活的矛盾中，才产生了形象的魅力。

没有二维结构的排除和同化作用就没有形象，正等于没有种子和土壤的相互排除和同化，没有酒曲和粮食的互相排除和同化，就没有花和酒一样。只要举一个极现成的例子就可以说明。李白有一首很著名的诗："朝辞白帝彩云间，千里江陵一日还。两岸猿声啼不住，轻舟已过万重山。"这里"彩云间"写的是高，"万重山"写的是远，都是客观要素，"一日还"写的是轻而快，是主观要素。全部形象结构所显示的是：高而远迅速地转化为轻而快，也就是客观生活的特征迅速为主观自我所同化。在同化过程中，就包含着分解客观生活的特点和排除不适应主观自我的成分。当年长江中游航行的全部特点并不仅仅是轻而快，日行千里哪怕在今天也是不可能的，与此相联系的还有艰苦与险要……但是苦而险的生活特征与流放遇赦归来的诗人的当时感情不相契合，因而被排除了，或者说生活的特征被诗人感情的特征分解排斥而后同化了。如果诗人不加分解，不敢排除，不敢同化，只能罗列生活，千里江陵一日还，就不能成立，生活的特征和自我的感情特征就不能形成二维结构，也就构不成形象的胚胎，艺术的魅力也就难以产生。

由此可见，作家在生活面前并不是被动的。他并不是一味地等待生活把他同化，相反，一个具有作家心理素质的人，不是那么傻乎乎，不会那么驯顺。他时刻在争取主动权，主动地选择、排除、同化生活。如果他连这一点自觉性、自尊心都没有，那么，他就永远当不成作家。

选择性同化，是作家摆脱被动的起点，是作家享受自由的起点。

艺术的创造力产生于生活与艺术的误差感，而不是同一感。

具有作家的心理气质的人在这种误差面前没有任何神经质的恐慌，相反，他不无惊喜地看到：正是在这种误差中，自我才有表现的主动性。如果生活与艺术形象之间是天衣无缝的，那么作家的最高任务就是被动地记录了。许多有才华的作家都被那种生活与艺术的统一性追求弄昏了头，他们在生活面前充满了自卑感，诚惶诚恐，五体投地，结果是生活窒息了自我的心灵，束缚了想象的翅膀。

据我所知，第一个把生活与艺术形象的误差说得比较系统的是丹纳。他不像我国古典画论中用形似和神似的经验语言描述这种误差，而是用内涵确定的理论语言。他在《艺术哲学》中说，艺术家力求形似的是对象的某些东西，而不是全部：

> 艺术品的本质在于它把一个对象的基本特征，至少是重要的特征，表现得越占主导地位越好；艺术家为此特别删节那些遮盖特征的东西，挑出那些表明特征的东西，对于特征变质的部分都加以修正，对于特征消失的部分都加以改造。[①]

丹纳把艺术与生活的区别放在相当突出的地位上，因而在理论上就向艺术家主动和自由的创造迈进了一步。他的深刻之处在于：艺术不仅选择了自然和生活，而且改造了自然和生活。但是丹纳并不彻底，艺术家凭什么才获得了主动和自由的权利呢？在他看来，艺术之所以要改造生活和自然，仍然是为了表现生活和自然的主要特征。勇敢的丹纳，在表现自我方面显得有点死心眼儿了。在他的理论中强调表现时代、民族、环境等方面的客观要素，却忽略了作家独特的自我和个性。

作家之所以有必要选择、调整、改造对象的特征，其目的就为了表现自我的特征。其实光是选择、改造、调整客体，作家仍然不能彻底地摆脱被动局面。艺术家的自我不仅仅是再现的主体，而且是表现的客体。艺术形象动人的魅力不仅来自生活，而且来自作家的个性。我们说，形象的胚胎产生于主观与客观的有限统一，具体说就是在作家的自我、作家的个性、自我的有限感觉、情感、理性范围内的统一，越出了这个有限范围就互相排除了，就不统一了。

艺术形象中的自我要素与生活要素的统一，可以从三个层次上来看。第一，自我本身也是一种生活，不过比起无限的现实生活来说，它比较狭窄。第二，自我和个性并不是先

① 丹纳著，傅雷译：《艺术哲学》，人民文学出版社1963年版，第27页。

天的，而是在生活环境和民族生活的历史积淀中形成的心理机制。从这个意义上来说，自我与生活的统一不过是已经进入心灵的、养成作家个性的生活，和眼前进入作家心灵的生活之间的统一。第三，作家的自我既然是生活所养育的，因而它在本质上就应该与生活有普遍的共同性，反过来说，自我本身也具有反映生活的性能。这些都可以说明自我、生活在三个层次上的统一性。但是这种统一性是有限的，不仅在量上有限，而且在层次上有限。在生活进入作家心灵转化为个性以后，个性就与生活在质上相异了。因而即使作家的自我个性是生活的一种变体，在形象的结构中，作家的自我个性仍然不能当作生活而只能当作与生活互相制约的主观的一维而存在。在不同层次上生活与自我的关系是不同的。不同层次有不同的性质，混淆了层次就混淆了事物的本质。

三、情感自由的程度决定创造力的大小

如果说生活是形象的土壤的话，那么作家的自我就是形象的种子；如果说形象的父亲是生活的主要特征的话，那么作家的自我个性（主要感情特征）就是形象的母亲。从反映论来说，“形象是生活的反映”，并没有穷尽全部真理。从形象的本体论来看，形象是生活和自我发生关系的产物。形象的要素是生活和自我双重特征的化合。形象的奇妙功能光用生活的真实也不能说明，离开了作家自我感情的真诚，艺术形象的魅力就成了一个谜。只有把作家的自我感情的真诚与生活的真实结合起来，才能说明艺术的魅力。在列夫·托尔斯泰来看，决定艺术形象魅力的恰恰不是生活，而是作家自我感情的独特性：

> 艺术感染力的大小，决定于下列三个条件：（1）所传达的感情具有多大的独特性；（2）这种感情的传达有多清晰；（3）艺术家的真挚程度如何。换言之，艺术家自己体验他们传达的感情时的深度如何。所传达的感情越是独特，这种感情对感受者影响越大，感受者所感受的心情越是独特，他所体验到的欣喜就越大，因此也就越加容易而且紧紧地融合在这种感情里。[①]

也许托尔斯泰的说法有一点走向另一个极端，他完全撇开生活的特征，孤立地强调感情的特征，因而他论点中的合理内核向来不为人们所理解。但是他比丹纳纯用生活的特征说明艺术形象的感染力要深刻多了。就连普列汉诺夫那样的理论大师都没有充分估计托尔斯泰这一观点的理论价值。囿于生活与形象统一性的思路，人们就很难发现托尔斯泰这一观点中的精华。尽管托尔斯泰未能完全揭示形象本体的内在结构和功能，但是他强调感情

① 伍蠡甫主编：《西方文论选》下卷，人民文学出版社上海分社 1964 年版，第 339—340 页。托尔斯泰这个观念，是受了康德审美价值论的影响，还是自我经验总结，有待研究。

真挚独特的观点已经打破了丹纳的局限，向形象的本体奥秘大大迈进了一步。

托尔斯泰毕竟有过丰富的创作体验，因而他凭着直觉就能感到丹纳用理性看不到的东西。作家的自由主要不在于对生活进行被动选择和改造，这一切是凭着意志也可以做到的，作家的自由主要是内在的，用托尔斯泰的语言来说，这就是情感，情感的独特就是情感的自由。作家最基本的心理素质就是独特的自由的情感，有了自由的情感，哪怕是陈旧的生活特征都会因为被它同化而升华为不可重复的崭新形象。正是情感的独特和自由的程度决定了作家形象创造力的大小。凭着自由的独特的情感，作家在生活的特征面前才有了主动性，才有了作为创造者而不是再现者的自由。凭着自由的独特的情感，作家才有表现自我的能量。

情感的色调有多丰富，形象的色彩就多么丰富；情感的天地有多广阔，形象的天地就多么广阔；情感有多少因子，形象就有多少因子，情感因子越多，作家的自由就越大。对于一个没有幽默感的作家来说，在悲剧面前，就只有愤怒的火焰和悲痛的泪泉，而对于一个有幽默感的作家来说，悲剧不但可以是可悲的，也可以是令人哭笑不得的；对于一个可敬的人，他也许有可怜的感觉，叫人不由得轻松地会心一笑；也许从可悲的人身上，他能发现可爱的成分。在孩子身上有老年人的庄重，在老年人身上他感到孩子气的纯真。作家感情的自由首先表现为不受权威和习以为常的成规所限，也不为自己的实用的功利目的所拘。他所表现的更多的是内心审美的观照，他的任务不单是帮助人们发现生活隐秘的特征，而是丰富了人们对于生活的感兴。从质的方面看，感情因子越是个性化，生活特征被同化的概率就越大。从量的方面考察，感情因子越是丰富，生活特征的激活率越高。情感因子的单调和发育不全已成为我国当代文学的一大不足。由于情感因子的单调造成了作品风格的单调，有些作家一辈子只有一种正剧因子，连一点抒情喜剧因子也没有。懂得了生活与感情在形象结构中的不平衡性，就不难理解许多生活非常丰富的人为什么没有创造出丰富的形象来，而那些生活相对贫乏的人却创作了许多动人的作品。王国维所说的主观之诗人不必多阅世，并不完全是唯心主义。

正因为这样，一个作家获得内在自由的手段就不能限于像雨果所讲的那样：靠观察力和想象力。离开了作家自我感情因子的独特性和多样性，光凭观察，最多也只能是客观特征的罗列，把观察的客观性和想象的自由性结合起来的一种能力是感受力。所谓感受，就是作家以自己的个性去同化、净化一系列来自生活的感觉、知觉和思维。获得内在自由就得从灵活调动多种情感因子，获得自我的独特感受开始，仅仅善于观察对象的特征的作家是没出息的，只有善于把情感特征与生活结合起来的作家才能享受创造的自由与欢乐。《文心雕龙·物色》篇以《赞》为总结说：

山沓水匝，树杂云合；目既往还，心亦吐纳。春日迟迟，秋风飒飒，情深似赠，兴来如答。[①]

作家的感受不仅是“纳入”生活特征，而且是“吐”出感情特征，不但接受生活的赠予，而且给生活特征以感兴的酬答。在一个有才能的作家面前，不但一切外来信息都很容易得到他的个性的过滤和被他的感情着色，而且他的感情贮存也常常处于最佳准备状态，只要那潜在的共鸣点一被触动，灵魂的深处就被激活起来，好像发生了世界大战，把吃奶时候的潜在意识都调动起来投入形象的胚胎结构。没有自我的强烈而独特的感情特征的活跃，生活特征对于形象胚胎的构成来说就没有意义，不是形象所要表现的对象。马克思早就说过：

从主体方面来看，只有音乐才能激起音乐感，对于没有音乐感的耳朵来说，最美的音乐也毫无意义，不是对象，因为我的对象只能是我的一种本质力量的确证。[②]

作家的心理素质的最显著特征是他心灵的库存的易激活性。歌德说：“现实应该供给诗的诱因和材料”“我与任何人说了十五分钟的话，我能写出他谈两小时之久的话来”。

严格说来，艺术形象在形成胚胎结构的过程中，并不是对生活作等量的反映，而是在对生活作不等量的乃至不同质的“反应”（借用吴亮的术语）。感情的和生活的贮存被调动的程度决定了形象构成的效率。

当感受量亦即被激活的情感和思维超越了观察量，大于观察量，感受质胜于观察质达到一种饱和状态的时候，作家就有某种程度的内在自由。如果感受量和质都勉强等于或小于观察的量和质，处于不饱和状态，作家就肯定陷于捉襟见肘的现象罗列或被动的说明，这时就不适合于写作，硬要写作就只能产生编造情节或作概念的图解。

四、失去自我的危机普遍存在；找到自我是艺术创造的入门

高尔基 1930 年在《致伊·谢·什卡别》的信中说：“世界万物（每个人、每件事、每种事物）都有它的特点、意义和形式，应该使您的特点同您观察到的一切特点紧密地联系起来，并能融为一体。这样，您（和我）就可以对事物和事件和我们熟悉的人作出新的反应了。”由此可见，作为一个艺术家的任务不光是寻找客观生活的特征，而且也是寻找自我的特征。寻找自我感情的特征，这显然是更带关键性的。没有感情特征的生活特征无以定

① 刘勰著，范文澜注：《文心雕龙》（下），人民文学出版社 1960 年版，第 695 页。

② 中共中央马克思恩格斯列宁斯大林著作编译局译：《马克思恩格斯全集》第 42 卷，人民出版社 1971 年版，第 125—126 页。

性和定量。

莫泊桑曾引述他的前辈福楼拜的话说："所谓作家的才能就是持久的耐心的观察，一直观察到发现事物、人物不同于同类事物、人物的特征为止。"这个经验是靠不住的。因为持久的耐心的观察超过了一定限度就可能导致熟视无睹。没有艺术家的独特感受力，生活特征是没有生命的。艺术家通过自我的特征去赋予生活特征以形象的生命。丹纳说："一个生而有才的人的感受力，至少是某一类的感受力，必然迅速而又细致……这个鲜明的为个人所独有的感觉并不是静止的；影响所及，全部思想机能和神经机能都受到震动。""最初那个强烈的刺激使艺术家活跃的头脑把事物重新思索过，改造过，或是照明事物，扩大事物；或是把事物向一个方向歪曲，变得可笑。"这个方向就是作家的自我个性和风格追求。找到了客观生活特征还不能进入艺术形象的创造过程，因为这是科学研究也要遵循的一项程序；能不能享有艺术创造的自由，关键在于能不能找到自我的独特感兴。在高尔基看来，这才是成为艺术家的关键。他在 1912 年写信给斯坦尼斯拉夫斯基时这样说：

艺术家是这样一个人，他善于提炼自己个人的、主观的印象，从其中找出具有普遍意义的、客观的东西，他并且善于用自己的形式去表现自己的观念。[①]

艺术家的自我探索首先从独特的直觉（印象）开始，正是从自我的、主观的直觉中，发现了与普遍的、与客观相通的成分。高尔基从这一点生发开去：

大多数人并不提炼自己主观印象；当一个人想赋于自己所感受的东西尽量鲜明和精确的形式的时候，他总是运用现成的形式——别人的字句、形象的画面，他正是屈从于占优势的、公众所公认的意见，他形成自己个人的意见，就像别人的一样。

我确信，每一个人都具有艺术家的禀赋，在更细心地对待自己的感觉和思想的条件下这些禀赋是可以发展的。

摆在人人面前的任务是找到自己，找到自己对生活、对人、对既定事实的主观态度，把这种态度体现在自己的形式中，自己的字句中。[②]

在这里，高尔基对于艺术规定了三条：第一，只有独特的感受才是艺术的，独特的是与公认的、占优势的世俗的观感不相容的，每一个人本来都有自己独特的生活的感受，因而每个人本来都具有艺术家的素质。第二，绝大多数人都没有意识到这种独特的自我感受对于艺术的可贵，往往由于缺乏自信，不理解艺术家可以从主观独特的直觉（印象）提炼出客观的东西来，又由于缺乏自我表现的能力，因而满足去重复别人已经获得表现的自我，结果是绝大多数人都失去了自我，失去了自我表现的自觉与能耐。第三，艺术家不能没有

① 高尔基著，曹葆华译：《文学书简》（上），人民文学出版社 1962 年版，第 426 页。

② 高尔基著，曹葆华译：《文学书简》（上），人民文学出版社 1962 年版，第 426 页。

独特自我感受，因而要成为艺术家就得找回那失去了的自我。多数人失去了自我，失去了作家的内在自由，只有少数有找回自我的自觉的人，才能找回作家的内在自由。[①]

在生活中失去自我是很容易的。由于心理上的定势效应，多数人在还没有接受外界信息以前就形成了对现成的流行的感兴和思路的自发准备。莫泊桑曾经说过：人们在面对一个事物的时候首先总是想到前人关于这个事物的现成观念；而对于前人没有说过的往往就视而不见，听而不闻。心理定式的惯性是这样强大，以致思维和审美感知要给一个司空见惯的现象增加一点新的规定或减少一点谬误，往往要经历一代又一代人的努力，甚至有时还要付出鲜血的代价。

在生活中，要找到自我是很艰巨的，因而多数人宁愿到前人的创作中去大规模地“挪用”。凡是前人没有在形象中表现过的感兴，即使在人们心灵中非常活跃，非常有特点，人们也不能明确地感知，更不用说去表达了。而那有幸能感知自我、表达自我感受的少数人，就有可能成为艺术家。因为艺术家不但要解释生活，而且有解释人类心灵的任务。认识客观世界是艰难的，认识主观世界则更难。正因为此，文学受到了重视。

寻找自我当然不限于找到自己的感情。高尔基说得很清楚，包括“感觉和思想”。作为一个艺术家，感觉或直觉，常常是和理性联系在一起的。别林斯基曾经称艺术为“对真理的直觉”。席勒也曾称赞歌德说，别人靠理性获得的，他凭直觉就能获得。艺术家的思想往往就隐藏在他独特的感受的底层，感受的特异性和思想的深邃性二者联系起来形成一种非常奇特的逻辑，在更高的层次上二者有更深刻的自洽性。在它变异的逻辑中蕴含着情与理的深度的交融，包含着作家对人生真谛的独特领悟，往往比之理性的表达有更深刻丰富的内涵。马克思不是艺术家，他没有苦苦寻求自我，但是他对待燕妮之死却达到了艺术家的那种独特的感情与理性的深度交融。他在给女儿的信中写到燕妮之死的时候说，燕妮很快停止了呼吸，因为癌症有一种逐渐虚脱的性质，没有临终的挣扎，好像是慢慢沉入了睡乡。马克思这样表达他特有的自我感受：她的眼睛比任何时候都更大、更美、更亮。

这是马克思独特的感情在起作用，同时，又包含着马克思对燕妮为人的睿智的评价。读者看到的不仅是燕妮的死亡，而且是马克思的自我感情和理性的深度的交融。进入了这种境界，感情有了理性的渗透，感情就不肤浅了，理性的渗透使感情变得有深度和广度了。

当作家的自我感情为自我理性所充实的时候，作家对生活的理解和对感情的驾驭就获得了更大的内在自由。相比之下，那些脱离了理性规范的感情就显得不太自由了。纵观世

① 这里忽略了高尔基所说的“用自己的形式去表现自己的观念”。形象是主体、客体特征和形式特征的三维结构。没有形式要素的分化，则形象难以建构。这是我的理论核心。这里的忽略，说明当时我的思考还不多向系统。2016 年注。

界文学历史，文艺最为繁荣之日，恰恰在意识形态重建之时，这往往与经济生活的发展不成正比。狄德罗在《论戏剧诗》中说："什么时代产生诗人？那是在经历了大灾难大忧患以后，当困乏的人民开始喘息的时候。那时想象力被惊心动魄的景象所激动，就会描绘出那些未曾亲身经历的人所不了解的事物。"[①]在社会的大灾难、大忧患发生之时，必然发生思想情感的大动荡，这种动荡的深度、广度、速度是空前的，往往表现为传统的意识形态大厦倾斜了，或新的意识形态体系正在重建，此时作家的感情和思想都发现了新大陆，因而获得了更大的自由，形象构成的机遇就空前地增大了，形式、流派就纷纭起来了。

五、获得阐明自我的"黑暗的感觉"的能力

要获得构成形象的自由，光是找到了自我的独特感受还不够。自我感受如果是别人没有表现过的，往往是有点虚无缥缈的，瞬息万变的，作家不但要善于倾听自己心灵中的每一声微妙的呼吸，而且要善于把这些从来没有人加以定性和定量的感情的微波语词化。这些电光石火式的感受，这些顿悟、直觉，若不及时语词化就像脱离了轨道的卫星将一去不返。并不是每一个作家都有这样的能力去阐述那些别人没有阐述过的自我感受的。因为感情活动和外在动作不同，它的变幻实在是太微妙、太迅速了。情感是一种内在体验，它不产生于外部感觉器官，它主要依靠内部的综合体验。内部感受一般带有不确定性，并且缺乏准确的定位，因此被称为"黑暗的感觉"。来自内部感受器官的冲动到达大脑皮层常常不被意识到，这些信号隐蔽着，因而没有被语词化，停留在弗洛伊德所说的无意识区域。作家要表现自我，就得把这种通常人只可意会不可言传的内部感觉，用准确的语词给以定性和定量，这是作家要达到内在自由的境界的不可缺少的条件。作家不但要善于阐明通常人意识得到的感受和体验，而且要善于发现阐明通常人意识不到的又是实际存在的无意识的感觉和体验，而且还得用生动明确的语言表达意识、无意识之流的发生、变幻、转移、消失的过程。获得这种能耐的难度当然要比描绘外在感官直接可感的世界要大得多。歌德在《说不尽的莎士比亚》中强调指出这种"内省力"是作家所能达到的"最高境界"：

> 一个人能达到的最高境地，是意识到自己的情绪和思想，是认识他自己，这可以启导他使他对别人的心灵也有深刻的认识。……我们说莎士比亚是最伟大的诗人之一，同时我们也承认，不容易找到一个跟他一样感受着世界的人，不容易找到一个说出内心感觉并且高度地引导读者意识到世界的人。……眼睛也许可以称作最清澈的感官，

① 狄德罗著，张冠尧等译：《狄德罗美学论文选》，人民文学出版社 1984 年版，第 207 页。

通过它能最容易地传达事物。但是内在感官比它更清澈。[1]

作家比通常人更多地意识到自己和自我的特征，作家如果没有意识到自我内心感情活动的能力，就没有想象他人内心感情活动的能力。最近，美国哈佛大学心理学教授霍华德·加德纳对人的智力提出一个多智力结构的新定义。他认为人的大脑一共有六种能力，除了在智力测验中得到重视的语言运用和数学运算能力以外，还有人们比较陌生的音乐智力、空间直观智力和身体活动智力。最后还有一种控制感情和体察他人情绪的智力。作家是通过体察自我去体察他人的。他应该在体察他人方面有特别强的智力，但是如果他没有内省力就不可能体察他人“黑暗的感觉”。关于这一点，车尔尼雪夫斯基在评论列夫·托尔斯泰的早期作品时早就指出过：

人类行为的规律，情感的变化，事件的交错，环境和社会关系的影响，我们可以通过仔细观察别人而加以研究；但是，如果我们不去研究极其隐秘的心理生活规律——它们的变化只在我们（自己）的自我意识里才公开地展示在我们面前——那么，通过观察别人的途径而获得的一切知识，就不可能深刻而确切。谁要不在自己的内心研究人，那就永远不能达到关于人们的深刻知识。[2]

由于人的大脑生理活动至今仍然是一种“黑箱”，因而作家凭借自我探索去探索他人的心理活动就成了一条必由之路，正是因为这样，作家对生活的探索不可能不带上自我的烙印。艺术感受，艺术形象，不仅是生活的再现，而且是作家灵魂的肖像。

当生活进入作家头脑时，首先要受到作家审美感知结构的过滤，生活只有被作家的审美感知结构同化了，才能升华为艺术形象的胚胎。莫泊桑说得很明白：

无论在一个国王、一个凶手、一个小偷或者一个正直的人的身上，在一个娼妓、一个女修士、一个少女或者一个菜市女商人的身上，我们所表现的终究是我们自己，因为我们不得不向自己这样提问题：

“如果我是国王、凶手、小偷、娼妓、女修士、少女或者菜市女商人，我们会干些什么，我会想些什么，我会怎样地行动？”我们要使人物各各不同，就只有改变他们的年龄，性别，社会地位和我们“自我”的生活情况，这“自我”是大自然用不可逾越的器官限制所构成的。[3]

人是按照自己的形象创造上帝的。自我表现也许是一种本能，更重要的是一种艺术创造的规律。皮亚杰心理学上的“同化”作用决定了作家总是把自我的灵魂用不同的方式给

---

① 杨周翰选编：《莎士比亚评论汇编》（上），中国社会科学出版社 1979 年版，第 297—298 页。

② 倪蕊琴编：《俄国作家批评家论列夫·托尔斯泰》，中国社会科学出版社 1982 年版，第 32—33 页。

③ 《欧美古典作家论现实主义和浪漫主义》（二），中国社会科学出版社 1981 年版，第 237 页。

予他的人物，或者用哲学家的语言说，作家把自我的本质对象化了。弗洛伊德在《创造性作家与昼梦》中说过，作家“通过自我观察把他的‘自我’分裂成许多局部的自我，其结果是将他自己精神生活的几股冲突之流在几个主人公身上表现出来”[①]。这个现象无疑是一种不可否认的存在。

六、生活的本质和自我的本质的不平衡和调节

正因为这样，艺术形象所表现的生活本质已经不完全是生活本身的，它同时表现了作家自我的本质。作家主体的本质同化了生活的本质，同时又“顺应”了生活的本质，艺术形象的二维结构产生了新的本质。生活的本质在不同作家的自我本质作用下分化了。而作家的本质经过生活的选择也分化了，产生了既不等于生活，也不等于作家的本质。形象的价值不但取决于它所表现的生活本质，而且取决于它所表现的自我本质的深度和广度。例如，同样是表现辛亥革命前后地主与农民的阶级斗争的本质，在《阿 Q 正传》和在《红旗谱》中就有差异，而这种差异不但表现在客体方面，同时表现在主体方面。《红旗谱》是农民英雄主义的颂歌，而《阿 Q 正传》是对农民精神麻木的讽刺。鲁迅和梁斌对农村生活的不同概括，表现了他们自我本质的差异。鲁迅对辛亥革命失败和农民觉悟程度之间关系的探求，对所谓“国民性”的解剖，对群众思想解放和革命启蒙作用的强调，这一切自然是鲁迅的自我本质的表现，但它本身就深刻而广泛地表现了“五四”时期社会历史本质的某些方面。梁斌对朱老忠英雄主义的歌颂，我们也可以从 50 年代中后期高涨起来的社会情绪中找到它的根源。显然，梁斌的自我本质对这种时代特点的反映，不及鲁迅对“五四”时代历史特点的反映来得深刻。50 年代中后期的历史复杂性，在梁斌的个性中并没有发生深度的交融。生活的本质和自我的本质在梁斌那里都或多或少地简单化了。

形象再现生活的本质和表现自我的本质，二者平衡是相对的，不平衡是绝对的。在浪漫主义文学、抒情文学、神话、童话以及荒诞派戏剧、魔幻现实主义文学作品中，表现作家自我本质占了优势。但是自我本质占据优势有一定的限度，这个限度就是主体的本质不能歪曲客体本质。作家过分被自我的有限的性能所拘，对生活的感受就可能出现畸形乃至倒置状态。从这个意义上说，我们前面所引的弗洛伊德的说法就有些偏颇。作家不能无条件地把自我本质分配给人物。皮亚杰曾经指出过“当同化胜过顺化时（就是说不考虑个体的特性，只顾到它们与主体的暂时兴趣相一致的方面），就会出现自我中心主义的思想”[②]。

---

① 何望贤编：《西方现代派文学问题论争集》（上），人民文学出版社 1987 年版，第 65 页。
② 张述祖等编：《西方心理学家文选》，人民教育出版社 1983 年版，第 432 页。

这对于作家来说就是陷入了另一种不自由。作家如果把自我心理感知模式和审美感知结构作为绝对的框框，他笔下的人物就有成为他本人的傀儡的可能性。从这个意义上说，前面所引莫泊桑的说法也有局限性。作家不仅要考虑如果我是国王、妓女、小偷、女修士、少女、菜市女商人应该如何如何，更重要的是要考虑如果是和我不一样的人当了国王、妓女、小偷、女修士、少女、菜市女商人应该如何如何。特别应该强调的是作家所容纳的不同于自我的感知模式和行为逻辑越多，作家的内在自由就越大。如果自我的模式过分僵化，那就可能产生这样的情况：自我的本质虽然得到充分的表现，但是生活的本质却被歪曲了。列宁曾经称赞过一个白卫分子阿尔卡季·阿威尔岑柯写的“一本有才气的书”，阿威尔岑柯很深刻地表现了他的自我本质，没有这本书，革命者很难想象那些白卫分子的生活、思想、情绪以及他们如何对革命刻骨地仇恨，但是总的来说，这本书仍然是对革命本质的一种歪曲。

从这个角度上说，没有对生活的某种再现也就没有自我表现的自由。作家的自我解剖、自我深化与对生活的解剖和深化是分不开的。作家不但应该是个生活丰富的人，而且应该是个个性丰富的人。伟大的作家总是有伟大的个性，他能把同代人对生活真谛的探索囊括在自我探索之中。

为了尽可能广泛深刻地把生活概括在自我个性之中，作家就应该有一个开放的个性系统，应该像何其芳那样：一方面“快乐地爱好我自己”，一方面又“痛苦地突破我自己，提高我自己”。个性应该不断地与生活交流信息，调节自我与环境的关系，不断扩大容量。伟大的作家之所以伟大，原因之一就在于他能够不断自我更新：“天行健，君子以自强不息。”即使在某一个层次上他的作品未能准确地表现生活的本质，可在另一个层次上又以他伟大的个性间接弥补了这一不足。不理解这一点的年轻的布尔什维克波良斯基把列夫·托尔斯泰当做贵族的思想家和无产阶级革命运动不可调和的敌人加以抨击，而列宁却写了《列夫·托尔斯泰是俄国革命的镜子》。

作家以自我的本质去间接反映生活的本质，是作家内在自由的深刻显示。但是，越过了一定限度就可能发生自我中心主义的倾斜，生活的真实和自我的真诚就可能分裂，畸形艺术就可能产生。一切宗教迷信故事，具有反动倾向的作品都在此列。

有时则相反，形象胚胎二维结构的破坏。不是由于自我中心主义的恶性发作，而是极端藐视自我，贬抑自我。离开了作家的真诚，生活真实的可信性就大大削弱了。文学史上一切公式化、概念化的潮流往往导源于此。自我的虚伪必然导致形象的虚假。表现人民生活，表现时代的愿望不管多强烈，如果脱离了自我的真诚，必然导致脱离时代，脱离人民生活。50年代中后期当我们在诗歌中以最大的热情特别强调表现时代精神的时候，非常令人痛苦的是随即发生了全国性戴着假面具跳舞，一些押韵的谎言被当成了创作的楷模。曾经困扰我们的“左”的文艺思想的特征之一就是把表现人民，抒人民之情与表现时代精神和表现自我人为地割裂开来，好像为了表现时代与人民非得把自我打入冷宫，贬入十八层地狱不可。其实形象结构本身要求托尔

斯泰所说的那种真诚和独特的自我情感。如果一个作家连自己的耳朵、眼睛、心灵都不敢相信，那就处于和形象结构不相适应的状态，而历史的悲剧在50年代中后期就这样发生了：明明是肚子饿得咕咕叫，却写出粮食堆上了天，老贫农在粮堆上“撕块白云擦擦汗，就着日头抽袋烟”的诗来。丧失了自我的真诚，也就丧失了时代的真实。与此形成对照的是在“五四”时期标榜“自我表现”的郭沫若却谱出了“时代的最强音”。郭沫若在《女神·梅花树下醉歌》中提出了“自我表现”的主张：

我赞美我自己，

我赞美这自我表现全宇宙的本体！①

这是一种个性解放的宣言，也是艺术解放的宣言。1920年他在给宗白华的信中直接把“自我表现”当成创作的纲领：

诗底主要成分总要算是“自我表现”了。②

形象胚胎中的自我居然这样被孤立地强调，其实质是对瞒和骗的文艺丧失自我的潮流的英勇反击。

今天提出把自我表现和表现人民生活结合起来，无疑出于一种历史的反思，对于单纯强调表现时代的理论也是一种补正，从形象的二维结构来说，是一种恢复平衡的自组织、自调节活动，根本不该引起任何惊惶失措。

其实，问题的关键并不在于表现自我，而是表现什么样的自我，自我的本质及其深度和广度如何。当然，如果把自我强调得脱离了生活，那也可能遇到另一种惩罚，付出另一种代价。这是我们应该清醒地估计到的。

七、从二维结构的胚胎形象到三维结构的成熟风格

生活和自我的二维结构只能构成形象的胚胎，还停留在现实层次。这是因为光有二维还只有形象的内容，而没有形式的形象是根本不可能存在的。形象结构的功能是想象的功能，功能并不是单一的，而是在众多的形式规范作用下分化的。因而文学形象要从胚胎形

① 《郭沫若全集》（文学编），人民文学出版社1982年版，第95页。

② 郭沫若、田汉、宗白华：《三叶集》，上海亚东图书馆1920年版，第133页。

态发育为成熟形态，还得在想象的结构中升华，直到形式这一维充分发挥了作用。试举一个例子来看：天上一轮皎洁的月亮，地上一个孤独饮酒的诗人，月光把诗人的影子投在地上。如果写成这样：“花间一壶酒，独酌无相亲。”这不是什么了不起的诗句，因为这只是生活的特征和自我特征的简单并列，几个成分之间并未发生不可分割的联系。如果把月光、影子、诗人、酒杯进一步组织起来使之形成结构，成为一个有机的统一体：“举杯邀明月，对影成三人。我歌月徘徊，我舞影零乱。”这种物我交流关系就形成了互相不可分割的整体结构，月光、影子、诗人和酒杯都进入了假定性的想象境界，于是月光和影子被诗人同化成为友情的意象，沉默的孤苦变成欢乐的歌舞。

在形式的作用下，自我感情特征和客体特征脱离了现实的层次，在想象中却发生了变异，这就是形象结构的第三维——想象和形式的作用。有了第三维的作用，形象就进入了更高的审美层次。同样的自我，同样的生活，在不同的审美规范作用下会产生不同的形象。本文前面引高尔基的话说，不但要找到自己，而且要把“自己对生活、对人、对既定事实的主观态度，把这种态度体现在自己的形式中，自己的字句中”。《阿 Q 正传》之所以伟大，不但在于其内容的深邃，而且在于，鲁迅找到了自己的小说形式，那就是把悲剧当作喜剧式的处理。如果像对祥林嫂那样，作抒情挽歌式的处理，形象就可能完全是另外一个样子。如果用喜剧形式去夸张祥林嫂的迷信，形象可能变得根本不同。可见问题不仅仅在于构成形象的两个要素，而且在于这两个要素在什么样的想象形式规范下发育。

不论是生活还是自我，都是多种属性（特征）的统一体。在多种特征中何者被突出强化，何者被弱化，何者被排除，二者作何性质的化合，发生何种程度的形变和质变，取决于作家所选择的形式。如果作家选择了抒情文学形式，他的自我感情特征就被强化到君临一切的地位，去同化生活特征，让他的自我感情以单一的逻辑线索重新组合客观世界。作家如果是选择了叙事文学形式，则相反，起主导作用的是生活，自我感情的逻辑线索就被隐蔽起来，甚至抑制起来。小说的任务就是把多种不同于自我的感情的逻辑线交错起来。不同人物的感情逻辑线和作者隐蔽的感情逻辑线，多种感情逻辑之间差异越大，层次越多，形象就越生动。

从哲学上说，按黑格尔的权威说法，当然是内容决定形式。

但是，文学形象的内容是作家的人生体验和感情经历。文学形象的内容决定了文学形式的表现性能。[①]二者要严密地统一，如果产生了分裂，一种情况是形式胜于内容，潜在量很大的形式与有限的人生体验之间发生逆差，像许多武侠小说和次等电视连续剧那样，形式性能的扩张并未导致内容的同步扩展，其结果是内容和形式在艺术上同步没落。另外一种情况是内容胜于形式，形式长期束缚了内容，往往导致形式的衰亡或激活性能的更新。内容决定形式，主要是在二者关系调整时显示出来的。

但是，内容对形式的决定仅仅限于表现性能，在形式表现性能之外，作家有更为广泛的自由。文学形象的内容并不能决定文学形象的一切，在样式的选择上，作家的自由可以超越内容。这是因为文学样式的性能并不是单一的，而是多样的统一体。不同文学样式多少具有相同的表现性能。散文和诗具有类似的抒情性能，小说的心理描写和戏剧的内心独白具有类似的心理解剖性能，同样的内容不难在不同形式中找到适合表现它的性能。

作家选择的不仅是与内容相一致的东西，而且是选择超越内容的东西。他的目标不仅是把内容表现出来了事，而且是在形式上标新立异，推陈出新，化腐朽为神奇，为想象寻求更加自由的向导。

作家如果不争取这样的自由，文学形象的胚胎就永远不能发育成熟，很可能成为永远不能脱离母体的死婴。

形式对内容的反作用并不是一个单向的机制，而是一个复杂的机制，不但生活和自我选择了样式的性能，样式的性能也选择了自我和生活。形式强化内容或抑制内容并不是形式反作用的全部内涵，它还应该包含形式对内容的强制性同化和对内容的预期。

文学形式越是分化为多种精致的样式，就越是具备性能的独特性和自治性，这就使它不能表现生活和自我的一切方面，而只能表现其有限方面，这是它的局限性；具体文学样式只能在把生活改造成某一种特殊形态时发挥它的特异功能，这又是它的优越性。具体文学样式在优越性和局限性的双重作用下，对生活和自我就不是来者不拒的了。形式越是发展得精致，它对自我和生活的选择就越严格。它只能容纳与它特性相通的那一部分人生体验，而对其不适应的那一部分，不是表现出抗拒性就是强制性地迫使生活就范。

这不是说形式可以单方面地决定内容，但是一旦形成精致的样式，它就在审美心理活动上提高了一个层次，样式已经成为一种审美规范，它就具备一种强制性同化生活的伟大力量。如果抒情诗面临着曲折的情节，不是抒情样式的审美规范向情节（内容）屈服，就

---

① 在这里，我当时的理论还不彻底。一方面说文学形式是主体客体三维结构中的一个有机成分，一方面又未能完全从当时流行的内容决定形式中解脱出来，说内容决定形式。而忽略了形式在某种程度上，也可以决定内容。我在论述“规范形式”与“原生形式”不同的时候，就坚决地提出文学的规范形式，不完全是被动地被内容决定，同时也强迫内容就范，甚至可以消灭某些内容，衍生某些内容，创造某些内容。2015 年注。

是情节被肢解成精致的细节作为想象的跳板。例如，白居易在《长恨歌》中写到安史之乱对李隆基、杨玉环命运的影响时，只用了一个细节："渔阳鼙鼓动地来"。不管对唐朝历史一无所知的读者多么莫名其妙，但是诗人却仍然从容不迫地运用审美规范赋予他的神圣权利，如果不这样做，就势必要作写实性的描述，其结果很可能是内容和形式的两败俱伤。

形式的特点是集中而单纯，它不能穷尽人生体验的全部属性和各个感受层面，它只能整理出某个序列、某个感受层面的组合，这就是形式的审美规范的有限功能。但有限的审美规范一旦形成，它就不一定是在有了内容以后才产生的，它可以成为形象的预制规范，它对作家的想象起定向定位作用。没有这种对想象的审美诱导和预期也就是没有任何形式感，作家仍然是被动地反映生活，有了这种审美规范的预期，作家就可能把内容自由地推向一个更高的审美层次。

艺术形式的成熟一般是相当缓慢的。其原因在于形式并不仅仅是一种空洞的范式或制作的程序的编码，其中融会着形式在发生、发展过程中积累起来的美感经验、艺术技巧、审美规范。可以说艺术形式是美感经验、艺术技巧、审美规范的储存和进化的手段。作家只有通过这一手段，才能在生活面前获得在审美层次上的自由。

没有形式的预期性，人类的审美感知经验就失去了连续性，每一代作家就都只能从原始素材孤独地摸索，这无异于说，每一个作家都得从零开始。而作家的短暂生命与形式成熟的缓慢又是个永恒的矛盾。被作家有限的年华中断了的艺术规范的原始积累，只能由形式的继承性来弥补。只有这样，一代又一代作家的想象力才不致退化，审美规范递进性地增殖才有可能。例如，作为情节性叙事文学的审美规范是悬念和意外的发现，就是在情节性叙事文学形式中积累起来的。古希腊的史诗，埃及的民间故事，中国的唐宋传奇，欧洲的骑士小说，美国的西部电影，近代的推理小说，都善于强化悬念，中国的说书人都重视"卖关子"，这一切都以悬念——意外以激起读者和听众紧张的期待和突然的发现交织的心理机制。异常的外部动作和意外的内部情绪逻辑，对读者心理上的常态定势预期是一种猛烈的冲击，这种冲击引起的惊异使读者的知觉、情感产生想象的定向集中。情节性小说和戏剧常常是建立在这种审美心理机制的基础上。但是这种紧张的预期和发现属于较低的心理层次，它引起的快感多于美感，它掣动的情绪和思维还停留在心理的表层。正是因为这样，一些小说家逐渐不满足于这种情节的紧张而追求性格的异常和意外。金圣叹凭借着机智提出了小说美学上的"性格"范畴：一个人应该自有一副面貌、一种口腔，"一样人便还他一种说法"[①]。

写一百八人性格，真是一百八样。若别一部书，任他写一千个人，也只是一样，

① 陈曦仲等辑校：《水浒传会评本》，北京大学出版社 1981 年版，第 17 页。

便写得两个人也只是一样。①

虽然性格刻画仍然建立在对期待和发现的心理机制上，但已不是凭借外在表面的动作的意外，而是借助行为逻辑心理效应的异常。这种不随意的注意、知觉、情感、想象的定向集中，已不与武打的激烈程度和言词的凶恶程度成正比，而是在言词和行动的延长线上调动读者的情感、思维。这种定向化、集中化了的感觉、知觉、想象思维的连锁式递进结构，在它的延长线上还调动了更多的情感体验和思维的推断，这就不完全是一刹那的快感的优势，而是持续性较长的美感优势了。而当性格与环境发生复杂的因果关系的时候，性格的异常在环境的异常中得到正常的解释，这时审美心理活动就更大幅度地被调动起来，激活了更深层的思维和情感活动，定向心理效应就从形象本身的范围扩展到对更广泛的生活领域的沉思中去。经过漫长的（几百年的）历史积累，悬念——意外——发现等情节审美规范就这样在层次上深化了。

形式的历史就是审美规范进化成熟的历史。这是一种从不稳定到稳定、从无序到有序的历程。有了体现情节完整性、曲折性的审美规范的唐宋传奇、宋元话本，情节不完整、不曲折的魏晋志怪就不符合小说的审美规范了；有了体现性格的审美规范的《水浒传》，那些纯粹追求离奇情节、让性格迁就情节的武侠小说就显得不符合小说的审美规范了。

作家掌握了形式，也就掌握了审美规范，他就不再为生活的原始的天然形式所囿，他就获得了把生活原始形式向审美规范形式推进的自由。推理小说最起码的审美规范就是以推理的歧途掩盖、干扰推理的正途，以层层假象干扰真相，以强化悬念引起读者心理上期待的紧张性递增，而这一切在生活里并不是现成的，相反，生活中原始形式是缺乏现成的规范化的情节的。没有审美规范的诱导，作家就可能从对审美心理的较高层次撤退到较低层次，就可能失去内在的自由。

每一种文学形式的审美规范都有积极和消极两方面的功能。积极功能帮助作家摆脱生活原始形式的束缚，消极功能则对生活是一种限制。任何规范都是一种限制，正是在这种限制中不断积累起审美规范，规范在自我调节、自我增殖过程中日益丰富，日益灵活起来，艺术技巧也就是在这样的过程中积累起来。规范的积累使规范日益严密，技巧的积累使规范日益灵活。

作家就是通过技巧的掌握更加灵活地驾驭形式，达到更高的自由创造的境界，以表现更加广阔的生活和更加多彩的自我。例如，我国古典诗歌中的律诗、绝句既要保持每句五言或七言，同时又得保持每句结尾为三言。破坏了三言结构就破坏了节奏的审美规范。在这么严格的规范中，作家争取自由的唯一法门便是发展语言的灵活性，有时甚至要创造一

① 陈曦仲等辑校：《水浒传会评本》，北京大学出版社 1981 年版，第 17 页。

种特殊灵活的语法，尽可能灵活地进行自我调节。杜甫的著名诗句“香稻啄余鹦鹉粒”，正常的语序应该是“香稻粒乃是鹦鹉啄食之余”。但是这样就完全破坏了节奏的规范。这是规范的消极性限制刺激诗人努力使之转化为积极功能，于是就创造了为散文语法所不能容忍的倒置和错综的语序。这不是一个诗人的即兴，而是一种技巧的普及。又如：“四月里来暖洋洋，南风吹得大麦黄。”这是很符合生活中自发形式的，但它并不十分符合诗歌的规范形式，因为它太不精练，太缺乏想象的启发性了。于是李颀把它写成这样：“四月南风大麦黄。”但是，“四月”和“南风”都没有谓语了。在形式规范的消极限制和积极作用下，语言不但变得精练了，而且获得了空前的灵活性，比没格律限制的语言有更大的灵活性。不但“四月南风大麦黄”是通顺的，而且，“南风四月大麦黄。大麦南风四月黄。南风大麦四月黄。四月大麦南风黄。大麦四月南风黄。”都是通顺的，比未经规范的完整语序更精彩。任何一种形式的历史都是规范的积极功能和消极功能自我调节、自我增殖的历史。一般地说，无形式即无规范的消极功能，同时，无规范也就没有积极的审美功能。从无形式到草创形式是一大进步，于是也有了某种程度的消极限制；同时，审美规范的积极功能随形势的发展而递增，一旦形式的积极规范和自我增殖功能占了稳定的优势，形式便逐步发展成熟。形式成熟以后规范日益严密、日益稳定、日益僵化起来，规范的消极功能就逐渐占了主导地位，于是形式便开始走向衰亡。

掌握文学形式成熟的规范自然使作家获得某种程度的自由，如果不对成熟的规范进行挑战和更新，就不能获得彻底的自由。即使作家非常自如地驾驭着成熟的形式规范，他获得的自由仍然是有限的。艺术形式不同于生活的原始形式之处，在于它不仅是一种审美的形式，而且是一种普遍模式，它的规范自然也是如此。而生活的特征和自我的特征却是个别的具体的，因而二者是永远不可能完全统一的。其次，形式规范是长期积累的成果，稳定性是它存在的前提，它发展非常缓慢，而生活和自我却是最活泼的要素，是瞬息万变的。形式及其规范落后于人的思想是永恒的定律。例如，律诗的形式花了四百年左右才成熟，而在成熟以后至今一千多年没有多大变化，而当代生活和当代诗人的自我与唐朝相比，则不可同日而语了。

内容永远在冲击形式。在这种冲击面前，作家要获得内在自由，在最低的层次上是感受的自由，理解的自由；在中间的层次上是想象的自由，驾驭形式规范的自由；而在最高的层次上则是突破形式的自由，创造新的规范，开拓新风格、新流派、新的艺术方法的自由。形象的三维结构是在三个层次上从胚胎走向成熟的。

没有新风格，就没有创造。没有创造就没有真正的自由，被动地依附于生活和被动地依附于现成的形式规范同样是不自由。

风格是自由创造的标志。风格是对于生活特征和自我感情特征的一种新发现，又是因这种发现对旧的形式规范的一种冲击，对新的规范的一种预期，更重要的又是对于现成胚胎结构的一种突破。风格是作家对生活的自由理解，是作家对自我的自由创造，是作家对形式规范的自由发挥。

风格是形象的三维结构的协同功能的最辉煌的表现。

简单地像布封那样把“风格归结为‘人’”，正等于把形象归结为生活，其真理性是非常有限的。如果风格仅仅是人，形象仅仅是生活，那么作家就不可能有内在自由。

作家的内在自由是最珍贵的自由，它的重要性远远超过了外在的自由。当然，没有起码的外在自由，内在自由是不能得以表现、不能得到发挥的。但是，对于一个真正的作家来说，内在的不自由比之外在的不自由要可怕得多。外在的不自由之所以可怕，在于它可能压制对自由的自觉追求，而一个真正达到内在自由境界的作家往往不是外在不自由的压力和干扰所能征服的。不论是卡尔文宗教制裁所的火刑，还是夏洛克的钱袋，不论是权威的压制，还是群众的误解，都不能使真正的作家有丝毫的怯懦。妨碍作家获得内在自由的原因主要是内在的，旧的思维模式、旧的思路、旧的审美规范，这一切往往轻易地导致人才的自我埋没。当然，外在的条件也是很重要的，故伟大作家往往出现在旧的意识形态大厦崩溃、新的意识形态尚未建构，亦即周作人所谓“王纲解纽”的时候，此时，外在的自由和内在的自由往往能达到高度的统一。

论审美价值的错位结构[①]

科学研究要像马克思所说的那样，把对象放在“纯粹状态”之中，以尽可能减少偶然的例外因素的干扰。“纯粹状态”有两个极点，一极是最原始的最低级的形态，如生物学研究胚胎，物理学研究原子，心理学研究儿童心理，文艺学研究原始艺术。因为在最初级、最原始的细胞形态的东西中往往包含着成熟形态的胚芽。“纯粹状态”的另一极是最高级、最完备的发育形态，如经济学从研究资本主义商品开始，而不从封建社会的商品交换开始，解剖学从人体解剖开始，而不一定从文昌鱼开始。文艺学研究诗的节奏，可以从七言诗开始，而不一定从原始的二言谣谚开始。成熟的完备形态中所包含的因素较之原始形态所包含的要全面而且充分。最佳的选择是把逻辑起点放在这样一种对象上，从一方面来说是原始的初级的，从另一方面来说又是最完备最成熟的。正因为这样，马克思说，人体解剖是猿体解剖的钥匙。[②]从高级形态回顾低级形态，比之从低级形态向高级形态上升更有利。最不可取的方法是把高级形态和低级形态混合起来，当做研究的起点，因为这样最容易使“纯粹状态”受到干扰，成为某混浊状态或混沌状态。

很不幸的是，美学常常把自然美（低级的原始形态）与艺术美（高级的完备形态）混合起来，因而总是不能进入科学研究所要求的“纯粹状态”，总是不能摆脱某种混浊状态。其实美学要找到自身的逻辑起点应该从高级形态回顾低级形态，也就是应该从艺术美出发，从艺术美中找到美的内在深层结构、内部层次、内在矛盾，然后再去解决自然美的问题。本文拟暂时撇开自然美，首先在艺术美的“纯粹状态”中探寻美的价值运动（升降）的规律。

① 本文发表于《文艺理论研究》1988年第3期，其中引言部分发表于《文学评论》1985年第4期。
② 马克思：《资本论 · 初版的序》第1卷，人民出版社1965年版，第10页。

一、“美是主观与客观的统一”属于真的范畴而不属于美的范畴

不管美学家之间有多么巨大的或者微妙的分歧，也不管在论辩过程中使用多么尖锐的言词，一个明显的趋向是：美是主观与客观的统一，越来越取得了理论优势，这对于长期为“美是生活”所窒息的美学来说，无疑是一种解放。从思维模式来说，这标志着美学已经超越了求同的、单维（单向）的低层次而进入了求异的、二维（反向）的高层次。美学已经找到主观客观两个相反的极点作为它的本体结构，美学的思维缩短了与当代哲学的距离。

但是，由“美是生活”带来的混淆并没有得到解决。“美是生活”的要害是美就是真，只要是反映了生活的真就有艺术的美，把生活的真与艺术的美粗糙地等同起来就把美与真的根本区别抹杀了。既然真就是美，真和美的内涵没有任何区别，这个命题在逻辑上就犯了同语反复的毛病。把美和真的有限统一性变成绝对等同就必然使美的范畴变成了一个失去自身内涵的空壳。这就等于是取消了美的范畴，美学就这样陷入了危机。

美是主观与客观的统一就是为了解救这种危机应运而生的，但是它并没有完成它的历史使命。

这是因为主观与客观的统一并不属于美的范畴，仍然属于真的范畴。马克思主义的真理论告诉我们，任何真理都是主观与客观的统一，都是主观正确地反映了客观，任何谬误都是由主观与客观分裂造成的。主观与客观不统一，主观就歪曲了客观。主观与客观的统一所揭示的并不是美的特殊结构、特殊功能、特殊规律，而是社会科学、自然科学、哲学认识真理的普遍规律。科学所追求的统一，是统一于正确反映了客观的概念、原理、公式，而公式、概念、原理，在文学艺术领域并不是美，而是丑。

主观与客观的统一所强调的仍然是美与真的等同，不过作了一点哲学的补充，那就是如何才能达到真的境界，而并没有涉及真向美的转化。从方法论点来说，它所揭示的仍然是矛盾的普遍性，而不是矛盾的特殊性，而一切学科的研究对象主要应该是矛盾的特殊性。

美是主观客观的统一，是统一于主观，还是统一于客观呢?

统一于主观，有一个不可逾越的障碍，那就是主观可能歪曲了客观，失去了真，也就谈不上美了。

统一于客观，客观的内涵需要分析。统一于客观的现象还是本质呢?

如果统一于现象，现象是具体的、特殊的，形象也是具体的、特殊的，有统一的条件。

但是，现象与本质是矛盾的。于现象是真的，于本质却可能是假的。

不能统一于现象，那么统一于本质。可是本质的真是抽象的、普遍的，与形象的感性、特殊性又有矛盾。统一于抽象的普遍的本质很难不流于公式化和概念化，很难防止产生“高大全”的绝对精神，很难不把艺术弄成造神和造鬼的巫术。

而且本质虽较之现象有比较强的稳定性，但也是处在永恒的运动之中的。任何概念都不可能把客观对象的全部属性囊括穷尽，用概念表达的本质只能从一个方面、一个层次，按一种目的去揭示对象的内部联系，这是人的思维的局限性，也只有尊重这样一种局限性，思维才能单向地深入。本质的单向性（有限性）和它的深刻性是互相依存的，同样是一个杯子，当我们说它是商品时，我们在经济学这个侧面深入了，可是这个杯子在几何学上的本质（圆柱体）、化学上的本质（玻璃）、光学上的本质（透明体）就被舍弃了。正因为这样，对同一对象的研究就分化为不同的学科，分别从不同的角度，按不同的目的研究各个侧面的特殊矛盾，尽可能多方面地向事物的本质进军。这种学科的分化，不限于平面的展开，同时也是层次的深入，所得成果不仅是量的扩展，而且也是质的飞跃。它的表现形式是现象与本质的转化，在低一层次上是本质的，到了高一层次成了现象；高一层次的本质，到了更高层次又成了现象。从人类学来说，人的本质就是能制造工具的、有目的地劳动的动物，而对于生物学来说，这是个很肤浅的现象。生物学所探求的是人的生理机制，在生物进化历史过程中的地位和特征。人的生物学本质属于灵长目、人猿亚目。人处在生物发展系统的最高阶段，具有完全直立的姿态、解放的双手和复杂的音节语音。而从社会科学角度来看，人的生物学的本质又成了极其肤浅的现象。马克思说，人就其现实性来说，其本质是社会关系的总和。

主观与客观统一于人的本质，不可能统一于全部本质，只能统一于某一部分、某一层次的本质。但是，即使统一于社会学的本质，这种社会学的本质到了艺术领域中就不再转化为现象了吗？无产阶级文艺的全部历史经验证明，把社会科学的本质与文艺形象的本质在层次上的区别加以抹杀，结果造成了至今仍然无情地折磨着我们文学的公式化、概念化的顽症。公式化、概念化最显著的功能就是把科学的真化为艺术的假，导致形象的丑。

把科学的本质照搬到艺术领域中，可能会转化为现象。不管是地主还是贫农，不管是无产阶级英雄还是资产阶级政客，如果我们只写他们的阶级本质，这种普遍性与形象的特殊性并不完全统一。生活的本质是客观的，而形象的本质又包含着主体（自我）的个性，离开了自我的个性，木质就蜕化为现象。在生活中的特殊现象，如果与主休的个性有深度的交融，则很可能在形象的功能作用下，转化为另一个侧面或更高层次上的本质。贾宝玉作为一个地主阶级的公子哥儿，聂赫留朵夫作为一个贵族公子，他们拒绝做他们所属的阶级的接班人，这从社会关系总和来看是现象，可作为一个人物，却是决定了这个性格的一切方面的本质。

由此可见科学的本质与美学的本质并不是没有“误差”的，忽略了这个“误差”[①]，就找不到真向美（或丑）转化的条件了。那么，决定这种“误差”的原因是什么呢？这是我们要继续探究的。

二、审美价值对科学价值的超越和回归

美学之所以陷入困境，原因之一是一种无声的思维定式在捣鬼，那就是把真与美的有限统一看成是无限的。其实，真与美如果在内涵上相等，美就不存在了。美之所以有独立存在的价值就是因为它至少在量上与真不相重合。二者是从不同角度、不同层次去逼近生活的本质的，二者都不能穷尽生活的一切本质，二者的重合之处是有限的、不完全的。生活中有那么多属性，就是本质属性，可惜并不都是美的。车尔尼雪夫斯基企图作出划分，说美是我们向往的、健康的生活，可是健康的东施不如生了胃溃疡的西施美，健康的赤练蛇也不如奄奄一息的燕子美。[②] 生活中不健康的、丑的东西在艺术中可能变美。这说明：美与真不但在量上是不相等的，而且在质上也不完全是统一的。

美与真属于不同范畴。

这里有两个层次的不同，首先是“存在”[③]判断与价值判断的不同。存在判断是对客体的肯定和描述，而价值判断则离不开对主体的合目的的需要。存在如果不与主体的目的性发生关系，就没有价值，存在的石头并不等于有价值的石头，存在的生活并不等于有美学价值的生活。当然存在可以转化为价值。

其次，价值判断并不限于单纯的审美价值判断。除了审美价值以外至少还有科学（认识）价值和实用功利价值。[④]这三种价值都与人的主体需要和目的有关。三者有统一的一方面，但是这种统一性并不是无限的、绝对的，而是有限的、不完全的、相对的、有条件的。

科学的价值是主观对客观的一种认同，一种从属，一种反映，它诉诸理性，它的对象

---

① 这里的“误差”，还是一种感性语言，在我后来的论著中，改为比较严密的范畴“错位”，本册中所用“误差”皆为过渡性话语。2015 年注。

② 王尔德著，巴金译：《快乐王子集》，中国国际广播出版社 2009 年版，第 3—39 页。

③ 这里的“存在”范畴来自存在主义的“存在先于本质”。我把它归结为“存在先于价值”。

④ 这里，我实际上是用了康德在《判断力批判》中的真善美三元价值的学说。这是在大学生时代受了朱光潜先生的影响的结果。但是，由于 20 世纪 80 年代强调思想，而不强调学术规范，我并没有意识到引用原著。

是客体的内部矛盾和转化，任何主观的情感活动的介入都可能使客观的真转化为主观的假。[①]因此科学家不相信自己的感觉、知觉，不敢相信自己的耳朵、眼睛、鼻子，宁愿去相信仪器的指针和刻度。一切主观的情感乃至先入为主的理念都可能使科学的真实价值受损。而审美的对象并不完全是客体，而是客体信息对主体情感的激活，它所认识的是客体与主体情感的一种关系，它所追求的不是纯理性的、可以重复的过程，而是客观世界和主观世界奇妙的不重复的交融和变异，或者叫做信息重组。

审美价值不产生于科学价值的等同，而产生于科学价值的“误差”。科学的认识本身并不直接具有审美的价值，只有当科学的认识激活了主体的情感世界，主体的情感对科学的理性有所超越之时，才有可能进入审美的层次。艺术家与大自然的关系并不是物理的关系，艺术家与人体的关系也不是生理解剖的关系，而是被激活的情感与激活体的关系。艺术形象之所以美并不是由于物理的、生理的信息得到准确的再现，而是物理的信息、生理的信息与作家特有的情感信息发生了特异的重组。美就是在这内外信息的组合过程中受孕、形成胚胎的。而在这重组过程中，作家所追求的并不完全是客观的真。哪怕是一种最简单最原始的起兴，例如“关关雎鸠，在河之洲”，也只有被超越，被变异，升华为君子和淑女的情感交流，才有其美的意蕴。而在形象胚胎中最常用的比喻，也是一种对客观对象的超越：屈原用香草美人比喻美好的品德，就是对香草美人自然属性的超越。诗人在诗中写到的速度不是科学的物理的速度，“秦时明月汉时关，万里长征人未还”，其实究竟有没有一万里读者是不会去计较的，而计较起来，往往是准确的科学的数据并不美，恰恰是不科学的心理的速度、空间才美。王之涣写：“白日依山尽，黄河入海流。欲穷千里目，更上一层楼。”鹳雀楼在中原，登此楼根本不可能看到黄河流入渤海，人的目力所及不可能达到那么远大的空间距离，但王之涣仍不满足，还要更上一层楼，这不是吹牛，而是一种审美情感的表达。他所表现的并不是几何空间的准确性而是心灵空间的准确性。这种心灵空间和速度的特点就是对于科学的空间和速度的超越。超越了科学的真，常常能产生艺术的真。艺术的真不纯粹是客观的，也不纯粹是主观的，它在一个更高的层次上既超越二者，又向二者回归。审美心理活动就是在超越与回归之间往复回环地反应。一方面超越得越大，审美的惊异性越强，选择的自由越大，另一方面超越得过大，联系丧失了，审美的惊异性可能完全丧失。当王翰在《凉州词》中写道“醉卧沙场君莫笑，古来征战几人回”时，形象的美在于超越了酒和送别，把悲苦的别离和悲壮的出征化为轻松的浪漫的欢乐。当然这种超越不能是无限的，不能和酒与送别无关。形象的美同时还在于这种浪漫的超越又有所回归。这

① 这里的任何主观的介入都可能使真变为假，说得有点绝对。这一点，我在《论变异》中有所改进。

表现为它在生命的瞬间也要尽情享受有深刻的因果关系。

一般地说，客观对象的科学认识价值判断在认识过程中占着很强的优势，它往往完全自发地束缚着人们的情感，使审美价值判断在受孕之前就夭亡了。艺术家不同于非艺术家之处，不完全在于生活积累的丰厚与否，而在于审美价值观念是否自由和活跃，这主要表现为超越与回归的能量。

艺术形象的审美价值不仅取决于外在信息的真实，而且在于内心信息的真诚，二者统一，固然是美的，二者不统一，内心的真诚超越了外在的初始的真实也可能是美的。不仅抒情文学如此，而且叙事文学也是如此。从科学的认识价值来说罗汉豆的基本味道是一样的，可是鲁迅在《社戏》里却写只有撑着航船去看社戏回来的孩子从田里偷来的罗汉豆最好吃；从科学认识价值来说花总比草香，可是宋学武在他的获奖小说《干草》里却写花香不及草香，而且这些还成为两篇小说内在逻辑的核心。这是审美情感对生理功能的超越在起作用。这种生理感知的变异是一种索引，这是一种强化了的结果，它启示读者去想象那情感之因。超越是一种知觉效果的强化，因为效果强化了，造成这种效果的原因也被强化了，强化了的外在感知变成了内在审美情感的索引。这种强化了的原因，就是对生活的更深刻的回归。

因为超越了物理和生理属性，所以更深刻地回归到生活的和心灵的奥秘之中。

审美认识和科学认识在价值方位上不同，因而心理活动的过程也不同，它不像科学那样直线地深入，它是通过超越，然后更好地回归或深入。

三、从纯科学价值来说，特殊性的递增导致普遍性的递减

主观与客观的统一，不管统一于科学的认识价值还是实用价值，都不能产生美，只有统一于情感价值才能产生美。当然，科学的认识价值、实用价值与审美价值之间的关系是复杂的。

按照辩证法，事物的统一性也是有限的、相对的，而事物的矛盾性才是绝对的。真善美也不例外。真善美都是一种价值判断[①]，三者的关系并不是同位的重合的关系，并不是半径相等的三个可以互相重合的同心圆，作为价值判断，它们属于三个不同的范畴，对于同一对象，它们从主体的不同需要出发，有不同的价值方位。当然这三者并不是互不相干的、完全脱离的异位关系，用图表的语言来表示，它们也不是互相各自独立、距离遥远的三个

① 当然，有人认为真不属于价值判断，这要看真是在什么层次上和什么发生关系，在真与善和美发生错位关系的时候，它仍然是一种价值判断。

圆圈。它们既不是同位关系，也不是异位关系，而是一种“错位”[①]结构，它们之间却有一部分是互相交叉的：

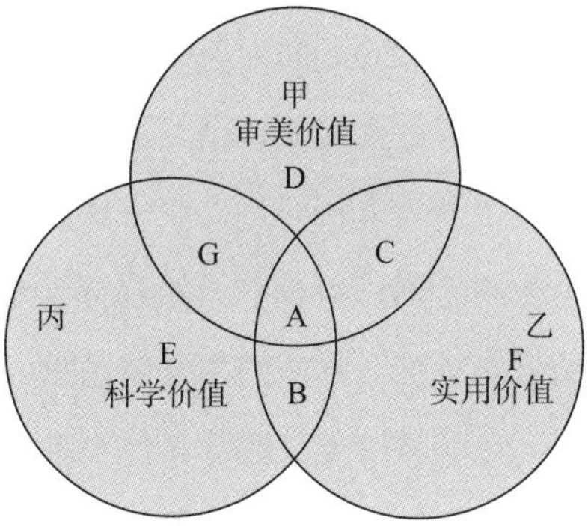

“甲”表示审美价值（美）；“乙”表示实用价值（包括道德的善和生理的满足）；“丙”表示科学的认识价值（真）。从图上可以看出，真善美三种价值观完全重合的只有“A”那一小块，其余部分真善美三种价值不是不统一，就是不完全统一。

主观与客观要统一于审美价值，不能光统一于三者重合之处（A），那样天地也太狭隘了，美的价值完全局限在科学和道德规范之中，一点超越性都没有，那只能产生高大全的绝对精神。美之所以为美，就在于它不但超越于真而且超越于善。但是主观与客观的统一又不能光统一于纯审美的活动（D）。如果那样就光有表层的情感活动，光有美的超越，而没有真的回归，因此不能通过思维洞察力达到高度的真。但是强调了深刻的真也并不意味着主观与客观只能统一于纯科学认识价值（E）。如果那样就只有理性的真，而没有审美的超越，没有美的形象了。这两样都不能使真善美达到真正的统一；真正的统一，只能统一于审美价值的整体，凡美的范围所及，哪怕是超越了真的或善的，都是统一的，凡美的范围以外，哪怕是非常真的（真人真事）都是不统一的。

因而主观与客观的统一性如图，就是统一于“甲”那个圆圈，在这圆圈中包括① A（真善美完全重合），② G（真与美统一，但与善不统一），③ C（美与善统一，但与真不统一），④ D（超越与真与善）。用一个粗糙的公式来表示，所谓主观与客观的统一，并不是统一于三个圆圈的总和，而是统一于 A+G+C+D，也就是要从总和中减去 E（纯科学）、F（纯道德）和 B（纯科学与纯道德的结合）的部分。不把纯科学的部分（E）减去，艺术形象就可能受到与审美无关的观念的束缚和干扰；不把纯道德的部分（F）减去，就可能使作品为劝善惩恶的框框所窒息，而这两种情况，我们在文学创作的历史和现状中都是经常可以看到的。

---

① 这里，我第一次用了“错位”这个说法，以后，将逐渐代替“误差”，成为一个学术范畴。

主观与客观的统一于审美的价值或审美的本质是一种不完全的统一，这种不完全性不仅由于对象的特殊，而是由于所凭借的工具的特殊。

科学凭借概念反映事物的本质，而艺术凭借形象。概念是抽象的普遍的，本质也是抽象的普遍的，它们之间的统一性是天然的。而形象是特殊的具体的，它们之间的矛盾性是天然的，虽然列宁说，一切特殊的都是普遍的；虽然从一粒沙子可以看世界，而不用一担沙子；从一滴水可以看大海，不用一吨水；但是，在一粒沙子中看到的是在分子原子层次上的本质，既没有生物与无生物的区别，也没有原始森林与现代化城市的区别。事物愈是特殊，它所蕴含的本质抽象的层次越高，本质的内涵越是贫乏。而在艺术中，形象的特殊性是连锁性地强化了的，不但人物的特殊性是强化了的，而且其知觉、情感、意志、行为逻辑的特殊性也是强化了的。而特殊性的强化，必然导致普遍性的弱化。只有在两种情况下，在两种条件作用下是例外。第一种条件，是把它提高到原子分子、生物的层次中去。然而越是提高层次，其抽象性越是强化，与文学形象的具象性越是矛盾。第二种条件，涉及审美价值结构问题，我们将在后面论述。光就第一种条件而言，要保持住艺术的具象性不变，就得保持住审美价值这个层次不变，而要保持审美价值，在具体的形象中，其特殊的个性与普遍的性质就不可避免地处于一种互相拒斥的反比关系之中。例如阿 Q 愈是在接踵而来的屈辱和打击下不觉悟，愈是自我麻醉，他所表现的雇农的社会学本质就越是少。特殊性的强化必然要导致普遍性的弱化，愈是孤立的、例外的、偶然的东西，科学认识价值就越是小。从纯科学的认识价值来说，特殊性的递增必然导致普遍性的递减，当特殊性递增到无穷大时，普遍性则递减到极限趋近于零。这样就会产生胡编乱造的武侠小说，以节外生枝为能事的弹词宝卷和电视连续剧。反过来说也一样，普遍性的递增必然导致特殊性的递减，当普遍性递增到无穷大时，也就是形象囊括了全部科学的本质，特殊性就递减到趋近于零，这就产生公式化概念化的图解，高大全式的英雄和漫画式的小丑，完全失去了特殊性，也就没有形象了，科学的真就转化为艺术的丑。

正是因为这样，不管我们花多大力气，付出多大代价，如果我们忽略了另一个条件的作用，决不能强制形象完全容纳我们所理解的社会科学的本质。如果假设另一个条件的作用为 X，那么我们就得把形象的特殊结构继续探究下去，在探究形象的外在容量和形象的内在逻辑的过程中，把 X 求出来。

四、情感逻辑既不遵循形式逻辑，也不遵循辩证逻辑

形象的逻辑是一种情感逻辑，它与科学所凭借的理性逻辑自然有共同之点，但是非常有限，它只能在另一个层次上向理性回归，但在本层次上，它与理性的逻辑是很少相通的。关于这一点许多哲学家早已意识到了。费尔巴哈说：

> “心情（按：也就是我们说的‘情感’）不懂得自己以外的任何规律，就像俗话所说的，狗急跳墙，……心情除了心情之必要——渴望以外并不知道什么别的必然性；心情厌恶自然之必然性，厌恶理性之必然性。”①

关于理性逻辑，从亚里士多德到黑格尔，人类已经总结出形式逻辑和辩证逻辑的森严系统，但是人类的情感活动却藐视这些系统，它由于超越这些理性逻辑而获得自己的生命。所以，有的同仁把情感当作“变态心理”，这是很有见地的。关于这一点严羽早就发现了，他说：“诗有别趣，非关理也。”也就是诗所抒发的情感与通常的理性逻辑不是一码事。到了清初，诗评家吴乔更进一步提出诗的情感活动有“无理而妙”②的特点，傻乎乎地以理性的逻辑规范去写诗，就不妙了，要超越这种逻辑规范才妙。这是因为情感既不遵循形式逻辑的规范，也不遵循辩证逻辑的规范。首先，它不遵循形式逻辑的同一律，它没有概念那样确定的内涵，它有朦胧化不确定性的特点。从心理学来说，情感与外部五官感觉不同，它像内在机体觉一样，是一种综合的知觉体验，它甚至比机体觉更难定位、定性，比之饥渴等内在感觉，它是一种更为私有的、隐私的、黑暗的感觉，性质更不稳定的感觉。一种强烈的情感袭来时，往往是不知是悲是喜，是痛是快，常常是甜酸苦辣一齐涌上心头。内部感受器官产生冲动虽然传到大脑，往往不被意识到，情感信号比之饥渴等信号更难在语言系统中反映出来，因而情感往往可意会而不可言传。情感作为一种内在体验并不完全处在意识层，而有很大一部分处在前意识或无意识层。因而要把情感用概念（语词）表达出来就不可能达到科学概念那样准确和精密，不可能保持内涵的一贯和稳定。如果人们不能忍受这种不确定性，许多情感就可能因得不到语词化而不被意识到，像水蒸气一样无声无形地蒸发掉，而语词化虽能使它从前意识区域甚至无意识区域进入意识区域，但是免不了大量的水土流失。这是人类自身的局限。正是因为这种局限，情感总是有某种神秘的色彩，

---

① 《费尔巴哈哲学著作选集》（下），生活·读书·新知三联书店1984年版，第181页。

② 贺贻孙（1637年前后在世）在《诗筏》中提出，“妙在荒唐无理”，贺裳（1681年前后在世）和吴乔（1611—1695）提出，“无理而妙”“入痴而妙”。沈雄（约1653前后在世）在《柳塘词话》卷四中说：“词家所谓无理而入妙，非深于情者不辨。”

不稳定的性态，不管多么伟大的科学家都不能对作家情感语词化的成果用标准化的、定量化的方法来检测，来校正。因而逻辑的同一律在情感活动面前是无能为力的。情感活动不但与同一律不能相容，而且与矛盾律也互相抵牾，情感在运动过程中有一种背逆的倾向，明明相爱甚深，恰恰挑剔过甚；明明是视若生命的独子，偏偏叫他阿毛阿狗的。对所恨的，明明活着，可以说是死了，对所敬的，明明是已经死了，公然说他仍然活着。甚至对于一个英雄，可以说他既活着，又死了，不如此就不能表达感情的强度。对一种珍贵的情感可以说既失去了又没有失去，完全不怕破坏排中律。对所偏爱的，可以自由地美化：故乡的风是甜的；对所不满的，可以自由地贬抑：异国的太阳是冷的。完全凭着直觉，超越了充足理由律。如果把理由讲充足了，感情的强度、色彩、生动、感情的美就消失了。

情感违反辩证法，以绝对化为能事，不讲一分为二，不讲全面性。凡带着浪漫色彩的爱情诗都是不留余地的，“在天愿做比翼鸟，在地愿为连理枝。天长地久有时尽，此恨绵绵无尽期”，这种爱是无条件的、不受时空限制的。范仲淹在《岳阳楼记》中的名言“先天下之忧而忧，后天下之乐而乐”，就是以绝对化取胜的。天下还没有忧，你就忧了；要待到天下人都乐了，你才快乐。可是什么时候，天下人才快乐呢？你怎么知道天下人都快乐了呢？从宋朝到现在天下还有那么多人活得很痛苦，范仲淹就活到现在他还是乐不起来。这是一种励志，以绝对化的精神来鼓舞被贬抑的自己。“爱是不能忘记的”，即使人已经死了，情感仍然是不朽的，只要有一朵云追赶着另一朵云，只要有一阵风追赶着另一阵风，那就是他们心心相爱的表现。好像他们的爱，在任何条件下都没有产生、发展、消亡的过程，也永远不会走向自身反面的。而在辩证法看来，世界上没有神圣的、永恒的、绝对不变的东西。如果用辩证法的原理对这种情感的极端化加以限制使之严密，则情感的审美特征立即消失。因为情感基本特点是对外在现实世界的超越，而理性则是对外在必然性的认同。

情感逻辑不同于理性逻辑还因为它是自发的，不像理性那样可以由意志支配，召之即来，挥之即去的。

情感在本身的层次上与理性逻辑不是一码事，情感逻辑是超越了理性逻辑的产物，正等于理性逻辑也是超越了情感逻辑的产物。当然在另一个层次，即因果层次上，情感又有某种向理性逻辑回归的倾向，情感的朦胧、情感的背逆、情感的无充足理由、情感的绝对化，都可以从生活中找到充足的原因和明显的因果关系。所以审美价值也有一种认识作用，只不过是一种间接的认识作用罢了。

五、审美价值的错位复合结构及其升值和贬值的几条规律

审美的价值与科学的价值在认识对象上，在所凭借的工具上，特别是在所遵循的逻辑上有这样的“错位”，因而科学认识的价值结构和审美价值结构的功能有很大的不同。

把美与真在范畴上混同起来，就造成一种误解，以为审美的认识与科学的认识是绝对等值的，也造成一种幻觉，即两种价值量的运动（上升或下降）是同步的。清醒的理论家必须彻底打破这种幻觉。关于这一点，应该与实用价值量的运动联系起来考察。因为实用价值从根本上来说，也是一种理性的认识价值。实用既是认识的目的，也是认识的过程和结果，在实用的过程中才能发展认识的。

审美价值与科学的认识价值、实用价值是不平衡的，其运动不是同步的。

绝对的科学价值与绝对的实用价值对于审美情感活动，价值为零，因为绝对科学价值是纯理性的，绝对实用价值是纯生理的或者是纯道德说教的，二者不但与情感的活动无关，而且排斥情感活动，抑制情感活动。科学家看见一株白杨，认识到这是落叶乔木；建筑匠看见白杨，想到可以用来做椽子，白杨对于他们，都没有审美的价值。只有情感活动在科学和实用价值两侧作出某种超越和回归的震荡时，才产生审美价值。①茅盾看到白杨，不把它当作落叶乔木，在想象中把它变成华北平原上抗日民主根据地军民团结抗日不屈不挠的一种精神体现；流沙河看到白杨，不把它当成做椽子的木料，而把它当成一支宁断不弯的剑，白杨才有了审美价值。

抗日民主根据地军民团结抗日不屈不挠的精神、宁断不弯的剑，对于白杨的科学认识价值和实用价值来说，是一种负值，然而对于审美情感活动来说恰恰是正值。苏轼想象月亮上有琼楼玉宇，拜伦想象向雅典少女讨还自己的心，都是不科学的、不实用的，安徒生把天才想象成鸭群中的天鹅，卡夫卡把人想象成甲虫，毫无科学价值，但是有很高的审美价值。当一群原始人在抬沉重的木头，前面的喊一声“吭唷”，后面的应一声“嗨唷”，这并不是艺术，谈不上什么天才，因为这只是为了协调劳动的动作节奏，达到省力的目的，

① 在这里，我用了朱光潜先生《我们对于一棵古松的三种态度》中的观念。当时只凭大学生阅读时的感悟，没有明确的记忆。

这只减轻了生理的负担，很难超越实用的价值。[1] 而抬完了木头，没有实用的目的，几个人假装抬木头，这就是一种超越，产生了一种幻觉，而且这幻觉还很逼真，逼真就是回归，在超越和回归中情感震荡既使人的情感得到解放，又使人的情感深入到现实之中，就有了审美的认识作用。

在实用性和科学性之中，人是从属于物和自己的生理需要的，人必须以意志抑制自己的情感，服从客观的（包括生理的）必然性，以获得理性的自由，而审美的心理活动则超越物的和自身的生理的需求，从理性和意志的约束中解放情感，在想象中获得情感的自由。艺术在发展过程中审美价值与实用价值的分化愈来愈明显，古代早期的英雄都是在与自然斗争中和与人斗争中的强者。史诗中的英雄和神都以勇力和智慧称雄，但是并不见得有多么丰富的感情。在希腊神话中的爱神，不管是维纳斯还是巴里斯，情感世界还都比较狭隘，它们本身和他们的职能都集中在自然属性（异性相吸）的外部效果（为争夺美女而战争）上，而对于内在情感历程是很少关注的。中国古典文学中早期的美人都是强壮的，“硕人”和罗敷的美都与劳动能力、劳动环境联系在一起，就连卓文君也还能当垆卖酒，并不像后来的美人那样生活能力、自卫能力差。唐朝的美人还是丰腴的健壮的。到了后来，这种实用价值观念的优势越来越让位给审美情感的价值观念的优势，美人逐渐变得消瘦而苍白，变得那么会哭，以至于曹雪芹要虚构出一个神话（绛珠仙子要偿还神瑛侍者每天浇花的水），来美化这种毫无实用价值只能使林黛玉的肺病恶化的眼泪。这种分化愈来愈明显，这就不能不影响到小说的结构。中国古典小说和西方东方古典小说一样，原来很强调故事情节的完整性，有头有尾是《十日谈》《天方夜谭》、“三言二拍”的共同审美规范。但是情节中的头尾往往只有实用价值而无审美的情感价值。中国话本和笔记小说受到史传文学的影响，描写主人公的命运，情节结束以后，还要交代大团圆的幸福，甚至还提到他后代美满（如五男二女，七子团圆）。这些尾巴以及尾巴的根本没有审美的情感价值，只有实用价值。后来艺术家逐渐悟出了这个道理，到了 19 世纪，生活的横断面、纵剖面的写法占了上风，凡与主人公情感活动无关的即使与情节的发展有关也在所必省。所以在莫泊桑的《项链》中，女主人公发现那花了十年辛勤劳动偿还的项链，原来是假的，小说并没有再写女主人公如何把真项链拿回来变卖出钱来，因为这些都是实用价值而不是审美价值。

---

① 在这里，我批评了鲁迅的说法。他在《门外文谈》中这样说：“我们的祖先的原始人，原是连话也不会说的，为了共同劳作，必需发表意见，才渐渐的练出复杂的声音来，假如那时大家抬木头，都觉得吃力了，却想不到发表，其中有一个叫道‘杭育杭育’，那么，这就是创作；大家也要佩服，应用的，这就等于出版；倘若用什么记号留存了下来，这就是文学；他当然就是作家，也是文学家，是‘杭育杭育派’。”（见《且介亭杂文》《鲁迅全集》第八卷，人民文学出版 2005 年版，第 96 页。）当时不便点名。2015 年注。

英国作家罗斯金有一句名言："少女可以为失去的爱情而歌，守财奴不可以为失去的钱袋而歌。"为失去的爱情而歌是超越了实用生理需要的、不为狭隘功利目的所束缚的一种自由的情感，而不为失去的钱袋而歌，恰恰是囿于实用功利。少女的歌并不能挽回失去的爱情，从实用功利来说，其价值是小于零的负值，而从审美价值来说恰恰是一种正值。

审美的正值往往在实用的负值中产生。

这是因为实用与审美在心理上效应上不同，实用为了快感的产生，痛感没有实用价值，但是痛感和快感一样都可产生审美价值。康德说：

> 一切鉴赏判断都是单个判断，因为由于我必须把对象直接保持在我的快感或不快感上。①

康德的鉴赏判断也被翻译成审美判断。实用是从生理需要到快感的直线结构，审美则是在快感与不快感（康德有时把它称为痛感）之间的震荡的结构，快感和痛感都可以转化为美感，关键在于有没有情感的超越和回归。如果守财奴也为失去的钱袋而歌了，明知不能导致钱袋的复得，仍然如痴如醉地歌而不止，像祥林嫂为失去的阿毛而反复诉说，像姚纳为失去的儿子向小马倾诉一样，在这样一个层次上的功利负值已经被他忘掉了，他沉醉于自己的歌或倾诉中，使精神得到缓解（姚纳），或者使神经受到了更大的损伤，乃至死亡（祥林嫂），这也是一种超越，正如严贡生指着两根灯草而迟迟不死，功利的目的超越了生理的机能，这种超越中包含着作家运用喜剧逻辑，导致荒谬的逻辑，也能转化为审美的正值。

审美价值结构与科学及与实用价值结构不是一种同位结构，如果是同位结构，审美的情感就被理性和意志所覆盖，审美价值就丧失了。科学的实用的正值并不意味着审美的正值，科学、实用价值的升值也不意味着审美价值的升值，审美价值对于科学、实用价值是一种价值方位的错位，甚至在许多情况下，是审美的正值和科学、实用价值的负值之间的一种复合结构。审美的正值与实用的负值并不因为处在一个结构之中而互相抵消，相反，由于二者相邻而显出错位的反差，常常是反差越大，审美价值也越高。张洁在《挖荠菜》中写女主人公小时偷吃财主地里的玉米棒子，被大管家追到了河里，即使被河水呛得几乎背过气去，她仍然"无声地挣扎"，不作实用性的呼救。由于恐怖，她的意识变得混乱了，这时却清晰地听到岸上大管家那非常"残酷的笑声"。无声的挣扎，不呼救，都是实用的负值，在濒临死亡的边缘，最可怕的居然不是死亡，而是那岸上见死不救的欢乐的笑声，一个成人眼看面临死的孩子的幸灾乐祸，比之死亡本身更可怕（更丑）。实用的和审美情感的

---

① 康德：《判断力批判》第八节，引自《十八世纪——十九世纪德国古典哲学》，商务印书馆1975年版，第140页。

错位幅度越大，反差越强，审美价值也就越高。如果不是面临死亡，而是跌了一跤，清晰地听到大管家的笑声，错位幅度较小，审美价值就较小，如果没有错位，这是根本没有听到岸上的笑声，只知大哭大叫，拼命呼救，审美价值就可能很低了。

正是由于这种复合错位结构的功能，审美正值与实用的科学的负值形成一个张力，二者不但不互相抵消，而且其总体功能大于二者绝对值之和，这就是审美价值结构的增值功能。一般地说，这种增值功能不外下列三种情况：

第一，在形象的审美价值结构之中，错位的价值方位之间错位越大，审美情感的超越性越大，同时其回归性也越大，审美价值量的增值幅度越大。当这种价值方位的错位达到一个峰值，或达到一个阈限，审美价值量就不再增值，越过这峰值，超过了这个极限时，也就是审美价值观念与科学价值观念的错位达到脱离的程度，事情就走向反面，二者的错位越大，则审美价值量越小。这是可以用一条曲线在数学图表上形象地表现出来的。这说明，审美价值观念超越科学、实用观念有一个极限，那就是不能完全脱离科学和功利价值，不能反科学，不能在本质上歪曲生活，反社会道德，也不能在本质上歪曲人的情感世界，如果歪曲了，正等于与科学及功利价值同位重合一样，导致审美价值的降低为零，甚至变为负值，那就是由真转化为假，美转化为丑。

第二，审美价值量是在正负两极中增涨的。这表现两个方面：第一，审美快感和痛感的产生、发现、活跃、上升，导致审美价值量的增值。地上一丛普通的青草，因发现其与恋人的绿裙相似而产生怜惜之情；明知景阳冈有虎因怕被店家嘲笑而硬着头皮上山；好容易做了一件大衣，因其失去而抑郁致死，都使表现对象从实用层次进入审美层次，导致审美价值量的产生和增涨。第二，审美快感、痛感的消失并不意味着审美价值量的消失或贬值，产生的过程和消失的过程并不相抵消，相反，这种过程正与审美价值结构的超越和回归运动同步，因而导致审美价值量的增涨，例如，王蒙在《如歌的行板》写一对青年恋人在 50 年代如痴如醉地欣赏一首西洋乐曲《如歌的行板》，并且因此而带来灾难，产生了悲剧性的分化。在经历了一系列的浩劫之后，又重逢了，男主人公请女主人公再听那段乐曲时，女主人公却觉得失去了当年那种叫人如痴如醉的韵味。王蒙这一笔只是一句话，却使这个中篇小说的审美价值增值至少 1/2，这是由于产生和消失形成了一个超越和回归的结构。审美价值的增值运动为读者的想象提供了更为深刻的人生和情感的深度奥秘。正因为这样，在艺术创作中显示情感消涨过程比显示情感结局更重要，显示情感的正负逆反运动比表现单纯正面直线增涨更有价值，审美价值的单向的直线增涨是非常有限的。

第三，审美价值结构的增值功能不仅表现在历时的纵向过程中，同时表现在共时的横向关系中，在共时横向关系中增值规律与具体的艺术形式联系在一起，不同的形式有不同的规律，在抒情文学中要求审美情感的高度统一性，不同的人，对同一对象，情感越是统一越好。诗对情感世界有一种概括功能，有一种求同性，即使反映社会矛盾，抒情主体强调的是对矛盾的一致情感。在天安门诗歌中，写的是对总理一致的悼念，对“四人帮”一致的声讨。而在后来反映天安门事件的小说中，如果这样写就概念化了，审美价值就贬低了。在叙事文学和戏剧文学中，审美价值结构比之诗歌要复杂，它复杂在两个方面：一个是它的情感层次要比抒情文学多，至少要有两个以上不同的情感发生矛盾才有戏可唱，才有性格可写。第二，这两个情感要形成一个错位结构，如果没有错位而是同位就是诗了。如果虽有错位，但没有产生连锁反应，错位的幅度没有扩大，而是缩小甚至重合，那就是散文。例如丰子恺在一篇散文中写他在逃难期间颠沛流离、历尽艰辛，到了“大后方”，一日把孩子抱在膝盖问他最喜欢什么，儿子答道：“最喜欢逃难。”这很生动，因为在同一经历中，二人的情感错位了，这是散文。但是，丰子恺并没有由此而继续扩展这种错位，拉开情感世界的距离，使之产生连锁反应，引发出一系列情节来，因而它还是散文，而不是小说。如果不扩大二者之间的情感错位而硬要写小说，那就是审美价值很低的蹩脚小说。正因为这样，曹雪芹不让林黛玉与贾宝玉之间的感情错位重合，不让二人的感情差距消失。托尔斯泰也不让安娜与伏隆斯基之间的感情差距消失，一切爱情小说动人的秘密都在于让相爱的人情感保持乃至扩大差距，有时至死都不让他们完全心心相印，而在诗中则写恋人的心心相印，情感没有错位，则是天经地义的事，在诗中，恋人的心一旦拉开差距，就可能散文化，导致诗的审美价值的下落，而在小说中主人公心与心的误差一旦消失，不是小说应该结束了，就是小说的审美价值贬值了。

正因为这样，不但说美是主观与客观的统一是句空话，而且美是主观、客观统一于审美价值也是一句空话，就是说美是主观客观统一于审美价值的错位结构，仍然缺乏科学的严密性。应该说，当主观与客观统一于审美价值的错位结构时，还要准确地定位于具体的艺术形式的审美规范，这个具体形式的审美规范就是我们前面所假设的那个“X”。这个 X 的性质以及它在审美价值结构中的功能，显示了审美价值结构的奥秘。

审美价值与认识价值、实用价值的矛盾[①]

长期以来，我们的文学受着概念化顽症的困扰，可以说自有革命文艺以来，概念化的顽疾就消耗着文学的生命力量。直到今天我们仍然没有把握地说，在可以预见的未来，这种症状有可能完全消失。几乎每一个文学新人在成长的过程中都要旷日持久地与这种顽症作全力以赴的搏斗；只有战胜了它，年轻的作家才开始获得自己的艺术生命。很可惜的是，并不是每一个青年作家都能在这场战斗中取胜的，战胜者往往是其中少数佼佼者，多数则并未能战胜，当然也未完全战败，与概念化的拉锯式的搏斗，耗干了不少才智，超脱不了平庸的命运。我国当代文学水准时时受到它无情的牵制。这其间的原因是很值得研究的。

原因之一，已经找到了，那就是文艺从属于政治的传统理论，使文学形象成为政策或某种与政治密切相关的观念（甚至是政策）的图解。但这是不是全部原因呢？看来还不是。即使在理论上纠正了从属于政治的偏颇以后，概念化的病根并没有完全祓除。对于形象的干扰并不完全来自政治概念，有许多作品即使没有任何政治概念的入侵，仍然充满了概念化的味道。中国古典小说中劝善惩恶的说教，乃至因果报应的观念就并不完全是政治的原因，仍然使形象化为苍白的概念。

关键并不在文艺与政治的关系，因为文艺与政治的关系，归根到底是生活与理念的关系，而政治理念是否破坏形象，归根到底取决于它和生活实践的关系。长期以来，恰恰在文艺与生活的关系上我们缺乏认真过细的研究。在这个关键问题上我们所采取的，说得刻薄一点，是马大哈的态度。我们奉为正统的理论其实并不完全符合马克思主义哲学的正统。例如我们常常把文艺与生活的统一性当成理论的纲领。好像生活与形象的关系是一种线性的因果关系，是一种单向决定的一因一果的关系。生活不但决定了形象的量，而且决定了

① 发表于《文艺争鸣》1986年第1期。

形象的质，这种关系简直可以按正比例写成一个数学公式。自然，我们在口头上不否认文艺的特殊规律，一再强调“形象思维”的特殊性；反复申说根据艺术规律办事的必要，但是，我们反复违背的恰恰就是艺术规律。

因为我们过分强调了形象与生活的统一性，而忽略了形象与生活的矛盾。殊不知二者的统一性只是问题的一个方面，任何统一都不是绝对的，都是有限的统一。其次，二者关系还有互相矛盾的一面，根据辩证法，矛盾性是绝对的，统一性是相对的。而我们往往有意无意地把统一性绝对化了，而把矛盾性抹杀了。

因而，我们的理论首先就脱离了马列主义的世界观。而脱离了马列主义世界观的理论就不能不脱离实际。大量事实可以证明，并不是任何一个生活积累丰厚的人都能成为作家的，相反，那些生活积累不丰厚的人倒有不少成为作家了（在中国古代有李煜，在美国有意象派女诗人洛威尔）。有时越是熟悉的生活越是写不出来，而在空间和时间乃至心理上有距离的生活倒化为艺术形象了。左拉在《实验小说》中曾说，一些作家在巴黎生活了20年，写出来的巴黎生活缺乏真实感，好像发生了“视觉瘫痪症”，倒是童年在乡间的生活，空间、时间、心理距离十分遥远，写得反而十分真实动人。在我们这里，被错打成右派的时候写不好这一段生活，要等到改正了，才写出许多动人的小说来，这已被许多作家所证实。生活转化为艺术要有一系列条件，条件不具备就不可能产生形象。正因为这样，生活的积累与形象的发生，并不成正比。鲁迅、郭沫若、巴金后期的生活无疑比前期更丰富，但是他们写得最好、堪称为艺术的杰作恰恰是写前期生活的。对于这样的矛盾，我们的理论不是故意回避就是曲意作解。

自然，对于生活与形象的矛盾，并不能说我们完全漠然，但是，我们认识到的矛盾往往停留在表面现象的层次上，很少作深入的理论阐述。关键不在于生活量的多寡，而在于生活与作家的心灵的关系。如果生活与作家的心灵不发生火一样的关系，生活再多也是白搭，甚至走向反面，过多的生活使作家陷于被动，使作家的想象无法起飞，对于生活素材不忍割爱，常使作家的思绪遭受沉重的压力，使形象变得芜杂而臃肿。

生活与艺术发生矛盾，其原因在于生活并非都与艺术形象统一，生活中有许多非艺术的成分乃至反艺术的成分。生活具有无限丰富的属性，其中有艺术的源泉，同时也有无限的渠道通向非艺术的世界。从天上的日、月、星、云，到地上的鸟、兽、草、木，如果从物理和生物学的角度去认识，都是客观的，只有物理和生理的属性，对于人的感情来说都是冷漠的、抽象的。从物理学、生理学的角度去观察，只有科学的认识价值；尊重物理属性和生理机能的严格客观性，是缺乏审美价值的。注重物理和生理的属性对于艺术的审美情感活动是一种限制、一种窒息，审美情感活动必须反抗这种限制，超越于客观属性，把主观感情渗透到客观对象上去。

按不同的目的，从不同的角度去观照生活，生活就呈现出不同的价值。纯粹按科学的价值观念去认识生活，其结果只能产生客观的科学的理念。对于自然现象如此，对于社会现实也如此。例如，对刘姥姥这个人，如果从社会学的角度观照，就得按社会关系的总和去分析。首先得弄清楚她的阶级属性是破落地主、富农还是城市贫民。在没有弄清阶级属性以前，是无法确定她以什么样的价值眼光去看待贾府的奢华生活的。假如曹雪芹按这样的程序去创作《红楼梦》，那刘姥姥的形象可能就化为乌有了。同样，如果纯粹从社会学的价值观念来看林黛玉和薛宝钗，是没有什么阶级本质的区别的，而阿 Q 与朱老忠在社会科学领域应该具有同样的贫雇农的本质。

然而文学并不如此。

由此可见，由于价值观念不同，也就是思维目的性不同，从同样的生活中可以吸取艺术的成分，也可以吸取非艺术的成分。

科学的价值观念与审美的价值观念是两种不同的价值观念。自然，二者之间有交叉的部分，有统一的方面，看不到这一方面，是不行的，把二者绝对对立起来可能走向歪曲生活和心灵的邪路。因为任何艺术审美价值都不能不包含着某种客观的认识价值。我们自然要争取高度的认识价值。我们对于时代生活的反映，对于四化大业的推动，主要依赖这种认识价值。我们提倡写改革的题材，写出我们社会主义生活的伟大力量和壮丽色彩，表现社会主义新人的辉煌形象，都是为了直接帮助我们认识丰富复杂的社会生活，这是我们的目标，也是我们作家的使命。但是，为了达到这个目标，完成这个使命，我们不能忘记科学的认识价值与艺术的审美价值，在统一中有矛盾，二者不可混淆。

首先，我们追求的是审美的认识价值，而不是科学的认识价值。不管多么伟大的认识价值都不能不在审美价值以内才能实现，在审美价值以外不存在任何文学的认识价值，脱离了审美价值的认识价值，只是冷冰冰的科学的认识价值，而不是文学的认识价值，脱离了审美价值的认识价值，不但是对审美价值的破坏，而且是对认识价值的破坏。其次，虽然文学认识价值只能在审美价值之内，但是文学的审美价值却可能超越于科学的认识价值之外。文学的审美价值，在范围上并不受科学的认识价值限制，它可以在科学价值以外自由地活动。有些看来是非科学的、反科学的感觉，超越了科学客观性的情感，往往却有很高的审美价值。李白的诗曰："少时不识月，呼作白玉盘。"其所以是诗，就因为它不是科学，如果他非常准确地说："少时已识月，呼作大月亮。"就没有任何诗意，大煞风景了。闻一多先生在做大学生时就写过："绝对的写实主义便是艺术的破产。"[①]艺术直接地、客观

① 闻一多：《唐诗杂论》，北京出版社 2014 年版，第 223 页。

地、科学地反映现实生活是吃力不讨好的，艺术只能直接反映人的情感运动，从而间接地反映现实生活。而感情是不科学的。

科学是客观的，感情是主观的。科学是可以精密地定量、定性、定向的；而感情却是朦胧的、变幻不定的。科学规律是普遍的、不断重复的，而感情的生命却在于不可重复性。科学是辩证的、全面的，至少考虑到矛盾的两个侧面，而感情却是极端的、片面的。科学所展示的逻辑性森严的世界是一种理性王国，感情导入的却是一个非理性的世界。科学的逻辑性是一贯的、自洽性很强的；感情的逻辑却是可以自相矛盾的。对于科学的逻辑，人们已经有许多学科概括出一系列的规律，取得了辉煌的成就，对于感情至今还没有形成一门学科，只在文学形象中作个别的特殊的显现。如果说文学形象的任务，也是一种认识的话，它的直接认识对象就是人的感情世界，通过对不科学的感情运动的认识去探寻客观社会生活与感情运动的必然联系，对这种联系的认识却可能是科学的。要在最高层次上科学地认识生活，必须在中间层次上，让感情“歪曲”生活。

为了达到科学的认识目的，必须通过审美感情活动的不科学性的层次。这是一个不可超越的层次，有意无意回避、漠视这层次，不管主观上多么诚恳地希冀尊重艺术规律，其结果却只能是对艺术规律的粗暴侵犯。

把人的感情逻辑和科学的逻辑混为一谈，必然导致把概念当成形象。对于一个作家来说，他对待生活的态度，自然不能只有审美的主观的态度，但也不能只有科学的客观态度。光是审美的态度，对于生活的反映可能是表面的、肤浅的、缺乏深度的；光是科学的态度，对于生活的反映，可能是概念化的、干巴巴的。由于我们学校教育的特点和社会生活的特点，科学的客观态度无疑占着很强的优势，这种优势对于审美是一种抑制。因此，许多作家，习惯于从科学的认识和审美观照相统一的角度去介入生活，在他们笔下，二者统一的部分表现得非常突出。粉碎“四人帮”以来，不管是“伤痕文学”还是“反思文学”，以及今天的改革主题，都是以对生活的深邃认识取胜的。但是认识与审美统一是很有限的，所提供的形象思维的空间相对来说并不是非常宽广的，前几年全国性评奖中获奖的一些作品并非都能经得起时间的考验，随着社会认识水平的提高，那些曾经显得犀利的思想而今并不见得犀利了。当时思想光辉曾经掩饰了形象的不足，随着社会情绪的变化，这种不足就暴露出来了。

而这时寻“根”的主题就应运而生了。一种顽强而执着的追求，集中在对我们民族文化心理的深层结构的探索上。钟阿城的异军突起标志了这种潮流的形成。这种民族文化心理的探索，大大拓宽了新时期作家的形象思维的空间。在这种潮流的冲击下，作家的注意力不再满足于单纯集中在认识价值与审美价值相统一上，而且大幅度地扩展到审美价值与认识价值相矛盾的方面。最值得一提的是新时期作家从民族文化心理中发现的美，从认识价值上，恰恰是遭到批判的。与这种文学潮流同时并存的是哲学上对民族心理结构和传统思维模式的批判。传统的思维模式对于当前的改革是一种惰性的阻力。

作家对待生活不但要有两种价值观念，而且要有两种价值矛盾的观念。当二者统一的时候，他不能满足，当二者矛盾的时候，他不能怯懦，不能动摇，而应该勇敢地开拓前进。这样做当然有陷入认识混乱的危险，但只要是思想倾向基本健康的作家，他成功的希望要超过失败的危险。许多作品之所以耐人寻味，往往就在两种价值观念矛盾而又统一的临界线上。在肖洛霍夫的《静静的顿河》中葛利高里走向反革命的道路，在当代中国小说中高加林走后门进城，从认识价值来说简单得像小学生的算术题，然而从审美价值观念来看，却复杂得即使动用电子计算机也很难得出简单明了的结论。

审美价值观念与实用价值观念的矛盾，也很值得探讨。

面临着认识价值与审美价值的矛盾，要正确处理它，需要艺术的眼光和魄力，很可惜有这样魄力的人毕竟是少数，因此真正的艺术家自古以来就凤毛麟角。一般作家之所以对两种价值观念的矛盾缺乏正视的勇气和驾驭的魄力，其原因是认识价值观念有一个非常强大的同盟者，那就是实用价值观念。

认识价值总是与实用价值有更密切的统一性，而实用价值观念与审美价值观念则有着更为尖锐的矛盾性。对于客观世界，人首先是从实用的角度去衡量其价值，人首先要求生存，把大自然当作提供维持生命所必须的生活资料的对象。只有在维持生命的物质需要得到满足以后，人才逐步以审美的态度去观照自然，从而得到感情的解放和审美的享受。审美的价值观念不一定是科学的，也不一定是实用的。相反，科学的观念和实用的观念往往有破坏审美的价值观念的作用。少女可以为她失去的爱情而歌，守财奴不可以为他失去的钱袋而歌。爱情是一种高尚的精神活动，是超越了生理的和实用需要的，主要是一种审美感情，即使失去了，仍然可能有艺术的审美价值。而守财奴对于黄金的态度完全是实用的，虽然黄金是美的，但从实用观念看来，它只是财富，只能满足贪欲，因而只能扼杀审美感情的产生。当你站在一棵松树面前，如果你只以建筑师的实用眼光去看它，把它当作建筑材料，就不可能从挺拔伟岸的姿态获得一种正气凛然的鼓舞。当你所爱的一个姑娘被卖了出去，如果你的痛苦仅仅是自己失去了一个姑娘的痛苦，你的形象思维领域还是狭窄的。如果除此之外你看到她在上轿的时候哭了，但这哭并不是为了反抗，而是重复了一种千百年来出嫁的程式，当你的痛苦超越失去新娘的痛苦，为弱者缺乏反抗要求、为她的精神麻木而痛苦，那你超越了实用价值观念而获得了审美感情的自由。

关于审美价值与实用价值的矛盾，朱光潜先生早年的著作中曾经有所阐述。当然，也许他过分地强调了二者的矛盾，有绝对化之嫌，他的缺点是没有考虑到二者的统一性。特别是他没有强调在民族危机、阶级压迫空前严酷的关头，实用价值观念毕竟是占主导地位的。求民族生存、阶级生存的普遍要求决定了现实生活中实用的（还有科学的）价值观念的优势地位。只是在艺术中，可以与生活中有所不同，仍然应该是审美价值观念占优势，朱光潜先生在这一点上有些混淆，把人生态度和艺术观念等同起来了，因而遭到理所当然的非难。有人问：假如有一个女人飞奔去投河自杀，你是欣赏她飘飞的长发呢？还是不顾一切去救人？这个问题提得很机智，其实很好回答，作为一个艺术家既要救人，也要把那长发飘飞的印象珍藏在记忆中作审美的评价。

在为生存而奋斗时，审美价值观念是甘于为了实用的价值观念而牺牲的，被抑制的。但是在求生存的问题得到解决以后，审美价值观念就不甘于这种被牺牲、被抑制的地位。对于新时期的新艺术，审美价值观念无疑应该比任何时期更自觉。

一个有丰富生活积累的人能不能成为文学艺术家，其关键就在于他能不能以审美的眼光而不是实用的眼光去观照生活，如果满足以实用价值观念去衡量生活，那么许多有审美价值的生活便失去了价值。相反，如果以审美眼光去观照生活，许多缺乏实用价值的生活，就可能变得富有审美价值。一些在通常人眼中平淡无奇的生活到了艺术家笔下之所以能着手成春，僵硬的素材之所以能获得生命的灵气，原因就在于价值观的转移。在日常生活中，实用价值观念无时无刻不在窒息审美价值观念。艺术家的自我培养，主要就是自觉地进行从实用到审美的价值观念的转移的训练。西方有一个笑话说，在一个酒吧间，侍者端了一杯啤酒给客人，客人发现啤酒上浮着一头苍蝇。笑话设想了几种情况：有人把啤酒倒了就走；有人耸耸肩膀不告而别；有人把侍者叫来训斥一通；有人叫侍者把经理叫来指责一番；有人把苍蝇捞去，把啤酒喝掉。所有这些人都是从实用价值观念出发的，他们的态度都与啤酒的失去实用价值有直接的关联，因而没有任何艺术的感觉。只有一个美国人不这样，他把侍者叫来对他说：今后你们应该把啤酒和苍蝇分开拿给顾客。这就是用审美的态度对待啤酒中的苍蝇，这样的态度显示出这个美国人的幽默感，对于有碍实用价值的消极事物，不简单采取直接否定态度，而采取超越实用价值，间接地调侃其服务质量的态度，这种态度是轻松的，在这种态度中已经超脱了、淡化了自身的利害考虑。对实用价值的超脱，使客观上是消极的事转化为主观上叫人轻松的感情。

艺术家与非艺术家在心理素质上的不同，就在于他在生活中审美的价值观念时时占着优势。张洁在散文《伊伯》中非常生动地描绘了在艺术家心灵中审美价值观念的强大优势。在这篇文章中，她写一个服务态度非常好的炊事员所做的面条是非常难以入口的。从实用价值观念来说，张洁的感受是：“从那儿以后，虽然每每看见面条，便有一种未吃先饱的感觉。”但是从审美价值观念来看，老炊事员那诚恳的服务态度却是更有强大的心理吸引力的。所以张洁最后说：“但是，只要我再到福建去，我一定要去看看伊伯，哪怕再有那样一碗令人生畏的面条在等待着我。”当审美价值与实用价值矛盾时，通常人总是牺牲审美价值，艺术家却相反，她宁愿牺牲实用价值。张洁在这篇文章中还细致地描写那位炊事员所做的饭菜：“碗筷旁边，还总是放着几瓣小蒜瓣。那蒜瓣和北方蒜比起来，全像得了营养不良症。从这得了营养不良症的蒜瓣上，我猜出这蒜瓣找来得很不容易。因为我是北方人，大约伊伯有一种理论依据，认准了北方人若不吃蒜头便活不下去吧？尽管我三番五次地说过，我这北方人例外，是不吃蒜头的。或许他以为我是客气，依然固执地坚持着按他的理论办事。我呢，不大忍心让他的理论破产，每餐饭总是硬着头皮吃一瓣蒜。当他看到他的理论终于被实践证明是正确的时候，他那么诚心诚意，开心地笑了，像个孩子。于是，我便觉得即使那瓣蒜辣得我够呛，也还是值得的。”明明老炊事员的理论是错误的，是没有科学的认识价值的，明明蒜瓣对于张洁辣得够呛，是没有实用价值的，但是张洁仍然非常细致地写出了超越于这两种价值观念之上的审美价值，那就是对人的感情世界的一种理解、一种尊重，这种审美的价值观念是如此强大，几乎是自然而然地战胜了实用价值和科学价值，在生理受苦的同时得到一种感情的享受。

任何一个人，不管有多么丰富的生活，如果纯粹从科学价值和实用价值出发，其作品必然变得缺乏生活，哪怕生气勃勃的人生，在他的笔下人物也会变成纸人纸马。相反，任何一个人，即使生活并不丰富，如果审美价值观念有强大的优势，他的形象也可能充满了生气。

形象的发生率并不取决于生活的积累，而是取决于对于生活的审美力，特别是审美力对于实用价值观念的超越程度。从这个角度回过去看那些积累非常丰厚的人，为什么当不了作家，或者当了作家而写不好作品，就不觉得是一件怪事了。

真善美三维错位结构对主客观对立统一的二维结构的超越[①]

一、主观与客观统一于特殊艺术形式的审美规范

审美的情感活动是异常复杂而又活跃的，在现实生活中，它与科学的理性与实用功利性并不是各自独立地存在的，而是水乳交融地结合在一起的，三者是互相依存、互相制约的，由于人首要的任务是认识和实用，因而审美价值结构天生处于劣势，不论是一个作家还是一个流派，都很难避免在科学和实用冲击下产生混淆。从《诗经》中的庙堂音乐，到章回小说的因果报应，从戏曲的大团圆结局，到革命文学中的标语口号倾向，都是审美价值结构遭到冲击的表现。审美价值结构的建构是一件极其艰巨的过程，连最有才华的作家花费毕生精力，都是不够的。他在开始时要继承前人的成果，在前进时又留下某些歪歪斜斜的脚印供后人去纠正。审美价值建构的工程是一代又一代地被积累起来的，虽然其间充满了曲折和迷误，但是总的趋向是愈来愈取得稳定的地位。这种审美价值结构的建构成果自然是积累在经典性作品中。但是，每一个作品都有其特殊性为生命的，都是不可重复的，不可模仿的，《红楼梦》不可续，维纳斯的断臂不可补。可重复的只有艺术的具体形式。文学形式，不仅是与具体的内容共存亡的载体，而且是一种审美价值结构的一种范式或模式，它的功能不仅是被动的储存和积累审美经验，而且还成为审美认知的一种规范，符合这种规范，就能导致审美价值量的增涨。

某一形式的发展成熟，标志着这一分支的审美认识的发展和成熟。正因为这样，艺术

① 发表于《文艺理论研究》1988 年第 6 期。

创造不论是从个体发生过程，还是流派、风格的发育过程来看，都不仅仅是从模仿自然开始的，而且同时是从模仿艺术形式，驾驭艺术形式开始的。这是因为主观与客观如果直接统一，只能产生认识的真，而不可能构成美。二者如果不与艺术形式的审美规范准确地契合，都不可能构成三维结构，也就是不可能产生形象的美。在艺术中，主体和客体是不能直接统一的，二者只有通过具体形式才能在三维结构中产生美的形象。形式是审美经验的历史积淀的载体，离开了这个载体作家要超越认识的真和实用的善，也就是要超越二者的理性优势，就不能不从零开始。《儒林外史》中写王冕完全孤独地模仿自然，绝对独立地写生，没有任何文人画形式规范的参悟，就成了大画家，完全是一种空想，既不符合历史事实，也不符合审美价值结构的历史性积累的规律。艺术价值层次越高，越是离不开形式的规范。学习书法，不可能像传说中的仓颉那样从观摩天文、地理、鸟迹、兽踪开始，正如京戏中的武生很少从体验战争生活开始。一些五四前期作家（包括鲁迅）早就有了生活，但是并没有写出小说来，直到接触西方的小说以后才一发而不可收地创造出符合现代小说形式规范的形象来。

离开了具体艺术形式规范，主观与客观的统一就不可能是统一于美，而是统一于真，赤裸裸地统一于真，对于艺术来说就是审美价值结构由错位结构变成科学认识的同位结构，而错位结构的消失必然导致审美价值变为零，甚至变为负值，但审美价值的负值乃是丑，而不是美。

在西方，美学从来就是哲学的附庸、小伙计，因而美的价值结构往往不由自主地被真的价值结构所同化。这是由于西方最大的美学家并不是艺术家，而是哲学家，美的范畴不免成为真的范畴的演绎。其结果是美的复杂结构一直在真的单纯结构中苦苦挣扎。凡是哲学的思维模式所不能容纳的，不是被哲学的思维模式所歪曲地同化，就是被拒斥于模式之外，不被感知。

就是那被认为有形式主义倾向的克罗齐，实际上也没有摸到形式的审美规范作用的门儿，他并不理解形式对于真向美转化的伟大潜在能量。他把形式简单地当成一种直觉："在直觉线以下的是感受，或无形式的物质。"（克罗齐的"物质"相当我们所说的"内容"，也就是作家的个性与生活的遇合或艺术感受）要变成美的形象，克罗齐认为"只有赋予它以形式，把它纳入形式才行。""物质（也就是我们说的感受内容），经过形式打扮和征服，就产生具体形象。"但是关于形式，克罗齐又说："这形式是常住不变的，它就是心灵的活动。”①

实际上，他所谓的“心灵的活动”，就是他所强调的“直觉”，或者“心灵的综合”。把艺术形式当作一种自发的形式就等于取消了形式。艺术形式作为一种审美价值的规范结构并不是自发产生的，它是一代又一代艺术家审美创造的结晶，是人类审美历史经验的积淀。

特别不可忽略的是主观与客观要统一为美，不能光在主观——客观这两个极点中间，或两个方向（维）中间打转。由于美学长期依附于哲学，两极思维或二维思维已经成为美学家的一种思维定式，弄来弄去总是逃不脱美就是客观的真，或者美就是主体的情感自我表现的框架，好像不在主观与客观这两极（二维）中统一就无路可走似的，文艺美学如果超越这同一个层次两极的平面就好像活不成似的。我们往往把坚持辩证法的宇宙观，坚持分析矛盾的基本方法，当成一种只能在同一个层次同一个范畴上进行平面分析的方法，当事情涉及两个层次的交叉，我们仍然拘守着单层次的两极思维，而没有想到可以把真的层次与美的层次交织起来，进行立体的思维，主观与客观既然在本层次上只能统一于真，既然美对真有一种超越，这种超越难道不可能是层次的超越吗？在宇宙观上坚持矛盾论并不一定意味着对任何事物，只能在同一层次上，用一个单纯的标准，一分为二，坚持矛盾分析的方法也可以在交叉层次上，以一个交叉的标准，进行一分为三的分析。50年代，我们用一个单纯的标准分析世界的政治经济形势的各种矛盾，得出两个阵营，两个市场的结论，是二分法，70年代，我们分析世界形势，得出了三个世界的结论，突破了二分法的逻辑模式，所用的就是复杂得多的立体标准。②事实上，中国古典哲学就有把哲学的矛盾分析方法与逻辑的三分法结合起来的优良传统。《老子》第五十一章：“道生一，一生二，二生三，三生万物，万物归一。”

世界是多个差别系统的统一体，矛盾只是其中最发达的差别，事物并不是只有在一个

---

① 克罗齐著，朱光潜等译：《美学原理美学纲要》，人民文学出版社1983年版，第11—12页。其实“心里的活动”不可能常驻不变的，而是随着时间、地点、条件特别是不同的艺术形式而变化多端的。2016年注。

② 关于分析的二分法和三分法的关系是一个在哲学上有待深入研究的问题，在80年代，我还不十分明确，此处，说得吞吞吐吐。其实，后来引用老子的道生一，一生二，二生三，很简洁地引出三分法，不用啰哩啰嗦地扯到“层次”上去。其次，这里还混淆了三分法与“错位”范畴关系。错位是我的理论核心范畴。其意义不仅仅在于文学理论，而且在于哲学方法论。古希腊的形式逻辑学，其核心范畴是同一律：A就是A，A不能既是A，又是B。其特点为A和A是重合的。到了辩证法则发展为：A和B处于对立统一之中。二者虽然可以相互转化，但是，其本身仍然是处于分立状态，是不重合的。形式逻辑的同一律和辩证法的一分为二，都带有人为的划分的性质。我提出的“错位”则不同，A和B既不是重合的也不是分立的，而是交叉的：部分重合，部分不重合。从生活和心灵来说，是自然存在，比之形式逻辑的重合和辩证法的一分为二要普遍得多。这种情况被亚里士多德和黑格尔忽略了，因而也就一直被熟视无睹。2015年注。

层次上的平面的矛盾，也不可能只有两个维度。在二值逻辑之外还有多值逻辑，既然在这两个维度之间统一，不可能产生美，那么它就不能在另一个层次上找到与之交叉的第三维吗？

这个统一的第三维就是艺术形式的审美规范，这个规范制约着主观情感，也制约着客观生活，使之符合审美心理的超越和回归的要求，符合这个规范的就美，背离这个规范的就转化为丑。

二、原生形式和规范形式对内容的不同作用

在这个问题上束缚着我们头脑的除了方法问题，还有一个观念问题，那就是对形式范畴的简单理解。我们把内容决定形式这个命题看成是绝对的、无条件的，其实，无条件的、绝对的决定作用是不存在的，内容只能有条件地决定形式，内容并不能直接地转化为形式，不适合内容的形式并不能无条件地转化，它至少需要时间，甚至要付出代价。我们之所以把形式看得这样渺小，这样被动，这样不起作用，是因为没有看到一个事实，那就是内容与形式从来没有百分之百的统一过，它们之间的矛盾是永恒的。其次，内容并不能决定形式的一切，它只能决定主要性能，不能决定具体形态。同样的内容，可以有不同的形式，并不是一种内容只能有一种形式。人可以有不同的服装，书可以有不同的封面，同样的，诗的内容可以写成律诗，也可以写成古风或者长短句。

以为一种内容决定性地表现为一种形式是一种错觉，这种错觉导致了我们把形式当成一个不可分析的范畴，其实形式是可以分析的（已经有人把形式分为外部的和内部的，但对于我们研究真向美的幻化没有多大作用）。

其实，形式范畴，特别是艺术形式范畴还可以分析。形式像内容一样：有一个草创、发展、成熟、转化、消亡的过程，它在层次上至少可以分析为初级的原生形式和高级的规范形式。

初级的原生形式是一切事物都具有的天然形式，从一块破砖到一段自相矛盾的传闻，都有天然的原生形式。这种形式是与内容共存亡的，与内容一样是不可重复的。内容与初级的原生的天然形式的统一是粗糙的，是毫无选择性的，偶然性的，不自由的统一，是不美的统一。

通常我们说没有无形式的内容也没有无内容的形式，指的就是这种原生的、粗糙的天然形式，不是美的形式。

就艺术形式的高级规范形态而言，光有原生的形式可以说是无形式，甚至是反形式。一切原始素材的杂多、紊乱、缺乏统一性，对于高度多样而又统一的艺术形式的形成都是阻力，主观与客观向艺术的统一形态升华时，原生形式与内容的矛盾就变为主要方面。

正如生活的真实与艺术的真实有矛盾一样，原生的天然形式与艺术的规范形式也有矛盾。

艺术的规范形式不是一次性的，不可选择的，不是与形式共存亡的，是在千百年中不断重复的，它是一种超越了特殊内容的普遍形式，其中蕴含着审美的规范，以及这种规范联系在一起征服内容的艺术技巧。

这种形式的审美规范，对于作家和对于读者一样，由于长期的历史实践已经形成一种共同的、社会约定的心理定式和阅读预期。在这种心理定式和预期的作用下，规范形式与内容的关系就不同于内容与原生的天然形式的关系。它不再完全是被动的，相反它对内容有了某种主动性。艺术形式的审美规范一旦成熟，它就渗透到作家和读者的潜意识中去，成为皮亚杰所说的那种心理“图式”（Schema），这时生活信息如果不能被它同化（assimilation），就必然被它排斥。作家的创造才华愈高，对艺术形式的驾驭能力愈强，就愈善于通过形式的审美规范帮助自己对科学的认识价值和实用价值作审美的超越和回归。规范形式的审美心理的超越和回归，对内容的形成有方法论式的约束作用。艺术形式的这种作用，比之一般方法论的向导作用更具强迫就范的性质。形象是生活、情感和形式的三维结构，形式的审美规范与生活的特征和作家的个性处在同一结构，是互相制约的，也可以说是互相决定的，并不是只有内容（作家个性和生活特征）决定形式规范。不但生活和作家的个性选择了创造了形式规范，而且形式规范也选择了、征服了作家的个性和生活特征，推动了作家的观察、感受、想象、情感、思维更符合审美价值的错位结构。

艺术的规范形式不像原生形式那样不能脱离原生内容而存在，它可以相对地超越内容而独立地存在。对于原始素材和原生的情感，它可以是一种预期的框架，它可以诱导、强制内容按审美范型所限定的空间和形态增生，它有迫使内容服从自己的能量。用席勒的话来说：形式“消灭了”内容的一些方面①。当然也创造了内容的一些方面。如果在这一点上，我们没有弄错，那么，在这个意义上，具体艺术形式的审美规范对于客观的真和主观的诚向艺术的美转化的过程起决定作用。同样是李隆基、杨玉环的恋情，抒情文学的审美规范

① 席勒的原话是：“艺术大师的独特艺术秘密就是在于，他要通过形式消灭素材。”见《美育书简》，中国文联出版公司 1984 年版，第 114 页。席勒所说意义比较复杂，感性冲动，或者审美情感，造成人性的全面表现的限制。这就是说，情感可能扼杀或抑制其他方面的潜能，例如理性的潜能。要克服这种限制，就需要形式冲动。当形式被自由地驾驭的时候，生命就达到最高度的扩张，我的理解是，形式会让感性和理性得到和谐、协同的发展。2015 年补注。

强制他们的爱是绝对的、永恒的，超越时间空间的限制的，心心相印，没有冲突的。在《长恨歌》中他们的悲剧根源来自他们情感以外的社会，诗只有这样写，审美价值才能增值。而用这样的办法去写小说，就不美了。小说的形式规范要求在他们两个人的情感世界中要有裂痕，要拉开心理的情感的距离，两个人的情感要有错位才有性格，戏剧文化也一样。洪昇的《长安殿》最有戏剧性就是杨玉环两次吃醋，两次被逐，两次又被请回的情节。而其他部分就过多地受了诗的统一和概括性的束缚，光展开社会矛盾的抒写，没有充分展开他们之间的情感错位，因而中国社会科学院文学院所编著的《中国文学史》就认为在塑造人物方面没有什么突出的成就。在一个小说家看来，到了七月七日长生殿，夜半无人私语时，赌咒发誓地表示："在天愿作比翼鸟，在地愿为连理枝"，用夸张的语言来表白，其实爱情已经完了。在小说中人说的是同样的语言，其实心里想的并不相同，才有性格。据郁达夫的回忆录记载，鲁迅曾有志于用长篇小说的形式写李杨故事，他就持上述这种看法。鲁迅如此看待《长恨歌》是因为他想以李杨题材长篇写小说。[①]

三、价值方位的错位与艺术形式规范的精准定位，在真转化为美的过程中起决定作用

形象的审美价值结构是一种价值方位的错位结构，这种错位导致审美价值量的增值。可是这种价值方位的错位不能理解为具体艺术形式规范的错位。主观情感特征与客观对象的特征的统一，是统一于具体艺术形式的特殊审美规范，审美价值量的增值取决于具体形式的特殊审美规范的精确定位。定位错误（如用写诗的办法写小说），导致审美价值量的贬值，甚至产生负值；定位不精确（如用写古风的办法写词，用写推理小说的办法写抒情小说），也导致审美价值量的贬值。

主观与客观如果不统一于真而统一于美，就要把价值方位的错位与形式规范的精确定位结合起来，审美价值结构是价值方位的错位和具体形式的特殊审美规范的准确定位的统一，如果背离了这个结构的特点，只能使真转化为丑。

形式规范的普遍性（如多样统一律）比较容易被人们认识到，而不同形式的特殊规范容易被忽视。苏东坡的诗中有画，画中有诗[②]，是讲两种艺术形式的统一性，流传甚广，而张岱表示异议的"若以有诗句之画作画，画不能佳；以有画意之诗为诗，诗必不妙"[③]，称道

① 郁达夫：《历史小说论》，《创造月刊》第2期。冯雪峰的回忆中也有这种说法。

② "味摩诘之诗，诗中有画。观摩诘之画，画中有诗。诗曰：'蓝溪白石出，玉川红叶稀。山路元无雨，空翠湿人衣。'"《苏轼全集》下册，上海古籍出版社2000年版，文集卷七十，第2189页。

③ 张岱：《琅嬛文集与包严介》，岳麓书社1985年版，第152页。

的人就很少。

任何事物最深刻的本质都只在其特殊矛盾中揭示出来，正因为这样，莱辛专述诗与画的矛盾的《拉奥孔》[①] 才成了西方文论中的经典。

主客观的统一，一旦与形式的特殊审美规范发生矛盾，就不能不使美贬值。魏钢焰在散文《忆铁人》中写道，王铁人在一个会上发言说："如果没有革命的炉火，我还不是毛矿一块；如果不是毛泽东思想盐卤，我还不是浆水一碗。"这是很好的散文。但是也仅仅在散文领域中它才有审美价值。如果把这样真实的情感变成诗的形式："毛泽东思想是盐卤，我是一碗豆腐浆"，那就不但失去了审美价值，而且失去了客观的真实和主观的真诚，审美价值就贬值了。

在散文领域，这种形式审美规范的混淆特别严重，形式审美规范的不能准确定位，使得新时期的散文至今没有取得与小说和诗歌相比美的艺术成就。这是因为从 40 年代起，散文几乎丧失了自身的审美规范，长期被通讯报告所同化。到了 50 年代初，最好的散文其实是通讯报告《谁是最可爱的人》。甚至到了 50 年代中期，中国作家协会编选优秀作品集时，散文仍然很难与通讯特写分家，因而只能出《散文特写选》。到了 50 年代后期，散文的审美意识重新复苏，于是有了杨朔把每一篇散文都当成诗来写的宣言。[②]一些作家以诗意的抒写为主要手段，把散文从通讯特写中解放了出来。但是，他们又很快又走向了另一个极端，把散文与诗的不同审美规范混同起来。散文才从通讯报告的奴役下解放了出来，又很轻率地陷入了诗的囹圄。许多散文家一窝蜂地追求诗意，把审美价值方位的错位变成了形式规范的错位，结果使散文的审美价值在短期的崛起之后又迅速地低落。杨朔在他的成名作《荔枝蜜》中就埋下了导致这种后果的种子。杨朔写他儿时被蜜蜂蜇了一下，就几十年耿耿于怀，直到中年吃了荔枝蜜，听了养蜂场的工作人员介绍蜜蜂的科普知识以后，对蜜蜂才激动得崇敬起来。当夜他梦见自己变成了一只小蜜蜂。很显然写的是散文，用的却是诗的想象逻辑。这种诗的想象逻辑用散文的现实逻辑一推敲就显得做作了。对于诗来说，想象可以超越时空地变形、变质，它追求高度的概括，甚至可以超越自身的现实特征加以变异，但是散文的想象没有那么大的自由，小蜜蜂的形态特征与杨朔已经从中年走向晚年的年龄特征不相称，感情就显得不真诚了。

各种具体形式的特殊审美规范之间的区分是如此精微，以致哪怕是才华卓越的大作家以毕生的精力也不可能把各种艺术形式的奥秘全部掌握。鲁迅、老舍、巴金的新诗没有多

① 莱辛著，朱光潜译：《拉奥孔》，人民文学出版社 1979 年版，第 16—22 页。

② 原文是"我在写每篇散文时，总是拿着当诗一样写"，《东风第一枝小跋》，见《杨朔散文选》，人民出版社 1978 年版，第 220 页。

大艺术价值，郭沫若的小说、茅盾的话剧都缺乏性格，就连曹雪芹也不能把古典诗歌的各种形式掌握得同样的好。在《红楼梦》中，诗不如词，词不如曲。在艺术实践中如此，在理论上就更是如此。何其芳在他那著名的论阿 Q 的文章中，说到阿 Q 在绑赴刑场时仍然没有惊醒，没有觉悟，没有呐喊，继续沉浸在精神胜利的自我麻醉之中，他曾经非常委婉地表述过他的困惑：一个活人怎么可能到死还不喊冤呢？[①]还要“再过二十年后又是……”这是因为他没有考虑这部小说以喜剧写悲剧的形式特点。喜剧的逻辑荒谬是它的特殊审美规范。主观与客观统一于特殊形式的审美规范，在《阿 Q 正传》中就是统一于喜剧性的逻辑荒谬。不如此荒谬就没有对生活的超越（或如布来希特所说的“间离效果”)，也就不能再揭示胡风所说的“精神奴役的创伤”这样的深度上的回归。如果鲁迅这时让阿 Q 突然大喊一声：冤枉啊！那喜剧规范的准确定位就被破坏了，审美价值就立即贬值。

不但不能把形式看得太被动，而且不能把形式看得太简单。把形式看得太简单、太被动的最显著的后果是我国文学喜剧性的贫困，特别在小说领域，喜剧性总是羞羞答答的，尤其是悲剧题材，很少有人有鲁迅那样的艺术家的魄力，敢以喜剧性的审美规范加以处理。西方有所谓“黑色幽默”就是“绞刑架下的幽默”。当一个人的脖子上套上了绞索，他还指着绞架问围观的人：“这玩意牢不牢？”悲剧从而有了喜剧性。能把大幅度的价值方位的错位与相应的形式规范的定位精度结合起来的才是大艺术家。

自然，对不同形式的不同审美规范的漠视，可能是个世界性的现象，有时连文学史上伟大的巨人在这方面也会犯一些渺小的错误。列夫·托尔斯泰就曾批评过莎士比亚，说他的剧本中的冲突是“任意安排的”“不合乎性格的”。特别是对话：

当读莎士比亚的随便哪个剧作时，一开头我就毫无疑问确信莎士比亚缺乏一种主要的（如果不是唯一的）塑造性格手段——“语言”，亦即让每个人物用合乎他性格的语言来说话。这是莎士比亚所没有的。莎士比亚笔下的所有人物，说的不是他自己的语言。而常常是千篇一律的莎士比亚式的、刻意求工的、矫揉造作的语言，这些语言，不仅塑造出的剧中人物，（而且）任何活人，在任何时间和任何地点都不会用来说话的。

现在也好，过去也好，任何活人都不会说李尔说的话，什么里根如不接待他，他要在泉下跟他妻子离婚，或是什么天空因喊声震裂，狂飙破裂了，或是什么风要把大地卷入海洋，或者像侍臣形容暴风雨时说的，卷曲的波涛要淹没海岸……可不仅所有

① 何其芳：《论阿 Q》，载《人民日报》1956 年 10 月 16 日。又见《何其芳文集》第 5 卷，人民文学出版社 1982 年版，第 181—182 页。

活着的人从来没有，而且也不会那样说。[①]

托尔斯泰这样武断并非故作惊人之语，而是由于他从根本上混淆了不同形式在对话上的不同审美规范。莎士比亚写的诗剧，人物对话常用五步抑扬格的无韵素诗（blank verse），直接把隐秘的情感用强化的效果表述出来，这是诗剧形式自我情感戏剧化和诗的想象规范所决定的。只有这样超越了现实的人的口语，才能深入地回归（剖示）人物的内心深层结构。而这样大幅度的假定性和情感喜剧化是与小说的现实性不能相容的，在诗剧中，人物都要讲真心话，甚至要把连自己也不是很经常意识到的前意识或潜意识都讲出来。这一切在小说家托尔斯泰看来都是"浮夸的废话""虚伪的热情"。那些"像阿拉伯树胶一样流出的眼泪和被人拉着两腿拖出的半打死人给读者留下的印象不是恐惧和怜悯而是可笑"。小说中的人物则不同了，虽然也讲一些真话，但在许多情况下所说的话，带着"心口误差"的特点。小说中对话的生动性往往取决于这种误差，心口太一致了反而没性格，不美。《红楼梦》中有个贾芸，没有正经营生，穷得混不下去，他想弄点香料送给王熙凤，讨好她，走她的后门，到大观园去弄个差事干干。自己又没有钱，只好到舅舅卜世人的香料铺去赊欠。舅舅不但没有赊给他，反而数落了他一顿，说他"不知好歹"，没有立个主意，赚几个钱，"弄弄吃的穿的"，让他"看着也喜欢"。明明是非常刻薄地拒绝了，却又装出一副仁厚长者的姿态训导下辈。贾芸对他的势利和虚伪是看得很清楚的，如果曹雪芹让他像莎士比亚笔下的人物那样，把自己的情感戏剧化，把自己的一腔愤怒当面倾泻无余，那就犯了小说家之大忌。《红楼梦》对话的成功在于使它的人物的口头与心头有一种非常奇妙、非常准确的误差。曹雪芹让贾芸这样乖巧地顶他的舅舅：

贾芸笑道：舅舅说的有理。但我父亲死的时候儿，我又小，不知事体。后来听说，都还亏了舅舅替我们出主意料理的丧事。难道舅舅是不知道的：还是有一亩地、两间房子在我手里花了不成？"巧媳妇做不出没米的饭来"，叫我怎么样？——还亏了是我呢，要是别的，死皮赖脸的三日两头儿来缠舅舅，要三升米、二升豆子，舅舅也就没法儿呢！[②]

口头上说的是"舅舅说的有理"，可话中蕴含的逻辑，也就是贾芸要充分阐述的，是舅舅无理，明明是有意顶撞这个长辈，可讲话口气又是那样乖巧，先积极肯定舅舅在自己父亲丧事中的作用，然后自然地引出话来转为对舅舅的消极驳斥，并从积极方面肯定了自己没有依赖舅舅成为他的负累。

---

① 杨周翰编选：《莎士比亚评论汇编》（上），中国社会科学出版社 1979 年版，第 504—505 页。

② 此据人民文学出版社 1978 年之通行本，脂砚斋评本贾芸顶舅舅的话开头作"贾芸笑道：'舅舅说的倒干净。'"显然不如。

心口误差，表面上是一种误差，实际在内心层次上是非常准确的。外在的误差是一种异常的结果，这种结果的恰当分寸暗示了造成这种误差的准确原因。这种误差的因果关系不完全是传达，同时也是对读者想象的一种激活。外在误差是一种超越，而内在分寸准确则是回归，正是在这超越和回归的统一结构中，产生审美价值量的升值功能。（当然，心口误差并不是对话的最高层次的审美规范，决定“心口误差”的另一准则在本书的最后还要详述。）

这种心口误差的规范越是到现代小说中表现得越是突出，不论使用传统手法写作的苏联小说，还是带着反传统色彩的西方现代派小说，在这一点上是一致的。

四、三维结构的特异功能：特殊性的递增不导致普遍性的递减，而导致与普遍性的同步递增

真和美属于不同的价值方位，因而主观与客观在自身价值方位、自身层次上的统一，只能统一于真，只有超越了真的范畴，在另外一个层次上才能统一于美，只有在美的范畴上统一了，才能在审美的层次上向真回归。

由于二者的层次不同，因而结构也不同。哲学的真是二维结构：主观一维，客观一维，形成一个有机整体。艺术形象则不同，它是主观、客观与形式的审美规范构成的三维结构。美是三维结构的功能，真是二维结构的功能，从真转化为美，增加了一维，就使整体结构产生质变效应，如果没有这一维，真就是概念的、抽象的真，没有任何审美价值，真就转化为丑。

前文已经指出过，就二维结构的科学认识功能而言，其间普遍的本质与特殊的感性之间，必然性与偶然性之间的矛盾，形成一种反比关系，特殊性、偶然性的递增必然导致普遍性必然性的递减；当特殊性、偶然性递增到无穷大时，必然性与普遍性递减到极限，趋近于零。一切极端偶然的例外的实例，对于科学认识来说毫无价值。如果艺术的审美价值结构和功能与科学的认识价值结构和功能完全等同，则形象越是个性化，它所表现的社会本质愈是有限，这就意味着要充分个性化，就非得牺牲社会本质的反映不可；反过来说，社会本质的表现越是充分，则意味着形象的个性化要作出毁灭性的牺牲。如果形象的价值结构与科学的价值结构真是毫无二致的，那么真与美就永远只能处在绝对矛盾之中，没有任何统一性，没有任何调和余地，那么，我们还有什么权利要求文艺反映社会本质，表现伟大的时代精神，深入剖析我国民族心理的深层结构，引导读者认识我国新时期的改革事业的伟大前景呢？我们社会主义文学的认识作用和社会效益观念不是完全失去了科学的基础了吗？新时期的文学又怎能完成人民所赋予的历史使命呢？

但是，美的三维结构的功能与真的二维结构的功能不同。三维思维由于形式规范对于真的超越，它的假定性的介入，使思维产生了结构的特异功能，普遍本质与特殊个性之间不再处于绝对的反比关系之中。由于三维结构的功能，特殊性与普遍性发生结构质变，二者不再直接发生互相制约的关系，不能直接互为函数，不再处于直接对立的冲突之间，它们之间互相影响要通过形式的审美规范，受到形式审美规范的同化和强制性约束，这样就产生了一个奇特现象，那就是特殊性的递增并不注定导致普遍性本质的递减，而是相反，在另一个层次上，也就是在审美的层次上，导致了普遍本质亦即审美本质的同步递增。艺术形象的任务是审美地表现生活如何激活了人的情感世界的深层积淀，通过人的主体本质去间接反映生活的本质。正因为这样，艺术在追求本质的普遍性时，用不着牺牲特殊性。因而现实主义典型，反映生活的普遍本质，并不需要牺牲人的特殊个性，也不像高尔基在《俄国文学史》中说的那样："从人们的相互关系和性格中攫取那些最有一般意义、最常复演的东西，组织那些在事件和性格中最常遇到的特点和事实。"其实，艺术典型往往不是最常复演、最常遇到的。最常复演和最常遇到的特点和事实只有科学的认识价值，而在艺术中通常只有超越了普遍性的强化了的特殊性才能产生审美价值。在超越之后的回归也不是回到原生形态的最常复演的生活事例，而是回归到最不常见然而又最有普遍意义的深层审美情感本质。在哲学和科学中，孤证和例外在概括过程中是要加以排除的。但是在艺术中，"例外"被巴尔扎克称之为最好的老师。堂·吉诃德、哈姆雷特、孙悟空、阿Q，哪一个都不是最常复演的。在巴尔扎克笔下，哪一个贪财好色之徒不是走到无以复加的极限、不可重复的境地呢？就是高尔基《母亲》中那个原来一直胆小得在恐惧中过日子的尼夫洛娜的觉醒和献身的过程，福玛·高尔捷耶夫不愿做资本家的接班人的过程，也都是绝无仅有的。

这是因为情节的产生常常是由于把人物打出常轨。推出生活环境的常轨，使之进入一种"第二环境"（如在拉甫涅列夫的《第四十一》中，把一个红军女战士和一个白军青年军官送上荒岛）。而把人物推向第二环境的目的是为了让人物的感情越出常轨，瓦解情感的表层结构，让深层情感奥秘得以显现。

越是超越常轨，越能揭示情感结构的深层奥秘，从而也越能间接地揭示社会环境的深层本质。为了这一点，有时作家不拘一格地让人物进入超现实境界，或者让人做个南柯之梦，或者让人有七十二变的能力，或者把人变成丑小鸭、大甲虫，或者让人长出猪头来，只要有利于人物情感的深层奥秘的显示，也就有利于社会环境的本质的剖析，这样就产生了形象的三维结构的特殊功能：特殊性的递增导致主体本质和社会环境本质的普遍性的同步递增，愈是特殊的，愈是荒谬的，甚至是超现实的，就愈是普遍的，愈是本质的，愈是个别的，也就愈是美的了。果戈理在《外套》中写那个阿卡基·阿卡基也维奇，失去了得来不易的外套，申请补助又被“大人物”训斥一通，以致抑郁而死。这样的特殊性已经是强化递增到很怪异的程度了，从科学认识价值来说已经构成对社会环境和人物心理普遍性的双重威胁了，可是果戈理仍然不过瘾，又让他的阴魂夜间出来在彼得堡卡林金桥头徘徊，专门抢人的大衣。有一次警察已经抓到他了，偶然（例外）地打了一个喷嚏，又被他溜走了。这样的特殊性对普遍性的超越达到了无穷大了，但是并没有导致普遍性的下降达到零。因为这样的超越不过是为最后的情感本质和社会环境本质的回归提供了条件（这个阴魂所抢的只是大衣），直到有一天把那位“大人物”的大衣抢去，鬼魂就再也不出现了。在现实社会环境中被埋藏得很深的那种内心反抗或复仇意识到了这种超越现实极限的境界中才充分显示了。

五、形式规范的成熟意味着与普遍性自身的封闭，形式规范的瓦解意味着开放和更新

当然，特殊性与普遍性的同步递增并不是无限的，而是有条件的。因为审美规范本身就是有限的，如果滥用艺术形式的审美规范，无限制地运用它的超越权，例如阿卡基的鬼魂不是向行人抢大衣，而是抢一切，不是抢到大人物的大衣以后就消失了，而是越抢越起劲，那就是光有超越，没有回归到心灵和生活的深层，也就是没有回归到真与美交融的境界，那样就可能变成胡编乱造。从艺术的超越到脱离现实之间只有一步之差。《西游记》与《东游记》《南游记》《北游记》乃至《封神演义》之间也只有一步之差。我国古典神话小说变成了神魔小说，教训在于超越的分寸上的失误。

当然，形式的审美规范对主观与客观统一于艺术的美而不统一于科学的真的保证作用不是无限的，而是有限的，任何形式都有审美增值功能，同时也有限制生活内容自由进入审美层次的功能。审美价值的错位结构的积极作用与消极作用是联系在一起的，错位便于美的超越，但也多少损失了生活的真和心理的诚的成色。一切的审美规范都是为了把情感从理性中解放出来，但是一切的解放本身就隐藏着脱离生活和背弃理性的可能。因而当审美规范的超越达到一个峰值以后，便可能走向反面。这时便出现了一种后果：超越变成了脱离，错位结构变成毫不相干的异位，以致无法向生活和心灵的深层复归，这时就可能歪曲生活和心灵。这种情况不仅在那些脱离了生活的纯粹形式主义的规范中（如回文诗、双声诗等）存在，而且在那些高度成熟的形式规范中（如戏剧中的三一律、排律等等）存在。形式的规范是为了审美的自由。形式成熟了，走向僵化，却威胁着审美的自由。当形式规范的消极功能占了优势时，即使主观与客观在它的规范下统一了，如日本人写的汉语诗歌，

仍然可能并不是最美的统一，其三维结构也可能并未使审美价值量充分增值。

形式规范的成熟往往意味形式本身的封闭，这时形式就僵化了，失去了在生活和情感冲击下自组织、自调节、更新自身内部结构的功能。从成熟到僵化之间并没有万里长城，它几乎是一个问题的不可分割的两个方面，这就为审美规范的更新、形式的蜕变创造了条件。正是在这个意义上我们才能理解鲁迅为什么说，好诗到唐朝已经写完，因为古典诗律到唐已经充分成熟了。

主观与客观统一于形式规范是动态的过程，一方面统一于形式规范的确立和稳定，一方面又统一于形式规范的瓦解和更新。因而这种统一是历史的统一。形式规范在形成过程中，它使审美价值量升值，形式规范在僵化期，它使审美价值量贬值。到了五四时期，主客观的统一，主要就统一于小说、诗歌旧形式规范的打破和新规范的探求。即使主观与客观在新的形式中尚未形成稳定的统一的规范，披头散发的新的规范还是战胜了精心修饰的旧的规范。闻一多说：

> 历史上常有人把诗写得不像诗，如阮籍、陈子昂、孟郊，如华滋渥斯（Wordsworth）、惠特曼（Whiteman），而瞬间便是最真实的诗了。诗这东西的长处就在它有无限制的弹性，变得出无穷的花样，装得进无限的内容。只有固执与狭隘才是诗的致命伤。①

闻一多说的是诗，其实也是一切艺术的共同规律。成熟的规范都是有限的，比之生活和心灵的广度和深度来说，都是可怜的，但就形式规范之可以更新来说，它又正如闻一多所说的有无限度的弹性，装得进无限内容，变得出无穷花样。正是在这样的动态的宏观意义上，我们也可以说，一切艺术形象并不是绝对可以规范的，内容在最高、最后的层次上仍然要决定形式审美规范的命运。不是在封闭中被淘汰，就是在开放中获得新的生命，从这个意义说，内容最后还是决定形式的，而且内容也只有在形式建构的动态过程中才能决定形式。艺术创造的高峰往往不在形式规范最稳定的时期，而是在成熟的形式规范的封闭性发生动摇，甚至有崩溃危机的时期。这时形式规范面临重建的任务，形式规范的有限性，与生活的无限性、情感的无限性的矛盾最为突出。形式规范不得不从封闭走向开放，以往为形式规范所拒斥的生活和情感便有冲破形式规范的可能。由于这个要素的变动，便引起了三维结构内部结构的自调节、自组织的过程。这种形式的开放性，不但朝向生活和心灵，而且也朝向相邻的形式的规范。这时，不同形式规范之间便发生了一种重新组合作用。它们间不容发的差异，就不是那么森严的了。生活的和心灵的扩展并不能直接转化为形式规范的扩展，形式往往要向相邻形式借用规范手段，并将之同化，才能使审美价值结构的增值效应提高，但无条件的互相交杂只能导致审美价值的贬值。

---

①《闻一多论新诗》，武汉大学出版社1985年版，第116页。

艺术的本质与本质范畴的多方位多层次结构①

有一种非常流行的理论，满足于艺术形象是生活本质的反映说法。这种说法至少隐含着以下两层意思：一、生活的客体本质和艺术形象所反映的本质是等量的、同质的；二、生活的本质只有一个，它是客观的、固定的，艺术如果不与之等同，就歪曲了生活的本质，就失去了价值。

然而，这种理论是十分粗糙的。

首先，本质作为一个哲学范畴，它并不是僵死的、不变的、永恒的。它和世界上的一切科学范畴一样，是运动的、发展的、变化的。

其次，本质作为一个基本范畴，像一切科学范畴一样，它不是一个单层次的简单概念，而是一个多层次、多方位的复杂结构。在不同层次、不同方位，它的内涵就有不同的变体。

再次，生活的本质和文艺形象的本质，属于不同方位、不同层次，因而内涵有不可忽略的误差。研究形象反映生活的特殊规律正是应该从这种本质内涵的特殊误差开始，而不能满足于在二者有限的统一性中滑行。

下面试就本质的本体结构的多方面、多层次的误差作一简略的考察，以期把艺术形象本质对生活本质的超越和回归的研究深入一步。

一、艺术形象所反映的本质与科学所反映的本质的特殊“误差”

当艺术通过假定去表现生活本质时，不但生活的现象，而且生活的本质发生了一种特殊的“误差”，正是有了这种“误差”，艺术才不是生活的描红，而是一种创造，艺术才有

① 发表于《文艺理论研究》1985 年第 3 期。

了自己的生命，如果艺术在表现生活的本质时，像社会科学那样精确，艺术就没有存在的必要了。

艺术形象不可能有科学的精确性，它不可能像社会科学那样，对生活的本质作全盘的、系统的逻辑复制。艺术不具备科学那样的系统抽象的手段，它缺乏那样的普遍适应、内涵稳定的抽象概念，它以特殊个体去对生活本质作出概括。本质是普遍的，艺术表现它的形象却是非特殊不可的。艺术不能不运用特殊的形象，但又不能不突破其特殊性，向普遍性扩展或者延伸，这就产生了矛盾。

当然，列宁说过“一切特殊都是普遍”。但并不是任何特殊在任何条件下都有充分的普遍性，特殊包含的普遍，是在特殊范围内的普遍，也可以说是一种有限的普遍。在特殊本身的范围内，特殊的普遍是充分的，越出了它的范围，特殊的普遍性就受到限制。一切个体对于范围更大、过程更长的生活来说，其普遍本质不能不是有限的、不完全的，甚至片面的。正因为这样，科学在研究事物时，要在马克思所说的“纯粹状态”下进行，在它最少受干扰的地方进行，也就是在最不受特殊范围限制、特殊条件干扰，普遍性最充分、最稳定的情况下进行，这是科学的特权。然而文艺却没有这种方便，它必须和特殊、偶然、意外打交道，才可能创造出富于感情色彩的形象来。艺术必须在不纯粹的状态中进行概括，也就是在普遍性有限的范围内，争取作更广泛的、更典型的概括。这自然会受到不可避免的限制，但是如果艺术的本质被特殊的有限范围过分束缚了，艺术概括的广度和深度就会受到影响。正如恩格斯在《致哈格纳斯的信》中所指出的，伦敦东头的工人阶级的觉悟程度在它本身的范围内是有普遍性的，但对于整个欧洲，对于整个历史来说，就不那么充分了。

艺术所表现的本质和科学所揭示的本质，在本质的立体结构中处于不同方位，它们不是同位的，但也不是完全异位的（毫不相干的），而是交叉的，用我的术语来说是一种错位的关系。它们的内涵之间有明显的错位。

艺术概括要尽可能突破特殊的局限，但不能采取普遍的形式。普遍的内涵，必须被假定在特殊的外延之中，这就产生了一个结果：艺术形象的外延和内涵不像科学概念那样平衡了，它的内涵，它的本质，总是要大于它的外延。不能为了达到平衡，让艺术形象缩小它的内涵，使之成为绝对特殊的。这样一来，艺术就失去了它的概括性，丧失了与科学本质的交叉部分。如果阿 Q 的形象塑造只是为了讽刺某一个人，如果《红楼梦》只是曹雪芹的自传，那就不可能成为文学史上的杰作了。反过来，艺术也不能无限扩张它的外延，使之与普遍的内涵完全平衡。虽然，艺术形象的特殊个体的外延边界是假定性的，不像科学概念那样严格稳定，但是它的弹性是有限的，任何事物都不能没有一个相对的最后的边界。

混淆了事物的最后的界限，就是混淆了事物的本质。艺术不能把普遍本质的全部内涵通过特殊个体作穷尽性的表现，特殊不能成为普遍本质的傀儡。艺术不能蔑视它特殊个体的基本局限，它不能不从特殊出发，在特殊的范围内有限度地揭示普遍的本质，普遍本质可以成为深入探索特殊的向导，但不能成为它直接表现的对象。艺术形象不能容纳高大全的人物，这不仅仅因为生活中不存在，而且因为特殊个体也容纳不了。典型化的特殊个体，不管怎样延展其内涵，还是在特殊的基本界限之内，它的普遍是特殊的普遍，它不可能完全进入科学借以生存的“纯粹形态”。艺术一旦以本质的“纯粹形态”出现（如在中国作家协会50年代初期编的《诗选 · 序》中提出的“纯粹的人”），艺术就自我取消，成了科学，形象就变成了抽象，典型就成公式，艺术形象的本质就被科学的概念所同化。艺术摆脱了特殊的制约也就失去了艺术的概括普遍的自由。

比起普遍的科学本质，特殊总是有限的、不完全的、片面的，每一个具体的特殊的事物和人物总是不能胜任囊括科学本质的全部内涵的任务。特殊不可能具备普遍的全部优越性，普遍也不可能有特殊的全部优越性；虽然，艺术的特殊比科学的特殊局限要小，但仍然不可能取消这种局限。

艺术的特殊性越是强化，对生活的本质的容受程度就越小。正是因为这样，艺术形象所表现的生活本质，总是小于生活的本质。艺术典型，哪怕伟大杰作中的典型，也只能是表现有关生活普遍本质的某些重要方面、某些部分。列宁说：“如果我们看到的是一位真正伟大的艺术家，那末他就一定会在自己的作品中至少反映出革命的某些本质的方面。”① 列宁的话说得很有分寸，对一个真正伟大的艺术家也不能要求他反映出革命的全部本质，而只要求反映“某些本质的方面”。这是因为形象的特殊性使它不可能穷尽普遍本质的全部内涵。科学的本质和艺术的本质不可能成为半径相等的同心圆。生活的本质一旦进入艺术的圆圈就不能不变得相对地狭窄了。艺术所凭借的形象不能像科学概念那样对生活本质作全面系统、严格的逻辑复制。从来也没有一个阶级的艺术典型能囊括这个阶级的全部本质。明智的作家和批评家只能指望典型在某些主要的方面能够深入地揭示其本质。就是像巴维尔 · 维拉索夫（高尔基《母亲》中的主人公），保尔 · 柯察金（奥斯特洛夫斯基《钢铁是怎样炼成的》中的主人公）那样的典型形象，也不能说已经将无产阶级的全部本质都概括完备了。艺术作为一种审美价值总是要超越科学的认识价值。只要艺术形象是特殊的，就不能完成科学概念所能完成的任务。严格说来，把任何一部艺术杰作说成当时当地的百科

① 《列宁选集》第2卷，人民出版社1960年版，第396页。

全书，或者是阶级兴衰史[①]都是一种夸张的比喻。当然，作为一种比喻是无可厚非的，但是，比喻总是蹩脚的，把比喻当成科学就有点轻率了。恩格斯说：巴尔扎克在《人间喜剧》的中心图画周围汇集了法国 1816—1848 年的全部历史。并不是说它就是历史科学，而是说它的形象有丰富的乃至全面的历史性，它并没有历史科学的系统性和逻辑性。所谓“全部历史”，是恩格斯重新概括的结果，而不完全是本质的现成状态。

在文艺理论上，在文艺批评中要求作家对生活本质作周详的穷尽性的表现，常常导致创作上的混乱。对艺术特殊表现生活本质的客观局限的漠视、常常是公式化概念化的创作倾向和粗暴武断的批评的根源之一。

艺术追求概括的普遍性不是通过弱化它的特殊性来完成的，相反，弱化特殊性可能导致平均数、模式化、类型化，而强化特殊性并不意味着普遍性的本质变得稀薄。由于形象的三维结构和审美价值的特殊功能，特殊性的强化和本质的普遍性的强化是同步进行的。特殊在一个层次上的偶然的机遇和另一个层次上的必然的预期的双重作用下，实现审美本质的深入，在特殊尖端化到怪异的程度，也就是审美的普遍性深入到鲜明性的程度的时候。为了表现本质的逻辑性，常常采取表面看来非逻辑性的形式。以非平均数的形式，达到平均数的某种预期的终点。如一个小公务员在剧场打了个喷嚏，以后反复地向并未在意的将军道歉，却引起对方厌烦，小公务员竟抑郁而死。在社会科学中，这种特殊后果是极端例外的，是没有普遍性的，但是在审美的喜剧价值上它却是有高度的普遍意义的。这正表明旧俄罗斯贵族官僚政权，对下层小人物的精神压迫是如何惨烈，这相当深刻的审美本质，不是隐藏在普遍之中，而是隐藏在特殊的尖端之中。

艺术的特殊在这里显出它的优越性来，它不像在科学中愈强化普遍性，愈失去特殊性，在成功的艺术中，愈是特殊的就愈是普遍的，它比普遍形式、平均数，更能表现本质。

艺术特殊的优越性，还不仅仅限于这一点，更主要的，它所表现的本质的内涵，总是有越出普遍之处。列宁说过：“一切普遍都是特殊的一部分，或一方面。”反过来说普遍的内涵总是小于特殊。正是在这个意义上，恩格斯才说，在经济细节方面他从巴尔扎克的作品中所得到的东西，比从当时职业历史学家、经济学家和统计学家那里得到的还多。值得注意的是这些超出普遍的内涵，对于文艺来说，并不是可有可无的现象，而正是艺术本质的重要组成部分。从社会科学角度来看，阿 Q 作为雇农阶级的科学本质，是他遭受经济剥削、备受压榨和欺凌以及他自发地倾向变革的要求，而他的精神上的自我麻醉，则是一种现象。但是在文艺作品中，阿 Q 这种特殊到极点的自我麻醉，甚至临上刑场仍不猛醒，还

① 这里指的有人把《红楼梦》当作是封建社会的百科全书，毛泽东把《红楼梦》当作阶级斗争史——四大家族兴衰史。

要“再过二十年后又是……”，正是这个人物形象的审美本质的一个重要方面。[①] 这正表现了当时剥削阶级的精神奴役的后果是如此严重，农村劳动者普遍存在的自我欺骗是如此积重难返，革命启蒙的历史任务是如此迫切而繁重。

艺术的特殊所蕴含的本质，从这个意义上又比之社会科学的本质内涵深广，这就产生了另一种“误差”：特殊形象的本质大于普遍的抽象的本质。

这并不神秘，在艺术形象中，人的本质总比在社会科学中丰富得多。作为艺术形象的本质，不仅包括人的经济地位和人的思想，而且包括了人的气质、情感、意志、性格、趣味以及这一切的表现方式。在社会科学著作里，列宁的本质就是无产阶级革命的导师，然而在艺术形象中，这种本质如果不和他的情感、意志、个性特点结合起来，就变成现象。高尔基曾这样写列宁的形象：“当普列汉诺夫宣称党内没有机会主义者的时候，列宁就弯下身去，秃顶也发红了，肩膀也因忍俊不禁而发抖着。我从来没有遇见过一个能像弗拉基米尔·伊里奇这样笑得有感染性的人。看见这样一个严峻的现实主义者，一个对于巨大的社会悲剧的必然性看得如此清楚和感觉如此深刻，同资本主义世界势不两立，不共戴天的人居然会像小孩子，笑得喘不过气来，而且流出眼泪来，这简直使人感到奇怪，只有具有伟大、坚强而健康的心灵的人，才能这样笑。”“他十分起劲地同波格丹诺夫下棋，下输了，就生气，甚至懊丧起来，好像一个小孩子似的。值得注意的是甚至这种小孩子似的懊丧也像他惊人的大笑一样，并不破坏他性格的完整。”（高尔基《回忆列宁》）在这里列宁的形象固然包含了社会科学意义的本质的一部分，但是那小孩子一样的大笑和懊丧，却是社会科学的本质所要排除的。对于文学来说，这是列宁作为一个人的本质，一个伟大的而又平凡的、没有普列汉诺夫那样的导师架子的真实的人。正是在这个意义上我们才说，科学的本质范畴和文学的本质范畴之间的关系是一种错位关系：既有互相包容的一方面，又有互相不能包容的一方面。

在这里，本质在结构的方位上分化了。一方面是科学的普遍性本质，一方面是形象的特殊性本质，这种分化不仅仅由于二者在量上的“误差”，而且由于二者在质上有歧义。

二、普遍本质和特殊本质的有限统一

比起现象来，本质是稳定的。但是，这种稳定不是绝对的，它像一切事物和概念一样，在一定条件下，它的内部矛盾会转化，是运动的。

① 当然，阿Q形象的审美本质，不完全是客体的本质，它还包含着作家主体本质，详见后文。

艺术形象的特殊假定性，就是艺术本质内部矛盾转化的条件。

普遍本质被假定在尖端的特殊个体之中，本质的特殊性和本质的普遍性之间的矛盾自然要激化，或者是发生分裂，或者在转化中实现新的统一，这种转化首先就表现为在不同方位上，在不同层次上现象与本质互相转化。在科学中是特殊的现象，到了艺术中转化为普遍的本质。在俄国沙皇统治下和在中国封建社会重男轻女的传统观念统治下，出现了认为女子比男人更值得推崇的人物，这从社会科学来说是特殊的现象，然而在《复活》和《红楼梦》中，却显示了两个主人公形象的特殊本质。作品正是通过这样的形象的特殊本质，表现他们所属的那个阶级普遍的腐朽和精神的崩溃的，这种腐朽和崩溃不是孤立的现象，而是阶级本质使然。阿 Q 所受的屈辱越多，他就越麻木自欺，这是特殊的，但是这种奴役与麻木之间的恶性循环却是有普遍性的，是形象的本质的显现。

在许多成功的文学作品中，经常出现这样的现象，作家对那些看来与社会科学本质无关的现象，却给予了相当的热情。茹志鹃在《百合花》中对那个小通讯员舍身救民工的情节（这无疑是人民战士本质的表现），只花了不到一百字，用侧面交代的办法，对付了过去，面对这个小战士在女同志面前抹不开，羞涩，连借被子的任务也完不成，（这似乎不是人民解放军的本质）却不惜笔墨大加渲染。她这样做并不是本末倒置，如果以为凡此种种都不属社会科学的本质，是可有可无的现象，便可删去，那么这个通讯员作为形象特殊的本质就不存在了。同样，如果把车厂老板管家虎妞对车夫祥子主动的爱取消，把四凤对周萍的看来是超阶级的爱排除掉，剩下的都是社会科学所认可的东西，本质倒也是本质了，但艺术的本质却消失了。我们在前面论述过：当审美价值仅限于和科学的认识价值统一的范围之内，没有任何超越时，审美价值就可能贬值。许多满足于直接表现人物社会科学本质的作品，给人的印象并不是本质的强化，反而是本质的否定，在那些罗列一大堆动人事迹的作品中，本质无情地转化为一大堆现象。相反，把社会科学在概括过程中所遗弃的现象放在艺术的特殊假定中去，现象却可能转化为本质。本质本体结构的多层次多方面就这样显示出它活跃的生命。

从本质的普遍性来看，社会科学的本质和艺术的本质有共同性。从本质的特殊性来说，社会科学的本质和艺术的本质又是不同的，有着不可忽视的错位。从本质的普遍性来说，它是稳定的，从本质的特殊性来说，它在外界条件作用下，必然引起本质结构内部层次和方位的转化。本质像一切事物一样，是不断运动着，不断转化着，不断深化着的。列宁说："就本来意义说，辩证法就是研究对象本质的自身矛盾，不但现象是短暂的、运动的、流逝的，只是被假定性的界线所划分的，而且事物的本质也是如此。"[①]正因为本质作为一种结构

① 《列宁全集》第 38 卷，人民出版社 1960 年版，第 278 页。

是依不同层次不同方位而运动的，因而人对本质的认识才是不断丰富、不断深入的。用列宁的话来说，也就是“由所谓初级本质到二级本质，这样不断深入下去以致无穷”。在思维的不同方位、不同层次上，本质的不同内涵，作为不同的要素，形成一个统一的结构，一个统一的系统。这不仅因为客观本质本身是一种变化着发展着的结构，还因为认识主体也是如此。

事物的属性是无限丰富的，任何一个统一物，都包含着众多的组成部分，具有多种差别关系的复杂系统。但是我们借以反映这一切的概念却相当狭隘，它不能对之作一次穷尽性的反映，它只能反映其中的一个方位，一个有限的层次，因而人在认识事物时，不得不把事物内在多种差别关系的复杂系统作假定性的分切，按特殊的目的性和可能性选择多种差别关系复杂系统中的一个系统，确定无穷发展过程中的一个阶段，去概括事物的一个方位，一个层次的本质，这就有了不同学科的分工。严格地说来，每一个系统都是被假定的界线和狭隘的目的孤立、突出起来的，它所获得的本质都是特殊的，甚至片面的。例如达尔文主义所揭示的人的本质在生物学领域中是深刻的，但对于社会科学来说就是片面的。众多的学科对于事物特殊本质的概括互相补充、互相交叉，汇合起来，上升为普遍的本质的认识基础。特殊本质是普遍本质的一个变体，它的特殊受到普遍本质的制约，普遍本质又建立在特殊本质的基础上，吸收特殊本质的一部分，它受到特殊本质的制约。特殊本质孕育了普遍本质，又在普遍本质未涉及的层次和侧面上有它自己独有的内涵。普遍本质在它自身和范畴内有特殊本质达不到的外延，它隐含着比特殊本质更高的更深的概括（对形式逻辑来说是更浅的，对于辩证逻辑来说是更深的），所有这一切的汇合就构成了一个层次有深浅、角度有变幻的多种规定的统一结构。人类认识的成果不但积累在普遍本质之中，而且积累在特殊本质之中，人类就是像列宁所说的那样，从“事物同人所需要的那一点”上去步步为营地把握事物的本质的一个个层次，一个个方位，把这一切积累起来。人对本质的认识，就不断丰富起来，深刻起来。

不断在方位上转换和在层次上深化，是认识发展的形式，人只能在转化和深化的复杂过程中加深对本质的认识。认识本质的横向方位扩展和纵向层次深入是统一的。不同学科对同一对象的本质的认识的分化，常常又是对同本质认识的深入。例如，在逻辑学、生物学和社会科学中对人的本质的认识就不仅仅是并列的，而且是递进的。对于形式逻辑来说，把古今中外不同的人之间不同的东西舍弃掉，把其中共通的东西概括为一个统一的概念——人，揭示出无限众多的人的内在的相对稳定的联系，就是掌握了人的本质了。但是对于生物学来说，这样的人的概念，只表现了人的初级本质，对于更深一层的二级本质来说，它可能是个现象了。生物学在运用逻辑的基础上，从人的形态习性和生理机制的发生、发展过程中去探求更高一级的本质。可是从社会科学的角度来看，这种生物学本质，又转化为现象，作为现实的人，而不是抽象的人，其本质，乃是社会关系的总和。而到了文学中，如果只满足于把人当作社会关系的总和，又可能只是在现象上滑行了。

本质的普遍性和本质的特殊性是相互制约的，本质的普遍性并不是本质的特殊性的简单总和，而是众多特殊本质在另一个层次上的升华，是一种更深刻的抽象；本质的特殊性，也不是本质的普遍性的简单演绎，它是普遍本质在另一个深度上的概括，二者在范畴上的对立，使它们的内涵像不同的血型一样，虽然同样是血，但任意混合却会造成灾难。长期以来，我们忽略了这种矛盾，常常用社会科学的本质去取代艺术形象的本质，其后果是公式化概念化的顽症的长期困扰。

这种困扰持续之久，使我们付出的代价之大倒并不完全由于外在的行政命令的干扰。因为行政命令的干扰也建立在一种对艺术本质的误解上，而这种误解是干扰者与被干扰者所共有的。

三、个体本质和群体本质的有限统一

人类为了进行抽象概括，不能不把事物按一定特点和一定目的加以归类，这样就把它们从事物的总的联系中提取出来，换句话说，就是把不属于这类的事物排开。范畴就是在这种分类过程中最高的抽象，最广泛的概括。如把现实的人的本质抽象为一切社会关系的总和，这属于社会科学范畴，是一种类的抽象，它的特点是把人类的社会属性和人类的自然属性加以区别。这样的归纳和抽象意味着把人的自然属性放在考虑范围之外。人的社会本质和人的自然本质是不完全一致的，但是抽象出这种本质的方法却是一致的，那就是把人当作一个总的类来加以抽象。自然科学揭示总的类的人的自然本质，社会科学解释总的类的人的社会本质。社会科学不同于自然科学之处，是把人的总的类再按生产资料占有的情况划分为群体。社会科学的本质范畴是对人的群体按经济的地位大体分类作类的抽象，正如马克思在《〈资本论〉第一版序言》中所说：“这里涉及的人，只是经济范畴的人格化，是一定阶级利益的承担者。”[①]在社会科学范畴中的人的本质，是这种群体的最大公约数或者平均数。社会科学的本质范畴是类型化的范畴，是抽象的公式化概念化的普遍属性。马克思主义的社会科学，把人的阶级性范畴，引入文学领域和创作批评中，把人的阶级性，作为一种基本原则和基本出发点，无疑有利于艺术探求生活的本质。它第一次把对生活的本

① 《马克思恩格斯选集》第2卷，人民出版社1972年版，第208页。

质的认识，放在科学的基础之上，为在曲折地探讨中的一代代艺术家照亮了前进的道路。真正接受了以这种科学范畴的艺术家自然有了深刻的进展，而背离这个科学范畴的艺术家，不能不因此付出极大的代价。

但是马克思主义的社会科学范畴的本质，只能对艺术家探求生活的本质起指导作用，并不能代替艺术本身的探求。艺术范围的本质有它的特殊性。艺术所表现的人的本质范畴，并不是以人的群体为对象的，而是以人的个体为对象的。当对某个具体的对象进行研究时，马克思主义的科学范畴，可以成为具体分析的向导，它的作用仅此而已，超出具体分析的原则以外一步就可能走向谬误。在每一个特殊个体中，都有普遍本质所不能包容的属性。即使以群体为表现对象的史诗神话以及某些童话和象征性艺术作品中也还有特殊的本质。为社会科学范畴排斥了的属于特殊个体的属性，被当作现象舍弃了的现象，在文学中又转化为本质。如果把这种特殊本质当成普遍本质加上特殊现象的外衣，那就是极大的误解了。对于社会科学来说，本质越是具有普遍适应性越好，而对于文艺作品来说，越是特殊，越有个性，才越有艺术本质的深刻性。在社会科学中，同一群体，在同一层次，同一方位上，只能有一个统一的本质，而在艺术中，同一群体中的不同个体，如果不是各有特殊本质，艺术形象就可能走向毁灭。贾宝玉、林黛玉、薛宝钗、王熙凤，在社会科学意义上说，他们的社会关系的总和是同样的，他们的阶级本质没有什么根本不同，但是作为形象来说，他们的特殊本质是不同的，甚至是相反的（当然，总的说来是统一前提下的对立）。这是因为艺术形象，作为一种个体和社会科学的群体不同，这种个体虽受到社会关系的影响，但是并不能从社会关系得到完全的解释，它还有它自身的规律。正如地球虽然有围绕太阳公转的规律，还有它自身旋转的特殊的（自转）规律，这种个体自身的发生、发展、毁灭的特殊规律和社会关系的普遍规律，并不完全同步运行。

正因为这样，在社会科学中人的本质就是人的群体的共性，在艺术形象中人的本质则是人的个性。社会科学的共性和艺术的个性是永远也不能完全、无限地统一的。共性的全面内涵是艺术假定的特殊个体所不能完全容纳的。艺术形象的本质，不能越出假定的特殊个体的限度，因而艺术只能从有限的个体出发，通过个性尽可能充分地表现共性，但永远不能穷尽共性。共性的普遍本质，不是凌驾在个性的特殊本质之上，而是相反，它只能局限在个性的范围之中，以个性的特殊属性所能容纳为限。正因为这样，在艺术形象中个性与共性的统一是有限的，不但在范围上有个限制，而且在性质上也有限制，哪怕这种个体的特殊性是异常的、畸形的、例外的，甚至是怪诞的，共性也不能因为它有限、不符合“纯粹形态”的要求而厌弃它。共性只能让它接受过滤和消化。艺术只要能揭示出产生这种畸形、怪诞、例外、异常的社会根源或人的心理根源，个性的特殊本质就和共性的普遍本质相通了；或者，个性就和共性在揭示生活本质这一点上有限度地统一了。个性本质和共性本质的有限统一是在个性的限度以内而不是在共性的限度以内的统一。

四、客体本质和自我本质的有限统一

任何科学的本质都是排斥主观性的。主观性渗入科学，只能干扰客体本质的准确再现。而文艺却不然，它自然要反映生活的客观本质，但是它却不但不排斥主观（自我）感情，而且把主观（自我）感情当作表现客体本质的不可或缺的元素。不过，艺术形象是假定性的，它把渗透着主观（自我）感情的生活假定为客观的本来面目去表现。艺术形象中蕴含的生活，不仅仅是客体的反映和再现，而且是主体（自我）的表现和创造。形象是客体和主体生活和自我和谐地交融的产物。主体的自我和客体的本质如果不能和谐地统一，那就可能发生分裂，不是歪曲了生活本质，就是扼杀作家的个性。

生活进入作家头脑中，并不限于被机械地增加、减少、拆卸、装组，而且是被消化、被肢解、被吸收、被同化，一句话是一个重新获得生命的复杂曲折多层次的过程。首先是生活养育了作家的自我，化为自我的灵魂和血肉，构成了自我的个性，在自我心灵中强化了潜在的倾向和趣味，诱发了自我特殊的追求，积累了自我心灵的库存。其次，有了这一切，在新的生活面前，自我才有反应或同化的能力。值得注意的是，从生活获得了个性的自我再度面临生活时，就不是来者不拒的了（来者不拒，就是丧失自我），而是表现出相当强的选择性。像马克思在《1844 年经济学哲学手稿》中说的，把自己“内在的尺度运用到对象上去”，在心理上就产生一种瑞士心理学家皮亚杰所指出的“同化”作用和“顺应”（或译“顺化”）作用。

认识并不是一种机械的照相或录音，认识主体并不是完全被动的。如果我们不仅从认识的结果，而且从认识发生的过程看认识的特殊规律，那么起码应该承认皮亚杰的说法有道理：“一个刺激要引起某一特定反应，主体及其机体就必须有反应刺激的能力。”[①]并非一切生活信息都能引起作家神经的反应，要看作家头脑中有没有与生活信息起作用的能力。皮亚杰认为只有头脑中存在某种“格局”（Scheme，或译图式），外来的生活信息，能与“格局”发生“同化”（assimilation），生活与“格局”同化了，才能产生相应的反应。当然，作家头脑中这种“格局”是生活经验造成的，它不仅影响由条件反射构成的大脑皮层中暂时联系的强度、速度和平衡性，而且也决定了它的选择性，方向性。而这一切也就是作家

---

① 皮亚杰著，王宪钿等译：《发生认识论原理》，商务印书馆 1981 年版，第 60 页。

主体，作家自我的特殊性。同样的感性刺激丛，可以为不同的自我同化，产生不同的形象，自我“格局”的性能起了决定作用。

当然，自我的“格局”比起生活信息来说总是比较狭隘的，生活信息总是比自我“格局”要丰富。不管自我的“格局”多么平衡，生活信息都要对它的平衡性进行冲击。这样，旧的心理感知结构就要发生变化，原有的“格局”就要有所发展变化，从而有更大的适应性，这种过程皮亚杰称之为“顺应”（accomodation）。认识的过程并不纯粹是生活信息作用于作家自我的心灵，而且也是生活信息和作家自我心灵的信息互相作用的过程，也就是“同化”和“顺应”同时相互渗透或连续性地互为因果，实际上是生活信息和自我心灵的信息在多层次地相互制约，相互作用，反复地互相选择，重新组合。在这种过程中，心理感知的“结构”不是静止的，而是动态的。感知结构在不断变化、发展的动态过程中达到与生活信息的相对平衡。因而皮亚杰认为不应该把刺激——反应的公式写成 S → R，而应该写成 S（A）R。把它具体化为：“T+I → AT+E[①]” T 是同化过程中的心理结构或格局，I 是外来的信息刺激，AT 是信息（I）被同化于结构（T）的部分，E 则是不能同化而被排出的部分。认识的心理基本是同化，同化这个概念是从生物学中引申来的，如同动植物把外界的能量、物质化为自身的机体，使外在的物质和能量获得生命和新质。人由于同化了外界的信息而提高了认识“结构”（或“格局”）的顺应性能，同化成为顺应的前提，顺应也成为同化的结果，认识就是二者循环往复的过程。这一点，刘勰在《文心雕龙·物色》中早就意识到了：

山沓水匝，树杂云合。目既归还，心亦吐纳。

春日迟迟，秋风飒飒，情往似赠，兴来如答。[②]

这里说的“心亦吐纳”，其中“吐”，就是发出自我心灵的信息，主要是同化作用。有了“吐”，就是同化，才能“纳”，也就是顺应。生活和自我互相赠答，才能产生情致和感兴。

作家在生活面前不是被动的，作家的自我心理感知结构，审美感知“格局”，在“同化”过程中对生活信息的定性、定量和定向上起着决定作用，因而形象所反映的就不光是生活的本质，同样也有作家的心理感知结构和审美感知格局本质在内。同样的生活信息可能在不同的心理感知结构面前，为不同的审美感知格局同化。正等于同样的日光，可以为不同的性能的透镜反射一样。日光透过三棱镜为七色，不仅仅反映了日光由七种不同长度

① 张述祖等审校：《西方心理学家文选》，人民教育出版社 1983 年版，第 430 页，并请参阅第 431 页的阐述。

② 刘勰著，范文澜注：《文心雕龙》下，人民文学出版社 1960 年版，第 695 页。

的光波组成，而且表现出三棱镜的折射性能。把生活比作艺术的土壤是不全面的，因为光有土壤不可能有花朵，还得有种子，种子就是作家的自我或个性，当然，它也来自生活。生活既提供了土壤，又提供了种子，不过是分阶段的，不是一次完成的。当生活进入艺术时，首先受到艺术假定的特殊个体的同化，当生活进入作家头脑时，又受到作家心理审美感知结构的同化。艺术形象是在作家自我同化作用容受范围之内受胎的，所以说艺术形象是再现生活和表现作家自我的统一。莫泊桑说得很明白："无论在一个国王，一个凶手，一个小偷或者一个正直的人的身上，在一个娼妓，一个女修士，一个少女或者一个菜市女商人身上，我们表现的，终究是我们自己，因为我们不得不向自己这样提问题：'如果我是国王、凶手、小偷、娼妓、女修士、少女或者菜市女商人，我会干些什么？我会想些什么？我会怎样地行动？'我们要使人物各各不同，就只有改变他们的年龄、性别、社会地位和我们'自我'的生活情况，这'自我'是大自然用不可逾越的器官的限制构成的。"①弗洛伊德在《创作家的白日梦》中说过："作家用自我观察的方法，将他的自我，分裂成许多部分的自我，结果就使他精神生活中冲突的思想，在几个主角身上得到体现。"②这个说法，就其现象来说，没有错误，但是弗洛伊德的"自我"，纯系心理机能的产物，是脱离社会生活实践的，因而成了真正的"白日梦"。但是，如果作家的"自我"同时是出之于社会生活实践，对创作素材起"同化"作用，这一点便有可同意之处。

上帝是按照自己的形象创造人的，人也是按照自己的形象创造上帝的。心理学上"同化"的规律决定了作家总是把自己的灵魂用不同的方式给予他所创造的人物，或者用哲学的语言说，作家在创作过程中把自我的本质对象化了。

当一个作家缺乏同化素材的胜任能力（Competence）时，也就是顺应胜过同化作用，这时表现为擅长于对生活的确切模写，但是缺乏创造性风格，形象体系缺乏作家独特的个性。这样的作品反映客体的本质比较充分，反映自我的本质就很不足，一般说来这样的作品处于单纯模写现实的阶段，艺术上很难达到高度的完整，高度的净化。因而在构成形象过程中，对创造性的追求往往表现为"同化"和"顺应"之间平衡的追求。既要描写现实，又要表现作家的自我。司汤达是个善于静观默察人的情绪和理智过程的人，他把自己这些能力给了他的主要人物，他们照例总是理解自己灵魂里发生的一切，而且超过一般人从不自觉的经验中积累起来的理解。他的一系列人物总是有他自己那样的高贵的特征和被歪曲了的英雄主义，常常有他自己所欣赏的经受考验时的高贵的感情。当契诃夫为自己缺乏洞

① 葛林等编：《欧美古典作家论现实主义和浪漫主义》（二），中国社会科学出版社 1980 年版，第 237 页。

② 伍蠡甫主编：《西方现代文论选》，上海译文出版社 1983 年版，第 145 页。又见何望贤选编：《西方现代派文学问题论争集》（下），人民文学出版社 1984 年版，第 655 页，译文略有不同。

察生活的最高意义和目标的世界观，为缺乏“中心思想”而苦恼时，他常常把自己的人物提高到能对生活意义和目标作自觉焦虑的水平，当契诃夫在考虑着“怎么办”而不得解决时，他把自己的焦灼不安，甚至于把自己为肺病所威胁，抑郁和生命苦短的隐忧赋予了他的人物。所有这一切强烈的“自我表现”成分之所以被称道，就是因为它并没有成为他们“顺应”生活的障碍。

正因为这样，艺术形象所表现的生活客体本质，已经不完全是客体生活本身的，它同时也是作家主体的本质。艺术形象正是在主客体能够交融，能够渗透的有限范围内去反映生活的本质的。这种本质是客体本质的有关部分和主体本质的有关部分的化合。[①]一旦化合了就不再完全是客体，也不完全是主体了，主体本质顺应了客体本质，主体本质同化了客体本质，二者的化合产生了一种新的本质。茹志鹃说：“形象里包含着作家最迫切想要告诉人们的思想，当然，这个形象就不是原来的那个形象了，经过了作家的综合加工，渗透了作家自己的思想感情之汁，这就变成你特有的啦。就是这里面融合了你的观点，你的趣味，你特别的爱，特别的恨，我认为从生活得来的具体形象，经过思索以后，这一种属于你自己的东西越多便越具有个性，越有特点，也就越好。”[②]在艺术中，作家的主观成分和生活的客观成分之间永恒的矛盾之所以能达到相对统一，是因为生活的客体本质，只能在作家自我的有限同化性能内得到表现，更重要的是这种作家的自我在另外一个层次上，本身也是向生活本质的顺应的结果。作家的特殊个性，他的特殊本质，归根到底，是向社会生活顺应的结果。它与社会生活之间有着密切的本质的联系。同样一种客体本质，可以为不同的作家的主体本质同化，产生纷纭的变体。这种变体的认识价值不但取决于它所表现的生活本质的深度和广度，而且取决于它所表现的主体本质的广度和深度。拿50年代作家笔下的农民的英雄主义和80年代作家笔下的农民苦难和无奈相比，其间本质的差异，不但有客体生活的变化，同时还有作家主体情感的变异。30年代作家笔下的知识分子启蒙形象和50年代解放区作家笔下知识分子被改造形象的区别，也出自同样的原因。评价作品表现生活本质的程度时不能离开其中作家主体本质表现生活本质的程度。鲁迅在《阿Q正传》中虽然没有对农民的斗争唱出英雄主义的颂歌，但他对辛亥革命的成败与农民觉悟程度之间的关系的探求，对所谓国民性的解剖，对群众的思想解放与革命启蒙的强调，这一切本身就深刻而广泛地表现了五四时期社会生活的历史本质某些重要方面。

主体的本质之所以能与客体的本质达到和谐的统一还因为它不是一个抽象的本质，而

---

① 这是一个粗略的说法。艺术形象是一种三维结构，决定形象的本质属性的还有艺术形式的审美规范。严格地说形象所蕴含的本质是生活本质、自我本质和形式的审美规范本质三者互相选择、互相重合的那一部分。

② 孙露茜、王凤伯：《茹志鹃研究专集》，浙江人民出版社1982年版，第76—77页。

是一个历史的过程，它是一定时代一定历史特点的反映，它和客体一样是不断发展的。在评价艺术形象对生活的反映时，不但不能把主体本质抽象化、绝对化为一种超现实的纯主观的东西，而且不能把客体本质绝对化、抽象化为纯客观的东西。对于同一历史时期的生活本质，处于不同历史时代的主体是可能有不同的同化的，对于不同主体本质，我们是不能仅仅以后来主体同化方式和深度去否定以前时代主体的同化方式和深度的。倒是应该侧重看其比之以前的历史阶段，它在哪些本质的方面深入了，哪些侧面有了新的突破。在《白毛女》创作过程中，曾经否决过喜儿被污辱以后对黄世仁存有短暂的幻想，这不能简单地归结于生活中不可能（应该说在生活中是可能的），更主要的恐怕是不符合当时革命作家主体本质特点。在《骆驼祥子》中，被卖给反动军官的车夫女儿小福子并没有反抗，这不仅仅反映了当时城市一部分个体劳动者的精神生活的历史特点，同时也恰如其分地表现了老舍当时对生活本质顺应的深度和限度。客体与主体二者在性质上相当，在程度上相近，才能构成和谐的假定性的艺术境界。艺术形象对生活的反映是在同化顺应两个方面实现的，作品中的形象如果可以比作镜子的话，应该是类似《红楼梦》中贾瑞的风月宝鉴，是一种双面镜。正面是生活客体的镜子，反面是作家主体的镜子。作家所创造的形象在反映生活本质的同时，不能不反映自我的本质。在认识发生的“建构”过程中，二者平衡是相对的，二者不平衡是绝对的。在文学中，主体本质的表现占据主导地位，但主体本质占据优势有一定的限度，越过这个限度，就可能成为再现客观本质的障碍。这个限度就是主体本质的同化不能压倒客体本质的顺应，如果压倒了，就出现二者的另一种不平衡，作家就被自我心理的有限同化性能所拘，对生活的感应力、理解力就不能不受到极大的限制。这对于作家来说是很危险的，作家如果把自己心理感知模式和审美感知结构作为绝对的框框，他笔下的人物就有成为他本人的传声筒的可能，不同的人物按相同的心理模式感知和行动必然造成雷同化、类型化。

这种不平衡的情况相当复杂。有时虽然从一种意义上是对生活客体本质的歪曲，从另一种意义上主体本质又曲折地表现了另一层次的生活本质。例如，《三国演义》把镇压农民起义起家的刘备当成英雄来歌颂，这是对生活本质的歪曲，可是作为刘备英雄形象的思想纲领是正统观念，这在《三国演义》形成的那个时代确有一定的积极意义。在元末明初农民起义的过程中，正统的汉族皇帝形象哪怕是虚构的、捏造的，也有它相当的号召力，成为团结和执行纪律的最高权威。从这一点来说，镇压农民起义的刘备的形象是主体本质（正统观念）的表现，在一个层次上是歪曲客体本质的，在另一个层次上又多少曲折地反映了生活的另一个侧面的本质。当时的正统观念是元末农民起义的历史本质（进步性和局限性）的有点扭曲了的反映。

作家自我的本质主要是通过作家的个性（思想的和艺术的）来表现的。可以说，没有个性就没有艺术的自我。作家不但要是一个革命的人，而且还得是个有个性的人，是一个意识到自我的价值和局限的人。个性化的道路是真正艺术创造的起点，同时又是作家自我束缚的起点。伟大的作家总是有伟大的个性。大作家总是能顺应历史潮流并在时代脉搏中吸取力量，把整个一代人对生活真理的曲折探求概括在自我个性之中，尽可能地净化、深化、丰富自我的本质。并不是所有的个性，所有的自我，其本质都是很深刻的，相反，深刻的倒是少数。自我也像一切事物一样，也包含着矛盾，所以易卜生说过，创造，自然表现了作家的感情、经历，但是，也可能"被天性中的渣滓"所鼓舞，因而他主张"创作好比洗澡，洗完之后，我感到更清洁、更健康、更舒畅"。这就是说创作不但包含着自我本质的表现，而且包含着自我本质的提纯和发展。自然这并不是关起门来进行道德自我完善，这种完善离不开生活实践和创作实践。

评价表现自我的本质时，不能离开作品对生活本质的再现。评价作品对客观生活本质的表现，也不能离开表现自我本质的深度，特别当这二者存在着明显矛盾的时候。正因为这样，列宁在《列夫·托尔斯泰是俄国革命的镜子》中并没有从作品应该成为革命本质的镜子对托尔斯泰作法官式的宣判，相反，他把列夫·托尔斯泰的主体本质作为革命本质的镜子来进行分析，指出："托尔斯泰观点中的矛盾，的确是一面反映农民在俄国革命中的历史活动所处的各种矛盾状况的镜子。"

列宁的原则是：作为主体的托尔斯泰自我的本质也可对客体本质作出深刻的反映。

马克思对神化的分析在这一类作品评价方面有原则性的指导意义。马克思认为神话的意义并不在于正面表现人与自然斗争的本质。马克思强调神话的价值在于人借助幻想征服了自然。虽然，我们知道当时的实际情况是人才从自然界分化出来，受着自然的暴虐统治。单以客体本质作为标准，神话好像歪曲了现实中人与自然的关系。在神话中人上升到统治地位，显然是主体本质的表现，显示了主体的潜在能量和对自身力量的强大信念。在神话中的自然，是人化的自然，人把自己的本质径情直遂地对象化了。这种对象化，之所以没有导致主客体本质的分裂，是因为，第一，艺术中主体占统治地位，是由生活中主体不甘于被统治的根本矛盾激起的。第二，在当时，比任何其他形式，它更为深刻地表现了主体的本质，比其他任何形式更能与客体的本质有限度地结合。在神话时代过去以后，神话及类似神话的民间故事、传说、童话之所以还能存在，那是因为它们表现的已经不仅仅是征服自然的幻想，而且是社会财富的"合理"分配，善恶报应的理想境界。这一切基本上只能从表现主体本质这个方位出发，去作出相应肯定的评价。当然，这并不是说主体本质在这里可以完全脱离客体而由自身孤立地显示其价值，与客体本质完全背离的大部分宗教迷信故事和超现实主义那种自我膨胀的绝对的“无意识世界”，仍然只能是对生活本质的歪曲。这里值得一提的是表现主义理论中的本质范畴。表现主义者反对生活的简单复制，这有其深刻的合理性。但是又显然走向了极端，以至于主张：“要纯粹确切地反映世界的形象，而这形象只存在于我们自身。”这是埃德施米特（1890—1966）在《创作中的表现主义》中说的。在表现主义者看来，“我们所感知的外表是不真实的”，最真实的是感情得到“无限的扩张”，扩张到什么程度呢？直到：

> 一座房子不再只是物体，不再只是石头，不再只是外部形态，不再只是有着许多美或丑的附加物的四角形。它凌驾于这一切之上。我们要一直探寻到它的真正本质，直至它更深刻的形式出现，直至房子站起来，房子从虚假现实的麻木不仁的强制中解脱了出来。我们对每个角落都要加以剔除，筛去房子的外表，舍弃外表的相似性而使其最后的本质暴露出来，直至房子漂浮于空，或倾圮于地，或伸展，或凝结，直至最后有可能躺卧于内的一切将它塞满为止。[①]

这里显然完全把客体的现实当成绝对虚假的现象，而把主体的膨胀了的感情当成绝对的本质。主体本质脱离了客观现实生活，和现实生活的本质分裂了，和“复制”绝对对立的“创造”就不能不走向了歧途。从认识根源来说，错误在于主体离开了客体，皮之不存，毛将焉附？否定了客体的主体最后也否定了自己。

由此可见，本质范畴是一个复杂的范畴，它的结构包含着多个方位、层次的矛盾和差别系统。文学形象中的本质与社会科学中的本质不但存在着量的“误差”，而且存在着质的歧异，忽略了它们在不同层次上的差异和在同一层次上不同方位的矛盾，用社会科学中的本质去淹没艺术本质范畴的特殊性，是创作中和批评中产生公式化、概念化的根本内因，而行政命令的从属政治的实用性，不过是外部条件。由于社会科学的本质范畴在我们生活和创作批评中占有那么大的优势，因而要反对公式化概念化，光从行政命令和从属政治的实用性上着眼是远远不够的。如果我们不敢把艺术的特殊本质和社会科学的本质、作家的主体和生活客体的本质区别开来，采取彻底的唯物主义的无畏态度，加以探究，反对创作和批评中的公式化概念化就不能不在很大程度上变成无效劳动。

---

① 伍蠡甫主编，朱光潜译：《现代西方文论选》，上海译文出版社1983年版，第152—153页。

论小说形式的审美规范性和开放性①

一、艺术形式有没有规范

新时期的小说正处在一个空前繁荣的阶段，小说观念、方法和风格的更新方兴未艾。新人出现的速度和小说艺术形式发展的速度构成正比。小说作为一种形式的审美规范，正在以令人眼花缭乱的气势迅猛地发展着，小说的审美价值，小说的潜在审美能量日益得以显示。人们普遍体验着一种冲破规范的喜悦，一些权威的，似乎是永恒的小说观念在这波澜壮阔的艺术革新潮流中失去了神圣不可侵犯的森严性，越出规范的创造无情地证明了那些现成的、传统的规范的相对性。小说艺术的惊人发展不仅使传统的规范显得狭隘，而且也使正在形成的新规范也显示出其狭隘。昨天还是众口交誉的令人耳目一新的突破，今天就可能失去一大批好奇心极强的青年读者；而今天以新的风格夺取大量读者的作品，明天也许在更新的作品的竞争中遭受挫折。艺术手法、艺术风格、形式规范以一种近乎狂热的速度更迭着，形式失去了稳定性，成为小说艺术深度发展、繁荣的标志。

这种令人兴奋的发展速度，本来就使人难以冷静，而处在打破规范的历史转折点，则更容易使人囿于短暂的时限，产生片面性的错觉。激进的理论家往往很难避免做出片面性的概括，有些同志把艺术发展的全部关键简单地归结为“打破常规”。情感没有模式，艺术用不上规范，这样论断自然有其历史的深刻性，但是毕竟在逻辑上是蹩脚的。固然，那些现成的、传统的小说观念（例如：情节、性格、主题）曾经顽固地缠住我们的想象的翅膀，造成了许多僵化的模式，今天我们决不能从一种僵化的模式中解放出来又去创制另一种僵

① 发表于《文艺理论研究》1987 年第 1 期。

化模式。僵化的模式自然是可恶的，但是，审美心理活动没有形式规范却不美。并不是一切审美心理活动都能无条件地上升为美妙的形象。正等于客观生活的真实与艺术的真实之间有矛盾一样，主观情感的真实与艺术的美也有矛盾。不管是生活，还是情感，都要符合艺术形式规范才能上升为艺术形象。符合了，真就转化为美，如果不符合形式规范的要求，真就转化为丑。这个道理很简单，强烈感情的自然流露并不一定是好诗，一种很真诚的情感写成散文可能很美，可原封不动搬到诗里，就可能变为丑。在诗中美妙的直接抒情，在小说中可能成为概念化的大呼小叫。

艺术形式，对于生活和情感都有严格的规范性。没有形式规范，艺术形象就不可能构成，即使在迅速发展、日新月异地变幻着的形式也有规范功能。艺术形式规范是一种多层次的复合结构。形式规范的表层结构是非常活跃的，它比较容易发生变化，形式规范的深层结构虽然也在历史地进化着，但是却具有相当强的稳定性。在表层结构发生变化之时，它仍可以保持相对的恒定。小说的情节、性格、主题就属于表层结构范畴。当我们说艺术没有规范，情感没有模式时，如果指的是表层结构，那无疑是正确的。情节、性格、主题可以从无到有，又可以从有到无，表层变了，小说仍然是小说，这是因为：小说的深层结构并没有发生根本的质变。它当然也在发展，但迄今为止的世界小说史表明，它的深层结构并不是从有到无，从肯定方向到否定方向的转化或者飞跃，而是在发展中走向完善、走向成熟，它的特点表现为量的渐进性。小说的表层结构变化最终要受到深层结构的制约，表层结构的变化有一个限度，那就是不能脱离、破坏深层结构，它的变化必须是在深层结构自调节、自组织的协同功能效应之内，不能超出效应之外。超出深层结构的自调节的弹性限度就可能导致结构的瓦解。

由于某种历史的片面性，形式深层结构的稳定规范作用被普遍忽视了，这就产生了一种主张，那就是艺术理论的任务不是去寻求那决定艺术发展的普遍的系统的内部规律，而是对艺术发展做选择性的评述。艺术家不能指望自己的理论对艺术创作实践有指导作用，艺术理论的价值在于艺术家自己对社会对人生对艺术的思考，因而理论可以与创作没有直接相关性，对艺术的历史和现状作系统的逻辑概括是自不量力，寻求那决定艺术品价值的内在深层规范是徒劳无益的。

但是，我认为理论家不能以脱离创作实践而自豪，在表面上脱离创作实践的自豪掩盖不住内心深处的自卑。艺术理论家和科学家一样，其最高任务并不是描述、阐释局部现象，而是探索系统的规律，特别是那被表层的规律所歪曲了的深层的规律。只要能探索到某种深层的规律，艺术理论对创作无疑会有指导意义。

这当然是一个世界性的难题，历史性的尖端。

就小说而言，古今中外许多大家，都留下了宝贵的智慧的结晶和一系列不着边际的含糊其词。决定小说形象的审美价值究竟是什么，前人的答案并不能满足我们的求知欲。本文的目的就是要在探求小说艺术奥秘的新起点上迈出歪歪斜斜的脚步。

二、拉开心理结构的横向距离

人在认识客观世界时，所面临的第一对矛盾是同与异的矛盾，也就是特殊和普遍的矛盾。人要形成概念，就得把特殊的对象归入普遍的种属，如看见一个具体的孩子，说“孩子”，就把他与别的孩子在年龄、性别、相貌、气质上的不同都排除掉了，而把与别的孩子相同的方面保留下来。如果说概念是将特殊性从普遍性中分离出来，那么，判断则是将特殊对象与普遍属性联系起来。至于推理，其中归纳是从特殊到普遍，而演绎则是从普遍到特殊。例如“这一个是孩子”“那一个是青年”，“花是红的”“叶子是绿的”，“这一个”“那一个”，都是特殊的对象。而“孩子”“青年”则是普遍的种属。“花”与“叶子”固然是普遍概念，可是“红的”和“绿的”比花和叶子内涵外延更普遍，相对说来，花和叶子仍然是特殊的，而“红的”与“绿的”则是普遍的。

人的思维，不论是抽象思维还是形象思维，都是在分离和联系、普遍与特殊中进行的。不过，在抽象思维中是概念和判断、归纳和演绎的分工，而在形象思维中则是艺术形式的分工。

任何一个形象胚胎都产生于生活特征与情感特征的化合。在诗中更突出的是对生活的普遍概括性和情感的统一性。普遍性和统一性使诗的形式有一种求同的功能，不管在生活中有多么大的差异，一旦进入抒情诗，这些差异就被概括了、缩短了，乃至消灭了，杜牧写“千里莺啼绿映红”，毛泽东写“千里冰封，万里雪飘”，事实上不可能千里都是一个样子，诗人有权把普遍性共同点强化，把差异点弱化。艾青笔下的“乞丐”是没有年龄，也没有性别的。蔡其矫笔下的渔家女是没有特殊经历和特殊肖像的。诗要展开审美想象，必须进行高度概括，正因为这样，从亚里士多德到华兹华斯都强调诗与哲学都有普遍的概括性，诗歌不但使外部差异统一，而且使内心情感统一，诗的概括性使不同人的情感差异消失。进入一种共同的情境，因而，在诗中，最高境界是内心与外物、内心与内心高度统一的“意境”。

诗有一种情感同化功能，而小说的功能则使客观对象和主观情感都分化了，在小说中，同一场景、同一事件在不同人的心灵中要引起不同的情感知觉和想象。诗的情感是单维的，而小说的情感往往是多维的。每一篇小说都是由多种情感要素形成的一个复合结构。如果不同人物进入同一结构，情感的性质和量度完全等同了，那么，它所表现的主要是情感的普遍性，即使包含众多的人物，也仍然会因诗化而概念化。诗化小说所以成为好小说，不是由于诗化而概念，而是因为它所描绘的人物的情感并没有趋同，而是像小说那样求异，人物情感在性质上和量度上都拉开了距离。粗浅地说，在一定条件下，小说作为一种特殊的多维情感结构，各种情感在性质和量度分化的程度上与小说审美价值成正比，各种情感距离越大，小说的艺术感染力就越强，情感的距离越小，艺术感染力越弱，当人物的情感距离等于零时，人物的艺术生命也就等于零。为什么《西游记》中最富于艺术生命的是孙悟空、猪八戒、唐僧，而不是沙僧，也不是那纷纭众多的妖魔呢？这是因为唐僧、孙悟空、猪八戒之间心理距离拉得很大。在那些写得最好的章节中，一旦发生事变，唐僧、孙悟空和猪八戒迟早要拉开距离。白骨精化作美女要谋害唐僧，孙悟空一棒把她打死，如果唐僧竖起大拇指大加赞赏：好得很！那就没有心理距离可言。正因为唐僧一而再，再而三地“搞冤假错案”，甚至把孙悟空开除出取经队伍，唐僧和孙悟空才有了性格。如果唐僧与孙悟空拉开心理距离之时，猪八戒完全同情孙悟空，或者其情感完全同唐僧一样，那他也就没有性格可言了，没有戏可唱了。猪八戒的形象之所以有生命，就是由于他的情感既不同于孙悟空，也不同于唐僧。他有着不同于孙悟空的动机：平时老受他欺侮，此时乘机刁难他一下，而这种刁难又不纯系有意报复，其中还包含着猪八戒意识不到的愚蠢在内。他与孙悟空为难并不是出于对唐僧和取经事业的忠诚，他那猪耳朵中藏着二分银子，随时随地都想取经队伍一散伙，他有路费回高老庄当女婿去。猪八戒有了不同于孙悟空、唐僧的动机，在同样的事实面前就有了不同于孙悟空和唐僧的感觉、知觉、想象、梦幻、判断和不同的推理逻辑。这种拉开距离的心理感知还相当饱和，因而猪八戒的形象比之唐僧更具审美价值。而沙僧之所以显得最缺乏艺术生命，原因就在于他的情感未与孙悟空、猪八戒、唐僧拉开距离。他在事实面前缺乏自己的动机，因而也就没有在感觉、知觉、想象、梦幻、判断和推理逻辑上与同伴拉开距离。他不是被作者忽略、留下空白，就是被拉出来无动机地跑龙套，让他的感知失去他个人的特征。在《西游记》中，那么多妖魔鬼怪，除了在想吃唐僧以求得长生不老这一动机上完全相同以外，没有什么东西使他们之间拉开情感距离，因而，其生命力普遍不强。

拉开心理结构的横向距离，最关键的是拉开情感距离，而在拉开情感的距离时，最关键的是拉开动机的距离。在人的感觉、知觉、错觉、梦幻、想象、记忆、判断、推理中，起决定作用的是动机。不同的动机，使人有不同的情感，不同的动机和情感使人有不同的感觉、知觉、错觉和记忆，乃至有不同的判断和推理。人的感觉器官对于潜隐得很深，甚至在无意识领域中的动机范围之内的信息最为敏感，而对于动机范围以外的信息，往往就视而不见，听而不闻，嗅而不觉。

要拉开心理结构的全部要素的距离，首先得拉开动机的距离。高尔基曾经说过：“不管他是什么样的人——资产阶级也好，农民、工人、贵族也好——每一个人都有他自己的幻想和私欲。就是这些支配着人呀，就是这些东西应该观察的呀！”高尔基所说的“私欲”，就是我们所说的动机。不过，高尔基特别强调动机的特殊性和隐秘性，这种动机是私有的，不是公有的，是私下的，不是公开的。高尔基还把“私欲”和“幻想”联系在一起，由于动机的作用，人的感知就不客观了，就带上主观的幻觉色彩了。在各自不同的私有动机作用下，人的感觉、知觉（幻觉）就分化了，人物与人物之间心理的横向结构就拉开了。

哪怕在情感上水乳交融，只要初始动机上有微妙的误差，人物就可能生活在不同的感觉、知觉、错觉、想象的世界里，按不同的逻辑做出命运的选择，从而产生误差更大的动机，对于作家来说，关键在于对初始动机的细致辨析，初始动机的误差也许极细微，但经过连锁性反应，后续动机错位就可能作递增性扩大，导致心理距离相应扩大，形象的感染力增强。如果初始动机误差小到等于零，心理距离就随之消失，则形象的感染力也相应递降，直至等于零。在巴金的《家》《春》《秋》中写了那么多的爱情悲剧，其中写得最动人的是觉慧与觉新的爱情，最缺乏艺术力量的是觉民的爱情，因为觉民和琴不但在感情上水乳交融，而且在行动上没有误差，在任何事变中，他们的心理世界是互相重合的，没有拉开任何距离。而在觉慧与觉新的爱情中，相爱至深、心心相印的双方，在动机上发生了“误差”。在觉慧还属于暂时性的动机误差拉开了他与鸣凤的心理距离时，鸣凤产生了后续动机，在后续动机作用下，两个人感知相通的一面断裂了，鸣凤的感觉、知觉、幻觉、想象、思维的世界和他脱离了，因而她的行动逻辑也与觉慧的完全不同了。高老太爷要把鸣凤送给六十多岁的冯乐山为妾，鸣凤去找觉慧，然而觉慧忙于写文章很少在家，到了期限的最后一天，五内俱焚的鸣凤不顾一切地冲进觉慧的房间。鸣凤的动机是马上把可怕的危机告诉他，而觉慧的动机则因忙得不可开交而婉言说再过一两天去找她，没有让她发出哀诉就把她打发走了。这个暂时动机使觉慧和鸣凤生活在不同的感觉、知觉、错觉和行为逻辑的世界中，形象的审美价值就升值了。如果巴金在这关键时刻心慈手软，让这两个心心相印的情人的暂时动机（写文章和倾诉）之间的误差消失，二人的感觉、知觉、判断、想象，以及后续动机合二为一，觉慧可以带她出去，发出比翼齐飞的豪情，这就成了郭沫若式的诗的概括了，恰恰与小说形式规范所要求的人物心理的分化背道而驰。《家》之所以成为一部经典性作品，得力于巴金让初始动机的误差，变成了后续动机的错位：当鸣凤想诉说时，觉慧因为忙于办刊，来不及也不想听；而当觉慧知道事情的严重性时，鸣凤已死，层层递进就是层层放大，使内在的分化变成为外在的严重得不可挽回的后果。

觉新的爱情悲剧之所以比觉慧的爱情悲剧更动人，是由于他处在爱的三角中，每一方的动机都有误差，而且每一方的动机都不像觉慧与鸣凤这样单纯，都不是由一个因子或正反两个因子决定的，而是多种因子决定的，因而在他们的情感结构中充满了错位的潜在力量。觉新与梅相爱甚深，然而不能结合，梅表姐出嫁后来到高府避难，对觉新的妻子虽在所爱的对象上互相拒斥，然而相处却互有好感，梅表姐虽然幽怨，然而仍然躲避觉新的追寻和问询。觉新的动机更是在多种因子的作用下显得不平衡、动荡，他沉溺于瑞珏的温存抚爱之中，又不能忘情于梅，他爱瑞珏，但瑞珏生产时，他又不能保护她，反而屈从迷信陋习，让瑞珏住到城外去。在瑞珏难产死于非命之后，他仍然无力抵抗地按高府的规矩，在为上辈服丧期间不敢与死者遗体告别，又绝望地跪倒在产房门前。觉新被称为一种“世界性的典型”。其特点是在他自己的真正动机与屈从环境的动机发生矛盾时，他总是扼杀自己的动机，然而自己的动机并没有完全地消亡，往往又在行动上流露出来，因而他的动机经过多层次的变异，最后表现出来的是扭曲了的。这种扭曲了的动机就决定了他的心理与其相爱的人之间必然要拉开距离，他的感知世界与其相爱的人必然要发生大幅度的错位。

在一定条件下，这种错位的幅度越大，审美价值越高。

三、使情感处于不平衡的有机结构之中

这种情感动机的错位，并不是无限度的，当错位达到极限，那就是各方面的关系，包括外在的社会关系和内心的情感纠葛，错位到完全脱离之时，如：外在的梅表姐走了，不再来了，或者内心的，由于种种原因，觉新在妻子死后与翠环结婚了，不再互相怀恋了，这时，错位达到了脱离（或者叫异位）的程度，双方不论在外部交往上，还是在内心情感上都没有联系了，形象的审美价值也就相应地降低，甚至趋近于零。

拉开心理距离，有一个前提，那就是各方面人物必须处在统一的结构中，社会关系、情感关系必须具有某种有机联系，互相以对方为存在的前提，互为函数。一方的变动必然牵涉到另一方，相互之间有一种自调节自组织的协同作用。

心理距离必须是在同一的社会关系和情感结构中的距离。如果不是在同一情感结构中，或者是在一个松懈的情感结构中，人物命运不是处在息息相关的有机联系中，即使拉开心理距离，互相牵涉的深度、广度有限，形象的生动性的增加仍然有限。设若在《家》中死的不是鸣凤而是一个觉慧不爱的丫环，或者鸣凤在自杀前没有去觉慧房间、没有倾诉的动

机，觉慧不是那样怜惜她，没有在她唇上留下一朵热吻，形象的审美价值无疑会大大跌落。在《红楼梦》中，司棋之死为什么不及晴雯之死那样动人呢？因为司棋不像晴雯那样与宝玉有紧密的情感联系。在《三国演义》和《水浒传》中，动不动杀死上千人马，都没有引起主人公任何情感反应，这是因为这些人马与主人公不处在紧密的统一的情感结构之中，这只能起提示作用，不能起情感分化和情感结构的调节作用。因为有了有机的联系，一个因子微调，其他因子才相应地纷纷大幅度调节；如果没有联系，或联系很松垮，则一个因子拉开距离，其他因子岿然不动。

在小说形式规范形成过程中，人们最先发现的并不是拉开距离，而是形成统一结构，使之互相处在一个紧密相连的结构之中。从外在关系来说，处于同一血统、同一朝廷、同一阵营、同一班级、同一乡里，从内部关系来看，让人物初始为同一目标而奋斗或有互相倾慕之情，都有利于形成紧密的统一结构，然后才拉开距离。在这方面，俄国形式主义者斯克洛夫斯基似乎也有所意识，但是，他却用了对照（比）法这样的“内涵贫乏”构不成范畴的话语，如在《战争与和平》中，（1）拿破仑与库图佐夫，（2）皮埃尔・别素霍夫与安德烈・保尔康斯斯基，（3）同时又与尼古拉・罗斯托夫。在《安娜・卡列尼娜》里，则是安娜・卡列尼娜和伏伦斯基这一组与列文和吉蒂这一组之间。其实，仅仅用对照来说明这些经典长篇小说的艺术构思是空洞的。倒是他特别提到托尔斯泰“让老保尔康斯基成为一个出色的年轻人（安德烈）的父亲，因为描写一个与小说没有联系的人物觉得不太对劲”。[①]但是究竟为什么不对劲，他却囿于对照这样贫乏的话语而几乎失语。其实这很简单，处于一种紧密的情感结构之中的父亲，却反对热恋中的安德烈与娜塔莎马上结婚，导致了后来娜塔莎差一点与一个花花公子私奔。等到娜塔莎悔悟再见到安德烈，安德烈却因重伤，不久死亡了。拉开了心理距离层层衍生，才有悲剧的震撼力。这一点，斯氏似乎应该是有感觉的，但是，他的概括力不够，只能停留在现象的表面。

当然，一味处于紧密的情感结构之中，那也很难成为小说，可能只是诗歌。要让紧密的心理结构之中拉开距离就要一定的条件。

人类首先看到外部条件，是社会环境距离，这种环境造成对内心情感的统一结构的破坏，但是，统一的情感结构，由于要素之间的互相制约是相对稳定的，不容易被破坏。在古典的爱情小说中，起初，刻骨铭心地相爱的人之间是没有心理距离的，一见钟情、心心相印。干扰他们相爱的因素来自外部，即使在外部条件作用下，有了一点心理距离也在历尽种种磨难之后，终于大团圆，有情人终成眷属。为爱而死，为爱而生，生生死死，双方

① 斯克洛夫斯基著，张捷译：《故事和小说的构成》。中国社会科学院文学研究所《世界文论》编委会编：《小说的艺术》，社会科学文献出版社 1995 年版，第 79 页。

的感情没有发生任何误差和错位。像唐传奇中的《倩女离魂》，宋元话本中的《碾玉观音》都是这样，男女青年互相倾慕，受社会环境阻隔，女主人公抑郁而死，离魂随男主人公远去他乡，生儿育女爱情始终不渝。在意大利的《十日谈》中，情况也差不多，不过没有我国古典小说那样超越生死界限，但是可以超越社会等级的樊篱。《十日谈》第四日第一个故事，讲一个公主爱上了国王的随从纪斯卡多和“三言二拍”中《玉堂春遭难逢故夫》，遵循同一美学原则：社会地位的悬殊和变化（公主和随从，官员和妓女），没有使任何一方情感发生动摇，产生距离。这样的小说在艺术上之所以还不能算是成熟的，就是因为它在审美规范上还没有和诗的概括性充分地划清界限。后来小说的历史发展证明，小说艺术越是走向成熟，处于同一情感结构中的人物的情感距离越大。《卖油郎独占花魁》那样过多的诗情逐渐让位于《杜十娘怒沉百宝箱》中充分的小说意味。我国古典白话小说写出杜十娘对同一个李甲从不顾一切的爱到以死表示决裂的过程，也就是小说从诗中解放出来的过程。在西方，到了雨果、巴尔扎克、司汤达、狄更斯笔下的爱情悲剧，已经完全不像莎士比亚笔下的罗密欧与朱丽叶纯粹由于外界环境所致，而是由于内心情感的错位。在《巴黎圣母院》中，副主教富洛娄为爱斯米拉达的美色所迷，像野兽一样冲动的淫欲使他失去自制，他决计要么占有她，要么置她于死地。爱斯米拉达爱上了根本不爱她的漂亮的菲比司，而且丑陋的卡西莫多爱着爱斯米拉达，她却一无所知。错位幅度更大的是在《红与黑》中，于连爱上德・瑞娜夫人是出于野心、虚荣和占有欲，而德・瑞娜夫人却是真诚的。而玛特尔为于连的骄傲所引吸，不顾社会地位的悬殊主动表示爱情，可是又反复无常地同于连绝交，当于连拔剑要杀死她时，她又感到欢乐，正当于连与玛特尔情感的距离缩小到趋近于零时，有人冒充德・瑞娜夫人写信给玛特尔揭发了于连，于连开枪打伤了德・瑞娜夫人；于连在监牢里，对德・瑞娜夫人的救助和探望很感动，体验到了从未如此疯狂的爱，而玛特尔营救于连的英雄主义并没有导致他们之间心理距离的消失，反而只觉得愤怒。所有这一切都足以说明：在以亲密的爱情把人物组成一个严密的结构之后，作家就施展开捉放擒拿的手段，反复使人物情感扩大或缩小距离，扩大一个极限导致缩小，缩小到一个极限又扩大，人物生活在其中的那种独特的感知、想象逻辑的世界才成为一个充分分化了的多种错位的复合体。

这是因为越是相爱，人物（要素）之间越是相互依存、相互制约，越是具有情感结构的稳定性。而稳定性越大的结构，只要调动其中一个因子，其内部调节的深度和广度也越大；因而，这种情感结构的各个层次、各个侧面在调节过程中被分化的可能性也越大。

正因为这样，越到现代小说中人物间情感横向距离越大。保加利亚（后入法籍）结构主义者托多罗夫曾经归纳出一些模式，其中较有代表性的一个是这样的：A 爱上了 B，但 B

不爱 A，A 设法使 B 爱自己，当 B 爱上了 A 以后，A 却发现自己不爱 B 了。这个说法最初的发明并不是托多罗夫，而俄国形式主义者斯克洛夫斯基，他在《故事和小说的构成》中提出这样的“规律”。[①] 俄国形式主义者和后来的

结构主义者只看到这种现象的存在，但是没有进行更高层次的理论概括。其实，光是这个模式已经足以说明：这种情感之间的错位，其特点是为了导致情感结构的不平衡或者说失衡。失衡了，才促使结构产生一种恢复平衡的自调节趋向。如果人物之间感情很平衡，那就只能产生诗的统一，不平衡才产生小说的分化。正是因为这样，斯克洛夫斯基批评托尔斯泰说：“《安娜・卡列尼娜》里的对照的两个部分联系在一起的理由那么的不充分。”[②] 这又一次暴露了俄国形式主义者概括力的薄弱。其实，在这部经典小说中，两个家庭两种婚姻的关系是不能简单地用对照来解读的。倒是把他的 A 爱上了 B，但 B 不爱 A，A 设法使 B 爱自己，当 B 爱上了 A 以后，A 却发现自己不爱 B 的公式，

进一步抽象到更高层次：让情感紧密的人物之间发生错位，其整体结构就会获得有机性。安娜和吉蒂这两种婚姻，并不是以间接的血缘关系联系在一起的，而是原来吉蒂和伏伦斯基热恋，吉蒂等待伏伦斯基求婚。安娜的介入，打破了吉蒂的期待。这是吉蒂与伏伦斯基的错位。安娜原本逃避伏伦斯基，后情感又被伏伦斯基所俘虏，乃不顾一切，与之同居。后又感到伏伦斯基并不绝对用心于己，乃自杀以惩罚之。这是安娜与伏伦斯基的多重错位。安娜与吉蒂的命运交织于伏伦斯基身上，从小说艺术上来说，理由（也就是构成小说艺术的人物心理错位）不但是很充分的，而且是很繁复的。如果说《安娜・卡列尼娜》在结构上有什么不足的话，那就是吉蒂重归列文，二人乃心心相印，完全没有了错位。与安娜之死，伏伦斯基自杀未遂的错位，在小说艺术的感染力上相去就不能以道里计了。

从创作论的角度来说，诗与小说的根本区别产生于情感结构内部的统一和距离，平衡和不平衡。

五四时期，胡适在《论短篇小说》中把古诗《上山采靡芜》和杜甫《石壕吏》当作精彩的短篇小说。[③] 其实《上山采靡芜》中，那个休了前妻的丈夫与被休的妻子相见之时，二人心理没有任何距离，男主人公盛赞前妻胜于后妻，二人平静地交谈，情感高度统一，因而它仍然以诗的概括性见长。如果像《孔雀东南飞》那样，男女主人公加上婆婆心理距离

① 斯克洛夫斯基著，张捷译：《故事和小说的构成》，中国社会科学院外国文学研究所《世界文论》编辑委员会编：《小说的艺术》，社会科学文献出版社 1995 年版，第 69 页。

② 斯克洛夫斯基著，张捷译：《故事和小说的构成》，中国社会科学院外国文学研究所《世界文论》编辑委员会编：《小说的艺术》，社会科学文献出版社 1995 年版，第 69 页。

③ 赵家璧主编，胡适编选：《中国新文学大系・建设理论集》，上海良友图书印刷公司 1935 版，第 276—277 页。

拉开了，就可以说是叙事文学了。《石壕吏》也一样，老翁、老妇与官吏固然拉开了距离，但两方面原来在情感上就没有什么联系，不属于同一结构，即使拉开了并没有导致叙事文学的审美价值大幅度增长。如果在官吏到来以后，老翁、老妇，再加上那个目击者（就算是杜甫吧）三个人的情感如果不是那样一致，不是没有任何错位，那么，即使用韵文写，也可以说是诗体小说。就像普希金写奥涅金和连斯基那样，二人原来是朋友，情感一致，可是，引起了情感变化，奥涅金在决斗中打死了连斯基。奥涅金与达姬雅娜的关系也是因为处在一种统一而又不平衡的情感结构中，才有了小说的审美价值。这很符合上面所引的托多罗夫的公式。许多用第一人称写的小说中的“我”在情节中不起任何作用，可是，不可缺少，原因就在于“我”与人物情感处于同一结构而且拉开了距离。从《孔乙己》到《祝福》，从《一个人的命运》到《爱，是不能忘记的》中的叙述者，所引起的都是在统一的情感结构中拉开心理的横向距离的作用。如果《祝福》中的我，在祥林嫂问他人死了以后有没有灵魂的时候，满足祥林嫂的要求说：没有，不用怕，那就很可能把小说弄成抒情散文了。有人说，鲁迅的《狂人日记》不是小说，这话不对，因为狂人日记与他哥哥等人处于同一情感结构，又大幅度地拉开了距离。

在抒情诗中，诗人使人物心心相印，而在小说中，作家使人心心相错，即使本来有心心相通的可能，也往往错过了时间和空间引起相错幅度的扩大。作家就是通过这种相错使情感结构失去稳定性并远离情感平衡态。一旦在小说中出现了情感平衡态，不是意味着小说的结束，就是意味着更大的不平衡的发生。从《红楼梦》到《安娜·卡列尼娜》，从《静静的顿河》到《马丁·伊登》，无不遵循着这种扩大强化不平衡的美学原则。

强化不平衡，并不是直线的，而是曲折的。艺术家往往将不平衡状态与平衡状态交织起来，让人物的情感在平衡、失衡、恢复平衡的动态结构中经受动荡，从而使拉开心理距离的效果依次递增。安娜如果光与卡列宁拉开距离，效果还不够，甚至光与彼得堡的社交界拉开距离，也还不深刻，要等到她与伏隆斯基拉开了心理距离，才产生那么丰富的、层出不穷的感觉知觉变异。对同样一件事情，她与伏隆斯基的感觉、知觉、情感、动机、想象、判断、推理发生了那么惊人的分化，甚至导致安娜去自杀了，仍然没有缩短这种距离。伏隆斯基并不是不爱安娜了，而是安娜的爱得不到满足，安娜不能忍受她所感受到的那种来自伏隆斯基的冷漠。仅仅是这一点，就造成了他们感觉、知觉的分化，扩大了他们的心理距离，导致情感恶化。从正面来说，这使连锁性的效果递增，从反面来说，则保持了心理结构的不平衡，扩大不平衡，回避恢复平衡的机遇，延迟恢复平衡的时限。

现实主义理论很强调典型环境、典型性格，“典型”一词在中心意义上的代表性，与普遍性的紧密联系，往往造成一种错觉，以为典型环境和典型性格就是正常的社会政治环境中的正常性格；其实，从创作论来说，典型环境就是越出常轨的不平衡的心理环境，典型性格就是在失去平衡的心理结构中做深度自我调节、自我平衡的性格。

四、维戈茨基的“情感逆行”论和局限

形象是生活、情感、形式的三维结构，三者之中情感是起主导作用的因素。[①]据列夫·托尔斯泰的说法，决定形象生动性的主要是情感的特殊性，从进入具体创作过程以后，情感就是最活跃最自由的因素。但是，它的活跃和自由是有限的，它受到形式规范的制约。诗的形式使人的情感趋向统一，而小说的形式使人物情感趋向分化。在叙事文学中，不同人物有不同的情感逻辑，小到一个寓言故事，大到一部长篇小说，不同人物之间不平衡的情感逻辑组成一个复合的动态的情感系统，小说艺术感染力的奥秘就在这种复合的动态的情感结构之中。

苏联心理学家维戈茨基在《艺术心理学》中提出一种“情感逆行”的学说。他以寓言和戏剧文学作品为例，说明这些作品之所以动人，是由于在情节进展过程中，作用于读者心灵的不是单一的情感，而是两种相反的复合情感。他分析克雷洛夫的寓言《狼和小羊》说：“一方面，小羊越是有理，越是有力地粉碎狼要吃掉小羊的借口，越引起读者欣慰的情感；另一方面，小羊越是有理，越促使狼抛弃一切虚伪的借口，不讲任何道理，直截了当地把小羊吃掉，从而引起读者悲哀的情感。”[②]

应该说，维戈茨基抓住了问题的要害。有些学者解释审美心理基础时说，读者在阅读过程中变成另一个人去经历生活，扩大自己的对生活的参与、加强对自我潜能的实现，这自然是对的。维戈茨基则进了一步：艺术如何提高审美心理体验的质量呢？这与艺术的形式规范有关。叙事文学对于读者心理作用的特点是多维复合的情感的综合作用，而抒情文学对于读者心理的作用则是情感单纯和概括作用。

维戈茨基还通过比较复杂的戏剧文学形象分析了复合情感结构：首先，在主人公身上集合着相反的两股情感，“作家总是把相反的两般情感集合成一种体验，并把它赋予主人公。”[③]读者通过主人公去体验形象中的情感，和主人公一起经历危机、享受胜利的欢乐，主人公的情感也就是读者的情感，这是辨别问题的一个方面。在另一方面，读者和主人公的

① 参见孙绍振：《形象的三维结构和作家的内在自由》，载《文学评论》1985年第4期。又见本书《形象的三维结构和作家的内在自由》。

② 维戈茨基著，周新译：《艺术心理学》，上海文艺出版社1985年版，第157—158页。

③ 维戈茨基著，周新译：《艺术心理学》，上海文艺出版社1985年版，第255页。

情感也不经常一致，有时也有分化，读者的情感与主人公的情感也发生一分为二：一方面，我们用主人公的眼光看整个悲剧，而另一方面，我们用自己的眼光看主人公。[①]有时，当读者为主人公担忧时，主人公并不担忧，当主人公觉得正大光明时，读者可能觉得大逆不道。这样的情感结构就有了双重的不平衡，在两个层次上远离了平衡态，第一个层次是各个人物情感不平衡；第二个层次是读者与人物情感不平衡。

小说要成为小说，起码要具备这种双重的远离平衡态的情感结构，它使读者的情感经常处于双重的失衡和调节过程中，让他享受一种高度密集而复杂的情感体验。维戈茨基说："当我们体验（哈姆雷特）的时候，我们仿佛觉得自己在一个晚上体验了千百回人生。"[②]这种形象的情感结构愈是多层次，其密度愈是大，情感的错位愈是丰富，从平衡到失衡的振荡的频率越高，形象的感染力也愈强。

维戈茨基的"情感逆行说"从心理效应方面解释了戏剧文学和一部分叙事文学的特殊功能，这应该说是一个伟大的突破，它的意义在于改变了把形象中的情感因素笼统地当成一个不可分割的单层次的因素的思维定式。

五、人物情感的多方位多层次的复合错位结构

维戈茨基逝世得太早，他一共才活了三十八岁，没有来得及把自己的发现当作一个逻辑起点，对文学形象系统作全面的研究。因而，他只能在小说、寓言、戏剧的共同性方面作了许多有重大的意义的探索，他没有深入地探究仅仅属于小说的特殊心理效应。他所强调的"情感逆行"，事实上是戏剧性很强的"突转"，用外在形势的"突转"推动内在情感的"逆行"。这在戏剧和寓言中是常见的。但是，在比较复杂的小说中，情况就不那么简单了。显然，在某些情节性小说中，情感在横向拉开距离并不一定就是逆行的、相反的，有时最生动的并不是正与反、白与黑的对立，不管是初始动机还是后续动机，都处于绝对对立状态就太单调了，绝对对立的情感，相互之间没有联系，相交重合的部分就很难形成一种有机的不可分割的相互制约的统一结构。有时，最动人的并不是情感的一百八十度的对立，恰恰是同一情调的色阶差异和不同情调的错位。人的情感是一种复杂的多维结构，并不是只有互相反对的两极，它并不是简单的二值逻辑所能穷尽地描述的。在情感结构从平衡到失衡又恢复平衡的过程中，对情感系统调节起作用，并不仅仅是互相反对的情绪，同时还有介于两极之间不可穷尽的多种方向的立体情绪网络。这里需要的是多值逻辑，常

---

① 维戈茨基著，周新译：《艺术心理学》，上海文艺出版社 1985 年版，第 256 页。

② 维戈茨基著，周新译：《艺术心理学》，上海文艺出版社 1985 年版，第 254 页。

用的二分法，在这里不能无条件地加以运用。事实上，在创作过程中任意运用对比很容易造成简单化，甚至概念化。特别是在人物达到两个以上时，简单的二值逻辑和非正即反的情感逆行无所施其技。就是只有两个人的对话，往往也不是逆反式的直接交锋为上，而是随感的错位交叉为上。例如，在《祝福》中，祥林嫂问“我”人死了有没有灵魂，本来祥林嫂希望得到一个“没有”的答案，“我”却回答说“也许有吧”，这可以说是构成了“情感逆行”。但是，鲁迅跟着又破坏了这个“情感逆行”结构。当祥林嫂接着问人死了以后家里人能不能见面，这时，“我”胆怯起来，想改口又不便，只好说：“那是……实在说不清，……其实，究竟有没有灵魂，我也说不清。”情感在相反方向上逆行变成了在并非反方向上的错位，两个人物的情感在直线向上的距离缩短了，对抗程度也削弱了，可仍然保持着心理距离错位，使形象的感染力反而大大增强了。在创作过程中，“逆行”的模式往往是一种方便的同时又是危险的思维定式。在托尔斯泰写作《复活》的过程中，起初也是以情感逆行的模式写聂赫留朵夫到监狱去探看玛丝洛娃的。玛丝洛娃认出了聂赫留朵夫，说：

德米特里·伊凡诺维奇，你为什么到这儿来？你滚出去！那时我恳求您，现在也恳求您。

她回答他结婚的要求时说：

迟了，德米特里·伊凡诺维奇，如今我不配做您的，也不配做任何人的妻子。

这种向两个极端作反向运动的情感同时在起作用，很符合维戈茨基的“逆行”模式。但是，托尔斯泰并不满足这样的效果，在第五份稿样里托尔斯泰改成了：玛丝洛娃怀着好奇心望着已经陌生的面孔：

显然她没有认出来。可是，她高兴有人来看望她，尤其是衣着体面的人。

她听了聂赫留朵夫求婚的话，答道：

“您说的完全是蠢话，……究竟怎么回事，您找不到比我更好的女人吗？你最好别露出声色，给我一点钱，这儿既没有茶喝，也没有香烟，而我是不能没有烟吸的。……其实，您在这儿没事可干，这儿的看守长是个骗子，别白花钱。”——说完她哈哈大笑。[①]

玛丝洛娃与聂赫留朵夫在结婚与否的问题上，情感原来是相反的，托尔斯泰改成了心心相错。喀秋莎的动机转到逆反线以外去了。她的感觉、知觉、记忆和想象没有和聂赫留朵夫一样达到同样的深度，因而她的动机不能在同一层次上与之相逆，只能在另一层次上与之相错。她没有想到过去的那些灾难，也没有想到结婚以后的未来，她还停留在感知记忆和想象的表层。在表层，他们的思绪有些交叉，而在深层，则拉开了更大的距离。

---

① 符·日丹诺夫著，雷成德译：《〈复活〉的创作过程》，内蒙古人民出版社 1982 版，第 22 页。

小说很少是全部直接描述人的内心活动的，它的主要篇幅用来描述人的对话和动作，这是因为在对话和动作中，有更多的错位的可能。

对话和动作不像人物内心那样自由，情感只有在隐秘的内心剖白中才是自由的，对自己是坦率的，除了极少数情况，人们很少在内心剖白中欺骗自己[①]，而在对话和动作中则往往是骗人骗己的。人的内心活动、人的外在动作、人的口头表达在小说中往往拉开了距离。口头表达受到客观环境外在条件的制约最强，最不自由，因而，它与内心的真实活动错位最大。外部动作受到客观环境的制约虽然较弱（因为它是无声的，含义不明确），但它与内心的活动之间总还有某种不明显的“误差”。[②]本来不同的人，在同样的事变和情景中，心理距离已经拉开了，再加上不同的人又有不同程度和性质的“心口误差”和“心行误差”，人物心理错位就更丰富了，更加超越于简单的情感逆行了。当然，有时人物所说的与人物所想的之间比较一致，并没有什么明显的误差，但是，这样做是为了在别的方位和层次上引起更大的误差（例如，一个人物把真实情况讲了出来，引起另一个人物知觉、情感更大的分化）如果不是这样，则这样的处理会导致小说情感复合，错位结构的瓦解，小说的审美价值的降低。为什么早期小说都是叙述动作的，而后来的小说，对话占了更重要的地位，并且分行写了呢？这是因为：在对话中比较容易蕴含着多层次、多方位的心理错位。

小说的情感系统是一个动态系统，一个方位的“错位”，引起了另一个方位的调节，这个层次的调节又引起了另一个层次的错位，在表层上好容易达到了平衡，在深层结构上又因拉开了距离而失衡，在深度达到统一了，可在表层又因“心口误差”使情感结构远离了平衡态。这种远离平衡态的复合的多维的立体的情感系统每一个方位、每一个层次的错位，都要引起全部系统的一切方位和层次的反馈和调节，复合的有机的情感重组作用于读者的心灵，比之维戈茨基的“情感逆行”那样的直线运动不知要复杂多少倍。

这种多层次多方位的立体的情感错位引起的调节和反馈越是复杂，从失衡到恢复平衡的过程牵涉到的情感层面和方位越多。调节过程震荡的频率和幅度越大，小说的审美价值越高。越是像维戈茨基那样的单线的逆反情感，在单一平面上只有正反两个方向可以选择，越容易趋向寓言模式，越容易滑入概念化。

六、向人物心灵结构的纵深层次突进

维戈茨基的“情感逆行”论的另一个局限就是过分强调了相反的情感“同时”作用于

① 这里我们暂且不谈人物意识到的和意识不到的内在情感动机的矛盾。

② 参见孙绍振：《论对话中的“心口误差”》，《小说评论》，1985 年第 5 期。

读者的心灵，这样就把情感限制在同一个层面上了。其实，不同的情感并不一定同时作用于读者。在这方面，维戈茨基有些动摇，有时，他也提到悲剧“欺骗”读者，把读者“从一种内心活动转向另一种内心活动”①。在讲到“逆转”时还这样说：“我们原以为，这两条线会把我们吸引到完全相反的方面，因此它意外的吻合，突然使悲剧以完全特殊的方式反射出来，使过去的一切事都为之改观。观众受骗了。他们认为偏离路线的种种表现正好把他引到了他始终要去的地方。”②在这里，他又考虑了时间的连续性，情感转化的不同时性。

其实，小说是一种时间艺术，严格说来，每一个形象的不同情感层次都不是在瞬间同时显示的，而是在情境展示的过程中逐渐传达给读者的。而横向心理距离的拉开，绝不可能静态地进行，它必须要在情境展示的动态过程中，向人物情感结构的纵深层次进军。

要使人物内心深层结构显现，最通行的办法就是把作用于人物情感系统的环境信息加以改变。环境与情感的表层结构有着最密切的联系，只要调动环境中某一因素就会引起人物情感的表层结构的失衡，从而导致情感结构内部的反馈和调节，情感要恢复平衡，除了要使本身的表层结构发生重组以外，有时还要牵动情感的深层结构，为适应新的环境，情感的表层和深层要发生重组。情感的深层结构有相对的稳定性，它是由人的心理素质与生活经历长期造成的，它是很隐秘的，它制约着情感的表层结构。人的审美心理活动的许多奥秘都与人的深层情感结构有密切的联系。形象揭示人的情感宇宙越是达到深层，越显示出心理结构的奇观。

情感的深层结构由于是人的情感经历与历史环境造成的。因而，对情感深层结构探索，必然同时又是对人的社会环境的深层结构的探索，从这一点来说，审美价值越高，社会的认识价值越高。

探索人的深层结构和探索人的社会环境的深层结构，不能采取直接爆破的方法。很难设想将人物的情感结构和与之相联系的社会环境结构完全、彻底地打破；彻底打破，完全重建固然痛快，但重建的结构很可能不是原有结构，而是另外一个结构。因而，即使让王子当了贫儿，让穷秀才中了举，让小职员变成了甲虫，让穷大学生杀死了放高利贷的老太婆，让哥萨克中农变成了反革命，让猴子一个筋斗翻出十万八千里，其目的也只是以这种环境的变异、能力的变异，引起情感表层的瓦解，以暴露人物的情感深层；有时甚至不惜使情感表层扭曲，与情感深层作变态性的调节，即使让他乐疯了、吓傻了、精神分裂了、不人不鬼了，目的仍然是把他那隐藏得很深的情感、那个在无意识领域中沉睡着的“自我”给揪出来示众。

① 维戈茨基著，周新译：《艺术心理学》，上海文艺出版社1985年版，第254页。
② 维戈茨基著，周新译：《艺术心理学》，上海文艺出版社1985年版，第258页。

在这一点上，小说家用的办法和自然科学家的办法是有点共同之处的，自然科学家要研究一个对象最起码的办法，就是调动其中一个因子（或者是外在条件，或者是内部结构），用弗朗西斯·培根的话来说，就是采用“技术挑衅”的方法（如加温、加压、通电、氧化等等）使之处于“动荡状态”，看它有没有“特殊情况”。用我的话来说，就是调动一个因子使原来的结构失去平衡和稳态，发生自调节自组织的协同作用，以重建新的结构稳态。这种经过自调节自组织恢复平衡的过程，据《科学研究的艺术》的作者贝弗里奇的概括，常常是某种“意外情况”或“逸出常态”的情况。科学实验就是在可控条件下制造出这种“逸出常态”，经过自我调节重建稳态的过程。左拉受到19世纪自然科学伟大胜利的鼓舞，把自然科学的方法移植到小说中来，提出了“实验小说”的理论。他认为小说家的实验与科学家的实验在基本方法上是相近的，不过，各自的对象不同。文学家把人物情感放在试管里加以观察、分析，小说不过是一份人物情感的实验报告。左拉还举巴尔扎克的《贝姨》为例说明这一点。当然，左拉没有充分注意到文学与科学的区别，以致得出了在文学中只要观察、分析不要想象的结论，这使得他的理论在后世失去了追随者。但是，他的把人物情感放在试管里实验的命题，无疑是很深刻的。这种“情感实验”的根本特点正是瓦解情感的表层结构，以显示深层结构。最简便的方法就是调动一个因子，达到一种极限，使表层结构稳态崩溃、发生动荡。

不管是现实主义还是浪漫主义小说，一般都是从调动人物的环境因子入手，使人物进入“第二环境”。张贤亮在《绿化树》的题记中曾引用阿·托尔斯泰《苦难的历程》中的话，大意是：在清水里洗三次，在碱水里泡三次，在血里漂三次。他用以说明：对人生真谛的追求得经过十分苦难的历程。其实用来说明：把人物放在“第二环境”中，使之经受超过情感稳定极限的反复考验，使调节的深度达到情感的深层结构，似乎更为合适。张贤亮说的“洗、泡、漂”都是逆境。其实，顺境也可以考验人，在甜水里泡三次也是不可缺少的，特别是对于喜剧风格的作品。

让人物越出环境的正常稳态，进入“第二环境”，目的是为了让人物的情感越出正常的稳态。当人物处于第一环境时，环境结构与情感结构互相开放，均处于一种平衡状态，一旦环境结构发生质变，则必然迫使情感结构的表层失去稳定平衡。但是，情感结构不像环境结构那样易于瓦解，外来的信息不积累到一定的程度，情感结构不会发生层次质变。因而，第二环境往往有某种极端的巧合的性质，把老虎送到武松面前，把白骨精送到唐僧面前，把薛宝钗送入贾宝玉的洞房，把林黛玉与贾宝玉强行分开，让一个普通工人马丁·伊登爱上上层资产阶级的小姐，让乞乞科夫去买死去的农奴的灵魂……这种极端有时是情境的极端，有时情境虽不极端，但是，动作效果却很极端。这是因为：动作效果是经过情节的连锁性作用而放大了的、强化了的。这在情节性很强的小说中特别明显地表示出来，中国古典小说十分强调一波三折，一次打不破，再来第二次，两次打不破就来第三次。就是为了达到那个打破平衡的极限，所以才有三打白骨精、三打祝家庄、三气周瑜、三看御妹、三难新郎、三笑、三请诸葛亮、三进山城、三上桃峰，诸葛亮甚至要六出祁山、七擒孟获、九伐中原，都是效果的连锁强化。非情节性小说追求的不是动作效果，而是内心效果。外在条件的微量变化引起的内在情感微调也是层层放大、层层强化的，目的也是进入“第二心态”。契诃夫在《文学教师》中让热爱着妻子的丈夫因家中“狗”的气味逐渐在潜意识中增长了厌倦；在鲁迅的《伤逝》中，涓生和子君的分歧从小油鸡和小狗阿随开始，然后在不知不觉中放大，最后导致分裂。这种积累是在潜意识中，而不是在外部动作中进行的，因而，不易被主人公乃至读者察觉。

在极端情境中揭开人的情感结构有两种情况，一种是超稳态的结构，表层和深层绝对平衡，铁板一块。如阿 Q、堂・吉诃德、好兵帅克、哈姆雷特。不管什么样的环境变异，外来打击都没有打破阿 Q 情感的超稳定结构，一切客观上的失败都在这个超稳定结构中转化为主观的胜利，不管怎样的屈辱都不能改变他的自我麻醉以及情感和意志的自我封闭。甚至毫无道理地枪毙他，他也没有惊醒过来，大叫一声：冤枉！死到临头，也没有痛苦、没有眼泪、没有悲伤，只有风头没有出足的遗憾，为在口供上圆圈画得不圆而产生一种失落之感，为唱不出一句戏来而恼火，而且还要吹牛，还要自我欺骗：二十年后又是一条好汉，好像他很英勇，死不死完全不在乎似的。①

这种情感结构的超稳态与小说美学的历史发展有关。这种表层与深层，第一心态与第二心态的高度统一的喜剧性的特点是把一个主要特征从头到尾地强化到每一个层次、每一个方位上去。这种喜剧性带着古典的单纯性。现代喜剧小说，如黑色幽默小说中的人物，就不那么“表里如一”的单纯，人物情感的一系列层次很少是统一在一个单一的特征上的。从文学的古典美来看，不管情感有多少层次，其特征越统一，审美价值越高；而从文学的现代美来看，哪怕情感只有两个层次，二者越带变幻性，越具审美价值。人类在历史进化过程中逐渐发现，人的这个自我（主体）不那么简单，并不永远是一元化的，相反，在不同层次上的自我，情感有某种多元化的色彩。人好像有一个“总我”，在不同层次上人又有不同的“分我”。弗洛伊德和荣格的学说更进一步提出在人的无意识中潜藏着一个更深刻、更原始、凝聚着更多生活经历的自我。从这一点来说，一切把人物情感表现得单纯纵深层

① 当然堂吉诃德、哈姆雷特、好兵帅克、阿 Q 这种超稳定的情感结构，并不完全是现实的客观反映，同时是作家愤激的情感的一种外化：怎么这么傻，这么糊涂，这么愚昧，怎么碰了那么多钉子还不猛醒！同时起作用的还有喜剧性的艺术规范。以喜剧形式写悲惨的死亡就得这样把效果积累到荒谬的极端。

次差异微不足道的作品，哪怕是现代的、当代的，都具有古典美的色彩。

越是到现代，对人物内心纵深结构的探索越带自觉性。

因而就产生了一个历史的动向，那就是人物的情感层次差距越来越悬殊，关于人的概念越来越变得复杂，人越来越不能满足于那种对表层心理结构的把握和凝思了。在表层感知思索中的那个我变得不可靠不真实了，而那个在意识以外的我却变得可靠而真实了。法国评论家让·罗贝尔说：最终我们必须从笛卡尔的“我思故我在”，转入雅克·拉刚的“我思，我不在，我在我不思”。用阿尔托的话作补充，就是“人借助灵犀认识了自己，然而即使在此时，他也没有完全把握住自己”。无意识和潜意识自20世纪30年代被自觉地进入文学领域，风靡一时。对无意识，文学家早已有一种朦胧的猜测。韩波早说过：“我是另外一个人”，现在不用躲躲闪闪了，拉刚说：“无意识是另一个人在讲话”。这个无意识中的人，“是一个被社会磨灭、拒绝、消过毒的人，被弄成哑巴的受害者。他受着制约，他顺从，然而他渴望反抗。他有待于被表现，他应该去表现并自我暴露”①。

当然，人物情感结构的深层探索不应该是孤立的、抽象的，它通过社会环境因子的调动和调节，因而人物情感结构的深层探索、社会环境的深层探索和作家自我的深层探索是同步地协同地起作用的，离开了社会环境，离开了人的社会历史经历，人的深层情感是很难充分地得到揭示的。

人的情感在不同层次上的分化，不但使人的自我丰富了，而且为小说艺术的发展提供了更广泛的可能性。人的情感在纵深层次上的变异，带动着人的知觉、想象、记忆、意志、判断和推理的变异，这就使人物的心理关系，也就是社会关系处于更加复杂、更富动态性的立体网络之中。这个网络的每一个层次在失衡、调节、重建平衡的过程中，起作用的因子更丰富，失衡的机遇更多，引起的反应更多变，调节的机制更复杂，牵涉的环境和主体心理层次更多，这样就为拉开人物之间的心理距离、为人物生活在不同的感知和想象世界中，提供了更广阔的天地。因而，现代小说中人物比之古典小说，在心理距离方面无疑是更加遥远的。为什么西方的当代小说，那么反复地表现人的孤独感，除了社会环境的原因以外，从文学形象的本体来看，主要就是心理距离扩大的历史趋势在起作用。在我国当代小说中也一样，莫言的《红高粱》、刘索拉的《你别无选择》、徐星的《无主题变奏》中，人物之间常常有一种“聋子的对话”之感。好像是人在造通天塔的过程中被上帝搅乱了语言，不能进行思想交流一样。这不但是生活在起作用，作家的情感在起作用，而且也是小说的形式审美规范在起作用。

当然，现代小说的这种特色不是凭空产生的，在古典小说中，早就萌发着现代美的胚

① 让·罗贝尔：《论诗》，《文论报》1986年第14期，第3版。

芽。例如，施耐庵把武松的环境加以调动，放进去一头活老虎的因子，这就使武松的性格纵深层次分化了，在体力和勇气上都堪称超人的非凡的英雄，而心理的深层结构都非常平凡：首先，武松打老虎不是主动的，而是不相信店家的劝告，怀疑人家的好心，以为人家吓唬他、留他，是为了赚钱。待到看了县府的布告，确信真的有虎，又爱面子，不肯回头。后来又麻痹了，睡大觉，老虎来了，仓促应战，又心慌意乱，犯了个战术错误，使唯一的武器——哨棒失去了使用价值。只好赤手空拳拼了，产生了一种爆发力，把老虎给打死了以后，这个打虎英雄却连死老虎也拖不动了。当他又遇到两只“老虎”，不知其假，反而胆怯起来：这下子完蛋了。所有这一切都是心理纵深层次的悬殊性分化，都是现代、当代美学意识的胚芽，当然还不是一种自觉的美学原则。施耐庵在写武松、鲁智深、林冲、宋江、杨志时，不自觉地遵循了这种审美规范。可他在写晁盖、吴用、李逵、关胜、秦明、花荣、卢俊义等绝大多数人物时，都违背了这个原则。因而，武松等人物从美学原则来说是面向未来的，我国小说美学中的现代美学意识正是在其中无声地孕育起来的。这种孕育的特点是无意识的，不自觉的，因而也就是不充分的，就连《红楼梦》那样的杰作也不能例外。曹雪芹虽然写出了贾宝玉、林黛玉的某些心理的纵深层次，但就整体来说，他并没有自觉地将人物心态的纵深层次加以系统地辨析，使之分化，拉开其间的差距，使人物心态的深层结构和表层结构显得悬殊，因而他毕竟只是古典小说审美规范的体现者。有些研究《红楼梦》的学者用现代小说的审美规范去硬套，在分析贾宝玉的性格时，把性格发展阶段性作为纲领，正面地展开，这就忽略了小说艺术的古典美的特殊性，难免有胶柱鼓瑟之嫌了。

小说美学在走向成熟的过程中，必然在充分横向拉开不同人物的心理距离的同时，拉开同一人物的不同心理纵深层次的距离，这就使小说审美空间充分地立体化了，每一个人物情感结构的立体化成为众多人物心理系统的立体化的重要条件。不论是张贤亮，还是刘索拉，不论是张辛欣，还是莫言，无不得力于此，就连表面上看来古典美色彩最浓的高晓声，在最成功的作品中也时而表现出现代美学原则的巨大威力。高晓声明确说过，他平反了，进城开会，一打听，旅馆五块钱一天，他当然可以拿到公家去报销。他转而一想，换一个农民来检验一下，看看他的心理结构如何变化。于是，一个表面上老实、善良、自卑的陈奂生在付出那五块钱以后，变得不那么老实、善良、自卑了，他爆发出一种报复心和破坏欲，到床上去滚一滚，到沙发上去跳一跳，巴不得把它弄坏了才称心。

在古典小说美学走向现代小说美学的过程中，人物的自我逐渐多重化了，双重人格、“两面人”成为陀思妥耶夫斯基探索的稳定范畴，而托尔斯泰则在《复活》中写聂赫留朵夫进入喀秋莎卧室时，明确概括出在人的心灵深处有神性和兽性的斗争。这种互相矛盾的二重组合，不是静态的平面的，而是在动态的纵深层次中分化的。在《复活》第一部第五十九节中，托尔斯泰这样写道：

有一种极为常见而且流传很广的迷信，认为每个人都有他独特的确定的品性，认为人有善良的，有凶恶的，有聪明的，有愚蠢的，有精力充沛的，有冷漠疲沓的，等等。其实人不是这样。……人好比河：所有的河里的水都一样，到处都是同一个样子，可是每条河都是有的地方河身狭窄，有的地方水流湍急，有的地方河身宽阔，有的地方河水清澄，有的地方河水冰凉，有的地方河水混浊，有的地方河水暖和。人也是这样。每个人身上都有一切人性的胚胎，有的时候表现这一些人性，有的时候又表现那一些人性。他常常变得完全不像他自己，同时却又始终是他自己。①

托尔斯泰笔下的聂赫留朵夫就是这样的。他第一次和喀秋莎发生感情时，他还是一个纯洁的大学生，但等他入了伍，他的情感纵深层次的兽性就因客观环境的变化而暴露了出来。在宏观的人生经历中是这样，在微观的情感细胞中也是如此。托尔斯泰在写完上述那段话以后，接着写聂赫留朵夫去监狱探望玛丝洛娃（喀秋莎）时，就严格遵循了情感层次分化的美学原则：

原先他在出庭以后，在初次探望喀秋莎以后，体验过重获新生的庄严和欢乐心情，可是如今这种心情完全过去，在最近一次会晤以后，已经换了一种恐惧的心情，甚至憎恶她的心情。他已经决定不再离开她，也没有改变只要她乐意就跟她结婚的决心。然而这在他却显得沉重而痛苦了。②

聂赫留朵夫的微观感情层次被表现为：庄严和欢乐——恐惧，憎恶——沉重而痛苦。情感的深层与表层是如此不一致，他变得不像原来的他了，可是，更深刻地显示了他和她的特殊社会关系。

托尔斯泰无论在理论上还是创作上，都无愧为古典小说美学走向现代小说美学的桥梁。

现代小说的对人物心灵纵深层次的探索并不是完全客观的，与作家的自我探索是系在一起的，当现代小说家向人物情感的纵深层次进军的时候，同时也愈来愈自觉地意识到表现作家主体的心灵纵深层次。这说明，不但人物形象的主体意识，而且作家本身的主体意识都在随着历史的发展而发展着。当小说家把人物情感放入“第二环境”中进行实验的时候，同时也把自己的情感放到人物和环境的调动和调节机制中去了。在世界文学史上，有一个奇特的现象就是很喜欢把人物放到荒岛上去，到目前为止，至少有五次了。第一次是笛福把鲁滨孙放到荒岛上去，第二次是斯蒂文森写了《金银岛》，第三次是凡尔纳写了《宝岛》，第四次是苏联的拉甫列尼约夫把一个红军女战士和白军军官放到荒岛上去，第五次是

① 列夫·托尔斯泰：《复活》，人民文学出版社 1979 年版，第 262—263 页。
② 列夫·托尔斯泰：《复活》，人民文学出版社 1979 年版，第 262—263 页。

英国的诺贝尔奖获得者亨利・戈尔丁在《蝇王》中把一群童子送到了荒岛上去。在笛福、斯蒂文森、凡尔纳的作品中，最吸引人的还是作品所表现的那些异地、异人、异事，主要还是以客观的生活特征取胜。当然多少也表现了作家的主体意识，例如，从鲁滨孙的冒险精神，在极端艰难中的不屈不挠地创造生活的精神中，读者不难看到作家灵魂的投影。而在斯蒂文森和凡尔纳笔下，读者也可以看到他们对人性善的理解：只要肃清了邪恶之徒，在荒岛上都可以建立文明的生活。所有这一切都表现了作家的理性、理想和信念。他们所表现的主体意识往往属于意识到的表层，而在《第四十一个》中就有了一些变化，很明显看出了作家不但揭示了仇恨白军的红军女战士在潜意识深处隐藏着短暂的爱的可能，而且也表现出作家本人在潜意识深处对那种脱离了阶级斗争束缚的人性的自由神往。至于在《蝇王》中，戈尔丁揭示了不仅仅是作为客体对象的儿童，在没有坏人的荒岛，他们没有像斯蒂文森那样建立文明生活，最可怕的不是外在的邪恶的坏人，也不是那个猪头上落满苍蝇的象征，而是人（最纯洁的孩子）心灵纵深结构中那种占有欲、统治欲、领袖欲。在这里，戈尔丁就再清楚不过地透露了他意识深层结构中对人类文明的悲观。这一切在某种意义上成了他灵魂的肖像。

反复把人送到荒岛上去，情节模式没有过时，原因是作家发现了它不但在再现的客体深度上，而且是表现主体的深度都有难以穷尽的潜在量。

所有这一切都可以说明越到现代对表现主体深度的追求越趋向于自觉。

七、相对稳定而开放的深层审美规范

小说作为一种后起的艺术形式，它比诗歌更具开放性。因而，它的宏观历史发展速度大大超过了诗歌。特别是在新时期，我国小说从情节性格模式的优势逐步向非情节性格模式的优势进化，在短短的十年中走过了西方小说一百多年的道路。这种现象使得一些同志觉得大事不好，并预言小说将走向自我毁灭之路，可同样的情况又使得有些同志认为小说艺术的发展已使艺术理论显得无能为力，要给小说的审美特征归结出几条规范都是不必要的。但是，人类的审美经验只有在艺术形式中才能得到有效的积累，而形式的进化必然表现为审美规范的进化。艺术形式的发展，一方面表现为旧规范的崩溃，另一方面则表现为新规范的重建。不管是打破规范还是重建规范，都不是盲目的无政府主义式的，它本身又都遵循着形式的深层的规范。打破规范是因为表层规范不符合深层规范的自由发展，重建规范，恰恰是适应着深层规范进化的要求。在小说艺术高速度发展时期，令人眼花缭乱的迅速变幻的是审美规范的表层结构，其深层规范却相对平衡地经历着进化完善的过程，它并不像表层结构那样匆匆忙忙地瓦解重建。情节强化的小说进化为性格强化的小说，强化的极端走向了反面，跟着是情节淡化引起了性格淡化、环境淡化的倾向。不管是强化还是淡化，凡可称为小说的，其深层结构是高度统一的，那就是拉开了人物心理的横向距离，向人物心灵的纵深层次拓进。强化情节的好处是：有利于人物心灵横向距离拉开和纵向深化。“突转”最容易使不同人物的心态分化。由于突然进入“第二环境”，孙悟空和猪八戒，聂赫留朵夫和喀秋莎，安娜和伏隆斯基的心理距离拉开了，而且纵深层次的情感也悬殊地分化了。弱化情节，弱化性格，并不是为了缩短人物的心理距离，而是抑制心理差距所引起的外在动作效果的强度，不让它在情节的连续突转中层层递进地放大。正因为效果不能连锁性地放大了，人物心理距离就更不能缩短了，如果心理距离上再缩短，又没有情节，小说就可能向散文退化了。可以说，淡化情节和性格的前提就是拉开横向心理距离和分化纵向心理层次，不过它不像情节那样依靠动作效果，而是依赖感觉、知觉、记忆、想象、情感、动机、判断、推理等心理活动的变异。淡化情节的始祖契诃夫，第一次在中篇小说《草原》中废除了情节和外在动作的连锁性效果。他一开始就把第一次离开妈妈的叶果鲁希卡和他的神甫舅舅还有一个商人对草原的特殊印象、知觉、想象拉开。这其间还写了一场暴风雨，其目的就是把几个人对这场暴风雨的知觉进一步拉开，契诃夫为什么让叶果鲁希卡生一场病呢？就是为了让他发冷、发热，穿着湿衣服去感受这场风雨，让他的感知、想象、判断与神甫商人充分地分化。越是没有情节，心理距离越要拉开。相反，情节性很强，但心理距离没有拉开，审美价值就会降低。古典色彩很浓的小说，依仗情节拉开心理距离，情节结束，距离也就消失了。可越到了近代、现代，即使情节结束了、矛盾冲突解决了，人物的心理层次悬殊的分化却不可挽回了，因而，心理距离也没有消失。有时，作者不但不暗示心理距离消失的可能和趋向，反而暗示心理距离扩大的必然。契诃夫在小说结局上的创造往往就表现为：心理的表层结构距离消失了，而心理的深层结构距离却扩大了，或者主人公的心理距离消失了，而读者与主人公的心理距离却拉开了，著名的小说《万卡》《渴睡》就是这样的。万卡以为祖父会收到信，还梦见祖父收到信的情景，可读者知道他写的地址无法投递，祖父不可能收到信。在《渴睡》中，那个小保姆为了能够安静地睡一下，只好把小主人卡死了。她和老板娘之间表层的心理距离消失了，小主人不哭了，老板娘不骂了，她可以甜蜜地睡去了，可读者知道：明天一早她与老板娘之间的距离将可怕地扩大。从古典色彩很浓的小说，到现代派味道十足的小说，拉开心理的横向距离和纵向层次的距离已经成为一种越来越自觉的追求了。总的来说，现代小说，情节淡化、性格淡化的小说，特别回避外在动作的效果的突转和大起大落、大喜大悲、大恐怖、大欢呼的情感逆反，代之以多方位、多层次情感色阶的交织，这样也使审美价值大大地增长了。俄国作家蒲宁写过一个短篇《轻轻的呼吸》，论情节本该是大起大落的：一个女中学生和一个五十多岁的军官发生了关系，但又拒绝嫁给他，并声明并不爱他。这个军官就在车站上开枪把她打死了。本来，这个情节的高潮是车站上的血案。可是，蒲宁只用一句话带了过去："一个并不漂亮的同奥丽雅·梅歇尔茨卡雅所属的圈子毫无共同之处的平民模样的哥萨克军官在车站的月台上，在刚下火车的人群中间开枪打死了她。"蒲宁避开了紧张的戏剧性突转和情感表层的惊讶和恐怖，致力于多方位多层次情感拉开差距和多种情感的有机组合。

蒲宁从姑娘墓地的心理差距写起：在十字架的悲剧性背景上，浮现出女孩子的肖像：姿色迷人，欢乐水灵的眼睛。一面是死亡，一面是漂亮、活泼、幸福、淘气，十五岁就成了有名的美人，不自觉地被人喜欢，被羡慕，被疯狂地爱。

接着是倒叙：姑娘和女校长拉开了差距。女校长责备她还是个姑娘而不该像妇女那样爱打扮。而她轻盈优美地、彬彬有礼地告诉女校长，正是女校长的弟弟使她成了妇人。两个人完全沉浸在不同的感知世界中。

接下去是关于军官杀死她的"突转"，可是，用的语调并不紧张，一个长句子，语气平淡。

然后，蒲宁通过姑娘的日记拉开了她与军官，以及一切有关人物，包括读者的心理距离：她在日记中写她相信自己将来比任何人都更幸福；她让男人吻她，但与他发生关系的时候，感到厌恶得不能忍受。

这以后又回到墓地上，在班主任老师的情感差距中抒写：她无法把那生气勃勃，那样妩媚、目光炯炯的姑娘跟可怕的死亡联系在一起。

这实际上透露了蒲宁构思的苦心：把表面上差距很大的心理活动组合成一个多层次、多色调的有机结构。最后，为了突出姑娘与死亡之间非常遥远的距离，蒲宁让班主任老师回忆起她偷听到的一次谈话。那已经惨遭凶杀的姑娘当年说她在一本古书上读到女人应该这样才算美：

> 比如说，要有油亮油亮的眼睛——真是这样写的：油亮油亮的眼睛！还有黑黑的睫毛，柔嫩红润的脸蛋，苗条的身材，比通常稍长的胳膊！小脚，大而适度的乳房，丰满匀称的小腿，显出贝壳色的膝盖，高高的溜肩膀，——好多条几乎我都能背下来了，说真的，都很对！——但主要的你知道是什么吗？——轻轻的呼吸！我就是这样的！——你听我怎样喘气，——是这样的吧？

小说就是这样结束了。它的审美价值来自两个层次的距离，一个是充满生命力的姑娘与死亡拉开的距离，一个是女班主任老师哀悼的心情与姑娘这种既悲惨又生气勃勃的复合情调拉开的距离。整篇小说牺牲了凶杀的连锁结构，代之七个不同的情感色调：①春天墓地、哀悼；②姑娘的美好幸福；③女校长的古板固执；④姑娘轻松地说出严重的事；⑤凶杀；⑥老师的失落感；⑦“轻轻的呼吸”。在这七个层次中，有三个维向（姑娘、老师、女校长）的情感错位，构成了一个立体的情感系统。读者所感到的复合情感无疑比一篇把重心放在凶杀的艳情小说更丰富。

在我国新时期文学中，那些成功的情节淡化的小说被称为“诗化小说”，其实是很不确当的，因为诗对不同情感有一种同化功能、概括功能，它以突出情感的同一性而提高审美价值；而情节淡化的小说，从宏观构思到微观细胞中都渗透着情感纵向层次的悬殊分化和横向距离的拉开。以何立伟的《花非花》为例，情节淡化到只剩下一个效果——班主任胥树良的死亡。但是，这不像情节强化的小说那样是一切外在冲突的总效果，而是局部事件的效果。在这淡化的效果中，使审美价值增值的是人物的情感距离。最明显的是追悼会的场面：①悲哀：一见胥老师的遗像，连平时跟他感情并不好的妻子都放声大哭了；②无以名状的不和谐：教育局长说来，可是一直没来；③幽默：会场上还少一副对联，两个老师去起草，他们咬文嚼字入了迷，非常兴奋地争辩；④煞风景：一个在“文革”中被逼疯了的女人溜进来大叫一声：“天哪！”校工连忙去赶她；⑤无情：校门口走过一个妇女问：什么事？她被告知胥老师逝世，她“哦”了一声无动于衷地走了，而她当年正是胥老师班上的班干部。在同一场情景中聚集了这么多的情感距离，这么大的情感错位，这就使读者的心灵受到多种情绪力的交叉作用，情感体验密度的增长使作品的审美价值增长。

在淡化情节方面走得最远的是意识流小说。意识流小说，如果从头到尾都表现同样的情绪，连同主人公的情绪都缺乏色调变化的话，可能就要变成诗，失去小说的基本特征了。因而，成功的意识流小说利用时间空间的自由调度的便利，将不同的情绪色彩跳跃地、有机地组合起来，但是，意识流小说之大忌是将意象情绪平面地铺展，在自由地拉开情绪间距的同时，它特别需要向意识的深层结构突进。伍尔夫在《墙上的斑点》中这样写：

> 窗外的树枝轻柔地打着玻璃……我希望能静静地安稳地从容不迫地思考，没有谁来打扰，一点也用不着从椅子上站起来，可以轻松地从这件事想到那件事，不感觉有敌意，也不觉得有阻碍。我希望深深地、更深地沉下去，离开表面的生硬的个别的事实。

这就道破了意识流作家追求的苦心，那就是冲破客体的和意识本身的表层结构，向意识的深层结构突进，一直流到连主人公都没有意识到的那个深层世界中去，把那沉睡着的生活和情感积淀唤醒，让那凝固的意识复活。从这一点来说，意识流小说和情节性小说一样，都要瓦解心灵的表层结构使深层结构显现。它们所遵循的拉开横向心理距离和让纵深心理层次分化的规范，是没有多大差别的。

这种规范就是小说艺术的内部规律。正是这种内部规律的动态变幻过程，构成了小说发展的内在动力，而社会生活的发展，则是一种外在条件，外在条件可以加速或阻碍艺术形象内部结构调节的特点和过程，但是，不管在什么情况下也不能代替或者取消内部规律。

第二辑 对机械唯物论和狭隘功利论的批判

论典型的和例外的[1]

20世纪50年代，我国流行过一本权威性的文艺理论教科书，叫作《文学原理》。作者季莫菲耶夫认为，现实主义表现的是典型环境的典型性格，而浪漫主义表现的则是“例外环境的例外性格”。这个观点是经不起推敲的。浪漫主义的例外环境和例外性格是不是典型的呢？具体说来，像《西游记》中的孙悟空、《牡丹亭》中的杜丽娘、《悲惨世界》中的冉·阿让、《巴黎圣母院》中的埃斯米拉达是不是典型的呢？按季莫菲耶夫的原则是很难回答的。如果是典型的，那么浪漫主义和现实主义就没有任何区别，例外环境和例外性格就成了一句废话；如果说是不典型的，那么浪漫主义文学形象的巨大认识作用和艺术价值又该如何评价呢？

问题不在于浪漫主义，而在于现实主义的典型意味着什么。按季莫菲耶夫的逻辑，典型的与例外的是绝缘的，典型的就不是例外的，例外的就不是典型的，虽然季氏关于浪漫主义的观点并没有多少热心的追随者，但是季氏关于现实主义典型即非例外的看法却有深广的影响。季氏的那本教科书，早已在大学的讲坛上被历史淘汰了，但是典型即非例外的观点我们至今仍然可以在许多文章中感到它的存在。

其实这种观点并非季氏的发明，据我所知，它来自高尔基，由于高尔基的权威，这种观点才仍然有束缚我们思维的力量。高尔基在《俄国文学史》中曾经有这么一段话：

> 现实主义到底是什么呢？简略地说，是客观地描写现实，这种描写从纷乱的生活事件、人们的相互关系和性格中，撷取那些最具有一般意义、最常复演的东西，组织那些在事件和性格中最常遇到的特点和事实，并以之创造生活图景和人物典型。[2]

高尔基从正面，用肯定的语气说典型就是“最常复演”“最常遇到的特点和事实”，换

① 发表于《文化报》1987年4月11日。

② 高尔基著，缪灵珠译：《俄国文学史》，上海译文出版社1979版，第207—208页。

句话说，典型的就是最常见的、非例外的，这是高尔基的一个重要的观点。他不止一次地从不同角度阐述过。在另一篇文章中，他说得更明确：

> 假如一个作家能从二十个到五十个，以至从几百个小店铺老板、官吏、工人中每个人的身上，把他们最有代表性的阶级特点、习惯、嗜好、姿势、信仰和谈吐等等抽取出来，再把它们综合在一个小店铺老板、官吏、工人的身上，那么这个作家就能用这种手法创造出典型来。[①]

在这一段话中，高尔基显然是把典型性归结为“最有代表性的”。这是一段经常被文艺理论教科书引用的经典性名言。在流行的典型观中，不管词句上有多大差异，典型就是代表性，典型就是非例外性，成了许多理论家潜意识中的规范。

这种理论规范虽然享有很高的权威性，但是它时时受到另一种更高的权威——创作实践的挑战。巴尔扎克就公然宣布过，“偶然”是作家最好的老师。在巴尔扎克笔下，哪一个贪财好色、耽于口腹之欲的典型人物不是极端的例外呢？从老葛朗台对黄金的迷恋，到邦斯舅舅对美食的贪恋，哪一点是“最常复演的”呢？就拿高尔基成熟时期创作的《母亲》中的正面主人公尼洛夫娜来说，她原来对一切充满了恐惧，甚至对丈夫、儿子都恐惧，后来却变得那样无畏，在密探的追捕下，居然公开把革命传单散发出来，并且还发表了演说，这只能是绝无仅有的，而不可能是“最常遇到”“最常复演”的。

世界文学史上没有一个典型是可以重复出现的，更不要说什么“最常复演的”了。

不论是堂·吉诃德还是阿 Q，不论是哈姆雷特还是高觉新，首先因为他们是不常见的、例外的，其次才是典型的，有代表性的。如果首先是最常复演的，他们就不再有不可重复的个性，因而也就不可能称得上什么典型。

这种错误的根本原因在于，高尔基混淆了文学与科学认识世界的不同规律。科学的任务是探求普遍的规律性，因而它追求代表性、平均数。列宁称赞马克思研究资本主义从最常见、最平凡、最大量、每天重复千百次的事实——商品开始，因为《资本论》的性质是经济科学，科学研究要把对象放在“纯粹状态”中，所以强调可重复性、代表性、普遍性。在科学中，例外孤证是应该排斥的，但在文学中则不然。文学虽然也是一种认识，但它是一种审美的情感的认识，它固然也要达到某种普遍性，但这是结果。为了得到这种结果，它不能从普遍性径情直遂地开始，而是从特殊的、例外的、个别的开始。由于高尔基对现实主义文学的认识价值抱着过分的热情，以致把文学当成了科学。这样的理论就不能不脱离创作实践，而给后世播下了公式化、概念化的种子。

其实，对于任何一种叙事文学来说，一切情节的产生都不是由于人物关系保持在通常

① 《高尔基论文学》，人民文学出版社 1978 版，第 160 页。

的最常遇到的状态，或最常复演的状态之中，而是这种状态被打破，人物关系进入了不正常的、不可重复的状态、例外的状态；任何人物关系只要保持在通常状态之中而没有任何例外的事件，就没有情节可言。孙悟空遇不到白骨精，或者遇到了但先向唐僧做了过细的说明和论证之后才打死她，唐僧不发火，不开除孙悟空，一切正常，没有任何例外，那么也就什么情节也没有。一切情节都是外在关系的“例外”和内在心理的“意外”的统一，没有例外，一切都符合正常的心理定式，就没有意外，也就没有戏可演，没有个性可言。林冲和他老婆去进香，平安无事地回家，这是正常的、最常复演的、没有例外的，而遇上顶头上司太尉的儿子调戏他老婆是例外的，一辈子碰不上第二回的，对于林冲来说是绝对意外的。在这种情况下，高级军官林冲逆来顺受是正常的、例内的，事情不了了之，是最常遇到的。但是，由此而引起林冲误入白虎节堂，发配沧州，在野猪林几乎被谋害，则是例外的，对林冲来说是意外不断升级，对于读者来说也是意外不断递增。叙事文学就是以一系列连锁式的外在的例外和主人公内心的意外来打破读者的心理定式，引起读者的意外，造成读者心理的不随意注意，使读者的感觉、知觉、想象、思维的集中度愈来愈高。

情节的功能就在于打破常态的表面性和稳定性。

任何事物在通常状态下所表现的往往是非常表面的，因而也是非常片面的属性。水在通常状态下可以灭火，但这并不是它的全部功能。它通过电解可以产生自燃的氢和可以助燃的氧。对于常态，人只要凭直觉就能感知，而对于非常态则不然。这一点，不仅仅物理对象是这样，人的心理、人的社会环境也是一样。

人的情感和人所处的社会环境一样是一个多层次的有序结构。在通常状态下，最可复演的最常遇到的情况是这个结构的表层，常态的表层有相当强大的稳定性。

情节的功能就是将人物关系从常态推入非常态，将人物心理从“意内”推向意外，以破坏外部的“例内”和内部的“意内”，促使社会环境的表层结构和人物情感的表层结构瓦解。人物心灵的表层结构与现时环境之间的关系特别密切，对现时环境能作比较直接而迅速的反应，愈到深层，与现时环境的联系愈是薄弱，而愈是与现时环境联系薄弱之处与人的历史经验愈是有密切、深刻的关系，不过这种关系往往并不在人的意识的中心，而在人的意识的边缘，甚至在无意识领域。刘心武在小说《五・一九长镜头》中有过这样一段分析：

> 人的思维活动，有若干个层次，最表面的一层是感官和知觉对外界事物的肤浅判断与朦胧的好恶；往下，是以具体功利为核心的一些算计；再稍往下，是以个人经验以及作为群体成员的“集体无意识”的交织化合。①

① 原载《人民文学》1985 年第 7 期。

正因为人的深层意识往往是一种无意识，所以了解人才是一件比了解外界环境更困难的事。没有例外环境和意外心境，人的表层感知和情感结构不会瓦解，深层情感结构不会显现。情节的重要性至今仍然不能忽视，其原因盖在于此。对于作家来说，对人的刻画，其实就是把人放在不同于平常的环境中加以表现。关于这一点屠格涅夫早就意识到了，他说他每逢遇到了“没有见到和没有听到的特点”（按：也就是不常复演的、例外的）时，他就“把他放进不同事件的环境中”[①]“不同事件的环境”，就包含着非常态的环境，也就是非静止环境，即运动着的，由常态环境转向非常态的环境（例外环境）。以环境的变化去推动人物心灵的变化／深化，以环境的非常态引起人物心理的非常态，换句话说，以环境表层结构的瓦解引起心理表层结构的瓦解，导致环境与心灵，以及心灵为深度结构的调节。从一种稳定结构的破裂到另一种稳定结构的建立的过程就是人物性格显现的过程。

对于创作来说，不存在永恒的绝对稳定的正常状态，环境和心灵的恒定不变只能导致性格的肤浅，就连契诃夫某些追求情节淡化的小说，也着力于环境的变化引起心灵的变化。像《苦恼》那样的“没有情节”的小说，只不过是回避了大起大落的外在事变（儿子死亡），不屑于在戏剧性的突转中取得效果。契诃夫把过程放在突转以后，仍然精心地在老马车夫姚纳周围布置着不断变化的环境。首先是一个军官不愿听他诉说失去儿子的悲哀，然后是三个高谈阔论的年轻人，不但不听他诉说，反而戏弄他、打他，最后是小马非常安静地倾听他诉说悲哀，还用舌头舔他的手。虽然没有戏剧性的外在情节，但是这变化着的环境是愈来愈例外的（人还不如动物那样富有同情心），主人公的心情也是愈来愈意外的，而且还不是一般的例外和意外，而是极端的例外和意外。情节强化和情节淡化在这一点上是一致的，不过强化的情节是把人物放在巨变中考察，而情节淡化是把人物放在渐变中考察。不管巨变还是渐变，都是环境的常态向非常态转化，不管是巨变还是渐变，环境的变异都要达到某种“极点”（极限），正像铁不到一千度以上不会由固态变为液态，它的变化与温度的极限有关而与加温速度无关一样。每个人物表层心理结构的瓦解都有一个极点，这个极点与达到这个极点的速度关系并不是很大的，与之密切相关的是极点的超越常态、打破常例的性质。在通常环境中，你怎么断定一个法国妓女比一些法国绅士、太太更具有民族感情，更富于牺牲精神，更正直呢？莫泊桑在《羊脂球》中，把一个妓女和一群绅士放在同一辆马车中，并且让这辆马车遇上了一个德国军官，除非妓女愿意陪他睡一夜，否则他就不放马车过关。在这个极点上那些表面上富于爱国热情的绅士、太太们心灵的表层结构瓦解了，一个个都以堂皇的理由劝说妓女委身事敌。没有这样例外的极点，这些上等人的面具是不会自动脱落，显出他们的虚伪和自私的本质来的，不正常的极点过去之后，绅士

① 转引自科瓦廖夫著，程振民译：《文艺创作心理学》，福建人民出版社 1983 年版，第 34 页。

太太们又恢复了“常态”，对妓女又横加歧视，嗤之以鼻了。可这时的常态已经不仅仅是单纯的常态，其中已经渗透着异常的成分，没有刚刚过去的例外环境中的意外表现，光有这种正常环境中对妓女的正常的歧视，就显得很不深刻很肤浅了。

没有例外便没有例内，深刻的人物形象是寓例内于例外，是把例外与例内高度统一起来的环境与心境的结构。就是浪漫主义作家笔下的形象也不纯粹是例外环境中的例外性格，现实主义作家笔下的人物也不纯粹是例内环境中的例内性格。只要作家想透视人物内心世界的深层奥秘，他就不能不把人物推出生活的正常轨道，使之进入异常环境，并让人物的心灵结构与异常环境的信息进行调节，产生某种“质变效应”，揭示人物心灵某种例外的属性。正因为这样，不仅仅是雨果把冉·阿让和埃斯米拉达一次又一次地推入异常的生活轨道，而且巴尔扎克也一次又一次地把高里奥、欧也妮·葛朗台推入生活的异常轨道，就连童话作家安徒生、现代派小说的先驱卡夫卡也分别把小天鹅放到了鸭群中，把小职员变成了大甲虫。只有把人物推入异常环境，让他有了异常心态，人物性格才有深度，而当异常的性格、变态的心理、意外的表现在异常的环境、荒诞的现实中找到根源时，一切异常的、例外的、荒诞的心理和性格就变成是十分正常的，也就是说是“典型”的了。

问题的关键不在于异常和例外，而在于这种异常和例外是否能在现实环境的异常和例外中找到根据，根据愈是充分，其“典型”性愈高。典型性并不命中注定与平均数联系在一起，典型性也并不命中注定与例外性和异常性绝对排斥，典型性是性格与环境的一种饱和的联系，正是这种联系使得荒诞的、超现实的梦境、幻境，乃至魔幻的情境化为典型的。

把典型性与正常性简单地混同起来不但在理论上是一种空谈，而且在实践中对作家的想象力、观察力、感受力都是一种残酷的束缚。艺术的魅力并不完全来自写实的逼真性，同时还来自假定的虚幻性，艺术形象既要深入透视生活的底蕴，又要超越于生活的现成形态。艺术的美并不简单来自对现实的摹写，同时还来自对生活和心灵可能性的探索。正因为这样，典型性不仅仅是对已知生活真实的传达，而且是对未知的心灵的“臆测”（高尔基语）。

在具体创作过程中，对生活，对人的心灵的探索是和对形式的探索分不开的。没有对形式的不断探索，对于生活和心灵的探索就可能停步不前。在 19 世纪，当现实主义的描写发展到成熟的高峰时，安徒生那种把人的心灵放在虚幻的变形的形态中的童话也达到了艺术的高峰。如果果戈理只满足于现实的描绘，他就不可能在《狂人日记》中让家畜写信；如果鲁迅满足于在正常状态中表现人，他就不可能让眉间尺的头在滚烫的锅中唱歌。这一切和马尔克斯在《百年孤独》中让人长出了尾巴一样，其目的都在于在异常的、例外的、变形的、超现实的情境中探索人的心灵的深层奥秘。如果只有正常的最常遇到的情境才可能是最有代表性的、典型的，那么，谌容怎么可能让公共汽车抛下售票员、司机神秘地开走了，吴若增怎么可能让橱窗里的模特儿走出橱窗，而且他不但能思维能说话，还与人交换了在生活中的位置。所以这一切超出正常人经验和思维定式的逻辑都不可能命中注定是不典型的。相反，它可能比那些亦步亦趋地照搬正常生活情景的作品更具有深刻的典型性。

打破对于典型即通常的代表性，典型即非例外的框框，对于创作实践来说不啻是一种想象力的解放。你为缺乏情节而苦恼吗？请把你的人物放逐到正常生活轨道以外去，像笛福把鲁滨孙放到荒岛上去，高晓声把陈奂生逼迫到五块钱一天的旅馆中去一样。你觉得你对人物性格的探测不够深刻吗？请让他的心灵越出常轨，让他在一连串的意外中经受情感系统与环境信息的反复的调节，或者像英国作家罗斯金所说的那样，当你写不下去，你就杀死一个孩子，或者如狄德罗所说的那样，如果你要写一个守财奴恋爱，那你就让他爱上一个贫穷的姑娘。这样，人物的心灵越出常轨的机遇就大大增加了。如果不是这样，一味拘守着最正常环境中复演率最高的表现，那么只有伍尔芙在《墙上的斑点》中所显示的那一条办法，让主人公在静止的环境中发呆、出神、自由联想，但是有谁会认为伍尔芙的《墙上的斑点》写出了典型环境中的典型性格呢？

论实践主体性、精神主体性和审美主体性[①]

文学作品之所以被称为创作，就因为它不是客观现实被动的摹写；文学作为一种社会意识形态，又不能不是一种客观现实的反映。关键在于，作家必须从反映进化到创造，从被动转化为主动。但长期以来，把作家从创造者降低为摹写者，把作家限制在被动的反映上，导致了作家主体性的丧失。

随着主体论的提出，标志着在文艺理论上被动的、自卑的、消极的反映论统治的结束，一个审美主体觉醒的历史阶段已经开始。这不是低层次的经验的复苏，而是理论上的自觉。在新的逻辑起点上，有学者提出新的范畴：实践主体性和精神主体性、创造主体性和欣赏主体性。一切的研究成果不但在范畴中积累，而且一切理论系统也借范畴而发展。理论的确立和深化，离不开范畴的确立和深化。因此，对一系列主体论的范畴加以研究是很有必要的。

一、实践主体性与检验真理的判别效应成正比

马克思主义的认识论不同于旧唯物主义的机械的、直观的认识论之处，就在于它引入了实践的范畴。实践的特点是主体在掌握客观规律之后又主动去改造客体，在实践中，人并不是镜子式地静止地、被动地反映客体，而是充分发挥了主观的能动性，化被动为主动，从动物式的适应自然环境上升到有计划有目的地改造自然环境和社会环境。

但是简单地用实践去解释认识的主体性，特别是艺术创作的主体性并没有将全部奥秘穷尽。最关键的难点是，在同样的历史实践过程中只有少数被尊为文学大才的作家写出了

① 发表于《文学评论》1987年第1期。

杰出的作品，而大多数人则不能进入形象创造的境界，他们的主体性在这个领域里为什么不能得到充分的发挥呢？这里有个人的主体性的等级问题，对于实践范畴来说还有一个层次分化问题。

实践范畴的引入，只解决了真理的本源和真理的标准问题。但是有了本源，有了客观标准，并不等于有了真理。标准只是判别真理的普遍原则，它既不是真理的系统，也不是特殊的具体的规律本身。有了普遍适应的标准，只是有利于探索真理，并没有结束探索真理的任务。标准还有一个自身的局限的问题，由此而产生的还有个正确运用和错误运用的问题。换句话说，在运用普遍标准的过程中还有个人的主观能动性和人的主体性如何充分发挥的问题。

实践最大的局限就是它并不能将真理托在盘子里奉献给人类，在实践过程中，人们被谬误的观念牵着鼻子走，主体处于麻痹状态的情况比比皆是。人类的实践总是纠正了一个错误的认识又产生了另一个错误的认识。探求真理的人，如果不把主体性、主动性、创造性充分发挥出来，就会与真理失之交臂。人类实践的本质就在于主体的主动性、目的性和创造性，它与绝对的被动性是不能相容的。当然，人的实践的主体性也并不是绝对的，而是相对的。人也得遵循严酷的必然性，也得顺从大自然的、社会的必然规律，不顺从，就要遭到惩罚。人不能和自然的、社会的发展规律迎头相撞。但是不能迎头相撞，不等于不可以迂回地、曲折地、有效地争取人类的最大限度的自由。人类实践的主体性的自由，就是对客观必然的自觉认识和自主利用，绝不能消极地屈从它。为了利用它，必须认识它，认识它的目的是为了出奇制胜把它引入符合主观目的的轨道。

客观必然性是一种强大的规律性，要驾驭它就不能不从被动的服从开始。这种服从是化被动为主动的必要代价。这种被动也可能变成一种强大的惯性，使人永远被动。人的主体性如果不强大到超过这种惯性，达到可以克服它的程度，就可能被压倒，导致主体性的丧失。而丧失主体性的实践则是盲目的甚至是麻木的实践。

实践的主体性发挥得越是充分，其检验真理的成效就越高；主体性越是不足，其检验真理的成效就越低；丧失主体性的实践，其检验真理的成效可能降低到某种可怜的程度。关键不在实践是不是检验真理的标准，而在于它检验的成效与主体性的关系如何。

实践是主体作用于客体，但并不是在一切实践中主体对客体的作用都是相等的。由于主体性发挥的程度不同，实践分化为不同的等级，或者叫做不同的层次。

最高的层次是科学实验。

在科学实验中，人的实践主体性得到最充分的发挥。科学实验的特点，是实践受到主体目的的规范，并且是在主体的明确理论指导下进行的。客观对象被主体从自然环境中移置到理想化的“纯粹状态”之中，其条件又是可以按主体的目的加以控制，可以相对自由地调节的。客体的运动规律当然是不以主观意志为转移的，从这一点说，主体即使在科学实验中也不可能达到绝对的自由，但是运动的方向、途径、相关因素、干扰因素、催化因素是可以被主体选择，在主体的控制和调节之中的。科学实验与人的主体的干预密不可分。正是因为这样，科学实验对于真理与谬误有一种直接的判别性效应。只要主体没有陷入迷误，没有被错误的观念牵着鼻子走，主体性发挥的程度就与实践的判别效应成正比。因此，科学实验方法的普及和发展大大加快了人类文明的进度。

除了科学实践以外的一切社会实践都不具备这样的可控性和自觉的选择性。在人类的社会实践中，人的主体性至今还只在很有限的程度上得到发挥，自发性大于自觉性就是人类社会实践的一大特点。人对自己生存的自然环境和社会条件并不能像在自然科学实验中那样自由地选择、控制和调节。人类对于社会历史发展规律，对于未来发展动向的认识不但非常有限，而且非常纷纭。加之人类的社会实践是一个无限多维的不可穷尽的复杂系统，它不可能像在自然科学中用实验方法加以纯粹化。人类的主体性在人类的社会实践中，天然地就受到抑制，社会实践对于真理与谬误的判别效应也就受到同样抑制。社会实践的一切结果都可能为诡辩留下余地。这样就很难避免错误重复和真理被扼杀。历史的发展至今仍然充满了颠倒和曲折，不断付出超额的代价，其原因盖出于此。那些以为实践可以无条件地出真知的说法是片面的，天真的。

当然，主体必须遵循客体规律性，脱离了客观规律的主体性，唯意志的主体，摆脱了主客体关系的主体性，必然遭到客观规律的惩罚。惩罚自然要付出代价，但是代价却从反面强化了实践的证伪效应。不管多大的代价，都比那种丧失主体性的、证明和证伪效应都钝化到极点的、麻木的实践所付出的代价要小。主体性一旦丧失，即使实践证明了什么，证伪了什么，主体也不可能认知。

二、精神主体性超越实践主体性

事实上主体性不仅影响到实践的判别效应，而且影响到认识的逻辑化、系统化过程。就是理想化了的可控性的实践主体性相当充分的科学实验，其揭示真理的效应也是有限的。因为它虽然有揭示规律的作用，但是它并不能将直接规律系统化，构成严密的逻辑联系。

一切科学实验的结果都是特殊的，而真理则是普遍的，一切科学实验都是一种单纯的经验，而真理则是高度抽象化了的理论。从经验层次到理论层次是认识的一个巨大飞跃，不是无条件发生的。爱因斯坦说过，作为科学原理的基本假设、基本概念是不能从经验中直接归纳出来的。因为经验总是有限的，甚至是无序的，它与理论所要求的普遍性和有序性之间的矛盾是永恒的，即使带有统计数字的归纳也是有限的。这是归纳法的局限，它不能穷尽一切经验，它只作为有限枚举或不完全统计的概率。科学的原理、范畴、假设要有普遍的适应性就只能超越实验结果的特殊性。而要超越实验结果，就不能仅仅依赖实验过程中那种实践主体性，而要求一种比实践主体性更具超越经验性能的一种主体性。牛顿认识到经验和实验的不足，就用主体的逻辑思辨弥补。既然归纳是不可能完全的，就用演绎来防止它的疏漏。当然演绎法也有不足，那就是其大前提是否具有充分的普遍性，它是管不着的。这是休谟已经认识到了的。把两种思辨方法联系起来的主体性就不再仅仅是控制、调节实验条件、选择实验方向的那种主体性了，而是控制调节、选择在主体的大脑中进行的思维活动的那种主体性了。

前一种主体性，主要表现为对实验仪器的设计和运用以及对经验性信息的归纳，它带着依附于经验和直观的性质，用专家的话来说这种主体性叫做实践主体性。后一种主体性，首先从人的想象、人的逻辑推理中发生，它并不完全直接依附于经验和直观，它超越了经验和直观，人的智能超越了客观信息，它主要是精神的一种能动性，以精神作用于外物为特点，用专家的话来说叫精神主体性。精神主体性主要是对人的精神、人的智能的调动和调节，使之能超越经验的有限性而进入逻辑的普遍的领域。

科学实验越是向高精尖发展，对于人的精神主体的要求越是提高。这是因为在科学实践中，即使充分发展了实践主体性的实验，只提供一种判别性的结果，而并不直接揭示导致这种经验性的结果的原因，特别是理论上的原因。传说中的伽利略在比萨斜塔上做的自由落体实验，只能判决亚里士多德的物体重量与下落速度成正比的学说为假，并不能提供为什么不成正比的原因。判决性实验充其量只能成为寻求原因的索引。实验并不直接产生科学原理，在爱因斯坦看来，科学原理只能以实验为索引去作直觉式的领悟和逻辑思辨。

高级形式是一种严密的多层次的逻辑系统，是数学化了的公式、定律系统。将实验和经验逻辑化，用归纳、演绎、综合、分析的方法加以整理，加以有序化，使它上升到理论的高度，达到理论的自洽和严密，这就是精神主体性的功能。没有这种功能，经验仍然停留在感性层次，即使上升到理论层次，也不可能严密而系统。

精神主体性不但在量上超越了经验，使之从特殊上升为普遍，而且从质上超越了经验，使之从结果延伸到原因、现象上升到本质、直观上升为理论。更重要的是以理论的自洽性、高层次超越了经验的分散性和低层次，使之从各种分散的芜杂的因果走向严密的、系统的具有整体性的有机性网络，使其各个部门处于互为函数、互相制约、互相不可缺少的逻辑或数学的联系之中。这样的整体性、有机性和自洽性光凭实践主体性是不可能产生的。它是人类精神之花，是人的悟性和理性的精致的创造。它与客体不是一种毫厘不爽的对称结构，它是客体、现实世界、客观的规律被简化、被分解、被重新配置、被抽象、被心灵从不同的方位不同的层次用不同的方法重新逻辑化的结果。

在这种逻辑化的过程中，精神主体性要占优势，要超越实践主体性，内在的自由要超越外在的自由。具体来说就是思辨的能力要超越取得实证的能力，抽象化的能力要超越整理经验的能力，想象能力要超越观察能力，数学化定量运算的能力要超越直观定性的能力，等等。精神主体性的能量本来来自实践主体性，是实践主体性的历史积累，而精神主体性的高涨，人的智能被充分调动，必然大大提高了实践主体性的水平。人的认识要摆脱被动反映的局限性，主要依靠这二者的协同作用，特别是精神主体性的主导作用。如果精神主体性的自觉性和实际能量都不足，那就不能不陷于被动反映的局面。这往往是由于主体的思辨落后于实证，抽象化落后于具体的描述，想象被观察所抑制，直觉的领悟不能以数学模型或理论模式展开或深化，这必然导致精神主体停留在经验的积累上，即使有某种理论的升华，也带着狭隘经验论的色彩。实践主体性抑制精神主体性就必然造成这样的后果。精神主体性的潜在能量不得充分发挥，反过来又影响了实践主体性水平，而实践主体性的萎缩又使精神主体性低落，二者互相抑制造成某种恶性循环。

精神主体性的充分高涨往往表现为理性对经验的超越。当精神主体性发达到一定水平，人就有条件不受实验条件的限制，在想象中进行“思想实验”。这是精神主体性超越实践主体性的典型表现。它以思辨的逻辑性代替实验的直观性，它使人获得一种爱因斯坦所说的“内在自由”。

思想实验实际上是一种逻辑的思辨。科学的发展往往与充分地表现了精神主体的逻辑思辨的发达分不开，思想实验有着很强的逻辑超越性，因而它可以在经验与实验之外创造科学假说。虽然光是逻辑上肯定了还不能就是真理，它还要受到实践的检验，但是这种假说对于科学的发展有着重要的意义。恩格斯说，只要科学仍在发展，它的表现形式就是假说。

实践是真理的源泉，这说的是真理是一种客观存在，但真理的存在并不等于真理被掌握或者谬误被排除，客观真理没有能动性，精神主体才有能动性，只有主体的能动性达到充分的超越性的程度，客观真理才能转化为主体的认识。客观存在的规律（真理）是粗糙的、黑暗的，它本身是不会发光的，只有精神主体性得到某种精致的发挥，客观真理才能转化为森严的逻辑和数学的体系。一切机械的、庸俗的、粗糙的反映论者都不懂得，真理即使在实践中也不能无条件地被掌握，它对精神主体的逻辑超越有非常严格的要求。

光有实践，没有充分的精神主体性的发扬，人对真理的反映就很有限，这一点，在人类的社会实践中看得特别明显。人类的社会实践包含着无限多元的因果性，这种互相交错的因果性不像在科学实验中分化成很单纯的联系。社会实践的结果，它包含着复合的原因。每一种原因能导出多种结果，每一种结果又都由很多原因造成。在原因中有深刻的原因，也有假象，有原因的原因，也有不是原因的原因。对这样复杂的纠葛，比之科学实验的单纯因果来说，精神主体要超越就困难多了。正因为这样，思想落后于现实，反复地犯着同样的错误就在所难免。中国农民一次又一次地用战争的烈火毁灭了一个又一个的封建王朝，可是并没推翻压迫着他们的封建制度，悲壮的历史重复了千年以上。只要精神主体性没有充分地成熟，实践的结果就只能是一连串难以解读的密码（反过来说：只要实践没有到达一定历史阶段，精神主体性就不能充分成熟）。

然而，光有提高精神主体性的愿望是无济于事的，关键在于如何提高，首先在于如何排除提高的障碍。

三、从反映论向认知结构的主体深化

妨碍人类精神主体性有效地提高的主要障碍是一种消极的、机械的、直观的、被动的、狭隘的经验论，以为决定人的认识的唯一因素就是感觉和经验，完全无视人的理性的相对主体性。把人的主体当成一张白纸，对外来的信息除了登录以外，不起任何作用，在欧洲哲学史上最著名的代表是英国的经验论者洛克。他正确地批判了唯心主义的天赋观念论，可又走向另一个极端，提出了他的“白板说”。他把人的心灵比作一张白纸，上面没有任何符号和观念。人的观念完全来自感性的观察和直接经验。认识在他看来只是客体单向地在主体上留下烙印，对于人的主体、人的心灵机体在认识中所起的作用，他视而不见。关于人的心灵的认知结构在认识中的重大作用，白板论者一笔抹杀，在这一点上，他们常常不及唯心主义的唯理论来得唯物。当然，唯心主义的唯理论把主体的理性看成是先天的，使理性的主体性成为无根之木。这种主观理性的绝对性，是荒谬的，但是完全否认主体的理性对经验和感觉的规范和整合作用，就不能不使一些唯物主义者难以把唯物主义坚持到底。就是近代西欧哲学史上经验论的鼻祖培根也不能否认人的感觉靠不住，感觉经常产生扰乱人心的假象。就是人的理智也可能像一面不平的镜子接受光线一样，经常使事物的性质受到歪曲。要得到正确的认识就不能受它的欺骗。承认了这一点，培根对超越感觉的理性的主体性就很难找到唯物主义的解释，只好向唯心主义妥协，除了从感觉来的知识以外，还有一种知识来自神的授意和启示。这样就为唯心主义的神学留下了很大的空间。

另一类经验论者显然嫌恶这样的不彻底性，18 世纪法国的拉美特利和孔狄亚克承认感觉是认识的唯一来源，他们认为感觉不会欺骗我们，拉美特利的著名断言是：人是机器，似乎人的感觉像机器那样精确。就连费尔巴哈这样的大师也未能正视感觉与理性之间的巨大矛盾，他断言："人的感官不多不少，恰恰够在世界全体中认识世界之用。"唯物主义者就这样把认知的复杂结构简单化粗糙化了，完全用感觉的机能代替了主体思维的技能。虽然他们和否认经验的认识作用的唯理论者互相反对，大有势不两立之势，但是双方在一点上是相同的，那就是把认知结构的一个层次的功能夸大为全部。正因为这样，尽管唯心主义是一朵不结果的花，但是唯物主义者却不能完全战胜它。马克思主义把实践的观念辩证地引入了唯物主义的认识论，以实践的感性的能动的认识论代替了机械的直观的认识论，也没有使唯心主义的唯理论就此绝迹。相反，唯心主义者仍然不断地更新它的体系和范畴，在理论上表现出相当活跃的自我调节的能力，这不能拿唯心主义符合所谓"剥削阶级"利益来解释，更重要的是它的体系与人的认识结构有着虽然是片面的，但却十分深刻的联系。

正因为这样，唯心主义的唯理论在一个点上是胜过唯物主义的经验论的。那就是他们的理论已深入到认识的本体结构之中，而经验论者却往往满足于指出认识的本源，在认识的本体结构以外徘徊。人的认识要正确反映客观规律，光凭感觉和经验是不够的，而且还得有个深刻的认知逻辑结构。在人的认知结构以外的信息，往往很难被感觉到。

长期以来唯物主义者在认知的本体结构上是不够唯物的。如果说，不承认真理的客观性是唯心主义者失足的根源，那么不承认认知结构的特殊逻辑规律、特殊功能，成了某些唯物主义者失足的根源。近代心理学，特别是实验心理学建立以来，产生了那么多流派，从构造主义到机能主义，从行为主义到格式塔学派，从精神分析学到人本主义心理学，乃至皮亚杰的发生认知原理，产生了那么多大师，可是其中自觉的辩证唯物主义者绝无仅有。非唯物主义者对于心灵结构，做了那么多的调查研究，积累了那么多经验材料，作出了那么多的假说，创立了那么多的理论体系，而唯物主义者由于调查研究甚少，因而失去了发言的自由。唯物主义在这方面是大大落后了。唯心主义者已经深入到认识结构的本体中去了，唯物主义者却仍然不能完全摆脱思维定式，在心灵与外部世界的关系的层次上徘徊，这样就产生了一个现象，许多唯心主义者在探求心灵本体结构时，即便犯了错误，也比在表层徘徊的唯物主义者深刻。

唯心主义者前赴后继地揪住认识的本体结构不放，认定主体没有一定的准备状态，没有某种认知的图式，外来的信息就很可能不被感知，这并不完全是资产阶级的疯狂和固执，而是它的确抓住了认知结构中一个不可缺少的环节，而这个环节正是被唯物主义的经验论者忽略了。笛卡儿的"天赋观念""第一天赋观念就是上帝的观念"是那样粗糙，那样站不住脚。斯宾诺莎又跟上来宣布直觉的认识是人的灵魂固有的神的观念，既能说明自身又能说明万物。接着而来的是莱布尼兹，他断言：单子是一种特殊的灵魂，能唤醒“天赋的内在原则”。在看来悖谬的表面现象后面，我们难道看不到一点他们深入探求主体的认知结构的困惑吗？他们的这种苦心追求难道没有任何东西可以补充唯物主义的空白或脱落的环节吗？事实证明，在认识发生过程中，主体并不是一块白板（洛克）、一面镜子（西赛罗），人的心理机制也不是一架机器（拉美特利）或钢琴（狄德罗），它不是被动的，它以它的认知结构去选择、同化外来的信息。

许多唯物主义者也承认主体的反映是能动的，而不是被动的，但是主体凭什么才能动起来呢？唯物主义往往比唯心主义者更不唯物（心之为物）。正是由于他们对心灵本体缺乏了解，所以他们仍在批判康德的时候，主要是在批判康德的先天范畴时，就把脏水和孩子一起泼出去了。其实康德的范畴是否来自“先天”可以讨论，但是，人的认识要从感性上升到智性和理性，不经过范畴的整合是不可能排除其芜杂性的。对感觉经验的归纳是不可缺少的，但又不是很可靠的。休谟提出根据太阳天天出来，而归纳出太阳天天会出来，但是不能排除明天太阳不出来的可能。从赖欣巴哈到波普尔都提出：我们看到的都是白天鹅，但不能归纳出所有天鹅都是白的，这不是没有道理的。

光凭经验只能归纳出或然的判断，因而罗素把归纳法称为“绞刑吏”。因为现代科学革命的特点是愈来愈摆脱“直观的抽象”的描述方式，对于非经典的客体来说，如在量子水平上，已不可能建立不可穷尽的直观模型，这时，理论和范畴在认识结构所起的作用无疑并不比感觉和经验小。正因为这样，现代科学家、哲学家比古典唯心主义者更强调理论模型的作用。罗素强调数学的和逻辑的“共相”的超验性，力图说明主体有一种迎接客观信息的心理结构在起作用。这种心理结构的重要性从存在主义到现象学的大师们都感觉到了。胡塞尔正因为感觉到人的大脑不是“白板”，才努力杜绝一切理论、偏见、前提的干扰，要把现象“悬搁”起来，回到超验的纯粹的自我（白板）中去。他的错误在于认为只有在超验的纯粹的自我中才能形成有效的意识，其实这是空想。如果说胡塞尔从反面排除人的认知结构没有取得任何成功的话，海德格尔则干脆正面地肯定了在认识过程中心灵的“干预”是不可避免的。他认为，在理解任何事物之前，头脑中不可能是一片空白，在理解之前，人类就具备了“先见”“先有”“先把握”的一种“预结构”。人类的认识就是这个主体的“预结构”与客体信息的结合。不过，海德格尔不像康德那样把范畴当作先天的，他认为这种“预结构”是传统中文化习俗观点、概念的系统以及对理解对象的“预先的假定”。海德格尔认为这种“预结构”是后来发生的一切理解的基础。也许海德格尔过分轻视了来自客体的信息是一种更重要的基础，但是他能在“预结构”中看到一些不完全是主观的先天的成分，总算比康德在认知结构的探求上进了一步，他看到的“预结构”比康德显然也具体得多。一代又一代哲人的艰难探索都集中在一个点上，那就是人的认识绝不仅是被动的摹写，人的精神主体不是凭空产生的，它是一种认知的“预结构”的功能的积累。

唯心主义者在认知结构主体上的探索从心理学的最新成就中得到有力的支持。首先是皮亚杰，他从认识发生过程的研究中得出了认识并不是像行为主义者想象的那样是从刺激到反应的单向过程，而是刺激和反应互相作用的过程，他把 S → R 的公式改为 S ⇔ R 的公式。一切的刺激都只有为主体的“图式”（scheme）“同化”（assimilation）才能发生认识，超出主体“图式”太远的就很难被感知，因而他最后又把公式改为 S ⇔ AT ⇔ R，AT 就是主体的图式。接近主体图式的信息会使主体图式相应“顺化”。“同化”和“顺化”就是建立图式、扩大图式的过程。没有这种主体图式的同化和顺化过程，人对外界的信息就可能视而不见，听而不闻，感而不觉。就像没有任何经验和理性的孩子面对纷繁的世界，虽然瞪着眼睛，但是茫然无知。皮亚杰的这种理论，在现代心理学家所强调指出的“定势效应”“前摄因素”中得到有力的印证。美国心理学家克雷奇等在《心理学纲要》中的描述的心理定式与皮亚杰的主体图式息息相通：

> 知觉定势主要来自两个方面，早先的经验和像需要、情绪、态度和价值观念这样一些重要的个人因素。简言之，我们倾向于看见我们以前看过的东西，以及看见最适合于我们当前对于世界所全神贯注的定向的东西。这一点能使知觉更迅速，更有效。这就经常使我们撇开不适当的刺激模式，通过预期而达到真实的知觉。然而……知觉定势有时也使我们看不见现实的世界。[①]

这里所说的“预期”与海德格尔的“预结构”、皮亚杰的主体“图式”，大体是相同的心理规律。苏联心理学家索柯洛夫等通过实验提出了“刺激的神经模式”的理论，在更高的层面为主体认知结构的预期性提供了论据。索柯洛夫等证明，多次运用统一刺激，其信息就被保存在皮层细胞的系统中，刺激痕迹被巩固起来，这形成了“刺激性的神经模式”。从此以后，客体的信息作用于神经中枢，就会同这个“神经模式”起一种比较作用。刺激与模式接近，神经冲动弱；刺激与模式不同，神经冲动强。所有这一切说明，人对客观世界的认识不是记录性的，而是比较性的。每一新的信息都要与已经形成的神经模式作比较。这种神经模式，正是定势效应、预结构、主体图式的生理基础。至此，我们可以看到所谓先天范畴并不完全是先天的，至少有一部分是索柯洛夫指出的那种后天的“神经模式”的功能。

每当人面临着一种新信息时，有两个极端妨碍人去接近真理，一种是白板式的头脑，

---

① 克雷奇、克拉奇菲尔德等著，周先庚等译：《心理学纲要》（下），文化教育出版社 1981 年版，第 78 页。

没有任何“预结构”，没有任何图式，也没有任何科学范畴，这样的白板就可能等于白痴，虽有感而无知。眼耳鼻舌身接受了外界的信息，传达到神经中枢的相应皮层，没有任何与之相比较的“神经模式”。这就是说，人的精神主体性趋近于零，随之而来的是人的实践主体性也趋近于零，人在刺激面前失去反应能力。在这种情况下，实践的判别性效应也趋近于零。这就意味着粗糙的经验、肤浅的认识乃至错误的行为，长期反复地延续，人为这种狭隘的思维定式所拘而不得解放。另一个极端是主体的认知图式、范畴、预结构相当强大，有着很顽固的封闭性，其同化功能大大超过了它向新信息顺化的功能。任何新信息都打不破它的封闭性，一切新信息进入人的大脑，还没有来得及克服为之语词化、命名的困难就为旧的僵化的概念同化了。这时，人的主体就可能对客体做出歪曲的反映。

一个在认识上达到高度自由境界的人，应该是一个精神主体性充分强大，又充分开放的人，他不但善于形成精神主体、发展精神主体，而且应该善于开放精神主体、调节（改造）精神主体。

形成精神主体性，时刻受到不足与过度两个方面的干扰。主体性的强大在于在两种力量之间保持平衡，失去平衡，就可能失去主体性。要建立起概念系统、范式、理论模型，就要与客观信息的无序性、多元性进行抽象的搏斗，一旦建立起概念系统范式、理论模型，还有一个控制调节的任务。要在使用概念和理论的时候，保持主体在层次上能使概念分化、在理论上对之进行深化和改造的主动性，力求主体的思辨不为理论逻辑严密性所迷惑而失去对之进行调节的自由，精神主体性要迫使理论模型自洽而不封闭。除此之外，精神主体还要与自身搏斗，主要是从自身的情感冲动、感觉变异和思维定式中解放出来。主体要在这样复杂的思维活动中保持多方面的平衡，就像在多个漩涡中保持身体平衡，稍不留神就会发生倾倒，导致主动性的丧失。

人类的科学文化水平越是提高，人的精神主体性越是高涨，人对用以迎接、同化客体的范式、理论模型越要有重新审查的自觉。这种范式、理论模型本来是主体的认知结构的一部分，这时常常转化为主体审视、调节、改造的对象。人失去精神主体性往往是由于对经典性的范式怀着自卑感。任何科学革命，不仅仅是实践本身的变革，而且是精神主体性在新的层次上、新的水平上得到发挥的结果。一方面，人的精神主体性是有限的，它受到实践的局限，也就是历史条件的局限，它不能用幻想的联系来补充所缺少的事实。人只能在历史条件所允许的范围内进行理性的概括，条件的极限在哪里，人类认识的边界就在哪里。但是另一方面，人又不能消极地忍受这种局限，人类要进步，人类要提高实践的和精神的主体性，要自觉地创造自己的历史，就必须用科学的范式和数学的演绎，乃至直觉和灵感来突破这种历史的边界，这就是波普尔所说的试错。任何突破性的假说都要在实践中被检验，即使错了，也有利于认知结构的改善。

由于对认知的本体结构的轻视，导致了对人的轻视。狭隘的、直观的、机械的认识论被当成了正统的辩证的认识论，这种误解不仅导致认识论的混乱，而且导致对人的价值和尊严的蔑视。既然在理论上把人当作机器，当成白纸，当成镜子，总之把人当作被动的物，人作为万物之灵的精神主体性就被抹杀了，人就不可能再被当作人。因而，在实践中，就必然会被当成没有头脑的工具，而且是驯服的工具，被当成不能主导运动方向的螺丝钉。把人不当人，把人看得比物还贱，公共财产要爱护，破坏生产设备要受到惩罚，而摧毁人、残害人的心灵的暴行却被当作神圣的义举。这样做的结果，必然要引出对人道主义的野蛮批判。由于精神主体在哲学上的被否定，人就失去了自信，同时失去了自我保卫的自觉。当人的价值和尊严被践踏，人就失去了自卫的理论武器。机械唯物论剥夺人的精神主体性，其整个焦点都集中在培养人的自卑感上，人的精神主体性被麻痹，必然导致把极端的屈辱自卑当成谦虚的美德。人在思想上失去了防卫能力，必然为封建的文化专制主义的猖獗大开方便之门。精神主体性的丧失最后结果是人在实践中处于彻底的被摆布被驱遣的地位。人的实践主体性一旦丧失，人民的历史主动性也就成了一句空话。今天，理直气壮地呼吁把人当成人，张扬人道主义的旗帜，不仅是一种历史的要求，而且也是人的认知结构开放的必然。

四、审美主体性和个体主体性

审美主体的对象就是主体本身，这是人所特有的智能。马克思说：

> 人则把自己的生命活动变成自己的意志和意识的对象……有意识的生命活动直接把人和动物的生命活动区别开来。[①]

抹杀了这个区别，就把人降低为动物。但是审美主体性不像在科学实验和社会实践中的精神主体性那样富于实用性。审美主体性又特别精致，特别娇嫩，因而特别容易被忽略。审美心理活动是一种无声的隐秘的内在体验，它不像科学的理性所面临的对象那样可以用感官直接感知，或者是借助仪器（放大了、延长了的感官）间接感知，它是看不见、摸不着的。很大一部分瞬息即逝，是感觉不到的，因而它要求比科学研究有更加自觉的主体性，它面临的难度比科学研究更大。它所表现的对象是人，不像自然科学研究的对象是物。物可以任凭调遣和控制，而人却不能放在纯粹状态、人工环境中反复测试，这一切就决定了

① 中共中央马克思恩格斯列宁斯大林著作编译局译：《马克思恩格斯全集》第 42 卷，人民出版社 1971 年版，第 96 页。

作家除了通过观察人的外在环境的行动，间接推断人的内在心理活动以外，很难直接感知不同的人那并不公开的内心情感活动。但是光凭外在动作是很难推断人的内心情感的，唯一可以观察可以作为推断根据的是作家自己的内心情感体验。但是内心情感是一种自发的反应，它不受意志控制，加之很大一部分反应并不通过大脑的语言区，有时还没有来得及被意识到，被语词化，就一去不返了，稍不注意就无声无息地消失了。即使那些内在情感很丰富的作家，如果没有有意地注意过自己内心的活动，他的情感体验仍然可能很贫乏。所以车尔尼雪夫斯基在评论列夫·托尔斯泰早期著作所显示的才华时，特别强调了他“自我观察”“自我反省”的能力：

> 人类行为的规律，情感的变化，事件的交错，环境和社会关系的影响，我们可以通过仔细观察别人而加以研究；但是，如果我们不去研究极其隐秘的心理生活规律——它的变化只有在我们（自己）的自我意识里才公开地展示在我们面前——那么通过观察别人而获得的一切知识，就不可能深刻确切。谁要是不在自己的内心研究人，那就永远也不能达到关于人们的深刻知识。[①]

没有自觉的审美主体意识就不可能注意自己的内心活动过程。因为在通常情况下，人们只按功利目的分配自己的注意，而审美情感往往是非实用的、超功利的。即使细心的内向的人，也只能自发地注意到思绪的开端和结果，因为开端与结果多少与人的功利行为有点联系，很少有人自发地注意自己的情感怎样由环境的刺激引起，经由一连串的自由联想，使记忆深层浮动起来，发生游移变幻，其中幻觉和现象的印象，遥远的回忆和未来的预想，此起彼伏……要注意到这一切微妙的变幻，并能加以自由地表达，实在非一般人的能力所能及。

心理活动，特别是情感活动的内审有极大的难度，这一点一直苦恼着一代又一代的心理学家。构造主义心理学派的大师冯特主要用内省法来观察心理活动。但是这种方法一直遭到严厉的非难。早在冯特建立新心理学以前几十年，实证主义者孔德就攻击过这种方法。他认为心灵“可以观察它自身以外的”一切，可就是不能观察它自身。因为：

> 在这里观察器官与被观察器官是同一个器官，因而它的作用不可能是纯粹的和自然的。为了观察，你的智力必须终止活动；然而正是这种行动，是你所想要观察的。如果你不能使心理活动停止，你便不能观察；如果你停止了它，就没有什么东西可以观察了。这种方法的研究结果与这种方法的荒谬性成正比。经过两千年的心理研究之

---

① 倪蕊琴编：《俄国作家批评家论列夫·托尔斯泰》，中国社会科学出版社 1982 年版，第 32 页。

后，还没有形成一种主张使其追随者们感到满意。[①]

孔德说得很机智，内省观察要求内在注意的凝聚、定向和集中。可这样一来就抑制了心理活动。孔德说的还是人的理智活动，对于理智活动已经如此，对于情感活动的内审就更其困难了。同样是构造主义大师的铁钦纳在《心理学教科书》中，这样表达他的困惑：

情感没有清晰的特征。快感和不快感可能是强烈的持久的，但它们绝不会是清晰的。这就是说——在情感上不可能集中注意力……我们完全不能把注意力集中在情感上，如果我们试图这样做，快感和不快感就立即消失，我们就会发现我们在观察我们并不想观察的完全无关紧要的感觉现象。如果我们想从一首协奏曲或一幅画中得到快感，我们就一定要注意听到或者看到的东西；但是当我们注意快感本身，快感就会消失。[②]

情感是激动不宁的，而内省的观察却要求平静和冷静，可是一平静、冷静下来，激动的情感就消失了。

孔德否定内省法的时候，弗洛伊德的精神分析学说还没有形成，要不然他可以找到更充足的理由来充实他的论证。按照弗洛伊德的学说，情感中至少有很大一部分被长期压抑到无意识领域中去了，一旦有意识地注意它，观察它，无意识就可能化为意识，情感就不存在或者发生了变化。现代心理学则进一步证明连人的内部机体觉（饥、渴、性）等都是一种综合的体验，很难准确定位，它的冲动传达到大脑相应部位时并不通过语言区，因而即使情感被注意到了，也因没有语词化而被迅速遗忘。在生活中，人们经常感到有些情感可意会而不可言传，就是这种原因。因而情感是一种“黑暗的感觉”“神秘的感觉”，它天天在人内心发生、发展、变幻、消亡着，可是人对它所知却甚少。能够意识到自己情感活动的微妙过程并能准确地加以语词化是一种不可多得的才华，具有这种才华，就能说出别人不能意会，或真能意会不能言传的情感。这就是艺术家。

华兹华斯说：一切强烈情感的自然流露都是好诗；列夫·托尔斯泰在《艺术论》中也说：艺术就是情感的传达；就连克莱夫·贝尔也认为一切审美方式的起点都是情感的亲身体验。但是他们没有考虑到情感内审和传达的难度，他们都忽略了审美主体性较任何精神主体性都要求更高的能量和自觉。

人类在实践过程中获得了整个客体宇宙，可是却以失去情感宇宙为代价。

艺术家之所以可贵就是因为他把人类失去的情感宇宙还给人类，他使人类在拥有世界以后，又拥有他自身。大多数人的情感宇宙并不是在生活中自发地被意识到的，而是在阅

① 舒尔茨著，沈德灿等译：《现代心理学史》，人民教育出版社 1981 年版，第 108 页。
② 维戈茨基著，周新译：《艺术心理学》，上海文艺出版社 1985 年版，第 260—261 页。

读文艺作品时被唤醒的。从这一点来说，艺术家不仅仅是人类灵魂的工程师，而且是人类灵魂的哥伦布。

审美主体的首要特征是主体本身的情感宇宙是丰富多彩、活跃生动的。主体情感如果极端贫乏，不管有多么耐心的内审，也不可能有丰富的内审感知。正因为这样，作家的素养首先不在于生活是否丰富而在于情感是否活跃，是否具有独特的个性特征。所以才华又被称为才情，与情不可分。刺激在艺术家的心灵中引起的情绪冲动、连锁反应、起伏波动、变幻莫测、眼花缭乱，大大超过了常人，外部观察所激活的情感活动的深度也大大超过了常人。

审美主体性的第二个特征是心灵的机能特别强大——这主要是在情绪记忆和语词化能力方面。

即使对内心活动非常敏感的人，其内审也很难达到无意识的深层，而作家的任务就包括把这受实用价值观念和科学价值观念长期压抑而失去了的、麻痹了的、处于半窒息半死亡状态的情感还给人类。构造主义心理学家也知道内省的局限，他们强调用回忆来弥补。一般人情绪记忆的特点是在发生的瞬间记忆较强，时间距离越长，遗忘率越高。如果在发生的瞬间有强大的语词化能力，能够对情感变幻的层次精致地给以命名，或者与相应的外部感觉、知觉的变幻联系起来，则可以使情绪在心灵中留下比较巩固的记忆，这种记忆可以经得起长时间的考验，如果不是这样，情绪发生之时也就是遗忘之时，内审的结果仍然是一片空白。最关键的是语词化能力，它对情绪记忆起着决定作用。然而对于人类无限丰富的情感和知觉来说，语言符号却相当有限。有时给予一种很平常的未经表述的情感命名都需要不凡的才气，比较复杂的情感则更是如此，往往是在未曾给作家道破之前人们并未意识到它的存在，一经道破，就有了一种发现的欢欣。这种欢欣造成了这种情感已被充分地表现的错觉，可是在下一代作家笔下，又发现了一些新方面，又引起一阵激动和欢欣。这时再回顾那已被表现了的部分就显得有点粗糙了。一代又一代的作家在爱情上不断殚精竭虑、耗尽才思，永远也不可能把爱情的发生、发展、变幻的过程作无穷尽的表现。他们以那种有限的命名手段不断更新着无限丰富的情感世界。正因为这样，作家才被称为语言的艺术家甚至魔术家。没有这些语言艺术家、魔术家，人对自己的认识，人对世界的感知就会简陋得多了。据人类学研究，一种感觉、情感如果没有相应的语词化，有时会使人丧失对它的感知。北美的印第安霍披族人语言中没有淡蓝这个词，他们就分不清蓝和淡蓝这两种颜色，而英语民族和汉语民族有蓝和淡蓝两个词，他们就很轻易地分别这两种颜色。

可见审美主体性的发挥主要是主体机能对于主体本身的驾驭。它的难度在于：首先驾驭的对象是意志不能直接控制的情感，其次所运用的手段、内审的语词化又是极不完善的。

凭着这不完善的手段，面对着变幻莫测、神秘诡奇的对象，而所要完成的任务又是要高度精致的、高度完美的。这好像是驾着独木舟要横渡太平洋，安全系数完全取决于主体的体力和智能的超常。正是因为这样，在通向艺术创造之宫的征途上，能够如愿以偿的是如此之稀罕，主要是审美主体的语词化和情绪记忆能量不足。

审美主体能量之所以如此重要，不仅仅因为要克服审美情感机制、语言机制方面的困难，而且更重要的是要廓清审美价值判断、实用价值判断和科学认识价值判断之间的天然混淆。这三种价值判断在人类生活中处于一种复杂的纠结之中，形成一种错位关系，三者既互相排斥，又不能互相脱离。艺术形象是审美情感的传达，但又不是纯艺术的，也渗透着生理的冲动、理性的概括。审美价值取向不能与实用功利和科学认识完全分立。如果审美价值取向绝对脱离了实用社会功利，就可能产生诲淫诲盗以官能刺激为满足的黄色乃至黑色的文艺。审美价值取向如果脱离了科学认识价值，就可能歪曲社会和人的本质。但是审美价值取向又不能等同于实用功利，等同了就只能是劝善惩恶的道德伦理说教。它也不能等同于科学认识价值，等同了就必然造成公式化概念化。艺术家的审美主体能量必须大到使这三种价值取向既不互相脱离，又不互相重合，而是处于一种互相错位的关系之中，让审美的想象对实用功利和科学认识保持某种超越性，在不致脱离的条件下，三者错位的幅度越大，审美的价值越高。一个雇农在辛亥革命发生以后，被冤枉地处死。从科学认识来说，这是个历史的悲剧，从实用功利来说，应该从悲愤中奋起反抗。但是从审美价值取向来说，并不一定取其悲愤，也可以把阿 Q 写得死到临头还很可笑，还沉迷于戏剧性的自我吹嘘和自我麻醉，悲剧性的现实与喜剧性的形象形成了错位，审美价值提高了。相反，如果不拉开错位的幅度，而直接进行社会功利性的鼓动，反倒可能降低了审美价值。当绞索套着脖子的时候，从实用功利价值来说应该挣脱，但被绞者突然指着绞架说：这玩意儿牢不牢啊？绳子会不会断掉啊？这样残酷的玩笑是不实用的，但却成了艺术上一大创造——黑色幽默。

在现实生活中，科学认识价值取向和实用功利价值取向是自发地占着绝对优势的，这往往使人怯懦而陷入某种盲目性。审美主体如果不强大到足以超越这种盲目的思维定式，就不能进入审美的自由的境界。苏联诗人叶甫图申科有一个电影剧本《幼儿园》，写一个男孩子冉尼亚在卫国战争时期被铁路上的流氓团伙所俘获，被迫进行盗窃活动，冉尼亚不甘沦落而逃跑，流氓团伙头子持枪追击。正在千钧一发之际，枪声响了，流氓团伙头子应声倒下，原来是另一个被裹胁的女孩子莉莉亚开的枪。当冉尼亚回头时，发现莉莉亚正抚尸大哭。冉尼亚问道：

“既然你可怜他，那他就不再是坏人了，是吗？”

“不是。”

“那么说他是好人了？是吗？”

“不是。”

“那么他是什么人呢，莉莉亚？”

“他是个不幸的人。”

审美价值判断正如莉莉亚对这个死者的评价，不纯粹是从道德的善恶出发的。审美评价有它自身的取向，它与道德的实用概念不在同一个方位上，它考虑的首先不是善恶的问题，而是人的价值没有得到充分的实现，人的情感没有从物欲中充分解放出来。它是把人的审美主体作为最珍贵的价值来考虑的。虽然从实用功利来说，这样的人是该死的，可是从人的情感价值来说，落得这样一个下场仍然是可悲的、可怜的、不幸的。

审美价值与科学认识的价值也一样是一种错位关系。马克思批判资本主义，是从商品中分析出生产关系抑制了生产力的发展，导致经济危机、工人的绝对贫困化，是商品本身的内部矛盾导致了资本主义必然灭亡，社会主义必然诞生。可高尔基在《母亲》中批判资本主义并不是从生产关系与生产力的矛盾这个角度切入的，而是从人的角度、人的情感、人的个性被毁灭这个角度切入的。高尔基塑造形象的焦点是奴隶式的劳动导致工人“个性毁灭”。由于精神苦闷，青年工人巴维尔·维拉索夫的父亲很早就酗酒、打老婆，终于早死，母亲一直生活在恐惧之中。儿子巴维尔长大了，她又恐惧地发现儿子也苦闷起来，也酗酒了。正当她担心儿子走上父亲的老路时，社会主义思想的传播改变了儿子的命运，也改变了她的内心生活。她由一个在无穷的恐惧中生活的人变成了一个无畏的战士。曹雪芹批判那封建大家族的崩溃并不是从生产关系与生产力的不适应出发的，而是从那样的生活方式、家族制度对人的毁灭，对人的情感的毁灭，对美的毁灭出发的。他的价值取向是环境造成了人的危机，特别是男性接班人的危机。所有政治的、经济的、道德的、体制的危机都集中到一点上——接班人的危机，后继无人。没有一个男性后代在能力上、在思想品格上能够成为这个家族未来的支柱，没有一个人在精神上能够挽回那“礼崩乐坏”大厦将倾的趋势。高尔基和曹雪芹没有这样大幅度地作价值取向错位的魄力，就不可能写出这样伟大的艺术珍品。

当然艺术家的审美主体性不仅表现在保持、扩大错位的幅度上，而且表现在控制这种错位的极限上。超过了错位的极限，就是说使审美价值与实用功利和科学认识完全分裂，绝对对立起来，不但功利价值、科学认识价值会贬值，而且审美价值也会贬值。因而艺术家的审美主体不但应该是强大的，而且应该是灵活的，它不但有充分的能量使审美想象自由地超越，而且也有充分的灵活性使审美想象向现实回归，艺术家的审美主体的灵活性表现为在超越与回归之间保持一种必要的张力。

这是一种主体自我解放和自我抑制能力的结合，它之所以重要，不仅是为了准确地传达主体的内在情感，而且是为了驾驭形式的审美规范。像生活中并不是一切都可以进入艺术一样，情感中也并不是一切都是美的，情感还要经过艺术的形式规范才能上升到艺术的境界。艺术形象并不完全是由生活内容情感内容决定的，客体生活和主体情感的任意结合还不能成为艺术形象，它们还要受到形式规范的制约。作家的审美主体对情感的审视、命名，以及对审美价值方位的选择都离不开形式的规范，作家的审美观念、审美趣味都和他所熟练地掌握着的艺术形式联系在一起。

艺术形式是人类审美历史经验的储存载体，形式的发展水平与审美观念的发展水平是同步增长的。作家主体的审美水平首先表现在他对艺术形式的驾驭水平上。我们说鲁迅是“五四”时期伟大的现实主义者，郭沫若是“五四”时期杰出的浪漫主义者，这样的评价是与鲁迅对小说形式，郭沫若对新诗形式的创新联系一起的，他们的历史功绩与他们对上述形式的奠基是分不开的。生活与情感一进入艺术形式就发生了奇妙的变异，既可能变得不艺术，也可能变得很艺术。运用之妙，存乎一心，作家的审美主体在这个时候就起着决定作用。情感和由情感决定的知觉在不同的艺术形式中分化为不同意象系列。情感进入诗歌领域，就应该有高度的概括性，哪怕性格不同的人面临不同的命运也往往强调其心灵相通的一面，所以白居易写琵琶女的遭遇，强调他自己和她命运、情感的共同性；杜甫写战乱中人民的流离时，全力缩短不同人物之间的情感差距。概括性越高，其审美价值也越高。不但写内心情感是这样，写外部环境也这样。在诗中可以写千里莺啼、千里冰封，事实上千里之内不可能都是莺啼或冰封，总有些地方不是这样，这是诗的想象。但写小说则不能这样求同，这样概括，小说的想象是一种分化功能极强的想象。小说写主人公行一千里就要强调空间、时间的不同，造成环境的差异性，将其间差异作强化的表现。写人也是这样，如果爱情小说像诗那样，写两个人无条件地、绝对地心心相印，那就没有性格可写了。在小说中，相爱的人往往经历过互相仇恨、互相藐视、互相贬抑、互相折磨，心理互相错位，所谓心心相错的过程，即使相爱了，仍然潜伏着相互分离的危机。不但人物的关系、情节线索要分化，就是一个微观的感觉，在小说中也不能像诗中那样单纯，它要分化为很复杂的有机结构。例如，邓刚的《迷人的海》写在秋末冬初之际海碰子投身入海的冷觉，分化为热刮、凉钻、痛、辣、发烧、舒服、什么感觉也没有和最后返痛。这仅仅是生活的描摹吗？这不仅仅是情感和为情感决定的感觉的传达，它同时又是作家的审美主体对于小说形式的分化功能的一次冒险的成功的探索。

当然，作家的审美主体性不仅仅是消极地遵循形式规范，作家的才华还表现为对形式规范的突破。因为一切形式都有封闭性，都是有限的。而生活和情感却是无限的、开放的，一切形式都是普遍的模式，而生活的情感是具体的没有模式的，因而真正的艺术家在遵循形式规范时又不能不突破它，只有突破了才能有更高意义上的创造。一部艺术史也包括审美主体不断创造形式又打破形式的历史，只有在艺术形式面前也获得了主动性摆脱了被动性的作家才可能成为真正的大艺术家。

不论是对主体情感的审视，对审美价值取向的把握，对审美情感活动的命名，还是对形式功能的驾驭和突破，审美主体性不同于一般精神主体性之处就是它的个性化。它必须是私有的、独特的，才是美的，它的普遍性只能在充分的特殊性中显示出来。在这一点上，它与机械的、庸俗的反映论不能相容。机械的、庸俗的反映论者，在口头上有时并不直接反对审美的主体性，但是他们以一种抽象的与个体绝缘的群体的主体性来否定主体性。艺术与科学不同，艺术是以个性的特殊性去反映群体的普遍性的，群体的普遍性只能在个体特殊性的有限范围之中，没有个体的主体性，也就谈不上群体的主体性。只有通过个体的心灵的波动，才能表现群体心理文化结构。离开了作家特殊的个体的主体性，则必然导致主体性的丧失。

机械反映论以最大的努力来培养作家的自卑感，摧毁作家的自信心和自尊心。这不仅是文学理论的倒退，而且是文明的倒退。人类的文明越是进化，人的个体的主体性越是得到充分的尊重。人从动物中分化出来，把自己的生命活动当作自己意识的对象，发挥了精神主体的伟大功能，这是一个伟大的历史飞跃。起初人还处在群体的自觉阶段。在原始部落中，每一个个体固定地生活在共同群体中，习惯于同样的生活和环境，接受几乎同样的信息，他们在共同的信念中成长，连思维的表象都带着群体性。在这种情况下，只有群体对于大自然的主体性，没有个体的主体性。等到文明进化到一个新的阶段，个体才从群体中分化出来，人开始把个体作为自己意识的对象，发现了个体的价值和尊严，这又是一次伟大的历史转折。这时，才开始有文人创作，有作家的署名作品。这一变化给文学和社会都带来了极为伟大的推动。在这个阶段，个体的主体性从作家这方面来说使审美的主体性得到充分的发扬；另一方面对于表现对象来说，人物的个体主体性得到充分尊重，作家不但要珍惜自己心灵的微波，而且要珍惜人物的情绪转换。在审美价值取向中，作家不但要把自己当作人，而且把每一个人物都当作人，不管是好人还是坏人。他的梦幻，他的叹息，他的潜意识中的动机，他突然活跃起来的记忆，都是作家的审美对象。从这个意义上来讲，艺术家比科学家更有必要成为一个彻底的人道主义者。他与那种把人降低为物的机械反映论之间的矛盾特别难以调和，他的主体性也特别强大，特别难以为那反人本主义的物本主义所迷惑。正因为这样：启蒙主义才往往从文学中开始。

第三辑　对西方现代文论的挑战

打破被动接受西方文论的恶性循环[①]

我国新时期的文学是一种迟到的启蒙文学，不但在思想上如此，而且在艺术上也一样。长期的闭关锁国，使我国当代文学处于简单再生产、有限的自我重复状态，一旦国门大开，西方的各种文学思潮和流派以一种大呼隆的声势一拥而入。对于艺术和思想长期处于自给而不自足的状态下的国人来说，一切都是新鲜的，好像是上帝刚刚创造出来，还冒着热气似的。其实，那些文学思潮和流派，是近大半个世纪以来文学历史的压缩，在西方，它们是按着时间程序带着明显的逻辑因果鱼贯而前的，一个流派，不是尚未充分发展的流派的继续，就是对过熟流派的反拨。但是当它们拥入我们饥渴的心灵时，却是同时并进地没头没脑地倾泻下来的。

对这样的大变动，我们并没有充分的准备，于是便产生了两种互相对立的反应。一种是神经质地抗拒。由于新思潮的涌入，我国当代文学中曾经视为珍宝的一些艺术规范、艺术观念，不但失去了光泽，而且显出了锈斑。那些不能从旧的艺术规范、观念中解放出来的作家、评论家，未免感到惶惑、失落，乃至于产生某种怨尤。其中最不智的便借用文学以外的神圣旗帜，对文学新潮大肆挞伐，其结果是明眼的读者在当时就可以看出的：这一切对于这些作家的艺术和人格不啻是一种自我戕害，而且这种戕害带有明显的悲壮的性质。

长期的精神饥渴还导致另一种倾向，那就是空前过量的食欲和随之而来的消化不良。在短短的十年中，我国新时期文学观念和艺术规范更迭的速度不但在中国文学史上是空前的，而且在世界文学史上也可能是空前的。如果谁有兴趣把第一次短篇小说评奖中的某一获奖篇目（如贾平凹的《窗口》），跟当前颇有影响的残雪的小说放在一起，就可以看出当中的时间距离，不应该是十年而是一个世纪，风行一时、振奋人心的杰作，在十年之间就

① 发表于《福建文学》1986 年 6 月号。

老态龙钟了。1980 年前后由王蒙带头掀起的一股意识流热，1985 年由莫言带头掀起的一股魔幻热，到了今天都有点明日黄花之感。中国小说的内部逻辑结构好像经过了里氏八级地震，破坏的速度是惊人的，重建的速度也是惊人的。同样的情况也发生在诗歌之中，向传统诗艺发出挑战的舒婷和北岛，作为“崛起派”的代表才在诗坛站稳了脚跟，结束了被讨伐的命运；不过两三年，就遭到了“后崛起”的挑战，宣布他们已经“PASS”（淘汰）了。在近两三年中，不但是我国的古典诗艺、现代诗艺，而且新时期刚刚确立的审美规范都面临着“后崛起”严峻的挑战。所有这一切，都有点“礼崩乐坏”天下大乱的味道。这对于长期处于停滞的文坛来说，无疑是走向繁荣的必要条件。左的教条对我们的头脑禁锢得太久了，以至于产生了某种麻木性，我们长期失去了直接对生活和自我感受作出表现和阐释的能力。被长期的严寒冻僵了的嘴唇，即使在大地回春之时还是不听使唤，许多作家不能用自己的舌头表达自己的内心感受，为了恢复表现自我的能力竟不得不从模仿外国人的语言开始。对于新时期文学来说，这首先并不是非常令人屈辱的，而是非常令人振奋的。

时到 20 世纪，没有一种文学能在自给自足的简单再生产中得到发展，各民族的文化交流已成为文学迅速发展的一个不可缺少的动因。每当某种文学发展到极限（不论是成熟极限还是停滞的极限），外来的刺激便成为实现巨大突破的决定性的因素。凡有外来的刺激的地方，发展就迅速；凡缺乏外来刺激的地方，就不免停滞。这一点在“五四”时期和新时期同样明显。两个时期中，散文比小说和诗歌更能说明问题。“五四”时期，一开始，周作人就引进了西方的絮语散文（familiar essay）和美文（essay），后来林语堂又从英国散文引进了 humour，并且成功地把这个外国字翻译成“幽默”（而不是《滑稽列传》中的滑稽），essay 的思辨色彩和幽默反讽，在很短时期内便普及了，而且在大量杂文中发展得那么成熟，这是我们今天仍然会感到惊异的。“五四”时期散文的辉煌成绩也许后来被小说和诗歌超过了，可是在新文学运动的第一个十年，散文的成绩超过了小说。这一点鲁迅曾郑重地写在他给新文学大系小说集写的序中。相比之下，新时期的散文成绩恰恰落在小说与诗的后面，除了其他原因以外，其中最主要的是：在散文领域几乎没有什么外国的流派被介绍进来。由于缺乏外部的艺术刺激，新时期散文至今没有达到小说和诗歌那样的才人代出、异彩纷呈的繁荣。虽然，新时期散文也完成了从杨朔模式和刘白羽模式蜕变出来的历史任务，但是鼓舞这场蜕变的却不是面向世界和外来的创造，而是向“五四”散文的回归。直到目前为止，与小说和诗歌领域中青年作家的作品不断超越老作家的形势相反，老一辈的散文作家在艺术上仍然占领先地位，孙犁、巴金、杨绛和汪曾祺或以其人情的练达、世事的洞明启人心智，或以其把心交给读者的倾诉而动人情愫，或以其内敛的、远遁于诗的夸张而引起读者对情感记忆更深的发现。至少在目前，唐敏、曹明华这一辈年轻人还没有在历史的水平线上越过他们前辈的能量，就他们的智能而言远远还没有达到开拓一个崭新的历史阶段的高度。这种局面往往诱发我作如下的推测：如果唐敏、曹明华们像莫言们那样找到一种外国文学流派并加以师承的话，她们的成就，也许可以比现在高得多的。[①]这并不是纯粹的空想，20 世纪 40 年代当福建散文处于停滞阶段，年轻的郭风不是从西班牙的阿佐林、比利时诗人凡尔巴伦那里得到启示，而创造了至今仍然很年轻的连年轻人也艳慕不已的风格吗？应该承认，散文在今天是不够景气的，其原因之一可能与年轻的散文家在引进外国散文流派与风格的气魄和智能方面远不如他们的前辈。

当然，不管引进什么外国文学流派，其目的都不是为简单的模仿。模仿在艺术解放和思想解放的突破点上是有其重大的历史价值的，但暂时的模仿是为了最终摆脱模仿。毕竟，让冻僵的舌头模仿别人发出的语言是为了恢复表现自我内心感受的自由，并不断扩大这种自由。可是过多的模仿又可能形成某种条件反射，造成心理定式的自动化，除了重复从模仿中得来的以外，人变得很难表现自我了。这种后果在被动地接受外来文学思潮之初，特别容易出现。

对于新时期文艺创作，特别是文艺理论来说，这种危险是存在的。

这主要表现为某种被动性。由于外国文学思潮一直被当作洪水猛兽关在国门之外，突然以大水闸大开的声势一夜之间涌到了我们的鼻子底下，以至于连选择都来不及，许多才智卓绝的中青年作家就深深地惊异了、震动了，心灵空间被填满了，这就难免出现消化不良的情况。这种消化不良的具体表现就是新时期引进的热门来得迅速，消失得也迅速。1979 年宗璞用意识流手法写出的《我是谁》，王蒙又在一系列短篇、中篇中大量运用了近似意识流的手法，一时形成热门。孔捷生、刘心武、谌容等一拥而上，连素称稳重的张洁也在这里小试了一下锋芒，热度火速上升。由于有关方面的侧目，更诱发了一种逆反心理，于是滔滔者天下皆是，好像洪水猛涨，海啸袭来，一切都被淹没了，一切都变得陈旧了。然而事过二三年，洪水退去，居然没有什么作家再对意识流抱着多大希望。意识流一夜之间变得衰老了，被遗弃了，似乎谁再在意识流上折腾个没完，才是真正的“傻老帽儿”呢。接着可以一提的是由莫言掀起的一股魔幻热，自从《透明的红萝卜》《红高粱》打响，于是又出现了那么多的魔幻小说，木头模特儿走出了橱窗，公共汽车没有司机也能自动开动，人莫名其妙地变成猫或者长出了尾巴又成为时髦。可是，时过不久，魔幻热又像喇叭裤一样，渐渐被冷落了。所有这一切，在表面上表现为对各种流派热心地实验，事实上是一种手忙脚乱，它产生于民族心理的某种被动。这一点，已为“后崛起”的理论家周佑伦

① 这是20世纪80年代中后期的情况，到了90年代年轻一代的散文成就突破了他们的前辈。其中南帆借鉴了罗兰·巴特创造了智性散文的风格为“五四”以来所未有。

发现了，这种被动主要是接受西方文化的被动。这不仅表现在文学上，更主要表现在文化的整体观念上。我们迅速改变自己心灵的闭锁状态的愿望太强烈了，以至于显得有点饥不择食。一百多年来，我们这个不甘落后于世界文明的民族，经受了那么多挫折，挫折使我们几乎丧失了主体性。但不管遭到了多么严重的、反复的挫折，我们都又重新燃起了迈向世界前列的纯真的希望之火。从这一点来说，我们这个民族是永远不会衰老、永远年轻的，但是年轻却并不是摆脱被动性、恢复主体性的全部必要而充足的条件。值得庆幸的是经历了这么多挫折，我们的民族渐渐变得老练了。这主要是，在政治上主体性已经充分地确立了，在经济上也开始对我们民族的天真烂漫有所警惕。所有这一切，都使我们民族从历史的被动中挣脱出来，踏上了主动性的最初阶梯。可是在文化上，特别是文艺思潮上，我们这个民族似乎至今童心未灭，经常自己被自己的天真烂漫迷住。在政治上和经济上，我们已经对一切灿烂的模式进行着脱胎换骨的改造，我们正在强化自己的主体能量，以便在经济上对一切国外卓有成效的模式进行系统地同化和反刍。对政治和经济来说，这种同化反刍，或者脱胎换骨，都并不是一场欢乐的宴会，而是伴随着痛苦，甚至是内脏出血的。化被动为主动的标志，不是别的，正是拿出自己独创的模式来。我们整个民族已经有了一定的思想准备，我们清醒地估计了在这场恢复民族主体性的斗争中，可能付出的代价甚大。

可是在文学上，我们远没有达到这种主体的清醒程度，除了诗歌、小说以外，可能文艺理论表现最为明显了。1985 年，系统论、信息论、控制论三论引进达到高潮，造成了一种声势，好像千年来没有解决的艺术奥秘，如今有了万能的钥匙，于是出现了名词概念的大轰炸，科技名词大规模入侵，很快，热潮消退了，如今在大多数刊物上，好像连一点痕迹也没有留下。跟着而来的是寻根年，寻根年过去之后，又来了个结构主义年。1988 年在一个座谈会上有人提出 1988 年应该是“语言年”，打开文学奥秘的真正的金钥匙应该在索绪尔、萨丕尔的语言学著作之中。当然，所有这一切花样更新的引进，都是必要的，而且还并不是过分的，问题在于迄今为止，我们对引进的这些理论，还处在仿制阶段。而满足于仿制是永远不能摆脱目前这种民族心理的被动状态的。就算你仿制到十分逼真，乃至可以乱真的程度，人家又有新的产品供你进行新一轮的仿制了。而这种永远跟不上趟的仿制，不但不能从整体上提高民族的主体精神，相反却只能成为滋长民族自卑感的温床。

这是一种恶性循环。不打破这种恶性循环，我们就不能在层出不穷的世界文化潮流面前达到一个民族自立所必要的心理平衡。

而要打破这种恶性循环，首先就得让我们民族主体有一种气魄，以便对外来的文化思潮进行选择。在那眼花缭乱的思潮面前，不要过分自惭形秽，无论如何要沉住气，像禅家所讲的那样“任凭弱水三千，我只取一瓢饮”。把三千弱水全喝下去，是要胀破肚子的。有所失，才能有所得，这一点辩证法还没过时。引进需要大无畏的精神，选择更需要大无畏的气概，并不是一切外国的好东西搬到中国来都有好效果。更何况，我们看西方的一切学术文化结晶，切不可像刁德一看阿庆嫂讲话似的，滴水不漏。用一句他们说得很深刻的话来说，任何概括都意味着遗漏。问题在于，应该为我们的主体性找到一个立足点，是在他们取得成就的地方作轻松的漫步呢，还是在他们遗漏（失足）的地方跳难度更高的脚尖舞。不论存在主义、结构主义，还是现象学、叙述学，都强调主体的选择、主体结构的外射，乃至主体预结构对客观现象的某种同化，如果我们把西方的文学艺术、西方文艺思潮当作一种对象，难道不应该有我们经过更新的民族心理结构的外射、正在重建的民族主体预结构和心理文化的同化机制吗？西方各流派之间都以互不服气为荣，因为他们习惯于把各自的主体性放在平等的地位上。然而，我们在引进的时候，往往忽视了这一点，不是以对他们不服气为荣，而是以对他们的绝对崇拜为荣。其实这种态度与他们学说的根本原则是背道而驰的，在他那里，丧失主体、满足于用自己的舌头唱别人的歌的人是没有价值的。我们民族的主体性应该与他们的主体性平起平坐，我们的被动性应该在这个地方结束，我们民族文化的未来正是应该从这个地方开始。如果满足于写出和他们在观念上、在思辨的风格上，乃至概念范畴上都相同的东西，我们仍然没出息，仍然要注定被人家瞧不起。凡在他们取得胜利的地方，我们应该昂首阔步（哪怕是装出来的也好）两手插在裤袋里迈过去。我们的目标不但是学别人的东西，而且是创造出别人没有的东西。我们应该期待着总有一天，我们也会有些东西把他们迷住，让他们也去手忙脚乱地引进。妨碍作家和理论家获得主动性的是他们太神往外国某些作家和理论家了。在这方面莫言有自知之明，他说，他作品中那些马尔克斯的烙印是他不成熟的表现，我想，这是由衷之言。事实上，高明的莫言也不能免俗，连《百年孤独》开头一句那种“未来过去”时态他都加以模仿，其实，这是不伦不类的。在汉语语法中根本没有这个范畴，这只能增加读者的心理阻抗，也谈不上在汉语中创造这种范畴的可能。任何一种语言，不但是一种现实世界的符号，也是民族心理文化的象征。我们怎能设想用西班牙语的心理文化所特有的语法范畴，来表现山东高密的东北乡的汉族农民心理文化结构呢？可见连莫言也没法完全摆脱被动性。不管怎样，要获得接受西方文化的主动性，就不能不和许多邪门的诱惑作斗争。电影《红高粱》有许多不如小说《红高粱》之处，但是电影《红高粱》有一点很振奋人心，那就是它浑身上下，没有一点马尔克斯的烙印，可谓达到了脱胎换骨的境界。尽管它的价值观念是当代的，然而它恰恰又深入到汉族农村文化的最深层。这样的“脱胎换骨”，也许是幼稚的，但总比那满足于学舌的懒骨头好。

西方文论的引进和我国文学经典的解读[①]

80年代初期以来，引进西方文论的潮流，可能是五四新文学运动以来规模最为宏大、成就最为壮观、对我国文论建设的促进最为巨大的一次。它结束了我国的文学理论自我封闭、自我窒息、自我麻醉的危机状态，推动了我国文论的高速发展，在现代化尚未实现的中国创造了与西方后现代思潮超前接轨的文化奇观。但是，西方文论如此高速的引进，也带来了苦涩的困惑。世界上不存在任何完善的理论，任何一种权威的理论话语都有其澄明的一面，又有其遮蔽的一面。我们的任务就是消除障蔽，问题在于如何消除障蔽。中国古典文论向现代转化的命题的提出，提供了一条途径。但是，古典文论的转化对于西方文论来说，就意味着不是求同，而是求异；现代转化，对于古典文论来说，也不是简单求同，而是求异。作纯粹理论的回答，是无力的，因为每一个范畴的派生，都意味着文化历史语境和思维模式的反复搏斗。本文试图通过中国现代文论引进的两个阶段的比较来回答这个问题。

一、话语的硬性封闭和弹性派生

30年代的文论家引进革命文学理论，是为了解决文学问题，但是，革命文论话语中，充满了哲学的普遍规律，作为普遍的大前提，并不能演绎出文学的特殊规律来。辩证唯物主义创作方法之所以遭到否定，就是因为，它窒息了文学形象的特殊性[②]。

早期的革命文学理论家不是正视矛盾，而是以理论的话语权威来消解这种矛盾。共同

① 发表于《文学评论》1999年第5期。

② 参阅周扬：《社会主义的现实主义与革命的浪漫主义：唯物辩证法的创作方法之否定》，载《周扬文集》，人民文学出版社1984年版，第105页。

的倾向是，但求其同，拒绝或者藐视明显与之相异的文学现象，即使感觉到了障蔽的存在也不惜歪曲，将其纳入现成的有限话语之中。钱杏邨的《死去了的阿Q时代》，强行求同，硬性歪曲，可以说是这种倾向的代表。求同的最幼稚的形态，就是从概念到概念的抽象照搬，把复杂的文学现象看得简单了，以为一切问题可以迎刃而解。就连鲁迅也一度以为读了普列汉诺夫的《艺术论》就解决了文学史家长期不能解决的问题。

其后果是理论本身的生命遭到了极大的威胁。这就不能不逼出来另一种倾向，那就是从革命文论的话语进行着重点的转移和话语的派生，以求得理论和文学的矛盾的缓解，激活革命文论的生命活力。但是哪怕是微小的调整，也引起了激烈的争论。

今天我们即使反复阅读胡风与周扬当年关于典型的争论，也往往很难抓住要领，就是因为，他们二人在共性和个性的对立统一上，并没有根本的冲突，胡风也并不想突破这一经典理论的框框。只是周扬把重点放在社会的、阶级的共性上，胡风把重点放在个体的个性上。周扬说，典型就是阶级的群体性和个性的结合，根本感觉不到二者之间有什么矛盾；而把个体看得更重要的胡风却强烈地感到，不存在任何抽象的阶级和群体，他强调共性只能是单个个体的共通性，在这个意义上，他说，社会的群体的共性与个性不能相容。我们可能要为他们纠缠于字面、意气用事感到困惑。其实，困惑的不仅是我们，首先是胡风，他只能以有限的话语说话，离开共性和个性的统一，他就没有话可说，但是就在他没有话可说的地方，也就是所谓被障蔽了的地方，他感到了最重要的东西：普遍的阶级性、群体性，是抽象的，无条件地肯定阶级的群体性，正是导致公式化、概念化的根源，但是他又不能公然放弃群体性和阶级性的话语，因而免不了吞吞吐吐，在文字魔术的掩盖之下，把中心向个体和个性倾斜[①]。

范畴和话语是封闭还是开放，之所以成为争论的焦点，原因在于一方认为：理论本身的权威就是合法性的源泉。

从40年代到50年代，抽象照搬、硬性歪曲的求同倾向有所缓和，从学术理论上来说，是比较软化了[②]。但是总的来说，仍然处于求同阶段，每逢遇到理论话语与文学实践发生矛盾的时候，不是以文学特殊性去丰富马克思主义的文学理论话语，而是以哲学话语的普遍性遮蔽文学的特殊性，以社会功利性抹杀文学的审美价值。但是，文学的审美本性与政治工具论的矛盾，是不可回避的。这就不能不动摇了单纯求同的思维定式。于是就产生了一种新的倾向：更加自觉地在革命文论体系中寻觅最有弹性的局部，在主流话语上求同的

---

① 参阅周扬：《现实主义试论》，载《周扬文集》第一卷，人民文学出版社1984年版，第152页；《典型与个性》第163页—170页。胡风：《什么是典型和类型》，载《胡风评论集》（上），人民文学出版社1984年版，第96页；《现实主义底一修正》，第341页；《典型底混乱》，第353页。

② 需要补充的是，另一方面，从政治实践上来说，则是更为硬性地强化了。

同时，适当地在派生话语上求异，提出一些超越主流话语的派生性话语，如“主观战斗精神”“主观拥抱客观”“中间人物”等等，前赴后继。革命文论家们已经不再满足于在原有话语内部作侧重点的调节。最有代表性的当然是胡风，在他看来，最富有弹性的局部，首先就是创作方法可以超越世界观的局限，作家不一定要通过思想改造，只要通过“主观拥抱客观”，写真实，也可以走向革命。在反映客观生活的前提下，他强调作家的主体性的表现，他甚至认为，当阿 Q 拿着笔在画圆圈的时候，这个跪在地上画圆圈的阿 Q，同时也正是作家鲁迅自己[①]。开明的革命文论家所追求的不过是加强革命文论的弹性，对于可以同化的东西尽可能弹性地开放，减少排他性。对于难以用现成话语同化的现象，就要派生出一些从属性的话语来，强化其开放性。核心话语求同，派生话语求异，是我国革命文论家寻求理论发展的一大发明。虽然胡风后来在 50 年代中期遭到整肃，但是，矛盾仍然不可回避，舍不得牺牲艺术的审美特性的理论家，总要找寻新的弹性突破口，提出派生话语。一直批判胡风的何其芳，在胡风失去自由以后，回避了敏感区，为了将“阶级性”这样一个核心话语从弹性转向开放，提出了新的派生话语。1956 年 9 月，他在《论阿 Q》中，提出如果把阿 Q 仅仅当作落后农民的典型就低估了它的重大意义，阿 Q 精神的共性并不是一个阶级的现象，而是在不同阶级身上都可以出现的。阿 Q 是有阶级性的，但是阿 Q 精神却是超越阶级的。这就是著名的“典型共名”[②]说。直到 60 年代初期，不顾越来越激烈的对于所谓人性论的批判和声讨，他一直坚持认为，标志着最高成就的文学典型，如堂・吉诃德、哈姆雷特、贾宝玉、诸葛亮、孙悟空等，之所以不朽，就是因为他们超越了阶级性，成了人类某种精神的“共名”。不管何其芳当年的这种说法有多少缺陷，我们不能不看到，他的派生话语，在求同的框架里，强化了求异的成分，正是这种求异的成分，推动着革命文论的发展。

尽管特殊的政治风波一再压制派生话语弹性求异，但却不能最终窒息以派生话语寻求弹性突破的倾向，每当适当的外部条件成熟，弹性求异的倾向总是不断转移方向，寻求新的突破。而这就留下了理论曲折发展、提高层次的轨迹。政治形势一旦严酷，探索遭到整肃，这只不过意味着弹性的部分遭到封闭，变成了理论的禁区。但是，这并不意味着理论的发展的终结，而只是意味着主流话语生命的休克，不得不借助体制性的力量加以特别保护。

尽管形势严酷，但有一个领域是例外，活跃着产生派生话语的温床，那就是经典文本解读的领域。没有什么力量能够阻挡为复杂现象寻求新的解释的努力，求异的倾向，话语

---

① 《胡风评论集》(下)，人民文学出版社 1984 年版，第 351 页。

② 《论阿 Q》，载《何其芳文集》第五卷，人民文学出版社 1984 年版，第 173—183 页。

派生的追求，总是曲曲折折地运行。在这个领域里安全系数较大，解读的可能性也比较多。封闭性的文论在经典文本面前，面临着极其严峻的考验：如果它不能否决经典文本的艺术价值，经典文本就以其不可辩驳的权威性否决革命文论的可信性。正是因为这样，在经典文本的解读和封闭话语的较量中，后者总是不得不作出妥协和让步。简单求同和弹性求异的反复较量贯穿在革命文论引进的全部历史过程中。

在50年代初期，在比较宽松的政治环境里，简单求同的倾向大量地以贴标签的形式出现，在抗美援朝强调爱国主义的时期，屈原的诗就被何其芳、郭沫若认定为“爱国主义”。到了要求知识分子放弃自己的世界观站到人民大众的立场上的时候，李后主的词就被授予了“人民性”的桂冠①。最为突出的是一位苏联理论家在《共产党人》杂志上，根据列宁哲学史——就是唯心主义和唯物主义的斗争史——的公式，推演出文学史就是现实主义与反现实主义的斗争史的理论。而茅盾竟然在《夜读偶记》中，说中国文学史就是现实主义与反现实主义（形式主义）的斗争史。受到这个公式的影响，北京大学中文系55级的“红色”《中国文学史》，除了宫体诗要加以否决以外，连陶渊明、王维也只能勉强得到某种肯定的评价。事实上，在北京师大中文系学生编写的《中国文学史》中，王维和陶渊明已经被否定了。简单求同的反复性，并没有动摇经典文本的权威，相反迫使革命文论不得不作出话语上妥协性的派生，在60年代那么严酷的政治形势下，竟然从古代山水诗的解读里引申出来超越阶级的“共同美”。

在经典文本中，凝聚着千百年来广大人民艺术欣赏的历史经验积淀，其评价的稳定性和无可辩驳性，是任何理论权威都难以逾越的，一旦发生矛盾，需要调整的肯定不是经典文本，而是引进的理论话语，正是在这里，埋伏着理论范畴、话语派生的契机，其意义是大大高于纯粹理论的辩论的。60年代初有过对于周谷城的“时代精神汇合论”的大规模批判，但其重要性却不如对于林黛玉和薛宝钗的对立（是俞平伯说的遥遥相对，息息相通，还是吴组缃说的品德的对立？）性质的阐释。任何外来文论的引进，要在中国的文化土壤里生根、发芽、开花、结果，而不是停滞不前、走向僵化，接受中国经典文本的解读的考验，是起码的条件。正是因为这样，五六十年代，才产生了那么大规模的经典文本解读的热潮。

理性反映论、革命工具论和阶级论，在理论上得到论证是容易的，但是，一碰到中国文学经典，就大都疑难重重。《三国演义》是应该肯定的，但是它所颂扬的人物却是一伙军阀；《水浒传》是“农民起义的史诗”，但是起义英雄不但投降了，而且去征讨另一支农民起义军；《长恨歌》强调的永恒的爱情可能在封建帝王和他的小妾之间产生吗？这首长诗的

① 《关于李煜词的讨论》，载《何其芳文集》第五卷，人民文学出版社1983年版，第164页。

主题就成了全国唐诗研究者的哥德巴赫猜想。在那阶级斗争为纲的年代,《红楼梦》被说成"阶级斗争史",但是《红楼梦》中究竟存在着什么样的阶级斗争,恐怕是很难说得清楚的。如果前期的孙悟空是造反英雄,那么后来随唐僧取经,降妖伏魔,算不算是投降背叛?如果是,为什么又经历几百年的考验,还受到人民大众的喜爱?单纯从反映现实来说,杜甫比之李白要深刻,为什么毛泽东又特别欣赏李白,而对杜甫不太感兴趣?在浩劫期间,郭沫若用地主的剥削生活为由去声讨杜甫,留下的不是学术,而是笑话。有限的文论话语在无限丰富的文学宝库里,真是可以用捉襟见肘来形容。除了从中派生出一些从属性的话语来,还有什么办法解决理论的危机?正是因为这样,五六十年代经典文本解读,以其对象的系统性和评价的反复性为特点。在解读过程中,古典和现代文学史一部一部地出现,又一部一部地重写,刘大杰对那部很得青年欢迎的《中国文学发展史》改写了两次(第二次没有改完),林庚改写了他的《中国文学史》也是半途而废,郭绍虞、罗根泽改写了他们的《中国文学批评史》,质量并不见得有所提高。陆侃如、王季思、游国恩、谭丕谟、容庚、詹安泰都参加中国文学史的编写和改写。王瑶、张毕来、唐弢的著作为一代人解读经典文本的困惑和痛苦留下了历史的记录。革命文论本来并不丰富的话语,由于样板戏和"三突出"理论的出现而更贫困、更封闭。结果,其权威性和合理性,已经不能用自身的逻辑力量,而是靠行政强制来维持。依靠权力制造一批宏大的概念,如人民大众、时代精神、历史规律等等,其障蔽性的特点是单向的武断,取消派生求异倾向的合法地位,反而导致文论的危机的加深。但是,行政的强制性一旦解除,脆弱的范畴和话语的堤防就不能不崩溃,求异的话语思潮就不可阻挡了。

二、在中国经典分析中创造文论新范畴

话语的绝对封闭走向了它的反面,导致了 80 年代初,文艺从属于政治的政策的解除[①],人终于从阶级斗争的符号中解放出来,文学也随之突破了工具论的框框,在革命文论的有限范畴和话语之中作有限调节和话语派生的历史终于结束了。话语的解放是从审美目的论开始的,审美目的论公然宣称与实用功利和理性认识的不统一性,理论家们不用躲躲闪闪

---

① 虽然,自上而下的政策改变,对于文艺来说是一种解放,但在当时,过分匆忙的改变,导致了这个问题未能在学理上充分澄清。至今仍然有许多理论上的混乱有待清理。据周扬 1981 年秋在福建省委宣传部召开的一次文艺界领导干部座谈会上说:在最高领导阶层(政治局)研究文艺政策问题的时候,作为《在延安文艺座谈会上的讲话》的执笔者,胡乔木坚决主张取消文艺从属于政治的政策。当时颇有争议,周扬本人则持"折衷"立场。最后邓小平拍板,支持了胡乔木。笔者因为当时写了《新的美学原则在崛起》,受到围攻,但却有幸得到周扬破格提名参加。

地在大前提上求同，而是公然地求异。正是这种坦然的求异性，使中国文论面临着前所未有的广阔前景。中国文论家曾经那么义愤填膺地批判过王尔德的“为艺术而艺术”，但是，历史却鬼使神差地让他们觉悟到文艺的目的就是长期被遗忘了的文学的审美价值。这是一种以情感为中心的，包括意志、感觉在内的心灵多层次结构的功能，当康德在《判断力批判》中把它叫作“鉴赏判断”（宗白华译文如此，朱光潜译作“情趣判断”）加以分析的时候，特别强调了它“不是知识判断”，从而不是“逻辑判断”“没有利害关系”[①]的超越功利性的特点。至于它与认识、反映的关系，当时的理论家还是比较审慎的，有人提出了“情感反映论”[②]，本人提出了真善美三者互相“错位”，审美价值既不是与科学的真、道德的善重合，也不是与之脱离，而是与它们处在一种“错位”结构之中[③]。这不但意味着观念的变化，而且意味着学术研究上求同的思维模式的变化。传统的革命文论总是维护着文学与政治、文学与认识、文学与道德的统一性（求同性）。这种求同性美化着文学的从属性，文学总是从属于另一种更高的目的。一旦文学有了自己的审美目的，文学与政治、文学与认识、文学与道德的简单求同性的思维定式就瓦解了。

这个问题一旦被解决，就没有什么西方文论流派可以被拒之门外。文学作为自由的象征、文学的主体性、文学是生命的体验等等的观念，应运而生。1985 年的方法年、1986 年的观念年、1987 年的语言年，纷纭的话语的引进，文论界与思想界一样，经历着思想蜕变期的跃进。中国当代文论这二十年的高速发展，凝缩了西方差不多一个世纪的历程。这个历程的内涵不论是哲学还是文学的，都是空前多元的：从认识价值中心论，到情感价值中心论；从工具论到目的论，很快又飞跃到以解构为特点的反本质主义；从西方传统的浪漫主义，以作家的创作天才为中心（包括以弗洛伊德的深层心理学说为基础的创作心理），到新批评以文本为中心，发展到结构主义（在某种意义上包括俄国形式主义文论）符号学的以语言为中心的转向，从而引发出以读者为中心的现象学美学、接受美学、阅读理论；从世纪初的弗洛伊德、索绪尔，到西方马克思主义者，话语的洪流滚滚而来。中国当代文论就这样从话语贫乏、失语，转入到话语空前多元纷纭的历史阶段。每套话语都带来一种崭新的文学阐释，一派新异的文学景观。中国当代文论经历了一次空前的大发展。

但是，历史的跃进，同时带来了不可忽视的问题。

如果说，在改革开放以前，革命文论的发展主要是一元性的延续和派生，从求同走向求异的话，那么新时期，尤其是 80 年代中期以后，文论就不是一元的，而是多元共生

① 康德著，宗白华译：《判断力批判》，商务印书馆 1987 年版，第 39 页。

② 见《当代文艺探索》1986 年第 5 期。

③ 参见孙绍振：《美的结构》，人民文学出版社 1988 年版，第 48、49、52、290 页。又见本书《论审美价值的错位结构》。

的，其理论的发展，一开始在宏观上就是求异的。一元话语的延续和派生，虽然比较狭隘而封闭，但作为理论，其范畴和话语之间有一种连续性，比较有利于学术成果的积累和储存。而多元话语的共生，由于哲学、文化体系的差异，就不能不产生一种范畴断裂和错位的现象。这不但不利于学术成果的连续性积累，而且不利于读者接受。在西方本是历时性的自然取代的话语更迭，在中国成了共时性的排闼而来，理论基础的迅猛更迭，使得80年代中期的中国当代文论史上出现了一个术语“大换班”（“新名词大轰炸”）[①]和多元话语（包括一度风行的自然科学的艰深话语，如：“熵”）交织的奇观。当旧术语、范畴、方法终于得以摆脱，新话语和新方法终于公然得以风行之初，中国当代评论家们就像罗兰·巴尔特笔下的读者一样，体验着摆脱现成理性成规的幸运，享受着能指和所指自由的组合，纵情游戏的喜悦。运用一下新话语，就是一种叛逆的勇气的显示，甚至有一种先知先觉的光荣，各种流派、各种知识背景的评论家从各自不同的范畴一次又一次地发现解决难题的“金钥匙”。文论领域中的话语的景观真是令人想到巴赫金所说的“狂欢节”。当代文论的流派更迭的迅速，只有当代诗歌可以与之相比，由此而带来的问题，也可能与诗歌一样令人目迷五色。同样一个文本，过去只有一种社会学的视角可以分析，现在突然一下子就有了心理学的、系统论的、新批评的、结构主义的、存在主义的、现象学等等多角度可以阐释。但是，事实上，多数学者并没有可能一下子掌驭众多观念和方法体系。面对众多的话语，需要更为强大的主体性去重新调动和安排，但是，话语天花乱坠的现象，恰恰暴露了对理论权威的过分依赖而压抑了创造的自觉，通俗地说，就是缺乏活学活用的精神。

如果与30年代和四五十年代的引进革命文论的情况相比，虽然在宏观上是求异了，但是在微观上求同的倾向是相似的。所不同的是当时是别无选择，除了对革命文论作这样那样的调节和话语的派生以外，只能忍受失语。而在80年代中期，可选择的话语像市场一样纷繁，自由反而转化为受制。尽管从结构主义到后结构主义的话语不断派生甚至裂变，但是，我们在引进的时候则一概倾向于原装进口。

在西方文论的话语、范畴、范式的内涵中，凝聚着学术研究的成就，相对于自闭的传统的话语来说，其去蔽性十分突出。最初的求同，往往不是体系上，而是局部话语上的求同，因为这样，能够简易地发现长期被遮蔽了的、视而不见的世界。但是实用性地运用话语容易，而真正把握话语背后的体系艰难，要揭示话语自身包含的遮蔽成分则更难。在30年代和50年代有“贴标签”，那时标签比较有限，那是因为当时所引进的文论是一元的，而如今引进的文论是多元的，标签如天花乱坠，新名词（标签）“大轰炸”造成了巴比伦式的混乱。在西方，话语的变迁和流派的更迭，经历了相当长的历史时期，一套话语体系已

① 见南帆、徐岱1999年在南京召开的《百年文论回顾》学术会议上的发言。据记录稿。

经在反复运用的过程中，充分普及了、磨损了，失去了去蔽的能力，才由另一套话语范式、范畴逐渐取而代之。中国补课性质的引进，还造成了一个特殊的现象，那就是前沿话语优先权的争夺，因而，话语、范畴、范式的交错、杂陈就是一时的历史文化景观。

向多元前沿文论话语匆促认同，造成了中国当代文论话语和范畴的断裂和错位。在这种多元话语的天花乱坠的狂欢中，比较清醒者甚至还发出了“范式危机”“话语清场”的警语。如果说，对于当年的革命文论家来说，最大的考验，是能不能在话语体系中，寻觅弹性部位，好像将一条珠串延伸似的，作话语的派生。而对于当代文论家来说，进入文论境界的前提，就是清理多元话语的现场，把断裂了的和脱节的空缺弥补起来。这好像是为散落的珠玉寻找串连的线索，像南帆在《文类与散文》[①]中那样，把与他要论述的“文类”相对应的许多流派的话语，包括新批评的、托多罗夫的、巴赫金的在概念和形式上并不完全相同的话语，提炼在他提出的“文类”范畴之中，并不是每一个人都能胜任，而且有耐心的。在话语的贯通上的不考究，就不能不使学术的积累失去了方便的载体。以俄国形式主义的引进为例，都说它结束了对于内容与形式二元对立的统治局面，代之以“陌生化”的范畴。但是，内容与形式的二元对立，是革命文论的中心话语，在它被宣布为“过时”的时候，俄国形式主义的“陌生化”也已经“过时”了，因而很难在有自尊心的批评家那里继续使用。

这就是所谓话语的断裂，也意味着学术传承的中断。这种状况迫使评论家除了硬性地死守内容与形式的二元对立范畴以外，就得接受真正的失语状态，而一部分文论家则跨过这对范畴，拣拾着任何方便的话语，就是自然科学的话语也在所不惜。虽然，临时借用的范畴并不比内容与形式二元对立更有阐释深度。意味深长的是，就在我们陷入惶惑之前不久，结构主义者仍然把二元对立作为他们分析文本内在结构的一种基本方法反复使用；同时，在卡西尔的《人论》和苏珊·朗格的《情感与形式》中，形式仍然是一个基本的范畴。而中国文论中，形式与内容的范畴却被“悬搁”起来，停止了学术的积累。西方文论之所以忽视形式范畴，是因为他们的文论越来越忽视文学艺术与哲学文化的区别，而我们在这方面一直是有所保留的。

其实，形式范畴的生命力是不可忽视的，将形式范畴作话语的派生，如原生形式和规范形式，规范形式和亚规范形式，草创形式和成熟形式，在艺术分析上还有广阔的天地。由于某种对西方文论的盲目追随，以致我们每逢不得不面对形式这样的问题的时候，就用一个不太遭到歧视的话语“文类”（genre）来代替它，事实上不过是在翻译上耍了一个小小的花招。而涉及内容的时候，也回避这两个字，改用意识形态来代替它。放纵了话语的超

① 南帆：《文类与散文》，载《文学评论》，1994 年第 4 期。

前性追求，使贯通话语断裂的逻辑线索的难度加大，更使各个流派之间的逻辑关系被遮蔽。疲于简单求同，无暇顾及当年革命文论从主体话语中派生话语的传统，中国古典文论的范畴也无法进入视野，西方文论就很难归化为中国当代文论，而中国古典文论也就谈不上向当代转化了。以康德的审美价值为例：审美判断“不是逻辑判断”，本是比较抽象的，未经充分发挥的，有很大的话语派生余地，但是绝大部分的研究者的聪明才智，被向康德的权威求同的倾向所遮蔽。因此，“不是逻辑判断”的内涵就一直停留在二百年前那个欧洲人的字面上，很少有人去追究一下，究竟它是怎样不合逻辑的？比如，它和小逻辑的同一律、排中律、矛盾律、充足理由律，是个什么样的关系？陷入爱情的姑娘情感的模糊，是遵循同一律还是违反它更为动人？情感的复杂，是冲击矛盾律和排中律，还是顺从它们更有感染力？在浪漫主义的诗人那里，情感往往是绝对化的，是符合一分为二的辩证法规律精彩呢，还是相反？从抽象到抽象的思辨，完全不顾文学创作的实践，甚至连歌德、席勒都不屑一顾，本来是康德的缺点，可是我们求同的思维惯性却使我们忘却去考虑作为二百年后的理论家应有的高度及其创造职责。在被动的照搬中，也就来不及拿康德书斋里的天才的猜测，和远在地球东方的我们老祖宗关于情感与理性的论述进行比照。事实上，情与理的矛盾一直是我国古典文论的一对富有生命力的范畴。刘勰在《文心雕龙》中把情与理的关系分化为情与智、情与形、情与貌、情与文、情与志，以情为核心的一整套辐射型的网络概念。而到了严羽的《沧浪诗话》中，则综合为诗的才华与理、与书，其实就是情与理、情与智的双重矛盾。清朝人吴乔在《围炉诗话·答万季野诗问》中，提出“无理而妙”的命题，而且用诗与散文的对比来说明“意喻之米，文喻之炊而为饭，诗喻之酿而为酒，饭不变米形，酒形质尽变”，所说的仍然是诗情与对象的外形及内质之间的矛盾，明确提出了“无理”“形变”与“质变”的范畴。这一点如果从感觉上转化到逻辑上去，提出感觉的形变和逻辑的质变，本来可以弥补康德的不足，有可能把简单求同的文论推向求异的阶段。很可惜我们对将康德的非逻辑性与中国古典文论结合起来加以延伸这一历史课题根本就没有多少兴趣。

不同民族的美学话语体系常常是分离的，很少有直接相关的，像这样的相近、相似、相交、相合实属难得，没有主体强大的抽象力的准备，使之在逻辑上相关起来，机遇就只能失之交臂，也就不能不停留在概念的简单求同上，改变不了新名词大轰炸的局面。类似的情况在各种文论体系中都普遍存在。当时获得比较大的成就的是文艺心理学，不但影响了大批作家的创作，产生了一批作品，而且还在对当代和现代一批作家的解读中，取得了突破性的成绩。但是，还是有相当一部分评论，只满足于将文学作为心理学的例证，例子虽然是文学的，但是原理仍然是普通心理学的。

话语简单求同和追逐新潮，构成了我国当代文论话语过剩的现象，同时，也造成了另一个方面的不足。新批评在我国的命运可能是最极端的例子。新批评为了反对西方传统文学研究中的繁琐的作家身世和时代背景的考证，提出了文本中心论的“细读”。它在 50 年代，雄踞美国大学讲坛十年以上，即使在失去主流地位以后，细读的方法，并没有完全失去生命。然而，在我们大规模引进西方文论的高潮中，新批评已经“过时”了，自然就被跨越了过去，我们直接进入了结构主义的深层分析的阶段。其结果是，我们对于新批评的细读方法几乎是一无所知。结构分析是针对作品的整体的，而细读则是针对作品的局部的，结构分析方法正是为了弥补“细读”的不足而产生的。对于细读方法缺乏认识，就不能真正体会到结构分析方法的真正长处，同时也就无法真正洞察其模式化，把结构抽象化，缺乏具体文本的特殊性和历史感。

我国文学评论长期以来长于宏观的概括，缺乏微观的分析的基础，重视演绎而轻视归纳，粗心大意的感想和印象式概括比较流行，真知灼见的艺术分析比较少见，与新批评式的细读历史阶段的空白不无关系。①与此相联系的是，我们最感兴趣的是西方的一系列观念。这样方便而且省力，可以自由地演绎，但是，我们忽略了他们所使用的并不完全是演绎的方法，在形成观念的时候，他们大量运用的是归纳法。对于文本的分析，是他们学术活力所在。在我国当代文论中影响最大的要算结构主义，尤其是后结构主义的福柯和罗兰·巴尔特，他们的许多经典著作和俄国形式主义者以及巴赫金一样，是以文本，尤其是经典文本的具体分析为出发点的。在我们的文论中引用他们结论的比比皆是，但是像他们一样从事艰苦卓绝的文本分析的却寥寥无几。②重演绎而轻归纳的倾向，限制了我们分清他们文论中真知灼见的部分和在概念上过分的繁琐和故弄玄虚的部分。

什克洛夫斯基分析了普希金的《叶夫根尼·奥涅金》和其他爱情小说的文本，得出结论：环式故事需要的是不顺利的爱情，例如，A 爱上了 B，B 不爱 A，当 B 爱上 A 时，A 已经不爱 B 了。③这个文艺心理学上的巨大发现一直没有受到我国文论界的充分重视。同样，拉康对于小说，从另一个角度发现了与什克洛夫斯基类似的规律。他以爱伦·坡的小说《失窃的信》为例，王后失去一封非同小可的信，国王、警察局长、王后、侍臣处在各自的位置上，以三种不相同的感知（看），推动了故事的发展。第一种是国王和警察局长，

① 当然新批评的细读本身也有极其严重的局限，具体论述详见《美国新批评细读批判》，原载《中国比较文学》2011 年第 2 期。

② 当然，他们之所长并不是审美的分析，而是意识形态的分析。我在本文集的《文学文本解读学》中对之有所批判。

③ 什克洛夫斯基：《故事和小说的构成》，载《小说的艺术》，社会科学文献出版社 1999 年版，第 86 页。

什么都没有看见；第二种是王后和侍臣，看出国王和警察局长什么都没有看出来，觉得是安全的；第三种看，隐藏的信逐步暴露。故事的力量正是由这三种看的“错位”而产生的[①] B。这里事实上，已经说出了关于小说的情节和非情节艺术的某些真谛了，这就是在小说中，即使关系十分密切的人物，如果要有自己的生命，有深度，则他们的感知必须相异。如果我们再进一步发挥一下的话，就不难派生出一个“感知错位”的范畴来，如果再把它与康德的非逻辑性联系起来，就还可以得出一个小说中人物的行为感知的“逻辑相互错位”的范畴来。事实上，小说人物的生命正在于：在同一情境下的感知错位和行为逻辑错位。利用这个原理，我们就可以解释许多纠缠不清的文本现象。比如，对于《三国演义》中的诸葛亮，鲁迅曾经有一个否定的评价说作者为了强调他的“多智”结果是弄得“近妖”[②]了。这个说法多年来几成定论。鲁迅的人物分析的思路是以单个人物为纲领的。而俄国形式主义者和拉康的小说研究，则不是以单个人物，而是以人与人之间的关系为纲领的。人物的生命不取决于他自己，而是取决于人物之间的特殊关系。人物本身的行为可能是超越现实的，但是人物与人物在感知上发生了“错位”就可能获得强大的现实生命。按照“错位”范畴，尽管从单个人物的认识价值来看，诸葛亮的超人智慧，赢得战争胜利的可能性是可疑的。但是他的艺术生命不在这里，而在于他与其他人物一系列的“错位”。他的多智，是他的盟友周瑜的“多妒”逼迫出来的，而他超人地预知三日后有大雾的智慧，引起了他的军事对手曹操的“多疑”，正是由于曹操的多疑，才导致失误，使“多智而近妖”的诸葛亮赢得了胜利，而胜利，却加剧了同盟者周瑜的多妒。从多妒引出多智，从多智引出多疑，超越现实的多智取得伟大胜利，又强化了盟友多妒的杀机。最后使得多妒的周瑜，在承认智不如人之后悲愤而死，临死发出“既生瑜，何生亮”的哀叹。这是一个超越了军事三角的心理三角。这正是《三国演义》的伟大创造，决定了诸葛亮艺术生命的不朽。这个心理三角关系的“错位”，把俄国形式主义者和拉康的“看”的分析提高到方法论的层次，也许这里就包含着西方文论的归化和中国古典文论的现代转化的契机。这需要一种超越原生话语的概括魄力。从原生话语来看，俄国形式主义者和拉康话语在范畴上是断裂的，二者与鲁迅的评论所依据的现实主义的环境和人物的真实性的话语更是断裂的，但是，如果把人与人之间心灵相错的关系当作对于现实主义的现实“环境”转化为心理环境，范畴的断裂带就有了桥梁，理论的发展就有了开阔的天地。

传统的典型环境仅仅着重在人物的社会环境，而“错位”范畴把环境因素具体化为人物的心理关系的交错。鲁迅的失误的原因在于把诸葛亮从这个心理三角的生命圈中孤立了

① 参阅郭宏安：《二十世纪西方文论研究》，中国社会科学出版社 1997 年版，第 410、374、398 页。

② 鲁迅：《中国小说史略》，载《鲁迅全集》第九卷，人民文学出版社 1981 年版，第 127—138 页。

出来，仅仅作单个的科学认识价值的人物分析。这种单个人物分析方法在我国文学批评界有很悠久的历史，从左翼时代一直到今天，这种分析几乎已成定式，造成了许多艺术分析上的迷误。如果我们不但在实践中，而且在理论上有了自觉，就不会像在《白鹿原》的评论中那样孤立地分析白嘉轩，以致把文化价值当成艺术价值，无视《白鹿原》中众多人物的缺乏心理的错位，以致像求雨的大场面，长达三千字，居然所有的人都只有一种共同的感觉。作者显然用诗的统一感觉代替了小说家的错位的感觉。这正是《白鹿原》在艺术上失败的原因[①]。

在这里，我们可以看到文学理论停滞的原因和发展的契机。正是因为这样，要把文论的引进从初级的求同阶段推向高级的求异阶段，要从引进话语中引发出新的派生范畴来，就不能忽略俄国形式主义和结构主义的原生归纳和新批评式的文本分析工夫。但是在福柯的语录满天飞的时候，我们还没有见到他的追随者们有他在《性史》中表现出来的系统分析文献的气魄。在《S/Z》中，罗兰・巴尔特会把巴尔扎克的中篇小说《萨拉辛》（Sarrasine）分成 561 个阅读单位，依次用五种信码（阐释的、语义的、象征的、行动的、文化的）网来阐释。我们的评论家是很少有这样的耐心的。忽略了这一点，就忽略了这些大师的理论的源头之一。[②]

当然，我们也不是没有作任何文本分析，但是最大的成就却集中在当代文学中。而对文学理论的发展来说，当代文本是远远不够的，理论的发展不能离开古典的经典文本。忽略了这一点，说明我们的经典性意识的不足。这不仅是因为，经典是话题的焦点，是各个学派交锋的战场，也是各种范畴、话语对话的祭坛、角逐的竞技场和婚媾的花园，而且还因为，任何一种文论流派，如果不在解读经典文本中有所作为，就不可能有任何重要性。引进文论如果不在《红楼梦》《水浒传》《三国演义》《阿 Q 正传》等文本的阐释上留下话语，读者就不可能对之有任何印象。正是因为这样，希腊悲剧《俄狄浦斯王》已经被弗洛伊德分析过了，得出了恋父情结的结论。普罗普又分析出主人公超越了他归纳出来的民间故事的 31 种作用，既是英雄和给予者，又是假英雄、坏人。斯特劳斯接着以二元对立的方法来分析，指出其中包含着两种关于人类的起源的观念：一种，人是泥土做的；另一种，人是通过两性交媾产生的。由此而产生了两种倾向：一种是过低地估计亲属关系的倾向，致使俄狄浦斯杀死了他的父亲（同样，伊底厄克勒斯杀了他的哥哥）；一种是过高地估计了亲属关系，导致俄狄浦斯娶了他的母亲（同样，安提哥涅非法地埋了他的兄长）。格雷马斯

① 参阅孙绍振：《什么是艺术的文化价值——关于〈白鹿原〉的个案考察》，《福建论坛》，1999 年第 3 期。

② 但我对罗兰・巴尔特这样脱离了文学审美的繁琐分析，持否定态度。

又以行为者代替普罗普的七种行为范畴对它作了阐释，他用的是三对二元对立的模式：主体 / 客体，施者 / 受者，助手 / 对手三对行为者。而托多罗夫对俄狄浦斯王的分析，则更为抽象地概括其内在结构模式：他认为其最小的叙述单位是：命题、插曲和文本，基本插曲由五种命题构成（平衡、力量、失去平衡、力量、平衡）。好像还嫌这么多分析还不够，拉康又在《俄狄浦斯王》中，把弗洛伊德的潜意识情结重新分析了一番，目的不过是以另一种话语，也就是从语言过程方面重写了俄狄浦斯情结过程。这是因为，经典文本，对于理论家，而不是当代评论家来说，已经成为一个超越时间和空间的智慧的祭坛，不到这个交流中心来表现一番，就不能取得合乎规范的学术地位。就我国的文论引进而言，不管是哪一种流派，如果不能对林黛玉、薛宝钗、宋江、关公、周朴园作出新的解释，就没有生命。如果我们对周朴园的评价仍然是一个伪君子，对薛宝钗的评价仍然是一个心术不端的女曹操，宋江仍然是一个投降派（像去年拍的电视剧《水浒传》那样），那就根本谈不上什么文论的现代化，而是连古典的康德审美价值（和实用价值、认识价值拉开距离）都还没有过关，都还需要补课。更重要的是，在中国古典经典文本中，如果不能发现任何超出西方文论观念的东西，那只能说停留在比较幼稚的求同阶段。引进任何理论，在进行经典文本检验的时候，不能以求同为最高目的。光是求同，充其量不过是验证了外来文论的有效阈限，从根本上来说，还谈不上创造[①]。在解读的过程中，最可贵的也许正是外来文论不能解读的现象，这时，就要抓住不放，用以发现其理论的薄弱、疏漏甚至荒谬的地方，作求异的探索。这就可能进入突破、创造的阶段了。

---

① 关于如何与西方文论求异，我这里所说的还只是一些感性的认识。直到本世纪初，我才认识到引进任何文论，首先要将其潜在的民族文化价值加以剥离。而这是相当困难的。参阅本文集《文学文本解读学》的《序言》。

从西方文论的独白到中西文论的对话[①]

东方和西方的文学理论无疑有巨大差异，不管解构主义者和后现代主义者如何把差异加以绝对化，也不管伽达默尔和德里达在语言是交往的桥梁还是障碍的问题上，人与人之间的理解是否可能的问题上，各执一词，事情从纯理论上说起来可能比较复杂，但是在实践上，恐怕谁也很难否认其间毕竟存在着即使是错位的，也仍然是部分重叠的、共同的视域。从这个意义上来说，提出中西文论对话本身就是一种充满自信的挑战。实际上，几天的全体大会和小组会已经证明，我们和来自欧洲、南北美洲、大洋洲的同人们的交流，没有成为聋子的对话。但是，这不等于中西方文论之间的对话就没有困难。

一

对话是相对于独白而言的，应该是双向的、互补的、互动的，对双方都意味着一种发展的动力。这不仅仅是指从对方吸收富有生命力的思想资源，而且是指更加深刻地认识、理解自身的文化 / 文学传统。早在 20 世纪初，我国杰出的学者王国维对此就十分明确了，他说："欲完全知此土之哲学，势不可不研究彼土之哲学。"[②]他说的是，东方人应该如此；不言而喻，对于西方人来说，也是一样：不管是坠入爱河的恋人，还是指挥战争的将领，都只能在对话（包括躯体的和武器的对话）中认识对方，认识自我，包括潜在的自我。从这个意义上说，不懂得东方文化哲学，也就不可能理解西方的哲学和文学理论。反之亦然。

但是，中国百年来的文论史在很大程度上，可以说是西方文论在中国文坛上独白（我们当然不会用"文化殖民"这样的话语）的历史，而不是东西方文论对话的历史。一个最

① 本文原为 2000 年 8 月在北京召开的"中国与世界国际学术研讨会"的英文发言稿，后吸收有关意见修改后译成中文，发表于《文学评论》2001 年第 1 期。英文发言稿附后。

② 王国维：《奏定经学科大学文学科大学章程书后》，转引自殷国明：《20 世纪中西文艺理论交流史论》，华东师范大学出版社 1999 年版，第 17 页。

为明显的现象就是，百年来，中国文论即使对西方文论有所影响，也仅仅限于局部，在个别人物身上，并没有达到对西方文论的发展进程起重大作用的程度，而西方文论（包括俄苏文论）不管历史条件发生什么变化，都保持着长驱直入的态势，决定着中国文论的体系和发展动向。

当然，这里有历史的原因。20 世纪初，我国古典文论面临着重大的民族的文化的危机。

中国古典文论在新的历史时代，不能回应新兴文化的挑战，一些根本的原则已经失去了生命（如《宗经》《征圣》），有的虽然还保存着潜在的生命，但是在思维形式上，存在着重大的缺陷。

中国传统文论长于从经验的直接概括，善于直接归纳和直观的综合，在自然科学中没有达到系统的、数学的高度，在文学理论中缺乏对于概念的微妙差异做过细思辨的系统方法。传统文论的基本观念、范畴多少带着经验的直观的性质，其内涵具有浮动的特点。不论是“道”还是“气”，不论是“风骨”还是“气象”，乃至“意境”，沿用千百年，都缺乏以定义来保持其概念的一贯和论证的自洽的传统。没有概念的一贯和逻辑的自洽，就很难进行大规模的、系统的演绎；中国文论悠久的学术成果很难在不确定的范畴中有效地积累。

我们的小说评点、诗话和词话，虽然充满了天才和灵感，甚至提出了意境和性格这样核心的范畴，但是，概念的内涵不够稳定，常常限于经验层次上的滑行，而缺乏逻辑的自洽，又很难在演绎中深化，难以形成科学体系。正是因为这样，中国传统文论，除了早期个别的例外，都不以庞大的思辨的体系见长。

在这种文化危机的压迫下，我们不但全盘接受了西方文论的观念（范畴、话语），而且接受了他们的抽象思辨的方法。在这以前，我们没有美学、现实主义、自然主义、象征主义、世界观、方法论、典型、个性、风格、审美、审丑、幽默、喜剧、悲剧等范畴和话语。我们的“失语”感和文化自卑感是共生的。早期王国维式的《人间词话》式的传统话语范式并不能满足我们；乃至今天，我们之中也很少有人认同维特根斯坦式那种片段的语录式的、《论语》式的写作方式。压倒一切的感觉是，不接受来自西方的话语、范畴，不用西方的演绎法来写作论文，就不能对我们的新文学进行宏观和微观的（而不是像诗话、词话那样吉光片羽式的）阐释和理论体系的表述，就不能和世界文论接轨。

应该承认，全盘接受西方文论是历史的逼迫，目标是思想的启蒙、个性的自由、民族独创。其结果却导致了我们对民族独创性这一宏大目标的遗忘。虽然有过朱光潜先生以西方文论为纲、融入中国传统文论话语的努力，宗白华先生以中国文论为纲、融入西方文论话语的尝试，但是，中国文论的建设，甚至其局部的话语更迭都离不开西方文论的输入。每当社会大变动的关头，中国面临创造话语的机遇的时候，总是一茬又一茬的西方文论话语，成为最新的、最前沿的文化的旗帜。

文论的被动还表现为连话题都是被预设了的，造成了长期以来不但在意识层面，而且在潜意识层面对于西方权威的疲惫的追随。这就难怪有些愤激的当代文论家，要用“失语”来形容中国文论的处境了。民族的自我剥夺成了对话的前提，这就造成了不管多么真诚的民族文论的更新的努力都难免不会变成西方论的追踪。

对于现成话语的简单认同本身与把独立性当作前提的西方文论本身就是背离的。①

这就不能不令我们反思，引进的最高目的究竟是什么？难道不是为了独立创造吗？但是，长达百年的精神进口，在多大程度上刺激了我们的文论的创造力，又在多大程度上窒息了我们的创新能力？启蒙的结果却导致了民族个性和创造性的窒息，难道不应该引起我们深刻的反思吗？从文化交流的角度来说，这种单向的输入，对于西方文论的发展，又能得到多少的回报呢？难道西方人对这种无休无止“出超”，就肤浅到没有任何战略的眼光，就不感到理论资源的匮乏吗？

一百年来，文论交流变成了西方文论的独白，中国文论仅仅是洗耳恭听，充其量，不过是西方文论微弱的回声。对于历史，我们无可奈何，当然不应该狭隘地把这样的现象当作“文化侵略”。然而，对于未来，难道是最佳选择吗？经济全球化不等于文化一体化的霸权，文化多元化交流的正常形态应该是多声部的，至少是东西方文论双向的对话。

二

当然，不可否认，对话毕竟局部发生过。文论的交流的确有过令人鼓舞的一面。

我们从深深影响了王国维的西方学者叔本华那里就看到了非常精彩的历史记录。他在对欧洲文化哲学进行反思的时候，从东方包括印度哲学、中国的《易经》乃至佛学中汲取了思想资源，这一切帮助他表达了光用西方纯粹理性和逻辑很难解说人的生存的困惑。

远距离的文化交流比之近距离的，更能认识自身的深层文化意蕴，更能深刻地发现自身文化局限和优长，激发出创造力。

中国的带着象形色彩的汉字，在五四运动期间，在本国的文化精英那里，已经到了快要被废除的程度，中国的古典诗歌居然在遥远的美国引发了一场意象派（Imagism）诗歌革新运动，产生了庞德（Ezra Pound）那样的大诗人。但是这并不妨碍五四新文化的先驱把我

① 以欧洲大陆的语言哲学为例，在胡塞尔、海德格尔、伽达默尔和德里达之间显然有学术上的传承关系，但是，他们的传承和挑战、革新是相辅相成的。他们在学理上并不是以认同大师为荣的，相反，他们是以在学术上独立为最大的光荣。如果海德格尔满足于胡塞尔意向性现象的分析，而不提出对于“此在”的追求；如果德里达对胡塞尔的语言观，没有进行任何批判；如果伽达默尔不在形而上学的问题上和德里达针锋相对地争论，就不可能有伽达默尔和德里达的学术存在了。

国古典诗歌当作枷锁和镣铐，彻底地加以粉碎。

这使我们联想到，在20世纪初，中国一切传统的文论话语并非一概都没有生命力，也没有完全丧失有效的阐释功能。面对历史性的挑战，对现成的文学话语进行阐释、解析和重构，揭示它们与文化环境以及意识形态的互动，保持自己的美学立场，将某些传统的话语转化为现代话语；在吸收西方话语的同时，向西方文学理论发出挑战，促使西方文论在某些根本价值取向上发生变异，与中国传统发生交融，产生出新的话语或者派生的范畴来，这本是文论历史发展的挑战和机遇。但是很可惜的是，中国文论没有选择这条路。倒是在海德格尔的体系里，我们看到了中国传统文论中道家和佛学虚静的精神的影响。在这方面，在中西文论的融通中，恰恰是薄弱环节。

应该承认，大规模接受西方文论帮助了我们，提高了我们的抽象、概括能力，帮助我们超越了传统的综合性思维惯性；用诺贝尔物理学奖获得者杨振宁的话来说，超越了经验（惟象的）归纳的局限，使得我们逐渐习惯了逻辑的自洽和一贯的规范。

但是我们把西方文论的自洽性看得太完美了。事实上，西方文论的逻辑的体系性和范畴的系统自洽是表面的，远远谈不上完备。

从诗学历史上来看，西方有“想象”（imagination）、“变形”（deformation）、“激情”（passion）、“沉思”（reflection）、“陌生化”（alienation）等一系列看似自洽的系统范畴，但是与西方诗歌文本一对照，就不难发现，它的概括并不全面，其阐释的有效性是有限的。例如，它并不能概括威廉·布莱克、湖畔派诗人和歌德的一些描写大自然的诗的艺术特性，更不能阐释我国某些表现诗人的心灵与大自然的相契合的山水田园诗篇。

值得注意的是，中国独特的“山水田园诗”并不像五四时期风靡一时的西方浪漫主义诗风那样强调人与大自然和社会的冲突，而是突出人与大自然、人生的统一与和谐的。主要不是西方式的强烈的激情，而是东方式的温和的感情；不是借助于语意的变异，而是潜藏在通常的语义之中，更不是像俄国形式主义者所说的那样表现为语言的陌生化的。中国诗学中的核心范畴——意境，强调的是由心灵的“意”造成了和谐、融通的境界，而不是由于感情冲击了感觉造成了语义的变异的效果。“江流天地外，山色有无中”“采菊东篱下，悠然见南山”“寒波淡淡起，白鸟悠悠下”，究其话语的功能来说，并没有陌生化的效果。其诗意不是在可以直接感觉到的语言中，而是在语言之外的。中国诗歌强调“无言之美”，所谓“不着一字，尽得风流”，与西方的语言文化理论是矛盾的，意境的奥秘不在语言而在意象的张力场中。[①]

① 当然，在海德格尔那里也常常出现类似的观念，但是，那是出于不同的哲学基础。中国传统的文论出于言与意之间的对立，而海德格尔却是从语言是“存在的家园”出发的。

而这种大都不激烈的、温和的情感，与西方强调激情和想象的诗学传统是冲突的。

正像中国人也时有西方式的激情一样，温和的感情不是中国人所特有的，西方人也有温情的时候。威廉·布莱克、华兹华斯、歌德和海涅有许多诗歌，就不是激情的，而是温情的，突出的是大自然和人的无声的交融，意象的有机和谐，好处不在字面上，而在文字之间的空白处的张力场之中。因为并不是激情的，因而虽有想象，而其感觉和话语却没有变形，就单独的词语来说，陌生化的程度并不突出。这一切如果用我国传统诗学的“意境”去阐释就可能有效得多。

中国的意境学说，所强调的恰恰与西方浪漫主义诗论相反。它的好处在语言之外，从这里也可以看到中国的天人合一与西欧民族对于上帝创造的自然的赞美之间的部分重合。

王国维借助于叔本华的学说，又部分借助于西方的逻辑方法，将意境说发展为境界说，从某种意义上说，这也应该属于两种文论的对话，但是却不是完整意义上的对话，而是一种无声的、单向的对话，只有一方出场，而另一方是缺席的。真正的对话应该是像我们今天这样双方都在场的、公开的争鸣。单向的对话的缺陷就在于，许多潜在的文化意味和价值的错位，常常为缺乏相关性的话题和对应的逻辑所掩盖，层次性深化和体系化难以实现。

正是因为这样，中国的境界说，在这么长的历史时期中，竟没有和西方文论发生双向的交流。意境范畴并没有与西方的“激情”“想象”“变形”和“陌生化”学说构成并列或者对立的范畴，成为世界诗学体系的一个成分。

这是一种遗憾，也许，这种遗憾在一个并不太悠久的历史时期里是不可避免的。

中国传统文论是用古代汉语写成的，它很难与西方文论直接交流。交流的前提是，将中国的古典诗学范畴转化为现代话语形式。相当长的一个时期里，我们把这个任务看得太简单了，以为这仅仅是本民族古今的话语的简单转换。在经历了长时期的失败以后，我们才认识到，这不仅仅是古今话语转换，而且还包含了以下几个方面的复杂机制。

第一，古代汉语单音词是多义的、直觉性的，一个单音词包含着一系列的双音词，而现代汉语则演化为双音词，双音词有一种意义单纯化的倾向。例如，古代汉语中单音的“意”，是多义的（在与之相应的现代汉语词语中这种多义就明显地分化了：意义、意念、意想、意思、意气、意向、意会、意味、情意……），将古代汉语的多义的单音词转化为现代汉语的趋向单义的双音词就意味着选择其中之一。这就造成丰富语义的失落，甚至歪曲。

这是因为从逻辑上来说，古代文论的直觉性概括和为西方文论所同化了的、遵循同一律的现当代文论是有逻辑上的矛盾的。纯粹依赖传统文论的话语，不要说和西方人交流，就是和中国现代人交流都难免误解，其原因就在于，其间存在着两种逻辑：一个把同一律看成交流的前提，一个却把丰富的语义当作交流不可缺少的条件。

第二，古代诗学的话语往往和中国传统的文化宗教的观念结合在一起。意境的观念本来与佛学、禅宗和道教的观念有着千丝万缕的联系，要将意境说做现代转化，就不但是语义的转化，而且有一种深层的文化和宗教价值的转化。①而这种转化不但对于基督教文化背景的西方人来说，其想象和体验受到限制，而且对缺乏道家和佛学修养的中国当代文论家也具有相当的难度。

第三，最根本的是，中国传统的意境，其中的意，和西方语言文化哲学之间有着相当尖锐的冲突。意并不等于西方的言，它既是言的深化，又是言的内化，它不在言之中，而在言与言的联想的氛围之间；意还表现为情的空灵，人的虚化，情感的淡化。不到达这种程度，就进入不了诗的境界。而在这种境界中，美学性质是以无言、无声、无欲为特点的。这是中国道家和佛学的根本观念的体现，与西方文学理论的语言中心论有着相当遥远的距离。

缺乏直接沟通的范畴，在逻辑上常见的错位，再加上文化宗教心理（想象和体验）距离（有时竟是风马牛），使得对话难以深入。

从古代汉语的多义转化为现代汉语的单义，虽然困难，但毕竟是表面的，可以用语言加以弥补的。而文化价值和宗教观念的想象和体验的差距，则是深层的，语义的和心理上失落和误解是不可弥补的。从这个意义上来说，对话总是和误读联系在一起的。可以说，没有误读就不可能有对话。②

但是，我们并不悲观，诚如伽达默尔所言，理解是一个过程，不是一次完成的，在历史性的误读过程中互相之间自然会深化理解。③

正是因为这样，意境的观念虽然由王国维在某种意义上加以现代语义化了，甚至还将它以西方逻辑化的方式，转化为二元对立的范畴——境界 / 无境界，有我之境 / 无我之境，隔 / 不隔，仍然不但没有得到西方的认同，就连中国现代新诗的评论，也很少将之作为基本范畴作为阐释和评论的准则。这一点并不能成为拒绝对话的借口，在误读中对话，在对话中减少误读，需要一个历史过程。

对话比之独白，要艰难曲折得多了。由于母语文化的历史和传统不同，中西文论价值是错位的，双方的话语是不对称的。在这方面，我以为中国人对于西方固然有误读，但是

① 参见叶嘉莹：《王国维及其文学批评》，广东人民出版社 1982 年版，第 220 页；陈良运：《中国诗学体系论》，中国社会科学出版社 1992 年版，第 230—240 页。

② 在这方面，西方学者比之中国学者更容易犯幼稚的错误。在中国学者中，类似的笑话屡见不鲜，就是渊博如朱光潜，在他亲临欧洲研读克罗齐的时候，还发生了许多误读。参阅王攸欣：《选择接受与疏离》，生活 · 读书 · 新知三联书店 1999 年版，第 133—144 页。

③ 参阅徐友渔、周国平等：《语言与哲学》，生活 · 读书 · 新知三联书店 1996 年版，第 320 页。

相对来说，比较少一点，而西方人对于中国的传统文论的误读则相当多。

一个很明显的现象是，在读西方文论的时候，我们要懂得西方的基督教传统，至少熟悉《圣经》故事，但是西方文论家有几个是把掌握中国的道家和佛学经典当作对话的前提呢？缺乏价值和逻辑的通约性，深度的对话是困难的。

在未来的岁月里，要改变西方文论独白的现象，形成真正的对话，就不能不考虑文化的潜在价值的错位，造成的转化的困难。而这正是我们的历史任务。

三

回顾百年来的中国文论史，另一个令人困惑的问题是，当代西方文论，尤其是阐释学、现象学、解构主义，都强调一切话语澄明性和遮蔽性的共生，对一切大前提，包括潜在的、预设的、暗示的大前提的批判、解构、悬搁是思想解放的开始。但是这对于他们自身却是例外的，一旦按辩论术，让他们“自我涉及”，就不能不产生悖论。悬搁、解构和批判，如果包括他们自己的前提，只能导致他们的自我取消。如他们所说，没有超民族、超历史的文学性，不管是多么澄明的西方文论，也与中国传统的、现代的文学文本有着不可避免的错位，甚至冲突。

一切理论不管其澄明性如何，都不可避免地具有与阅读经验为敌的倾向，在跨国文化的阅读中尤其是如此。当然一切阅读经验都不可能是与理论绝缘的，经验无不打上阅读者的传统文化观念和价值观念的烙印，受到某种理念的诱导，但是，一切理论也同样受到理论家自身文化观念、价值观念的制约。不管何种阅读都毫无例外地包含着作者和读者深层的观念的冲突和交融，交融表现为经验对于对方文论的认同和归顺，而冲突则表现为经验对于文论观念的挑战和质疑。除非两种文化价值之间没有任何区别，才能出现单纯的认同和归顺的倾向。这不但在民族与民族之间是不可能，就是在个人与个人之间，也是罕见的。因而凡单纯表现出认同倾向的，则表明只涉及两种文论之间互相重合的部分，而互相重合的部分往往是缺乏特点的，甚至是肤浅的。要深化对话的层次，就不能不从阅读经验和外来文论的冲突开始。

在冲突发过程，任何一方，很少是从理论到理论决定自己的取舍的，相反，理论往往不能单独决定自己方向，而最后起作用的恰恰是经验。相对而言，理论有两个缺点，而经验却正好与其形成互补。其一，理论比较狭隘，经验以其丰富性见长，它不但包含着已经明确的观念，而且蕴含着潜在的意念。而这种潜在的意念往往比显性的观念更为深刻，更为强有力，更多元，包含着更多的可能性，因而也就更能补充、提示理论本身的遮蔽性，从而产生出某种创造性。其二，理论是间接的，而经验则以其直接性见长。正因为此，从理论到理论，从演绎到演绎，由于演绎法本身已经把结论放在大前提中了，因而很难产生出新知识，从而也就很难有直接的原创性，而从经验中往往能产生某种原创性。理论的演绎，要产生创造性或者次原创性，不是通常流行的证明，而是证伪。据波普尔的说法，证明只能做难题，只有证伪才能发展真理。

从这个意义上来说，要防止理论崇拜和权威理论家的任何崇拜，包括福柯、德里达的崇拜。如果真正忠实地把福柯和德里达自己的观念和方法贯彻到底，他们就不应该成为崇拜的对象，而应该成为解构的对象，正像英国社会学的鼻祖亚当·福格森在《文明社会史论》中所说的那样，一切权威都不能是膜拜的偶像，而只能是争辩的对手。

对话不仅仅依靠理论本身的自洽性，而且还要参照中国经典文学作品，从中揭示文化价值和语言传统的矛盾，这必然产生出一个证明和证伪的痛苦过程，不将其中的矛盾和冲突揭示出来，从而对西方文论范畴进行补充、衍生、全部或者部分地颠覆，未来中国文学理论的建构是不可想象的。

对于建设中国现代文艺学来说，光有中国传统的和西方引进的文学理论资源，是不够的，二者同样都要有一种复杂的重构过程。重构有两种：一是从理论到理论的转化，也就是光在逻辑上讲通，是初级的，因为在实践中可能行不通；二是把理论的转化和经典文学文本的解读结合起来，用阅读经验来证实和修正逻辑的演绎，以经过修正的理论来引导、梳理阅读经验才是能做螺旋式的上升。如果逻辑的演绎和经验的实证不取得动态平衡，就可能变为经院哲学和教条主义。

从根本上来说，理论话语和范畴首先就是直接从文本中进行第一手的概括，然后再在逻辑上加以演绎，使之体系化、自洽化的结果，理论大师们就是这样做的，但是概括和演绎就意味着遗漏和价值观念的渗入。当然，不管是阅读经验，还是权威的理论话语都有历史的、民族的、文化的、个人的狭隘性。但是，从当前的现实而言，受到严重忽视的是阅读经验。

我们当前的任务是把阅读经验的重要性提高到应有的程度：在引进西方文论以后，以阅读经验为基础，对其加以修正、衍生、改造，甚至颠覆，没有这样一种气魄和精神，我们就无法取得对话的权利。

这里，我举一个小小的例子。

西方文论提出的审美范畴，现在已经取得了世界性的认同。它原本是希腊人用来和理性的抽象对立的，不言而喻的前提就是情感价值。但是当代世界文学早已越过了传统的审美阶段，而进入了一个反抒情、反滥情、反煽情的阶段。对于这一切，西方文论并没有从审美范畴衍生出相对的范畴来概括这种潮流。审美的体系性显然存在着一个历史的和时代的空白。

这种空白妨碍着美学的作为一种逻辑的和历史的统一体系的自洽。

对话要超越独白，最根本的标志是话题的交递；如果话题是单方的，则一方不可能不陷于被动。话题的交递可以保证双方的主动。

我们应该有自己的话题，这应该在西方话题的空白失误之中。比如应该有一个“审智”的范畴与西方审美范畴相对立，或者相并列[①]，一方面描述当代历史语境中的文学性的新发展，另一方面作为对于中国古典文论“诗缘情”和西方文论审美说的逻辑延伸。美学（aesthetics）本是一种感觉的学问（是日本人把它翻译成“美学”和“审美”），相对于理性的学问。由于情感直接与感觉相联系，情感不可能直接感知和表述，它只能冲击感觉使之发生变异，所以文学繁荣的最初标志是审美价值的张扬——最高成就是通过感觉变异，进行抒情的古典派和浪漫派。这就给康德一种印象，好像审美价值就在于情趣判断。然而现代和当代文学艺术的发展表明：情感的审美并不是文学性唯一的法门——现代派艺术显示的是超越情感，反抒情，把抒情当作滥情、煽情来嘲笑；代之以超越情感直接通向智性的艺术。冷峻和智性的结合成了世界现代文学的特点。从感觉超越情感直接到达智性是世界当代文学的潮流。

西方文论对此已经做出了反应：许多理论家明显地无视、或多或少忽视文学与哲学之间的区别；有的理论家（如乔纳森·卡勒）认为，文学与非文学的界限非常模糊，可以用文学理论解读非文学文本，文学理论与文学性没有多大关系；有些西方理论家（如加缪）公然宣称，文学不过是自己哲学观念的图解而已，当然，也有一些理论家表示反对（如布鲁姆）。

对于20世纪中后期世界文学声势浩大的智性潮流来说，西方美学在范畴上并没有在历史逻辑的统一上做出体系性的衍生。[②]

要真正平等地对话，不能从西方文论成功的地方开始接过话题，应该从西方文论跌倒的、失落的、遗漏的、混乱的地方开始。

平等不仅仅是政治上的平等，而且是智力上共同达到相应的水平。完全的平等是不存在的，平等是动态的，它意味着在一些方面的滞后，另一些方面的超越。没有部分超越，

① “审智”作为一个学术范畴，目前在英语中很难找到对应的词语。本来美学aesthetics，就只是“感觉学”的意思，是日本人在翻译的时候把它和“美”联系了起来。这个译法很有灵气，但是要把“审智”转化为英语，而且要让它和在汉语中一样具有与审美平等的意味，却很难从aesthetics派生出一个相应词语来。不得已而求其次，我们暂时把它译为intellct-aesthetics，或者examing-intellctural。

② 从美学范畴来说，现代文论还提供了一个审丑的范畴，但是审丑仍然是与情感相联系的，从严格来说仍然是属于审美范畴，审丑仍然出于情感价值，而不像审智乃是出于对于情感的超越。

平等只是一种文明的礼貌，而礼貌总是免不了虚假的，礼貌是掩盖不平等的最好手段。

俄国形式主义者分析所谓“不成功的爱情小说”得出一个公式：A 爱上了 B，但是 B 不爱 A，A 设法让 B 爱上了 A，而 A 却不爱 B 了。[①] 这其实不仅仅是爱情小说的模式，而且是一切小说心理结构模式。人物不管是处于爱情还是处于友谊之中，不论是战火中的盟友，还是相依为命的亲人，只要是叙事的文本，都只能是“心理错位结构”[②]。《三国演义》中的诸葛亮、周瑜和曹操的心理关系，也可归入这种错位范畴。这样，我们才能以概括性更为深刻而广泛的范畴和涵力不足的什克诺夫斯基、烦琐的普罗普和格雷马斯对话。

从这个意义上说，高水平的对话的标志是转换话题，以转换话题进行挑战。没有挑战，对话不可能成为多声部的交响，只能沦为单方面的寂寞的回声，如果所有的命题和包含在话题中的方法和价值观念都是西方提供的，我们就只能像中学生那样解难题，永远不会像《东方学》的作者那样提出问题来刁难一下西方学者。

挑战不仅仅是为了洞察对手，而且是为了在与“他者”的对话之中更为深刻地了解我们的本质。西方文论也一直强调，弱势文化中包含着强者所没有的东西。但是并不存在着一种固定的、现成的我们的本质，我们的文化特点只有在与“他者”对话中才能发现。本质不是静态的，而是在与“他者”对话中在本来朦胧的深层中建构的，有如战争和恋爱建构着人的深层本质一样，对话也使得我们的本质更加动态化。

这一点对于强势文化，也是一样，没有挑战的独白，只能导致单调的重复和停滞。

面对未来的世纪，不管是为了认识自己，还是为了发展、更新自己的文论，我都只能把希望寄托在真正的，而不是虚假的对话上。光是悲叹我们这一代人缺乏原创的自觉，甚至连次原创性也很少，不过是滥情而已。

附：

Turning the *De Facto* Monologue into a Genuine Dialogue: Speech at the Symposium of Chinese and Western Literary Theory

Ladies and Gentlemen,

It is my great honor to have this opportunity of offering my opinions on the exchanges of Chinese and Western literary theory. The history of the last hundred years has proved that it is an urgent historical task for the Chinese and Western scholars to have an equal dialogue on literary

① 维·什克诺夫斯基：《故事和小说的构成》，见《小说的艺术——小说创作论述》，社会科学文献出版社 1995 年版，第 69 页。

② 参阅孙绍振：《审美价值结构与情感逻辑》，华中师范大学出版社 2000 年版，第 324—333 页。

theory.

There is no doubt that great differences exist between the Chinese literary theory and the Western literary theory. No matter how the deconstructionists and the post-modernists have absolutized the differences, however, I am afraid nobody can deny the universal dimension in literary theory. As far as the differences are concerned, this symposium is as much a daring venture as it is a challenge. Yet unless the universal dimension is duly recognized, it will only turn out to be a dialogue between the deaf. I believe no one present here has "hearing" problem, and we can all carry on our conversation without any problem.

A true dialogue, however, should be bi-directional, reciprocal and interactive, and should function as an impetus to the development of both parties. I mean we should not only absorb the vigorous thoughts of the other party but also deepen the understanding of our respective cultural and literary traditions. Early in the 20 century, Wang Guowei, a prominent Chinese scholar, pointed out that "one cannot have a good understanding of the philosophy of his own country without a diligent study of the philosophies of other countries". Obviously, what he meant is that even for self-enlightenment, both the easterners and the westerners would have to learn from each other. In this sense, without the understanding of oriental philosophy, one cannot understand the western philosophy and literary theory.

Unfortunately, the last hundred years have only witnessed the monologue of western literary theory instead of the dialogue between the Chinese literary theory and the western literary theory in China. I cannot but feel bewildered and depressed.

Of course, there is a historical cause for this. At the beginning of the 20th century, the Chinese classical literary theory was confronted with the momentous crisis of national culture. The Chinese classical literary theory could no longer meet the challenge of the new cultural conditions that prevailed at that time. Some of its important principles had already lost their vitality (for instance, the assumption that Chinese classics ought to be taken for the model of discourse and one should follow the instructions from ancient sages such as Confucius). Although some of the traditional theories have not yet exhausted their potentials, they are greatly limited in their conceptions. The advantages of the Chinese literary theory basically lie in the immediacy of its generalization from experiences and its mode of induction and colligation. But the Chinese literary theory has not been so developed as to include mathematics as one of its conceptual points of references, and it as a result is short in its analytical thinking. The basic concepts and categories of traditional literary theories are more or less intuitionistic. Ancient Chinese scholars had not realized that they should use definition to keep the consistency of concepts, even though they had been using concepts such as Tao（道）, Qi（气）, Fenggu（风骨）, Qixiang（气象）or Yijing（意境）for thousands of years. Without consistency, it will be difficult to have systematic deduction in interpretation, and the academic achievements of Chinese literary theory cannot be effectively accumulated. This is why the Chinese traditional literary theories, except for a few early ones, are incapable of systematically analytical thinking.

Although the Chinese critical theory on fiction and poetry is full of insights and inspirations, it is not systematic and self-consistent enough for dealing with the above mentioned cultural crisis. To adapt itself to the new situation, the Chinese literary theory took in not only the concepts but also the method of abstract analytical thinking from its Western counterpart. Previously, we did not have such categories as realism, naturalism, symbolism, world outlook, methodology, typicalness, image, individuality, form, content, aesthetics, humor, comedy, tragedy, etc.

Our senses of aphasia（失谱）and cultural inferiority co-exist. We cannot have systematic treatment of and adequate discourse on the kind of new literature we practice unless we accept western categories and discoursesand apply them to the academic papers we write.

However, after a hundred years, absorption of western literary theory, we cannot help thinking what is the utmost purpose for so doing. Isn't it for enabling and promoting our independent thinking about literature ? To what extent has a hundred years' learning from the West inspired our creative thinking in literary theory? Or rather to what extent has it suffocated our creativity ? In terms of cultural exchanges, does western literary theory benefit from its interaction with Chinese theory at all sincethis has been, for practical intents and purposes, a mere one-way traffic? Haven't the westerners ever had a sense of loss about the endless outflow of their literary theory ?

In the last one hundred years, instead of an exchange between literary theories, we hear just the western literary theory's monologue, to which the Chinese literary theorists have only given a feeble response. Certainly, we should not parochially regard this phenomenon as "cultural aggression". Nonetheless, economic globalization should not entail a hegemony of the West's cultural industry. The norm for multi-cultural exchanges should be a multi-voiced or at least a bi-directional dialogue.

Ideally, there should be the exchange and dialogue between the oriental and the western literary theories instead of the latter's monologue.

Indeed, it is an undeniable fact that the dialogue did occur in the past and the exchanges were once very inspiring.

We can see in Arthur Schopenhauer, who had great influence on Wang Guowei, an instructive historical precedent. When Schopenhauer looked into and reflected on European cultural philosophy, it was the oriental philosophy including Indian philosophy, Chinese *Book of Changes* and even Buddhism, which had inspired and enriched his thinking, enabling him to realize that the perplexity of human existence could hardly be freed by means of western reason and logic. The kind of long-distance cultural exchanges Schopenhauer engaged in would make it easier for people to understand the implications of their social practices, discover their own culture's limitations and advantages, and fire up their creativity. One pertinent case as revealing as it is ironical is that at the beginning of the 20th century, the ideogrammatic Chinese characters were almost repealed by China's cultural elites, and the Chinese classical poetry was regarded as nothing but bonds and chains restraining people's thought. And yet they gave rise to the innovative imagist poetry in America, consequently giving birth to great poets such as Ezra Pound and Amy Lowell.

This reminds us that actually at the beginning of 20th century, not all the discourses of traditional Chinese literary theory had lost their vitality and their effective explanatory function. In the face of the onslaught of the Western theory, it should have been both a challenge and an opportunity for the historically developed Chinese literary theory to explain, analyze and reconstruct the literary discourses, revealing their interaction with cultural environment and ideology, discovering how the mechanism of literary discourses was modified by a particular ideology and how our own stand of aesthetics could be kept.

Unfortunately, the Chinese literary theory did not choose this way.

We have to admit that the western literary theory we have absorbed in a large scale does help us improve our ability of abstraction and generalization and transcend our traditional habit of comprehensive thinking. As Yang Zhengning, a Nobel Prize laureate in physics, put it, we should indeed overcome the limitation of the inductive mode of thinking so that we could gradually become accustomed to the demand of logical consistency.

In the meantime, we also come to realize that the general coherence of the system as well as the categories of the western poetics notwithstanding, there are systemic categories such as imagination, deformation, passion and reflection—which appear to be in coherence with each other but when checked against the West's own poetic texts, they reveal themselves to be incomplete in generalization and limited in effectiveness of explanation. For instance, they cannot generalize on the artistic characteristics of the idyll, a special kind of poetry, which always describes the beauty of nature, nor can they explain the Chinese idyll(山水诗) in whose expression one finds the merging of the poet's heart with the nature.

It is worth our attention that there is a unique sort of Chinese idyll, which does not emphasize the conflict between man and nature but give prominence to the integration and harmony of man and nature. The sentiment of the poetry is not that of western strong passion but that of oriental gentle heart. It is not expressed by the variation of meanings but implied in the ordinary semantic structure. It is not even expressed by the alienation of language as Russian formalists put it. It is the poetic atmosphere meant by the heart not the effect of language variation created by the emotional impact. The artistic conception(意境)has been the nucleus category of Chinese poetics. In terms of the function of discourse, many ancient Chinese idyll poems do not have the effect of alienation. Their poetic meanings are not in the language you can perceive but beyond it. In Chinese poetry, great importance is attached to "the wordless beauty", what is called "refined and tasteful without using a word"(不着一字，尽得风流). The secret of artistic conception, Yijin(意境)does not lie in language but in the extended field of image. Such kind of feelings are not ardent but soft.

Actually, not Chinese in particular but westerners have gentle sentiment, We can find many examples from the poems of Blake, Wordsworth and Goethe. Some of their poems are not of passion but of gentle sentiment. They have imagination but no variation, giving prominence to the voiceless integration of man and nature, the harmony of images. Their advantages are not in words but in the extended fields between words. Since they are not of passion, their sentiment and discourse are not varied. As far as the individual word is concerned, the alienation is conspicuous. It may be more effective to explain all this by means of "the artistic conception"(Yijin 意境)of traditional Chinese poetics.

What is emphasized in the Chinese theory of artistic conception(意境)is contrary to western romanticist poetics. Its advantages lie beyond language. From this we can see the partial overlapping of Chinese integration of man and nature and western people's praise of the natural beauty created by God.

At the beginning of 20th century, Wang Guowei borrowed the theory of Schopenhauer as well as western method of logics to develop the theory of artistic conception(意境)into the theory of artistic realm(境界), but the category of artistic conception is not in parallel with or in opposition to the category of western passion-imagination-variation theory and the theory of alienation. It did not consequently become part of the world system of poetics.

This is because to change the category of Chinese classical poetics into the form of modern discourse does not only involve the transformation of Chinese ancient and modern discourse but also include the following aspects of transformation:

First, in ancient Chinese, the monosyllabic word is intuitional and multivocal and one monosyllabic ancient Chinese word has been converted into a series of disyllabic modern Chinese words, whereas in modern Chinese there is a trend that one disyllabic word has only one meaning. For example, the monosyllabic "意" is multivocal (significance, impression, expectation, idea, will and spirits, intention, sense, affection). To change monosyllabic words of ancient Chinese into disyllabic words of modern Chinese means to choose one of those meanings, which results in the loss of rich meanings.

Second, the discourses of ancient poetics are always integrated with the concepts of traditional Chinese culture and religion. Originally, the notion of artistic conception (意境) is closely related with the concepts of Zen (禅) and Buddhism (佛). The modern transformation of the artistic conception should not only be a semantic transformation but also a transformation of deep cultural value.

The semantic transformation from multivocal words into single-meaning words, in spite of its difficulty, is still superficial and reparable with language, whereas the transformation of cultural value is deep-seated and the semantic loss is irreparable.

It is because of this that the notion of artistic conception (意境) has not yet been identified with in the west nor has it been regarded as the basic category and guide line of explanation of modern Chinese new poetry, though Wang Guowei has to some extent semanticized it in modern sense and even in western logic way translated it into the category of binary opposites—with/without artistic realm (有境界/无境界), self/selfless realm (有我之境/无我之境), with/without separation (隔/不隔).

Dialogue is far more difficult than monologue. Because of the difference of history and tradition of native language cultures, the values of Chinese and western literary theories are dislocated and their discourses not symmetrical. Without the commensuration of value and logics, it is difficult to have a profound dialogue. In the future we have to consider the difficulty of transformation caused by the dislocation of potential cultural values if we want to change western monologue into real dialogue.

The second perplexity is that all the modern western literary theories, especially elucidative theory, phenomenology, deconstructionism, emphasize the symbiosis of clarity and implicity. It is the beginning of the liberation of thinking to criticize, deconstruct and suspend all the major premises including the potential, presupposed and implied. However, this is exceptive to themselves. Once they are asked to "involve themselves" according to polemics, it will inevitably come into paradox. If suspension and deconstruction contain their own premises, they will end up in self-abolition. As they say there is no supranational and suprahistorical literature and no matter how clear the western literary theory is, it is still inevitably in dislocation or even in conflict with Chinese traditional and modern literary texts.

In my opinion any theory, no matter how clear it is, will inevitably have a trend hostile to reading experience.

It is not just based on the self-agreement of theory itself but also needs to refer to Chinese classical literary works to establish the common ground of Chinese and western arguments. It has to undergo a painful process of proving true and false. Without revealing the contradiction and conflict so as to supplement and subvert its category, it will be unimaginable to establish the future literary theory.

As to the construction of modern Chinese literary theory, it is not enough to have as its resource traditional Chinese and western literary theories, which both have a complicated process of transformation. There are two kinds of transformations, one is from theory to theory, working well only in logics but not in practice, therefore, it is elementary. It is more reliable to combine the transformation of theory and the classical literary texts to prove and revise the logical deduction with induction of reading experience. If the balance of logical deduction and experienced induction cannot be attained, it will be scholasticism and dogmatism.

Basically, theoretical discourse is the result of generalization immediately from texts. That is what the masters of theory have done. However, generalization means pretermission and penetration of values. To us, the discourses of authorities as compared with texts have historical, national.cultural and individual parochialism, Our task is to revise, reproduce; reform and even subvert their discourses on the basis of reading experiences. Without such verve and spirit, we can not have the right of dialogue.

Here, I'd like to give you a small example.

The aesthetic category presented by the western literary theory has now been identified throughout the world. It was used by the Greek to oppose the rational abstract. Obviously, its premise is the value of sentiment and feeling. However, modern world literature has surpassed the stage of traditional aesthetics and come into a new stage of anti-lyricism, anti-excess feeling and anti-agitation. Some western literary theorists even claimed that fiction could be illustrated as philosophy. It seems to me, the western literary theory has not extended a corresponding category to generalize this trend. There is an obvious vacancy in the system of aesthetics, which has prevented the aesthetics from self-agreement as a logical and historical unified system.

The basic indication of dialogue surpassing the monologue is the exchange of subjects. If the subjects are one-sided, the other party will inevitably be put in a passive position. The exchange of subjects can guarantee the activeness from two parties. We Chinese have to have our own subjects, which must be found in the vacancy and mistakes of western subjects. For instance, there must be a category of "examining the intelligence" (审智) in opposition to or in parallel with the category of aesthetics.

On the one hand, this can describe the new literary development in modern historical context; on the other hand, this can be a logical extension of Chinese classical literary theory and western literary aesthetics. Aesthetics is a learning of sense, relative to the learning of ration. As sentiment is directly related to sense, it can not be apperceived and expressed directly but only has impact on sense and makes it changed, therefore, the primitive indication of the flourish of literature is the enhancement of aesthetic value—its highest achievement is the appearance of the works of classical and romantic schools. This gave Kant an impression that the aesthetic value seems to rely on the sentiment. However, the development of modern and contemporary art and literature shows that the aesthetics of sentiment is not the only way of literature. What the art of modern schools has shown is beyond sentiment and anti-lyric. Lyricism is mocked at as abuse of feelings and agitation and replaced by the art, which is beyond sentiment, and directly in touch of wisdom. The combination of cold manner and wisdom is the characteristic of contemporary literature. It is the trend of contemporary world literature to come from sense directly into wisdom. The western literary theory has responded to this. Some theorists seem to have given up aesthetic value because to some extent they have neglected the difference between literature and philosophy. Other theorists believe that the ambit between literature and non-literature is vague and the literary theory can be used to unscramble non-literary texts. Literary theory is not related to literary nature. Some western theorists claim openly thatliterature is just the illustration of its own philosophical concepts.

In terms of aesthetic category, the contemporary literary theory has also supplied a category of examining the ugly (审丑) but examining the ugly is still related to sentiment and strictly speaking still pertains to the aesthetic category. As far as the magnificent intellectual trend of the mid and late 20th century is concerned, there is no systematic derivation of western aesthetic category in the unification of historical logics.

If we want to have true equal dialogue, we can not take over the subject from where the western literary theory has succeeded but from where it has tumbled, lost and pretermitted.

Equality is not only political but up to the corresponding level of intelligence. There is no complete equality. Equality is dynamic. On the one hand it means to lag behind, on the other hand it means to surpass. Without surpassing, equality is only civilized courtesy, which is inevitably illusive and the best means to conceal inequality.

The Russian formalists had analyzed the "unsuccessful romantic novels" and discovered the pattern that A fell in love with B but B did not love A, then when A managed to get B love A,

A did not love B anymore. Actually this is not just the norm of all romantic novels but also the psycho-structural norm of all novels even short stories. In spite of the fact that the characters are in love or in friendship, comrades-in-arms in battle or loved ones depend on each other, as long as it is narrative text, it can only be a "psychologically dislocated structure". Only in this way can we have dialogues with Shklovsky.

In this sense, the indication of dialogue is challenge.

Without challenge, the dialogue can not be a multi-voiced symphony and degrade to one-sided echo. All the propositions and the method and sense of value contained in the subjects are supplied by the west. We can only try to crack the hard nuts like secondary school students but have not raised any questions like the Orientalism writers to create difficulties for the western scholars.

The purpose of challenge is to have a deep understanding of our own nature in the dialogue with "the other". It has always been emphasized in the western literary theory that there are something the strong does not have in the culture of the weak. However, there is no fixed and off-the-peg nature of us. Our cultural characteristics can only be found in the dialogue with "the other", The nature is not static but is constructed in the floating depth through dialogues with "the other" ; just as war and love help construct the deep nature of human beings, dialogues also make our nature more dynamic.

This has the same effect on the culture of the strong. A monologue with challenge can only lead to monotonous repetition and stagnancy. In the face of future, we can only pin our hope on the dialogue in spite of the fact that we want to understand ourselves or to develop and create our own literary theory. It is only an abuse of feelings to complain that our generation is short of the self-consciousness of originality, not even the sub-originality.

在建设中国文学理论话语的历史使命面前

20世纪80年代以来，大规模引进西方文论，冲击了我国现代文学理论机械唯物论和狭隘功利论的封闭性。僵化的文学理论获得新的生机，呈现出兴旺的局面，其话语之纷纭，流派之多元，价值之新异，思维之深邃，使中国文论在短短的三十多年间，从补课到追踪，跨过了欧美文论一两百年的历程。中国文论弯道超车，不觉进入世界文论的前沿，其水平的提升，堪称"五四"以来之最，其业绩无疑将在中国当代文学理论史上留下光辉的一页。对于这一点，业内人士可能并无太大的分歧。

但是，像一切外来文化的引进必然带来副作用一样，此番引进，不能例外。由于引进的规模空前宏大，所发生的问题也特别触目。最明显的是，处于弱势的本土话语几乎为西方强势话语淹没，中国文学理论完全失去了主体性。季羡林先生指出："我们东方国家，在文艺理论方面噤若寒蝉，在近现代没有一个人创立出什么比较有影响的文艺理论体系。"①这就是说，中国文学理论民族独创性完全丧失。身在美国长春藤院校、学贯中西的余英时先生说得更加痛彻：

> 中国学人跟着西方调子起舞，就是坠入魔道……今天中读中国书最怕的是把西方的观念来穿凿附会，其结果是非驴非马……20世纪以来，中国学人有关中国学术的著作，其最有价值的都是最少以西方观念作比附的……中国知识界似乎还没有完全摆脱殖民地心态，一切以西方的观念为最后依据。甚至"反西方"的思想也还是来自西方……特别是这十几年来，只要西方思想界稍有风吹草动（主要还是从美国转版的），便有一批中国知识分子，兴风作浪一番，而且用之于中国书的解读上面，这不是中西会通，而是随着外国调子起舞，像被人牵着线的傀儡一样。

---

① 《东方文论选·序》，《比较文学报》1995年第10期。

也许余先生的“坠入魔道”“穿凿附会”“非驴非马”“殖民地心态”“兴风作浪”“傀儡一样”用语比较刺耳，但是，其文化视野之高远，文化主体自信之坚定，不能不令人肃然。对以抢占西方话语作为文化制高点的新常态，对文化自信、自尊沦落的现状，可谓苦口良药。

其实，二十多年前，曹顺庆先生就有了中国文学理论完全“失语”的反思：由于根本没有自己的文论话语，“一旦离开了西方文论话语，就几乎没办法说话，活生生一个学术‘哑巴’”。①

引进西文论本的目的，本该是以自身文化传统将之消化，以强化自身的文化机体与西方文论平等对话，以求互补共创。五四时期，胡适在《“新思潮”的意义》一文中就提出“输入学理”的目的是“再造文明”（1919 年 12 月《新青年》第七卷第一号）。要改变这种现状，就得重建中国文论话语。曹顺庆认为，目前“关键的一步在于如何接上传统文化的血脉”。钱中文先生提出“中国古典文论的当代转化”。

但是，二十多年过去了，口头响应者实属廖廖，实际践行者似乎绝无仅有。一味“以西律中”，对西方文论的迷信，有越来越猖獗之势。这种迷信有时显得很是幼稚可笑。例如，对于俄国形式主义的盲目推崇，此论出于 20 世纪初，其核心范畴“陌生化”主要是词语的陌生化，与情感无涉。其实“陌生化”作为一个学术范畴的内涵是贫困的、片面的，远不及早于他们半个多世纪的别林斯基的“熟悉的陌生人”来得全面而深邃，也根本经不起俄国文学经典诗作的检验，如普希金的《假如生活欺骗了你》，最精绝的结尾：“一切都是暂时的，一切都会消逝；而逝去的又使人感到可爱。”（Все мгновенно, все пройдёт; Что пройдёт, то будет мило. 戈宝权译为：“那过去了的一切 / 便会成为亲切的怀恋。”）词语都在通常意义上，根本就没有陌生化的影子，至于拿中国诗歌经典来检验更是风马牛不相及：“犬鸣深巷中，鸡鸣桑树颠”（陶渊明）、“田家秋作苦，邻女夜春寒”（李白）、“大漠孤烟直，长河落日圆”（王维），艺术性全在以熟悉化的词语，表现了情感的独特性。至于和中国古典小说（史家春秋笔法，寓褒贬的叙述为传统）比照，就更不成话。如林黛玉临终对贾母说：“老太太，你白疼我了。”贾母也说：“真是白疼她了。”两个“白疼”是《红楼梦》悲剧艺术的高潮，根本与语词的陌生化无涉。同样鲁迅《祝福》中的祥林嫂捐了门槛，鲁四奶奶还是不让她端福礼，说了一句很有礼貌的话：“你放着吧，祥林嫂。”她就从精神到肉体崩溃了。不用什么理论的自觉，只要有起码的常识就足够对之加以颠覆。如果一定要上升到理论，则苏轼的“反常合道”（释惠洪《冷斋夜话》卷五）要全面、深邃得多。什克洛夫斯基到了晚年（20 世纪 70、80 年代）看到绝对强调陌生化，导致流派更迭过速，产生

---

① 曹顺庆：《文论失语症与文化病态》，《文艺争鸣》1996 年第 2 期。

了先锋派的各种文字游戏，乃多所反思。他反复申说：“放弃艺术中的情结，或是艺术中的思想意识，我们也就放弃了对形式的认识放弃了认识的目的，放弃了通过感受去触摸世界的途径。”“艺术的静止性，它的独立自主性，是我，维克多·什克洛夫斯基的错误。”“我曾说过，艺术是超于情绪之外的，艺术中没有爱，艺术是纯形式，这是错误的。”虽然如此，令人大惑不解的是，仅据超星阅读器搜索，国内期刊以陌生化原则为前提的论文多至3487篇，但没有一篇是对陌生化做系统批判的。

要建构中国文论独创话语，其前提就是对西方文论做系统批判和分析。批判之所以未能进行，除了文化主体自信的阙如以外，根本缘由在于对理论的局限性缺乏清醒的认识。理论要成立，其大前提应该是普遍的、周延的，涵盖面无所不包的。从严格意义上说，人类认知和经验的有限性和理论所需要的无限性是一对永恒的矛盾，何况西方权威理论家缺乏对中国文化历史的必要的知识，加之理论在进行抽象，形成观念系统的过程中，必然要超越感性经验，但是越是超越感性经验，越是难以避免脱离实际，因而其理论不可能是放之中国而皆准的。

中国现代文论话语要建构，固然要对西方文论持开放态度，不可抱残守缺，但是，从不同文化传统产生的理论，不可避免地存在着经验基础和基本概括的错位，因而引进异国文论，不能不对其空白和错位进行校正、填充和改造。引进强势文论，是需要某种勇气的，这意味着某种艰巨的、痛苦的搏斗，这既是对自身的封闭性，又是对异文化的霸权。在这双重批判的过程中，我们要理直气壮地和他们对话，在互补和互斥中获得新的生命。这是需要一个漫长曲折的过程的。对于西方文论轻浮地拿到鸡毛当令箭，幼稚地否定自己的传统，实际上是文化自虐，这是当前最大的障碍。

批判的第一步就是要提出问题，起点就是和本民族的文化传承相比照。

作为西方语言诗论基础，诗到语言为止，诗的任务就是探索语言的可能性，绝对排斥人的心理，如此单因单果的线性思维被视为天经地义，乃是造成我们失语的原因之一。相比起来，中国传统诗论要丰富得多。《文心雕龙·附会》有“情志为神明，事义为骨髓，辞采为肌肤”。白居易《与元九书》有“根情，苗言，华声，实义”。叶燮《原诗》有“幽渺以为理，想象以为事，惝恍以为情”。稍稍比对一下，比之西方的线性的语言论，我们自己的话语是多维的。我们陷于失语，不是因为我们没有话语，而是因为我们屈从西方文论，舒舒服服地进行自我剥夺。在创作上，把诗歌弄成文字能指和所指的游戏，在文本阐释上，长期依照西方文论进行张江先生所说的“强制性阐释”。

在中国文化土壤中生长起来的经典文本，用西方文化土壤中生长起来的理论来阐释，必然显得贫乏，此时本该突破、颠覆以建构新的理论。但是，由于西方强势文论具有不言自明的神圣的权威性，造成迷信，心甘情愿地顺从霸权成为思维定式，必然产生以权威理论硬套其所不能涵盖的文本。这种现象在人类历史上，并不仅仅发生在人文学科，而且发生在自然科学。先入为主的惯性思维，往往使发现真理者陷于孤立，面临的选择很有限，要么勇敢地颠覆，面临围剿，要么扭曲自己，成全权威。当托勒密的“地心说”雄踞霸主，坚持“日心说”的布鲁诺选择了在火刑柱上献出生命。当“燃素说”面临铁燃烧后而变重的现象，为了成全“燃素说”，强制性阐释为某种“负燃素”。18 世纪英国普利斯特里和瑞典化学家舍勒实际上已经发现氧气。本该颠覆“燃素说”，却为“燃素说”所拘，把氧气称之为“失燃素”“火空气”。真理已经碰到鼻尖，却与之失之交臂，这是迷信权威的必然结果。而法国的拉瓦锡却在鼻尖有感觉之时，做了科学史上著名的“二十天实验”，得出了燃烧是氧气消耗的结果。由于这个发现，他把炼金术变成了化学，成为现代化学的奠基者。

从这个意义说，理论的创新，不可回避的前提，乃是用新的经验批判旧的权威理论。对于中国文论建构来说，首要的任务就是对西方文论，特别是前卫文论做历史的批判，进行话语的清场。

伊格尔顿的《二十世纪西方文学理论》号称文学理论，却以否定文学的存在。乔纳森・卡勒的《文学理论导论》公然宣称文学理论不能解决文学本身的问题。最近 J. 希利斯・米勒则大言不惭地宣称西方有很多套批评方法，包括解构主义，但是，没有一套方法能够提供“普遍意义的指导”。他的结论是，“理论与阅读之间是不相容的”[①]。他也做文本解读，将有机统一的文学文本“拆成分散的碎片或部分，就好像一个小孩将父的手表拆成无法照原样再装配起来的零件”[②]。他在解读哈代的《德伯家的苔丝》中将其重复到红色的地方（女主人公的红头巾 / 炉火 / 雪茄烟头上的火）联结起来，做任意性的穿凿性解释，还作为样板来推荐。毛宗岗在《读三国演义法》中针对重复情景，提出“犯”与“避”的范畴，妙在“善犯”与“善避”，也就是艺术的生命在于同中有异，他形象化表述为同树异枝，同枝异花。火烧新野、火烧赤壁、火烧藤甲、火烧连营，绝无雷同。周瑜死于多妒，关公死于多傲，曹操死于多疑，葛诸死于多智而不能自救，各不相类。《红楼梦》中，八个美女之死，悲剧性相同，但是其逻辑和人物反应不同。鲁迅笔下八种死亡，悲剧性、喜剧、无悲无喜性、荒诞性，天差地别。这样的解释，要比米勒的重复论要系统、严密得多，揭示艺术奥秘也有效得多。西方当代文论的烦琐而武断，其弱势暴露无遗，并不妨碍一些前卫学人将米勒以奉为圭臬。

批判西方文论之所以刻不容缓，原因不仅在其强势话语的武断，而且在于其强势话语

① J. 希利斯・米勒：《致张江的第二封信》，《文学评论》2015 年第 4 期。
② J. 希利斯・米勒：《小说与重复》前言，天津人民出版社 2008 年版。

中隐含着思维方法。正等于我们说“饭我吃了”，隐含着汉语不同于英语，主语“饭”并不是施事，而受事，是天经地义的。当我们接受西方前卫文论文学存在虚无的观念，实际也接受了思想方法上的绝对的相对主义模式。伊格尔顿说，literature 本来并不是“文学”，而是“出版物”，成为“文学”是近三百年浪漫主义思潮以后的事，未来几百年后，也许文学（如莎士比亚）可能又变成非文学。是的，一切都是在变化着的，但是在一定条件下具有相对的稳定性，而这种稳定性决定事物的性质。我们不能因为喜马拉雅山脉原本是海洋，未来也许再度变为海洋，而否认喜马拉雅山脉的存在。

其实，他们的这种武断，包含着内在的悖论，只要用西方辩论术中的“自我关涉”，或者用中国传统的以子之矛攻子之盾，就不难看穿他们非常致命的穴位：他们的前提是一切都是相对的，世界上没有过绝对的东西，相对性是无所不包的，没有例外的。但是，当他们说，相对性是无所不包的，没有例外的，不言而喻，他们的相对主义就成了绝对的。解构主义不但可以解构文学，而且可以解构一切，但是解构主义要彻底，则应该也是可以解构的。解构的结果则是走向反面，转化为建构。德里达为文说“作者死了”，但是，作为作者的德里达却是例外。罗格说真理不是发现的，而是制造的，因而真理是没有的，但是，真理是制造的本身这一命题却在暗中成了颠扑不破的真理。西方前卫文论的锋芒是向外的，隐含着自我排除，其法门是解构你的大前提，也就是剥夺你的话语权。你要跟讲文学吗？对不起，文学不存在。你要跟我讲真理吗？对不起，真理是制造的，不算数的。但是，他们的真理是制造的，却是真理，算数的。他们可以完全不顾真理不是随意建构的，而是经历史实践检验，随着人类文明进步而不断提升的。

要获得中国文论自己的话语权，批判局限于西方前卫文论是不够的，同时也包括传统的西方经典理论。就以接受面最为广泛的现实主义而言，其标准定义是典型环境的典型性格。但是，随机取西方的经典文本来核对，往往是讲不通的。如托尔斯泰的《复活》，贵族公爵要主动把田地分给农奴，是普遍的还是例外的？贵族公爵作为陪审员，发现妓女嫌犯正是当年的女仆，是自己使其怀孕而遭到驱逐，沦落为妓，被诬为杀人犯。这位陪审员，就主动忏悔，到监狱里去向她求婚，遭到拒绝。这是典型的，普遍的，还是极其罕见的呢？再如《红楼梦》，在中国古代等级森严的男权社会中，一个公子哥儿，把女性（包括丫环）看得比男性更纯洁、更高贵，这是普遍的，还是绝无仅有的？经典著作显示的与其说是典型环境的典型性格，还不如说是例外环境的例外性格。

早在 20 世纪 30 年代周扬和胡风就为人物的共性和个性争论不休，这是注定没有结果的，这不是文学的特点，一切事物都有共相和殊相，特殊和一般。二者的范畴同样是静态的。如果我们摆脱这种黑格尔式的思路，从文本中直接概括，小说中人物是动态的。一切情节皆源于人物被打出常轨，进入例外环境，例如从顺境进入逆境，从逆境进入特别的顺境，在此过程中，常态的人格面具的脱落，内心深层奥秘的突现。故托尔斯泰在《复活》中说，人变得不像自己了，可他更是他自己了。中国《水浒传》中的“逼上梁山”，就是这样把手拿折扇的、逆来顺受的林冲逼成义无反顾地提着血淋淋的仇家的人头的林冲。打出常规的人物与人物之间的关系发生变化，本来志同道合的发生感知、情感和行为发生错位。唐僧师徒四人西天取经九九八十一难，最令人难忘的不是他们在妖魔面前同心同德，而是在白骨精面前，感知和行为逻辑发生错位，因而猪八戒、唐僧、孙悟空都有了个性。用这种方法和被吹得神乎其神的格列玛斯的多至三十一种的模式，德里达把一篇小说分成五百六十一个烦琐的阅读段，是不是更符合爱因斯坦科学的真简美的原则，更有阐释的普适性，甚至更有操作性？

我们往往把最大的精力花在对西方文论知识谱系的梳理上，严格地说，这种从理论到理论的演绎，是有局限性的。因为一切文论，很难直接从经验归纳，往往要从前代继承的思想资料，前代的资源难免不存在历史的民族文化的空档。要建构民族的文学理论就是要对这种空档加以填充。欧美浪漫主义是强调激情（passion）的。郭沫若在五四时期感情的“自然流露”[①]，这是从英国浪漫主义诗人华兹华斯1800年《抒情歌谣序》中“强烈感情的自然流露”[②]那里来的。如果仅仅和中国古典文论比照，则《诗大序》的“情动于衷而形于言，言之不足故长言之，长言之不足，故嗟叹之，嗟叹之不足，不知手之舞之足之蹈之也”，二者在表现激情/强烈的感情上是息息相通的。但是，光是停留在这一点上，中国文学理论可真是要失语了。可贵的是中国诗论并不只有激情的抒发，在司空图《二十四诗品》还有与“雄浑”相对的还有“冲淡”。所谓“落花无言，人淡如菊”“绝伫灵素，少回清真。如觅水影，如写阳春。风云变态，花草精神。海之波澜，山之嶙峋，俱似大道，妙契同尘”。中国古典诗歌很大部分，致力于把情感渗透在事物景观之中。情景交融，一切景语皆情语，之所以成为经典命题，就是因为其中有中国诗歌抑制激情，尽可能避免直接抒发。这就产生了中国独有的诗学范畴“意境”。意境说的要害不是激情，不是俄国形式主义的陌生化，也不是美国新批所强调的反讽、悖论。与这些理论把焦点聚焦在局部的语词和修辞上相反，中国传统诗论着眼于整体，故有“不着一字，尽得风流”（司空图《二十四诗品·含蓄》）之说。

理论不是凭空产生的，而是从创作实践和阅读实践中产生，而且要受到创作实践和阅

① 郭沫若、田汉、宗白华：《三叶集》，亚东图书馆1921年版，第45页。

② “自然流露”中的“自然”，原文有点自发（spontaneous）的意味。郭沫若忽略了华兹华斯的强烈的情感不仅是从回忆中聚集起来（It takes its origin from emotion recollected in tranquility），而且是在沉静中“审思”（contemplation）的。

读实践检验的。理解中国的特殊话语，不能光从理论上去反思，还要从文本进行核对。冲淡的意境之杰作，比比皆是。如王维《鸟鸣涧》："人闲桂花落，夜静春山空。月出惊山鸟，时鸣春涧中。"其实，欧美诗歌也并非仅仅是强烈感情的强烈抒发，相反的不强烈的情感的表现，也有极其经典的杰作例如歌德的《浪游者之夜歌（一）》："一切的峰顶 / 沉静，/ 一切的树尖 / 全不见 / 丝儿风影。/ 小鸟们在林间无声 / 等着罢：俄顷 / 你也要安静。"但是，欧美诗论并不概括出意境的范畴来。把强烈感情的自然流泻引到中国来，自然产生了郭沫若、闻一多那样的激情之经典，但是，像徐志摩《再别康桥》那样的并不强烈，而是潇洒的意境之作，因为西方诗论对之在理论上的阙如，我们就长期为激情自然流露理论所拘，失去了话语的创造力，所谓失语，不仅仅是失去传统的话语，而且是失去创造新语的能力。

直接从文本进行原创性概括当然是最理想的。但是，这需要不世出的非天才。我们最实际的办法是把直接概括和中国古典诗话词话的中的精华结合起来，则不难看出西方文论的缺陷在于孤立地讲情感 / 审美价值。而我国的诗话则把情放在种种关系中研究。如情与感的关系，诗与散文关系，我们 17 世纪有吴乔、贺裳等的诗酒饭之说，也就是实用散文，好比把米做成饭，米的形状和质地基本不变，而诗则是把米酿成酒，形、质和功能（饱和醉）都变化了。在西方差不多一百年后，浪漫主义者雪莱才意识到"诗使它触及的一切变形"。仅仅是变形，而不涉及变质和功能。我国诗话在论及诗情的时候，总是把它和散文、和历史联系在一起比较，甚至在诗与画的比较中，不惜以长达千年的工夫进行辨析。值得珍惜的是，我国传统诗论还将情感与理性的关系加以研究，17 世纪贺裳（1681 年在世）和吴乔（1611—1695）做出"无理而妙""痴而入妙"的学说，事实上，揭示了情感在逻辑上和价值与理性的不同。当然最重要的是"意境"所强调的情的宁静与情感的承转起伏，也就是静与动的关系。最为神异的是，不是情动于衷，而是无动于衷，也成为杰作。如"结庐在人境，而无车马喧。问题君何能尔，心远地自偏"，不管外部环境多么喧哗，就是充耳不闻。至于柳宗元的《江雪》，"千山鸟飞绝，万径人踪灭。孤舟蓑笠翁，独钓寒江雪"，对于严酷的外在环境，就更加无动于衷了。这里表现的是天人合一，有禅宗的理念，隐含着非抒情的智性奥秘。

古人没有将之作为对立统一的关系联系起来，创造新的范畴，当真理碰到鼻尖的时候，摆在我们面前的历史任务就是不为康德的审美价值所拘，而是从审美衍生出一个新的范畴："审智"。这是我在 2000 年和米勒等三十位理论家的学术讨论会上提出的，中文稿《从西方文论的独白到中西文论的对话》刊载在《文学评论》2001 年第 1 期。建构了这样的系统范畴，我们就不但可以像他们那样解读古典文本，而且可以解读"放逐抒情"以后的，反浪漫的现代派，乃至后现代从感知超越情感直达智性的文本。有了这样的本钱，我们不但不会失语，而且可以一改对他们洗耳恭听的自卑、自虐的心态，以足够的文化自信，站在历史的制高点上。

当然，理论的民族创造性、原创性、亚原创性，不能指望成就于一时，是几代人才能完成的课题，印度禅宗经过数百年才和中国的儒家和道家结合转化为中国成熟的禅宗。对于建构中国文论话语的历史使命，我们应该有更大的耐心，但是，一改当前文论界挟洋自重的风气则是当务之急。

改造我们的文学评论

文学评论界的庸俗现象，引起有识者强烈不满，造成此等现象的原因除了表面上的精神状态以外，更重要的是文学理论的混乱，即使在西方理论已经陷入空前的危机以后，还在盲目地对之做疲惫的追踪。

西方大师曾对文学是不是存在发出否定的声音。伊格尔顿在《二十世纪西方文学理论》中宣言，文学是浪漫主义以后近三百年的事，在这以前，文学 literature 这个观念，本来是广泛意指出版物，也许再过几百年要变成非文学。这种观念在西方得到广泛的认同。文学变得虚幻了，文学批评还有存在的基础吗？正是由于这样，文化批评抢占了学术的制高点，取代文学批评，似乎形成某种不可阻挡的趋势。

然而，国人未及反思的是，文学批评不可取的原因是其观念是历史建构的，且不断变化的。按因果逻辑推理，文化批评合法性根据，应该是非历史建构的，不是不断变化的，而是固定不变的。这似乎有悖哲学常识。不论是自然、社会和人的观念，毫无例外都是在运动着、变化着的，这是一切的客观存在和主观观念的生命。文化不可能例外。

西方文论重视在内涵和外延上正名，国人的"文化"二字，在英语中是 civilization，虽然源出希腊语，但并不是西方古已有之的，而是西方近代创新的词语。此前西人只知政治、经济、军事、外交、法律、宗教、艺术、文学和哲学等，并没有文化这个综合性的观念。最初英人用 civilization 这个词，意旨重在城市间物质（电器、车辆）流通。同为日耳曼语族的德国人不满于此语过分物质化，乃另造新字 culture，词源亦为希腊文，意指文化如植物，生命不是外在的物质，而是内在的精神的生长。外部物质性的科技是果，内在的智力开发才是因。随着时间的推移，culture 在英语中被广泛通用。在我国 civilization 就被翻译作偏重物质的文明。不难看出，文化这个观念从重物质向重精神的变化，带着从客观向其对立面主观转化的性质。文化的精神内涵运动一直没有停止，卡西尔把它归纳为语言、神话、宗教、艺术、科学、历史六种形式，而在《大不列颠百科全书》中则大加膨胀，将其定义为人的符号思维活动成果及其生成的意义的总和，包括艺术、信念、习惯、制度、发明、语言、科学 、技术等等。这不仅仅是在量上的扩张，而且在质上的转化，事实上是把精神和物质、人文和科技两个方面统一起来，但是独缺文学。文化的内涵与外延和文学一样都是在建构中的，其变化大大地超过文学，而且并不包含文学了。

显然，文化批评就建立在其观念的内涵、外延和变化的基础上。文学的生成和变化成为文学评论的研究对象，理所当然地具有合法性。文化批评的崛起并不能成为否定文学评论的理由。文学批评和文化批判，是两个并立的学科。某著名文学教授就中断文学研究，对房地产广告文化做多年悉心研究，不管付出多大代价，都应该值得尊重。当然，在我国，文化批评也在文学领域中盛行，对文学中文化心理的“潜在的成规”（南帆）、“激情的规训”（余岱宗）等的揭示，有所发现，同样值得尊重。但是，一种不可忽视的偏向是，完全无视文化价值与文学价值的差异，以文化价值凌驾于文学价值之上，对文学进行强制性阐释。结果是造成了两个方面的偏颇。

第一，对文学文本满足于做文化价值的极度夸张性赞扬，而对其文学价值的缺失则视而不见。最突出的是对《白鹿原》的评论，评论家们如此赞扬《白鹿原》：以从 19 世纪末到 20 世纪中叶的漫长历史时期的描绘叙述，重现了中华民族的文化秘史，具有“文化史诗”的性质。其实，把《白鹿原》定性为“史诗”本身就是很轻率的。史诗（epic poem）这种文体，源自古希腊。其根本特点在于对民族文化的英雄业绩的宏大叙事，在亚里斯多德那里是相对于抒情诗和戏剧的。不管是古希腊的《伊利亚特》、还是英国《贝奥武夫》、德国的《尼伯龙根之歌》、俄国的《伊戈尔远征记》，史诗的基本情节主要是神话和传说，就是但丁的《神曲》和弥尔顿的《失乐园》也一样，并无现实的描述，与具体时代的历史根本无关。不知道为什么 epic poem 被我们翻译成“史诗”。评论家望文生义，乃对《白鹿原》加以描绘了半个多世纪的历史的桂冠。只要理性地审思一下，中国近代从变法维新到中华人民共和国成立的复杂丰富的历史岂是区区一本小说所能承载的，就是有所承载，也不能不有所缺损，有所歪曲。至于历史的全部文化价值，也不是白嘉轩为代表的狭隘的家长制为基础的儒家文化所能概括的。主要人物成为儒家文化概念的符号，也曾有评论家发出质疑，但是为一片文化史诗赞歌合唱所淹没。其实，《白鹿原》的文学缺陷是明显的。求雨一场，三千多字，众多人物都处在同样的情感状态中毫无差异；而《红楼梦》林黛玉进贾府，贾母、黛玉、宝玉、黛玉都处在不同的感知和话语逻辑中；托尔斯泰的《安娜·卡列尼娜》写伏隆斯基赛马，安娜与她的丈夫的感知是大幅度错位的；在《子夜》的开头，初次面对 20 世纪 30 年代大上海光怪陆离的街景，吴老太爷，他的孙子、孙女和女儿，感知拉开了巨大的错位幅度。陈忠实对此一无所知，对长篇小说大场面的艺术把握低于历史水准，批评家毫无感觉。

第二，经典的文化批评往往成为西方文化价值观念的例证。最触目惊心的是，某些学者根据斯宾格勒的观点——西方文化（特别是德国文化）在世界八种文化中绝对优越，把《水浒传》贬之为中国人的心灵的“地狱之门”。《三国演义》是“更深刻、更险恶的地狱之门”，是中国“权术、心术的大全，这些诡术包括儒术、法术、道术、阴阳术、诡变术等等”[①]，“显露的正是最黑暗的人心，它是中国人心全面变质的信中信号”[②]；“刘备玩的是儒术，那么曹操用的是法术”，前者归结为“阴谋”，后者归结为“阳谋”，“两者都可以置人于死命”[③]。从《水浒传》和《三国演义》之后，中国人的精神就进入了“最黑暗的地狱”。在这一片黑暗背景上，出现《红楼梦》中亮点人物贾宝玉，但是，其性质则是西方的“基督式的人物”[④]。在中国儒佛道的文化传统中，凭空冒出一个基督文化代表，这已经匪夷所思；更为怪异的是，一切黑暗的，都是中国文化的，唯一的亮点却是西方的。对这样粗率的怪论，批评家们保持沉默，是礼貌性的，还是完全失去了民族文化自尊？这实在是不能不令人深思的。

更值得深思的是，西方文论精英为什么回避对文学进行文学的批评？因为他们从 20 世纪 50 年代以来的种种理论和实践都失败了。对于这一点，美国新批评的苏珊 · 朗格早就承认审美评判不是他们的事，雷 · 韦勒克、奥 · 沃伦也直言他们在具体文本面前的“一筹莫展”[⑤]。李欧梵教授在“全球文艺理论二十一世纪论坛”的演讲中勇敢地指出：西方文论流派纷纭，均未能对文学文本进行有效解读。李先生把文学文本比喻为城堡，西方众多文论流派，如结构主义、解构主义、现象派、读者反应派、西方马克思主义、新历史主义、女权主义、新批评及耶鲁四君子，打着各式旗号，为攻打城堡之方略争论不休。李先生以金庸武侠小说的风格调侃曰：“各路人马早已在城堡前混战起来，各露其招，互相残杀，人仰马翻，如此三天三夜而后止，待尘埃落定后，众英雄（雌）不禁大失惊，文本城堡竟然屹立无恙，理论破而城堡在，谢天谢地。”[⑥]这说明近半个世纪以来，西方文学理论已经走投无路。在美国甚至有人声称“理论已经死了”，而不甘承认者只能强词夺理地说：“文学理论自身并没有消亡，只是发生了某种形式上的变化，它已经转而研究新的对象，如电影、电

① 刘再复：《双典批判》，生活 · 读书 · 新知三联书店 2011 年版，第 108 页。

② 刘再复：《双典批判》，生活 · 读书 · 新知三联书店 2011 年版，第 103 页。

③ 刘再复：《双典批判》，生活 · 读书 · 新知三联书店 2011 年版，第 112—115 页。

④ 《红楼梦十五讲》，北京大学出版社 2007 年版，第 353 页。

⑤ 雷 · 韦勒克、奥 · 沃伦著，刘象愚等译：《文学理论》，江苏教育出版社 2005 年版，第 155—156 页。

⑥ 李欧梵：《世纪末的反思》，浙江人民出版社 2002 年版，第 274—275 页。

视、广告、大众文化、日常生活等。”这种辩解无助于西方文学批评从文学逃亡的实质。

西方文学理论和批评的霸权已经崩溃，一味对西方文论是洗耳恭听、唯命是从的时代结束了，国人完全可以站在历史的制高点上，分析其失败的原因。

最根本的问题出在他们摆错了文学理论和文学作品之间的关系。

对于文学理论和批评来说，文学文本是第一性的，理论和批评不是来自概念的演绎，而是来自文学创作和阅读实践，理论是第二性的。在理论抽象的过程中，由于归纳和演绎的局限性，仅仅对文学全部感性系统做逻辑的复制都不可能有所遗漏，脱离实际危险是很难避免的。每当一种新的文学潮流、新的经典文本出现之时，就是全部文学理论的总和，也难以完成准确地阐释的任务。这是理论的，也是人类的局限。人类需要理论来深化对文学奥秘，但是，理论不能完全胜任。人们对理论抱着过高的希望，甚至信仰，却忘却了文学理论的生命植根于文学文本。

西方文学理论不是把精力集中于文本，而是致力于理论知识谱系的梳理，对于其不完全性、脱离创作实际毫无警惕。意味深长的是，系统梳理的结果是号称文学理论权威的著作竟宣称文学是缥缈的，文学实际上成为理论的影子，理论成为“第一性”的，文学文本成了“第二性”的。这就造成两种后果：其一就是依据时髦的理论，对文学文本做强制性的、扭曲的、颠倒的阐释；其二，乃是在理论视野之外，对文学文本内涵盲视性弃释。事实上，理论要不断获得生命的途径恰恰相反，那就是用文本的分析以补充、纠正、批判乃至颠覆。理论要发展、要创新，除此之外别无他途。最明显的就是散文理论，由于在欧美并没有散文这种文体，只有智性的随笔，散文只是表述方法的总称。五四时期，周作人把它规定为十分狭隘的叙事和抒情。鲁迅的文化批评散文，包括《魏晋风度及文章与药及酒之关系》这样充满了智性的深邃文章，遭盲视弃释，将之另立为全世界都没有的“杂文”。杨朔把每篇散文当作诗来写的“理论”风行一时，而无人质疑，表明审美抒情的狭隘观念的僵化，就是在新时期，“真情实感”亦未脱窠臼。理论束缚创作数十年，直到20世纪末，才提出“审智”范畴，对康德的审美价值论做出突破。此论直到南帆散文获得鲁迅文学奖，写入获奖词中，才开始为主流论坛所接受。

由于摆错了作品和理论的位置，西方文论进而颠倒作者和读者的位置，提出了读者中心论。作品是作者写的，正如戏是演员演的，读者欣赏的当然是作家和演员的才华。而读者中心论，宣称作者死了，读者是“第一性”的。好像演员死了，观众还可以自我欣赏似的。读者中心论之误在于以为读者心理是完全开放的，实际上读者心理的开放与封闭性是矛盾的统一。人的心理并不如洛克所设想的一张白板，皮亚杰的发生认识论揭示了人的认识只有与其内心图式（schema）“同化”，才有反应，读者看到往往是与自己预期一致的信息，对预期之外的往往是视而不见，感而不觉。故周易早有“智者见智，仁者见仁”之说。对于“仁者不能见智，智者不能见仁”，李光地认为是人的局限（“所秉之偏也”）。读者看到的往往并不是文本，而是自己。鲁迅说《红楼梦》：“经学家看见《易》，道学家看见淫，才子看见缠绵，革命家看见排满，流言家看见宫闱秘事……”（《绛花洞主小引》）弄珠客的《金瓶梅·序》说：“读《金瓶梅》而生怜悯心者，菩萨也；生畏惧心者，君子也；生欢喜心者，小人也；生效法心者，乃禽兽也。”①

西方文论宣称，20世纪是文学理论语言转化的世纪，这样的线性思维，取消了文学形式的审美历史积淀功能。其实文学形象是多层次结构，不同形式分化着文学形象感染力，由于处于最深层，因而也有一定的封闭性或者隐蔽性。这是一般读者凭原生的直觉所不能洞察的。在曹禺的《雷雨》中，周朴园坦然告诉周萍，梅侍萍就是他的生母，不能因为她没有什么好出身，就丧失人伦道理。这样普通的（非陌生化的）语言，其艺术的震撼力在于，周朴园自以为光明正大的告白，造成了与周萍珠胎暗结的四凤触电死亡，周冲追救，随之死亡。蘩漪唤出周朴园，本意阻碍周萍与四凤出走，让他留在自己身边，结果周萍自杀了。梅侍萍本想隐瞒周萍与四凤的兄妹关系，在这样的结果面前，她和蘩漪一样疯了，而周朴园本以为自己在儿子面前公开忏悔，表明自己的光明正大，却导致自己虽然活着却是在精神的孤岛上。几句平常的语言，导致几乎全部人物的命运向相反的极端转化。作家匠心独运，把众多人物调集在一起，让他们在这些话面前活不下去。这样强烈的戏剧性，是戏剧形式凝聚起来的，由于在形象的深层，若无视文学形式的审美积淀功能，便不能通晓。

读者中心论的极端化，造成了把作品作为静止的成果，完全排斥了作家创造过程。在理论上还弄出了一个作者死亡论，造成读者完全被动接受作品。事实上马丁·海德格尔早就指出：“作品的被创作存在只有在创作过程中才能为我们所把握。在这一事实的强迫下，我们不得不深入领会艺术家的活动，以便达到艺术作品的本源。完全根据作品自身来描述作品的作品存在，这种做法业已证明是行不通的。”②

这就是说，对作品静态的评述不可能揭示文学作品艺术奥秘，要在其生成的过程中才能获得。其实，一切事物的奥秘只有在其生成的过程中才能揭示，尤其是在文学创作中。文学理论与批评，应该建立创作论的基础上。

在这方面，鲁迅提供了操作方法：“凡是已有定评的大作家，他的作品，全部就说明着

① 王汝梅、侯忠义：《金瓶梅资料汇编》，北京大学出版社1985年版，第216页。

② 马丁·海德格尔：《艺术作品的本源》，孙周兴选编：《海德格尔选集》（上），上海三联出版社1996年版，第297页。

‘应该怎样写’。只是读者很不容易看出，也就不能领悟。因为在学习者一方面，是必须知道了‘不应该那么写’，这才会明白原来‘应该这么写’的。”①建立在创作论的基础上的批评家不只是被动的读者，同时也是主动的参与者，应该而且能够设想自己进入作者创作过程中与之对话。许多学者就与这一原则背道而驰，如对于《祝福》的思想艺术奥秘的解读，有学者根据法国的格列玛斯的“矩阵模式”，把人物分为固定的X、反X、非X、非反X，得出结论是，柳妈作为封建礼教文化的代表直接导致了祥林嫂的死亡。其实，只要无畏地想象鲁迅创作过程，就不难分析出其创作的苦心。鲁迅在五四时期为什么不写封建礼教压制寡妇，不让改嫁？相反是：寡妇拒绝改嫁，却被强迫以野蛮的抢亲形式改嫁。因为前者只能暴露封建礼教的夫权不人道，而后者则能揭示封建礼教夫权与族权的矛盾。在祥林嫂平静地和丈夫儿子生活了以后，鲁迅为什么又要让她的丈夫儿子死去？目的就是让她回到鲁镇，遇见好心的柳妈，劝她去捐门槛赎罪。目的在于表现比夫权与族权更荒谬的神权。柳妈并非仅仅是反X，而且同时也是好心的X，祥林嫂身为X，其迷信同时也反X，人物自身的内部矛盾和礼教的夫权、族权和神权的三重矛盾浑然一体。《祝福》最深邃之处乃在祥林嫂的死亡是没有凶手的，真正的凶手乃是一种对于寡妇的荒谬的、野蛮的成见，这种成见之所以能杀人，就是因为它在鲁镇每一个人头脑中被当成神圣的最高准则。

揭示了作品的思想艺术奥秘，对封建礼教进行文化批评才有更好的基础。

在西方理论宣称他们已经失败之时，建构文学理论和批评的中国学派的历史机遇摆在我们面前。国人当以充分的文化自信，向欧美文坛亮出文化醒狮的理论原创性。机不可失，任何文化自卑，都当在扫荡之列。

① 鲁迅：《且界亭杂文二集》，《鲁迅全集》第6卷，人民文学出版社2003年版，第321页。

实践真理论与中国文论的话语建构

当前中国文论呈现着一种非常奇特的现象，一方面文学评论可谓极其繁荣，话语日新月异，云蒸霞蔚。另一方面，这些话语无不来自西方前卫文论。然而，自20世纪50年代以来，西方文论权威理论家却并不讳言其困惑。从威勒克·沃伦声言理论在解读文学文本时“一筹莫展”（韦勒克、沃伦《文学理论》刘象愚等译，江苏教育出版社，2005年，第155—156页。）伊格尔顿则干脆宣布文学由于不能定义，其存在只是不同历史时期所建构的不同想象而已。而美国文学理论学会主席希利斯·米勒最近更坦言，西方有许多套文学理论，但是，没有一套是能够解读文学的。（J.希利斯.米勒《致张江的第二封信》,《文学评论》2015年第4期。）在美国，最悲观的说法就是（文学）理论已经死了，已经转而到流行歌曲、装饰、电视等方面去了。很显然，西方前卫文学理论危机严重到放弃文学。然而，在我国并非少数的学人仍然对西方文论作疲惫的追踪，以抢占西方话语先机为荣。

为什么高踞强势文化制高点的西方前卫文学理论家，不能不一再承认在文学文本面前“一筹莫展”？只要有起码的文化自信，就不难看出其根源在于西方议论的传统以演绎法为主，用苏珊·朗格的话来说，就是以概念的严密和自洽为务，作从概念到概念演绎。这种方法当然，比之直觉、印象式的评论要“科学”得多。但是，这种“科学”性并不是绝对的。概念的优长和局限是对立的统一。抽象化的概念乃是对感性文本的概括，虽然比之印象、直觉有其深刻性，但永远不能穷尽其丰富性。概念的普遍性抽象乃是对特殊的感性的超越。当我们讲桌子的时候，其内涵乃是一切此类对象的共同性，正如讲杯子、狗、星星、水果、学生，其具体对象的特殊性是必须“抽象”掉的。对于丰富的感性、特殊性的牺牲是建构概念的必要代价。从概念到概念的演绎的层次越多，失落的信息越多。这就注定了不管主观上多么追求其严密自洽，实际上很难避免脱离文本越远。西方前卫文论对其方法局限性的不清醒，最后导致了一种完全不顾文本的理论中心论。大块文章变成理论的摩天轮的空转，其极端者沦为文字游戏。这一点连美国文学理论协会的主席希斯·米勒都不能不承认，其文学评论软弱到：“好像一个小孩将其父亲的手表拆成一堆无法照原样再装配起来的零件”（希利斯·米勒《小说与重复》天津人民出版社，2008 年，第 6 页）然而，就是这样的完全失去合法性文学理论，却在我国拥有霸权，甚至占据主流，原因之一，乃在吾人对其文化优势的迷信，其二，乃是文化霸权面前的自卑。

但是，霸权不管多么神圣，却不能回避一个根本的问题，理论的合法性从哪里来？西方前卫文论习惯于其理论合法性从理论来，理论从理论中得到证明。

这里就产生了一个哲学常识问题。理论，真理是从哪里来的？马克思在《费尔巴哈提纲》中指出理论从实践中来，而不是理论中来：“人的思维是否具有客观的 [gegenst ā ndliche] 真理性，这不是一个理论的问题，而是一个实践的问题。人应该在实践中证明自己思维的真理性，即自己思维的现实性和力量，自己思维的此岸性。关于思维——离开实践的思维——的现实性或非现实性的争论，是一个纯粹经院哲学的问题。”（《马克思恩格斯选集》第 1 卷第 54 — 57 页，人民出版社 1995 年 6 月第 2 版）西方前卫文论的危机由于脱离实践，陷于经院哲学概念的高蹈，这当然不是偶然的，西方的经院哲学，对概念的繁琐辨析和纠缠，与宗教权威联系在一起，有千年以上的传统，繁琐而脱离实践的文风至今还在影响着西方学院派的前卫文论。

实践是检验真理的唯一标准，乃是我国立国的基础。而脱离实践的宏大理论就是毛泽东所说的本本主义，其极端者，乃是罗格的真理不是发现的，而是“制造”的。这是经不起反思的。真理制造，是不是也包括罗格的，如果包括，则罗格制造的“真理”也是虚幻的。在西方这种霸权面前驯服，造成了中国文论的很长时期的失语。但是，文学理论不但来源于文学创作实践和阅读实践，而且要受到实践的证明和证伪。

在西方前卫理论武断面前，国人逐渐有所警醒，有识之士乃有从中国当代文学批评实践建构中国话语的探索。近年有当代文学批评刊物之创建。福建师大文学院理论新秀也投入了中国文论建构的新潮。余岱宗本着实践真理论，直截了当地提出“中国文论的原创动力来自当代文学实践，”“理论原创需要文学批评叩问当代文本”。这也许不一定是另一种意义上的先锋，但可以肯定的是，从中国批评实践中建构文论话语的自觉已成气候。

但是，一切理论体系都是历史的变革中的积淀。建构中国式的文学理论体系的历史使命是历史性的。就是西方前卫文论并不仅仅是当代的产物，其建构也经历了对其古典文论批判和继承，是其文化哲学、美学、文学理论传统的历史性的衍生。同样，建构中国式的文学理论光凭当代文学批评实践是不够的。第一，批评并不是直观的概括，须有理论作为准则的。这就产生了一个类似悖论的问题：一方面要通过文学批评建构中国式的文学理论，另一方面，文学批评又不可能没有任何理论准则。无视理论空白的危险性在于，西方前卫理论在潜意识里可能以其强势遮蔽。这里，就不能没有理论清场的自觉，对西方前卫文论的局限性遮蔽性，加以彻底的澄清。必须明确，像一切理论一样，西方前卫理论亦有其封闭性，在其狭隘的体系内，对文本强制同化，在其狭隘体系外，则盲视弃释。第二，对当代文学的直接感知是有限的，经验是狭隘的，理论的普遍性必须是历史的概括和积淀。批评实践是一个否定之否定的历史进化过程，须要有历时性的概括力，直接从当代经验概括固然有原创性的可能，但是，从直接经验升华为系统理论，是很艰巨的。因为一般说来人的心理有封闭性，《易经》有所谓仁者见仁，智者见智，后来为李光地总结为仁者不能见智，智者不能见仁，原因是人的"所禀之偏也"(《榕村四书说 · 中庸》章段)。这是人的局限性。这和现代心理学家皮亚杰的外部信息只有与人的内在心理格局 / 图式（scheme）相通才能有所感知是息息相通的。正是因为这样，恩格斯才说，人们不能不从前人的思想资料出发进行思考。就如博大精深的马克思主义而言，其哲学、经济学、社会主义三个组成部分的宏大的有机体系，也是在对欧洲经典学术批判中建构起来的。对费尔巴哈的机械唯物论和黑格尔的辩证法的批判，构成了辩证唯物主义；对英国古典经济学亚当 · 斯密，李嘉图的扬弃确立了《资本论》的基础，对法国的圣西门和傅立叶的批判构成了社会主义。正是领悟了这一点，余岱宗又提出对中国古典文论的继承："文论原创要重视中国式的文本细读审美"。这在青年一代的学者中是很精辟的，是难能可贵的。但是，如果允许我补充的话，中国古典文论的阅读实践和创作实践是结合在一起的。因而光是阅读批评是不够的，同时要吸收古典文论的创作论精华。

由于人的心理的封闭性，仅仅是细读可能是主观的，所以美国新批评才有"意图谬误"（affective fallacy）之说。故不能没有一定的理论向导。但是，西方文论的优长是宏观的哲学化、美学化，越是形而上化离开作品越远。而中国古典文论则侧重于创作实践和阅读实践，《文心雕龙》就是以创作论和阅读论为核心的。中国古典诗话词话作者大都是诗人。千年以来，阅读评论的焦点是诗的意境构成的成败，为一字之高下之争议可以争论不休，如"见"南山还是"望"南山更好，可以争论千年，"推"字佳还是"敲"字佳的争论从唐朝争论至今尚未结束。诗家推敲的创作故事成为典故，甚至成为日常用语。小说评点家如金对叹、毛宗岗在细读的基础上，对文本进行删节和补充，脂砚斋则参与了红楼梦的构思和修改。对创作的参与和对艺术妙谛跨越世纪的争议成为中国古典文学理论举世无双的特色。其实，在这一点上，西方大师海德格尔有时倒是与我们有息息相通之处，他说："作品的被创作存在只有在创作过程中才能为我们所把握。在这一事实的强迫下，我们不得不深入领会艺术家的活动，以便达到艺术作品的本源。完全根据作品自身来描述作品的作品存在，这种做法业已证明是行不通的。”［马丁·海德格尔：《艺术作品的本源》，孙周兴选编：《海德格尔选集》（上），上海三联出版社 1996 年版，第 297 页。］令人惊异的是，这样深邃的创作论理念，在西方并未引起充分的注意。这是为什么呢？因为整个西方前卫文论，不理解文本的艺术奥秘有封闭性的。诚如张竹坡在评点《金瓶梅》中所说，作者的匠心是要“瞒过”读者的。沉溺在读者中心论，就是甘心被瞒过，脱离文本，天马行空，一千个读者有一千个哈姆雷特，殊不知一千年哈姆雷特，还是哈姆雷特，不是罗密欧，理论批评的任务，如赖瑞云教授所说，乃是从一千个哈姆雷特中确定最哈姆雷特的，解构其中的假哈姆雷特。海氏的慧语，给我们带来一种启发，那就是，要建构中国文论话语体系就不但把中国文论，而且把世界文论的全部精华作为资源，把我们的视野提高到历史的水平线以上，这样才更有利于在他们徒叹奈何的地方，创造我们的话语与他们平等对话，甚至争辩。

西方前卫文论，未把无能解读文学看作是一种危机，但是，对我们来说，他们的徒叹奈何，却是我们千载难逢良机。对西方文论我们已经洗耳恭听了一百年，是不是该让他们听听我们的话语了。第二个一百年就在我们脚下，时代在召唤着学贯中西、博古通今的大学者，二十一世纪的有出息的学子，任重道远。

2018 年 11 月 1 日　星期四

经典阅读是一场搏斗

一

对于文学经典，一般读者光凭直觉也能欣赏玩味，但直觉并不一定可靠。修养不足，造成误读，不仅是一般读者，就是专家，也在所难免。央视某节目以杜牧《山行》为题："远上寒山石径斜，白云生处有人家。停车坐爱枫林晚，霜叶红于二月花。"专家解曰：中国诗人对时令的转换很是敏感，秋气萧森，引发诗人"悲秋"之感。其实，细读"停车坐爱枫林晚，霜叶红于二月花"，秋天的枫叶比春天的花还鲜艳，哪里有什么悲凉之感？这分明不是悲秋而是颂秋。为什么对明摆在眼前的颂秋视而不见？因为人的心理不是一张白纸，并不像美国行为主义者所设想的那样，对外界一切信息刺激皆有反应。皮亚杰发生认识论指出，只有与主体心理图式（scheme）相应者才能同化（assimilation）而有所反应。我国悲秋诗歌母题源远流长，学养不足者，以为这就是一切。其实古典诗歌中亦有颂秋的经典之作，如刘禹锡《秋词》："自古逢秋悲寂寥，我言秋日胜春朝。晴空一鹤排云上，便引诗情到碧霄。"这种误读非常普遍，有老师讲马致远《天净沙·秋思》，一开始便在秋下加一心，是为"愁"，乃曰逢秋即愁。其实，这只是汉字构成最初的历史痕迹，至于论断此乃中国古典诗歌写秋最佳者，则无视了古代诗话家几乎一致认同杜甫《秋兴》八首乃唐诗七律"压卷"之作。再看王维《山居秋暝》："空山新雨后，天气晚来秋。明月松间照，清泉石上流。竹喧归浣女，莲动下渔舟。随意春芳歇，王孙自可留。"把秋天傍晚写得这样明净，心态宁静自如，把昏暗的"秋暝"写成明净的"春芳"，完全是歌颂秋色宜人如春。

读者片面的经验、粗浅的积累，会形成某种强制同化模式，导致自我蒙蔽。这一问题较为典型的是对《木兰诗》的解读。论者出于“英雄”的现成观念，乃论断木兰英勇善战。有专家还考证，北方兄弟民族耕战合一，英勇强悍，置生死于度外。然细读文本，几无诗句正面写木兰征战：与战事有关者只有“万里赴戎机，关山度若飞。朔气传金柝，寒光照铁衣”，严格说来，这写的是行军宿营。正面写到战事的是“将军百战死，壮士十年归”，乃是他人战死，木兰凯旋。英勇善战，并不出于文本，而是出于读者（专家）内心固有的男性英雄文化观念。其实，木兰形象之价值乃在于其为女性，故其神韵不在战事，而在女性取代男性保家卫国之天职。故写沉吟代父从军时叹息八句，买马四句，宿营思念双亲八句，归来受到父母姐弟欢迎六句，恢复女儿妆四句，而策勋、功绩取侧写，仅两句。与男性建功立业衣锦还乡不同，木兰的回归只为享受亲情与和平生活。其最特殊价值乃在以女性之“英雌”对男性之“英雄”成见的挑战。这个挑战，其实就隐含在最后一组脍炙人口的比喻中：“雄兔脚扑朔，雌兔眼迷离；双兔傍地走，安能辨我是雄雌？”虽然这个比喻已经成为日常用语，但是一千多年来居然没有引起读者对英者为雄的文化反思。

可见阅读并不是一望而知的，而是一场与文本的搏斗。

首先是读者的自我搏斗，读者的自以为是，阻拦着读者真正读懂。这种自发的自信，导致了心理的封闭性。这是因为心理同化图式虽狭隘，然有预期性，在预期之外视而不见，感而不觉。西方读者中心论之偏颇，乃是预设文本一目了然。殊不知，阅读本欲读出经典之新意，而心理预期只能涉及读者内心的旧意，以主体的现成观念强加于文本。读者中心论之武断，完全无视新批评提出的“感受谬误”（affective fallacy）。这种自我蒙蔽倾向具有规律性，自古而然，我国诗话早就诟病“附会”之论。如韦应物《滁州西涧》：“独怜幽草涧边生，上有黄鹂深树鸣。春潮带雨晚来急，野渡无人舟自横。”有论者解读：“草生涧边，喻君子不遇时。鹂鸣深树，讥小人谗佞而在位。春水本急，遇雨而涨，又当晚潮之时，其急更甚，喻时之将乱也。野渡有舟而无人运济，喻君子隐居山林，无人举而用之也。”明唐汝询就批评其“穿凿太甚”(《唐诗解》卷二十八)。然穿凿附会之风于今不息。

故阅读的第一障碍，乃是心理的封闭性。心理的封闭性表现为心理狭隘的预期性。预期的狭隘性与经典文本的无限性是永恒的矛盾。《周易》有“仁者见仁，智者见智”。后人发挥曰：“仁者不能见智，智者不能见仁”（黄宗羲），此乃“所秉之偏也”（李光地），人的心理局限性相当顽固。鲁迅提到《红楼梦》，说：“经学家看见《易》，道学家看见淫，才子看见缠绵，革命家看见排满，流言家看见宫闱秘事……”(《绛花洞主・小引》）读者看到的往往并不是文本，而是自己。故欲参透经典奥秘，避免误读，第一要务不但要预防因心理的封闭性而对文本创新特征视而不见，而且要预防将预期强加于文本，牵强附会地扭曲文本。

对于此等弊端，不能像西方读者中心论那样，以“一千个读者有一千个哈姆雷特”将误读合理化，相反，当与之作顽强的搏斗。此等搏斗相当艰巨，往往超越一代读者，故西方有说不尽的莎士比亚，中国有诉不尽的《红楼梦》。每一代精英要把最高的智慧奉献到经典解读的祭坛上去燃烧，前赴后继，百年不息。

二

阅读的第二障碍，乃是理论的封闭性。

正是因为自发阅读心理有封闭性，乃求诸理论，意在纠正直觉的片面性和表面性。但是，没有一种理论是绝对完美的，一方面有其澄明性，另一方面又有其封闭性。《诗大序》：“情动于中而形于言，言之不足，故嗟叹之，嗟叹之不足，故永歌之，永歌之不足，不知手之舞之，足之蹈之也。”这显然说的是激情，与英国浪漫主义的“一切好诗都是强烈感情的自然流泻”（华兹华斯）如出一辙。这种理论长期得到普遍性认同，结果就是对不合激情者如闲情，不是作强制性阐释，就是作盲视性弃释。如对陶渊明、王维、柳宗元的闲情、逸情，甚至柳宗元《江雪》那样无动于衷之诗，都视而不见。

一味以西方文论解读中国古典诗歌，肯定有凿枘难合之处，一味拘泥，导致误读的历史教训良多。故李欧梵先生有言，西方文论不能不学，仅以之为“背景”，激发自身之思想，但不能以之“挂帅”。[①] 李先生所言十分警策，惜乎未能充分论述为何只能当背景、不能挂帅的道理。这里有一个科学思维的普遍规律。人类探索任何对象，不能没有理论。面对第一手材料，没有任何理论，只能是混沌无序的，这就需要一个向导，即理论。当然，一切理论都不是绝对完美的，但其外部形式是自洽的、封闭的。因而面对理论的封闭性，要以搏斗的勇气将其打开，这就是批判。英国哲学家波普尔说：“如果没有理论，我们甚至不能开始。因为没有别的东西可以依照——随着时间的推移，我们就能对理论采取一种更为批判的态度，如果借助于理论已经了解它们在何处使我们失望，那么我们就能试图用更好的理论代替它们。因此就可以出现一个科学的或批判的思维阶段，而这个思维阶段必然

① 李欧梵：《理论于我有何“用”——中国现代文学研究和“理论”语言》，《读书》2017年第六期。

有一个非批判思维的阶段作为先导。”[①]从“五四”到当代，我们从西方取经。但是我们忘记了，这个向导来自外国，并不是绝对完美的，不能以之挂帅，不能以之为大前提，把研究沦为证明它们绝对正确之举例。须知理论是普遍的，涉及的对象是无限的，不可穷尽的，而举例只能是有限的，如果普遍性（无限）是分母，举例（有限）是分子，例子有限加有限，分子还是有限，不管举多少，其结果只能是无限分之有限，结果只能趋于零。按胡适先生所说，输入西方学理本身并非目的，目的在于与中国文化结合，创造新说，再造文明。在文学理论方面本应是本土文论的创造，用西方文论挂帅却扼杀了本土文论创造的初衷。

一切理论的生命的发展，不是证明，而是证伪，也就是批判。要论证著名的命题“一切天鹅都是白的”，不管举多少例子都不能穷尽无限，但是，只要举出一只天鹅是黑的，就足以推翻此命题，而只凭此一例，就足以证明天鹅并不都是白的，是绝对正确的。

对西方文论先导证伪之道，不外乎两种可能。一是就其理论对其反诘，这样从理论到理论的反诘运用的前提和方法是西方的，故往往不得要领，缺乏独创性。二是回到中国传统诗话文论之精华，与之对话，对话意味着争辩，其实质乃是弱势文化对强势文化的挑战，无疑又是一场艰难的搏斗。试举一例。

对唐人贺知章《咏柳》，有学者解其妙处曰：“碧玉妆成一树高”写出对柳树之总体印象，“万条垂下绿丝绦”则更进一步具体到柳丝茂密，其妙处在于最能反映“柳树的特征”。此论断源于西方机械唯物论的挂帅。其实与中国传统之“诗缘情”的基本原则相悖，与王国维《人间词话》“一切景语皆情语”亦不符。在中国古典诗话中，质疑机械唯物论之思想资源相当丰富。杜牧作《江南春》“千里莺啼绿映红，水村山郭酒旗风”，几百年后，明人杨慎发出疑问：“千里莺啼，谁人听得？千里绿映红，谁人见得？若作十里，则莺啼绿红之景，村郭、楼台、僧寺、酒旗，皆在其中矣”（杨慎《升庵诗话》卷八）。清何文焕《历代诗话索考》作出了很机智的回答：“余谓即作十里，亦未必尽听得着，看得见。题云《江南春》，江南方广千里，千里之中，莺啼而绿映焉。水村山郭，无处无酒旗，四百八十寺，楼台多在烟雨中也。此诗之意既广，不得专指一处，故总而命曰《江南春》。”诗以情动人，而不当以写物之真动人。物之形由诗人的情感决定。清代黄生说诗贵在“以无为有，以虚为实，以假为真”[②]，清代焦袁熹说“如梦如痴，诗家三昧”[③]。“以假为真”“梦”，用今天的话来说就是想象境界。在古典诗话中，真和假是互补的，虚和实是相生的。故在《咏柳》

① 〔英〕卡尔·波普尔著，邱仁宗、段娟译：《无穷的探索：思想自传》，福建人民出版社 1984 年版，第 59 页。

② （清）黄生著，诸伟奇主编：《黄生全集：第四册》，安徽大学出版社 2009 年版，第 326 页。

③ 陈一琴选编，孙绍振评说：《聚讼诗话词话》，上海三联书店 2012 年版，第 27 页。

中，柳树不是玉，柳条亦不是丝，却偏要说是玉、是丝，春风不是剪刀，却偏要说它是剪刀。柳乃客观之物，情乃主体之情，二者不相干。欲将主体之情渗入客观之物，则须通过虚拟、假定、想象，以贵重之玉和丝承载贵重之情感，赋形于柳。这样柳树的形象有了玉和丝的性质，最能反映“柳树的特征”之说。若拘于机械咏物之真，不敢以中国传统诗论之“以虚为实，以假为真”与之对话，必然缘木求鱼。

吾人坚持以“诗缘情”解读中国古典诗歌，前提乃是拒绝西方文论20世纪的所谓语言转化。俄国形式主义者认为诗是语词的陌生化，与情感无关。日尔蒙斯基说：“诗的材料不是形象，不是激情，而是词。”[①]吾人也应拒绝美国新批评的以“反讽”“悖论”等修辞手段来解读诗歌的套路。这就需要搏斗的勇气，需要高度的自信。

但是非常遗憾，具有这种勇气和自信的学人并不多，即使诗词界学养极高者，也往往自卑地屈从于西方这种机械论。如解读苏轼之《念奴娇·赤壁怀古》：“上片即景写实，下片因景生情。”[②]其实，这首词一开头“大江东去，浪淘尽，千古风流人物”，与其说是实写，不如说是虚写。登高望远是空间，而望及“千古风流人物”则为时间，时间不可见，想象使无数的英雄尽收眼底，纷纷消逝于脚下，以空间之广向时间之远自然拓展，使之成为精神宏大的载体，这从盛唐以来，就是诗家想象的重要法门。如果陈子昂登上幽州台，看到的只是遥远的空间，就没有“前不见古人，后不见来者”那样视接千载的悲怆了，“念天地之悠悠”，情怀深沉就在视觉不可及的无限时间之中，悲哀不仅仅是因为看不见燕昭王的黄金台，而且是“后不见来者”，悲怆还来自时间无限与生命短暂之间的反差。

这里隐含着一个非常重要的理论问题，那就是“情”与“感”的关系。从常识言之，则真情必有实感。然而从科学分析观之，真情与实感相矛盾。有真情其感必虚，故“情人眼里出西施”“月是故乡明”脍炙人口。这个问题在中国古典诗话中早有阐释。清吴乔《围炉诗话》，回答诗与文之区别曰：“二者意岂有异？唯是体制辞语不同耳。意喻之米，文喻之炊而为饭，诗喻之酿而为酒；饭不变米形，酒形质尽变。”[③]吴乔当年的散文，基本上都是实用文体，是不抒情的。在诗中一旦抒情，表现对象就像米变成酒一样“形质尽变”了。这个理论比之英国诗人雪莱在《为诗一辩》中所说的“诗使它触及的一切变形”要早一百年。雪莱只注意到形变，吴乔的深刻之处在于认识到质变。这种质变之“感”乃诗人之“情”所决定。同样是柳树，在李白笔下不再如贺知章那样为美好对象，而是一个有意志的生命：“天下伤

---

① 维克托·日尔蒙斯基著：《诗学的任务》，载于〔俄〕维克托·什克洛夫斯基等著，方珊等译：《俄国形式主义文论选》，生活·读书·新知三联书店1989年版，第217页。

② 吴熊和主编：《唐宋词汇评：两宋卷第一册》，浙江教育出版社2004年版，第426页。

③ 王夫之等撰：《清诗话》，上海古籍出版社1978年版，第27页。

心处，劳劳送客亭。春风知别苦，不遣柳条青。”（《劳劳亭》）唐人有折柳相送的风俗，柳树不让柳条发青，则不能送别，友人不离。故同样是枫叶，在杜牧眼中是红于二月鲜花，在《西厢记·草桥送别》崔莺莺眼中则是“晓来谁染霜林醉，都是离人泪”，在鲁迅《送增田涉君归国》中则为“枫叶如丹照嫩寒”。

故阅读不像读者中心论所想象的那样，任何观感都是合理的。作者创新艺术，固然离不开对象之特征，但须经《诗品》所谓“万取一收”之提纯，将其化作形变质变的意象群落，并以起伏的情志意脉贯穿，在审美、审丑、审智价值中分化，遵循特殊形式规范，自由驾驭其开放性，构成有机统一之形象，以某种生活本来如此的虚拟状态呈现。此等艺术匠心，并不显露于形象表层，而是隐秘于深层，越是隐秘越是精绝，此所谓“不着一字，尽得风流”。表现在小说中，如草蛇灰线法等，皆如张竹坡评点《金瓶梅》所说，作者旨在“瞒过”读者。作者匠心独运创造时是主动的，富有多方面的自由，但是读者阅读文本却没有同样的自由，基本上是被动的，受到诗人隐秘的艺术匠心的制约。因而阅读首先不能不与自发的被动性作搏斗。如海德格尔所说，“完全根据作品自身来描述作品的作品存在，这种做法业已证明是行不通的”，相反应该“深入领会艺术家的活动”才能“达到艺术作品的本源”。① 用鲁迅的话来说，就是不但要看到诗人这样写了，而且要读出诗人没有那样写。②

因而，有效的阅读不能不与走马灯似的西方权威文论——无准则的多元解读、绝对的反本质主义——划清界限，而且要与中国传统文论中的烦琐、穿凿作斗争。对于一部经典作品之奥秘，就是把全部理论资源调动起来，往往也不足以充分、彻底地阐释。因而在证明与证伪之间，作长达千年的反复搏斗是正常现象。每一时代，往往要把最高的智慧放到经典的祭坛上去燃烧，即使这样，也不能保证取得进展，于是就产生了文学的虚无主义和解读的悲观主义。如苏珊·朗格“一筹莫展”论和希利斯·米勒的“理论与阅读不相容”论。

搏斗的目的就是为进入文本扫清道路，进入文本，接受文本同化，自我调节，逼近诗人之匠心。故克罗齐有言：“要了解但丁，我们必须把自己提升到但丁的水准。”③ 诚哉，斯言！阅读是提升精神价值和艺术品位的系统工程，搏斗面临着许多方面：首先是将自己从普通读者提高到艺术审美、审智的经典境界的过程，而绝对的读者中心论、无准则的多元

① 〔德〕马丁·海德格尔：《艺术作品的本源》，载于孙周兴选编：《海德格尔选集》，上海三联书店 1996 年版，第 297 页。

② 鲁迅：《鲁迅全集：第 8 卷》，人民文学出版社 2005 年版，第 179 页。

③ 朱光潜：《朱光潜全集（新编增订本）：第七卷》，《克罗齐哲学述评·欣慨室逻辑学哲学散论》，中华书局 2012 年版，第 34 页。

解读则相反，其实质是将但丁降低到读者自发的、狭隘的、浅陋的原生状态，也就是放任新批评的“感受谬误”（affective fallacy）。这就意味着，不仅要与自身自发的盲目性作搏斗，而且要与作品的局限性作搏斗。弄珠客在《金瓶梅·序》中说：“读《金瓶梅》而生怜悯心者，菩萨也；生畏惧心者，君子也。”这个提升的难度就比克罗齐要大得多。这里不仅仅是提高到作者水准，而且要超越作者的局限性。对理论要加以批判，对文本亦如是，抛弃其糟粕，提升其精华。这是一个更复杂的搏斗过程，会遭遇作家的“意图谬误”（intentional fallacy）。如鲁迅评论《三国演义》所说：“文章和主意不能符合——这就是说作者所表现的和作者所想象的，不能一致。如他要写曹操的奸，而结果倒好像是豪爽多智；要写孔明之智，而结果倒像狡猾。”[1]这个问题的复杂性在于，鲁迅所说于曹操非常深刻，而于孔明则有误。事实上孔明之多智，不能孤立评价，其艺术奥秘在于，其多智是由其盟友周瑜的多妒逼出来的，而多智的草船借箭，则因曹操的多疑而取得了伟大胜利，于是多妒的更加多妒，多智的更加多智，多疑的更多疑惧，最后多妒的终于感到智不如人，就活不成了，临终发出了“既生瑜，何生亮”的悲叹。从艺术上来说，多智的超越科学，乃是揭示人物心灵谱系的假定性，其艺术想象的合法性，读者和作者是心照不宣的。弄珠客接着说，读《金瓶梅》“生欢喜心者，小人也；生效法心者，乃禽兽耳”[2]。没有搏斗，就可能走向相反的极端：堕落，与作品中之精神糟粕同流合污。由此观之，宣称作者死亡，放任读者精神自流之论，何其殆也！

三

阅读的第三障碍，乃是艺术经典的封闭性。艺术形象并不是一种平面结构，而是一种立体结构，呈现在表层的只是意象群落。王国维说“一切景语皆情语”，景是显性的，而情则是隐性的，隐于景语意象，特别是意象群落之间，是诗人并不直接说出的情感脉络。笔者称之为意脉。没有意脉，没有情感脉络，则意象群落可能散乱。明代王夫之曰：“无论诗歌与长行文字，俱以意为主。意犹帅也。无帅之兵，谓之乌合。”（《姜斋诗话》）宋代范温《潜溪诗眼》曰：“古人律诗，亦是一片文章，语或似无伦次，而意若贯珠。《十二月一日》诗云：……‘未将梅蕊惊愁眼，要取楸花媚远天。’梅望春而花，楸将夏而乃繁。言滞留之

① 鲁迅：《中国小说的历史变迁·第四讲·宋人之“说话”及其影响》，载于《鲁迅全集：第九卷》，人民文学出版社2003年版，第333页。

② 朱一玄主编：《〈金瓶梅〉资料汇编》，南开大学出版社2002年版，第178页。

势，当自冬过春，始终见梅楸，则百花之开落皆在其中矣。以此益念故国，思朝廷……”他强调说，最忌是“不求意处（意脉）关纽”，“但以相似语言为贯穿”，也就是显性地直接说出来。正是因为这样，阅读就是要与“似无伦次”搏斗才能将第二层次的“意若贯珠”领悟出来。

文本的第三层次更为隐秘，那就是艺术形式。这一点通常被黑格尔的“内容决定形式论”遮蔽了，而歌德却以为是最深邃的秘密，是一般读者难以感觉到的。形式一旦成熟，特别是诗，不但有被内容决定的一面，而且有决定内容的一面。安禄山从发动叛乱到攻破潼关，再到唐明皇仓皇出逃，在《资治通鉴》上是几百字的散文，如果照搬到《长恨歌》中，就不成其为诗了。白居易只用了四句“渔阳鼙鼓动地来，惊破霓裳羽衣曲。九重城阙烟尘生，千乘万骑西南行”，就概括了散文所不能省略的数月时间的过程和数百里空间的距离，而且把失败的狼狈写得很唯美。诗人的意脉是：讽喻中略带遗憾。

因而，要真正读出经典诗歌的艺术奥秘，还要与隐藏得更深的形式规范搏斗。总的来说，西方前卫文论放弃文学审美解读，其根本原因在于，囿于将作品当作成品接受，其实是被动的，因而不可避免被封闭。要打开这三重封闭，就要把自己当作作者，与作者主动对话，不但接受这样写了，而且想象为什么没有那样写。鲁迅这样说：

凡是已有定评的大作家，他的作品，全部就说明着“应该怎样写”。只是读者很不容易看出，也就不能领悟。因为在学习者一方面，是必须知道了“不应该那么写”，这才会明白原来“应该这么写”的。

这“不应该那么写”，如何知道呢？惠列赛耶夫的《果戈理研究》第六章里，答复了这个问题——

> 应该这么写，必须从大作家们的完成了的作品去领会。那么，不应该那么写这一面，恐怕最好是从那同一作品的未定稿本去学习了。在这里，简直好像艺术家在对我们用实物教授。恰如他指着每一行，直接对我们这样说——“你看——哪，这是应该删去的。这要缩短，这要改作，因为不自然了。在这里，还得加些渲染，使形象更加显豁些”。①

西方哲学家、思想家海德格尔的论述如下：

> 作品的被创作存在只有在创作过程中才能为我们所把握。在这一事实的强迫下，我们不得不深入领会艺术家的活动，以便达到艺术作品的本源。完全根据作品自身来描述作品的作品存在，这种做法业已证明是行不通的。

进入作者经典创作的过程，是一个非常艰巨的任务，因为经典作家是天才，代表一个

① 鲁迅：《且界亭杂文二集》，载于《鲁迅全集：第六卷》，人民文学出版社2005年版，第321页。

时代的精神最高水准。对于普通读者来说，阅读是向上攀登的过程，是对自我原生水准的自发性与理论的权威性搏斗的过程。这个过程，不仅是个人的，而且是民族历史的，失败在所难免，但是，历史的积累也是必然的。西方前卫文论之失，我国部分学者之失，就在于把攀登的艰巨当作散步，就免不了甘于落伍。

“不积跬步，无以至千里；不积小流，无以成江海。”笔者设想，进入作家创作经典的过程，是一个艰巨的系统工程。这个过程不是机械唯物论、狭隘功利论和西方语言中心论的线性思维所能胜任的。这至少要有十个层次的还原和比较系统工程。

美育和人的全面发展
——以文学教育为例

一

我国古代传统教育理论集中于德育和智育，也很强调诗教，孔夫子说“不学诗，无以言”，只是没有明确概括为德育、智育、美育的系统范畴。最早把美育在教育理论系统上提出来的是王国维，1906年他在《论教育之宗旨》中说：“人之能力，分内外二者：一曰身体之能力，一曰精神之能力……精神之能力中，又分为三部，知力、情感及意志是也。对此三者，而有真善美之理想，真者，知力之理想；美者，情感之理想；善者，意志之理想也。完全之人物，不能不具备真美善之三德。欲达此理想，于是教育之事起。教育亦分为三部：知育、德育(即意志)、美育(即情育)是也。”[①]这种知、情、意和真、善、美三者统一为系统化的观念源自德国康德。民国建立，从德国回来的蔡元培任教育总长，乃将美育列入教育方针。五四时期，蔡氏觉得欧人把一切归结于宗教，诸多弊端，认为“吾人精神上之作用，普通分为三种：一曰知识；二曰意志；三曰感情”。不过早期人类都把知识、意志和感情都“附丽于宗教”。后来科学昌明，科学知识、道德意志皆脱离宗教，而音乐、美术、建筑等皆由娱神转而娱人。共附丽于宗教者，甚多弊端，他提出一种“专尚陶养感情之术，则莫如舍宗教而易以纯粹之美育。纯粹之美育，所以陶养吾人之感情，使有高尚纯洁之习惯，而使人“我之见、利己损人之思念，以渐消沮者也”[②]。

① 王国维：《论教育之宗旨》，《教育世界》1906年第1期。

② 蔡元培在北京神州学会的演说词(1917年4月8日)。这篇演说词先后刊载于《新青年》第3卷第6号(1917年8月1日出版)，及《学艺》杂志第1年第2号(1917年9月出版)；辑入《蔡子民先生言行录》时，曾作修订。

最极端者为其中世纪“美是上帝的名字”[①]，这是基督教君权神权合一的传统所致。中国并无欧人之形而上学的一神论宗教传统。中国儒家尊崇实践经验理性，“子不语怪力乱神”。神在中国文学经典中是多元的，没有一位具有神圣不可侵犯的地位。在《西游记》中，道教性质的玉皇大帝、太上老君的权威遭到孙悟空颠扑和戏弄。唐僧师徒到达西天佛国，索取经文时，佛祖两位大弟子文殊、普贤索贿，告到佛祖那里，佛祖不但认为理所当然，还觉得太便宜了。吴承恩对神作这样喜剧性的调侃在中国市民中不过是聊供一哂，而差不多同在16世纪，意大利的布鲁诺违背上帝创世说，坚持太阳中心说，却在罗马鲜花广场上惨遭火刑。他进一步发挥席勒的说法推出“以美育代宗教”。王、蔡两位前驱扬弃了欧人超验的神学内涵，取其合理的内核，把真善美作为人的全面发展纲领，使美育从形而上学的迷宫回到现实人生，这对于我国教育理念的现代化具有开辟之功。但是，由于种种原因，美育在理论上并不十分明确，到20世纪50年代，美育甚至往往被智育和德育所淹没。诸多学人并没有意识到把美作为人的全面发展有机组成部分，其经典性并不仅来自康德，而且也来自马克思《〈政治经济学批判〉导言》：人把握世界的理论的整体理论方式“是不同于对世界的艺术的、宗教的、实践—精神的掌握的”。[②]这就是说，艺术的美的情感价值和理性价值是有所不同的。人不仅是理性的动物，而且是情感的动物，二者统一才是完整的人。柏拉图在《理想国》中，独尊数学人，认为诗是说谎的，诗人和艺术家应该从理想国驱逐出去。按此等观念，则理想的人，为没有感情的机器人，实际上是半边人。

二

美育要落实，首先要在理论上明确情感审美与实用功利的善，并不是完全统一的。实用性在人类生存中占有自发优势，情感乃受到理性的压抑，生存有了保障，才不甘等同于动物，才能超越了实用功利而有美的追求，把被压抑的情感索回。审美价值超越实用才是人从动物进化为人的标志。

不理解美的超越性就很难从经典文本获得精神营养。《诗经·卫风·木瓜》：“投我以木瓜，报之以琼琚。匪报也，永以为好也。”木瓜是一次性消费的，而琼琚不但异常珍贵，而且是不朽的。从实用价值来说，二者不相等。故诗反复曰“匪报也”，不是报答，不是等价交换，友情、爱情是永恒的（永以为好也），超越实用功利，或者如康德所说“不带任何利害关系”，[③]才能进入情感的审美境界。

---

① 参阅阎国忠：《美是上帝的名字》，上海社会科学院出版社2003年版。

② 《马克思恩格斯选集·政治经济学批判导言》第二卷，人民文学出版社1972年版，第113页。

③ 参阅康德：《判断力批判》，邓晓芒译，人民出版社2015年版，第37—43页。

审美形象，超越实用，往往具有直接的感染性。杜甫“安得广厦千万间，大庇天下寒士俱欢颜”，从实用功利言是空想，但是，其情感撼动千古；陆游“死去原知万事空，但悲不见九州同。王师北定中原日，家祭无忘告乃翁”，明知逝后告亦无知，仍遗嘱家祭无忘报捷；杜十娘以一妓女之身，一旦爱情被出卖了，不但百宝箱（财富），而且生命都不要了，为情而牺牲生命者中外文学经典比比皆是，安娜·卡列尼娜、林黛玉等遂成不朽典型。然情感有其复杂性，不同于理性，有可意会不可言传者，言有尽而意无穷者，有不着一字尽得风流者，故康德所说审美情趣有一种“非逻辑”的性质。[①]以此之故，经典形象之内涵不乏扑朔迷离者，古往今来，曲解、穿凿、误解、歪解，代不乏人。对于此等乱象解构主义者，反本质，去真理，以一千个读者就有一千个哈姆雷特为之提供合法性。

文学美育的使命之一乃是正本清源，澄清混乱，用理性逻辑，在一千个哈姆雷特中排除假哈姆雷特，确立最哈姆雷特者。若无精致的超越实用的审美价值观念，往往一首脍炙人口的绝句，千百年解读不得真啻。王翰《凉州词》：“葡萄美酒夜光杯，欲饮琵琶马上催。醉卧沙场君莫笑，古来征战几人回。”《唐诗三百首》编者蘅塘退士（孙洙）的批语是“作旷达语，倍觉悲痛”，数百年来，无人质疑。其实，诗中根本没有悲痛，完全是一派乐观的浪漫的高亢情调。即使军令如山，也要喝个痛快；即使出征赴死，也要尽情享受生命的欢乐。烂醉如泥，从长安抬上边疆前线，是不可能的，这是诗的天才的想象。其诗眼在“君莫笑”的“笑”，哪里可能自己横尸疆场还在意战友哂笑的？赴死沙场和尽情饮酒一样，都是生命的享受，把这种乐观、豪迈的精神，定性为“悲痛”，暴露了论者犬儒主义的猥琐。这种英雄主义豪迈在中国文学并非个别，早在屈原《国殇》就有“身既死兮神以灵，子魂魄兮为鬼雄”，王维早年有“孰知不向边庭苦，纵死犹闻侠骨香”，文天祥有“人生自古谁无死，留取丹青照汗青”，就是以婉约为特点的李清照也有“生当为人杰，死亦为鬼雄”，林则徐有“苟利国家生死以”，谭嗣同更有“我自横刀向天笑”。这种坚持理念、慷慨赴义不仅在诗歌中，就是在小说中也屡见不鲜。《三国演义》中英雄战败被俘，为了自己选择的信念，视死如归，引颈就刑，只有豪情，没有痛感；就是孔融的两个七八岁的儿子，面临死亡，也坦然无惧。这与革命烈士陈然的“对着死亡，我放声大笑”，构成我民族舍生取义浩然正气的传统。[②]

朱光潜、林语堂进一步把审美教育中国化，将西方的形而上的思辨演化为形而下的人生，林语堂《生活的艺术》中公然表示对生命哲学化，特别是将生命与基督上帝联系在一起的不屑，在这本写给英文为母语读者看的书中自称为“异教徒”，主张“尘世是唯一的天

① 康德著，宗白华译：《判断力批判》，商务印书馆1987年版，第39页。

② 林语堂：《生活的艺术》，陕西师范大学出版社2003年版，第288页。

堂”，生命的价值在于享受。朱光潜在《谈美》中提出“情趣”范畴，在文学熏陶中怡养性情，将人生艺术化，审美不但有情，而有趣，不但有情趣，而且有谐趣。生活中的负面现象，常人引起嫌恶，喜剧家却让读者笑出泪，对弱者的同情油然而生。可惜的是，朱光潜没有将此与情趣对立的谐趣，发展为与审美相对的审“丑”范畴，为20世纪30、40年代的幽默散文和喜剧提供理论支持。

三

对审美教育认识偏颇的另一个极端是，把美与善绝对地对立起来。其实，至美之境，常常以至善为底蕴。

市场经济的等价交换的实用性对于情感具有压抑性。美育就要情感从马克思所批判的商品拜物教中解放出来，审美价值的潜移默化与实用功利的矛盾是长期的，光有情感很难保持定力，此时意志是决定性的。坚定不移的情感是以意志为基础的，而意志则是属于善的范畴。美与善在表层是两种价值取向，在深层则是水乳交融的，故康德又说“美是德性的象征”[①]。在理论上不明确，就会被风行一时的反本质、去真理的解构主义所俘虏。一位中学生作文批判《愚公移山》是主观唯意志论，不顾客观条件的蛮干。一些教师就一窝蜂地称赞其富有批判精神。这不但是反历史主义愚昧，而且是民族虚无主义恶搞，智叟从实用观念出发认为移山不可行，愚公则认为山体固定，子孙无限，无限定胜有限。但是，故事没有回避生产力低下，不可持续性，没有让愚公子孙把山移走，而是以一种超越自然的力量移走了大山。移走大山的是“夸娥氏”家族。据李子伟先生《“夸蛾氏”——“蚂蚁神”》考证：“夸”者大也，“蛾”者蚁也，“夸蛾”即大蚂蚁。[②]《愚公移山》乃是对大蚂蚁搬山精神的颂歌。马克思说：“任何神话都是用想象和借助想象以征服自然力，支配自然力。”[③]科学技术发达了，神话完全成为空想，马克思又说：“困难不在于理解希腊艺术和史诗同一定社会发展形式结合在一起，困难的是，他们何以仍然能够给我们以艺术享受，而且就某方面来说，还是一种规范和高不可及的范本。”[④]《愚公移山》正因表现了人类童年时代天真的、为了一种信念矢志不移的精神，成了世世代代的精神宝典。

四

对审美教育理解不足的另外一个原因，乃是无视科学理性的真和情感的美在价值上

① 康德著，邓小芒译：《判断力批判》，人民出版社2002年版，第198页。
② 李子伟：《“夸蛾氏”——“蚂蚁神”》，《天水师范学院学报》2003年第3期。
③《马克思恩格斯选集》第二卷，人民文学出版社1972年版，第113页。
④《马克思恩格斯选集》第二卷，人民文学出版社1972年版，第113页。

的差异，忘记了马克思所说的“人不仅通过思维，而以全部感觉对象中肯定自己”。鲁迅在《新秋杂识》中说，“写得太科学，太真实，就不雅了”，“花是植物的生殖机关呀，虫鸣鸟啭，是在求偶呀之类”，“听到蟋蟀在野菊花下鸣叫”如果写成新诗“野菊的生殖器下面 / 蟋蟀在吊膀子”，就毫无诗意了。[①]马克思说“人是按着美的法则创造的”。“采菊东篱下，悠然见南山”，表现的不是菊花的生物性态，而是陶渊明不为五斗米而折腰的超然淡定心态。

用科学的真淹没了情感的美，通常表现为一种机械唯物论的强制性阐释。因而“写实”就成为一些解读文章的关键语，如认为《岳阳楼记》就好在写出景观的“实感”。其实，范仲淹的朋友腾子京给他的《求记书》一开篇就是他的头衔：“邠府四路经略安抚资政谏议。”邠州在陕西前线，范仲淹身负军政要务，与胡人作战，哪里有可能擅离前线到湖南去写文章？第二年贬河南邓州(现南阳)，距离岳阳好几百里，更不敢擅离职守。他就是根据腾子京送给他的“巴陵胜景图”，结合着他少年时期在太湖边的经验，审美情感催动想象，写出岳阳楼前的宏大景观。

若仅仅领略了美与真的矛盾，则要防止另一极端——忽略美与真在矛盾中的统一。《岳阳楼记》最杰出之处在于“先天下之忧而忧，后天下之乐而乐”的千古名言。表面上是“忧”可以转化为“乐”，但是，天下还没有忧，就忧了，天下人都乐了，才乐。天下人都乐，是永远也不可能等到的。按儒家传统，如孔子曰“用之则行，舍之则藏”，孟子曰“达则兼济天下，穷则独善其身”。但是，范仲淹仕途坎坷，却仍怀兼济之志。这就不仅是情感的审美，而且是王国维所说的“知力之理想”，属于“真”的范畴。高度的情感的美不但以善而且有真为底蕴。在这里，黑格尔的“美是理念的感性显现”[②]就和康德的情感价值汇合了。按朱光潜的情趣说，则此处不仅是情趣，而且是智趣。完全可以将康德的知、情、意中国化为审美情趣、幽默谐趣和审智理趣的系统。

美育的最高准则乃是人的全面发展，文学的真善美、知情意是从差异升华到统一的理想高度。蔡元培以美育代替宗教，就是以全面发展的人代替神。费尔马哈说神是人的异化，[③]人把自己真善美奉献给了神，美就成了上帝的名字，当人自觉了，全面发展了，就不难让神再度异化为全面发展的人。马克思把艺术的和宗教的把握世界并列，从这里可以找到最好的说明。

---

① 《鲁迅全集》第五卷，人民文学出版社2005年版，第319—320页。

② 黑格尔著，朱光潜译：《美学》第一卷，商务印书馆1981年版，第142页。

③ 《费尔巴哈哲学著作选集》下，生活·读书·新知三联书店1962年版。《基督教的本质》第二章：“宗教是人的异化。”（第57—58页）第二十四章：“上帝的人格性本身不外就是人之被异化了的，被对象化了的人格性。”（第267页）

范畴和话语的断裂和自洽[①]

从科学发展的阶段来看，草创学科的最明显特征就是基本范畴（用科恩的话来说：范式；用福柯的话来说：话语）缺乏体系性，不稳定，因而也就不可能有内在的统一性和自洽性。当代文论流行的范畴、范式、话语，绝大部分都是引进的，不管是引自苏联的，还是引自欧洲大陆和美国的，虽然不像我国传统文论那样充满了感性色彩，但是各种流派的范畴常常互相独立，其中不乏互相矛盾、互相交叉、互相错位之内涵，至今还没有来得及揭示，彻底加以梳理。就是在同一流派中，其范畴、范式、话语，还没有达到科学所要求的体系化的自洽的程度，也就谈不上在它们的基础上发展了。正因为这样，不能不承认，中国当代的文学理论还没有结束草创的引进阶段，建构成自己体系性的文艺理论还是有待完成的艰巨的历史任务。

不管多么伟大的理论都只能是从两个方面作出概括和分析的结果：第一是它所产生的文学创作和欣赏的历史和现状；第二是它所继承，同时也是所批判的范畴、范式、话语体系。如果我们有大师式的理论创造力，本来是可以在自己的创作、欣赏和传统文学理论范畴的基础上抽象出我们当代的文学理论来的，在最理想的状况下，（在我国古代）甚至是可以让别人去引进的（例如《文心雕龙》《文镜秘府论》之与东亚国家）。退而求其次，也该在引进的和本民族传统文论的范畴、范式、话语的基础上，结合创作和欣赏的历史和现状，重新建构成我们时代的新的理论体系。但是，在很长一段历史时期中，我们似乎忘记了这个基本的规律，常常把对于引进的某些文论基本命题的演绎，当成了学科建设的全部任务。不管我们已经有了多少自以为值得沾沾自喜的成绩，无情的事实是，我们并没有达到人家的水平，中国文论界的最高智慧并未集中在独立的理论创造上，而是相反，几乎是一味醉

① 发表于《文艺理论研究》1997 年第 3 期。

心于对外国文论范畴的因袭。这自然不仅仅是由于个人才智不足，更主要的是历史的局限。军事、政治、经济的落后，伴随着文化的滞后，迫使我们在二十世纪不得不向西方打开理论进口的门户。如果我们不打开门户，而是像“五四”时期的林琴南、辜鸿铭、梅光迪等那样拒绝西方文化，那是保守的、腐朽的。但是全盘依赖引进的历史和现实，也为文化上的民族自卑感提供了温床。

不管什么理论体系的范式、话语、范畴，都是一种语词的命名，虽然是积累学术研究成果的载体，但是，作为语词和命名的局限性是不可避免的。不管经过多少世代的积累，它都不可能与现实和思维的全部丰富性相比，即使最“全面的”理论，都只能是一种比较狭隘的、粗疏的、不完整的骨架。但是，由于民族文化的自卑感，我们往往把这些不无片面的骨架，当成了血肉饱满的躯体和生命。每一次新的文论的引进都使我们欣喜若狂，多少学者，甚至包括最前卫的新秀和最权威的先驱（包括鲁迅那样的先驱）都曾一度产生某种错觉，以为学到了某种文论，就能解决先前文学史学家纠缠不清的问题。由于这种狂热的错觉，我们就失去了将引进文论与中国文学的历史和当代创作实践结合起来的自觉。尤其是这几年，我们几乎无视一个最基本的事实：西方文论无时无刻不在和我国传统的文论范畴发生冲突。在一个相当长的历史中，我们漠视了应该使二者在新的基础上结合起来，这就使得我们不少理论家常常满足于高举着不完整的骨架舞蹈。

任何引进的理论，不管多么伟大，也只能是外国的理论大师对自己国家的文化、文学创作、理论传统和现状的第一手的抽象和概括。虽然欧美大师的理论（尤其是在欧洲中心主义流行的时期）常常以宇宙的普遍性的形式出现，但是对于东方的无知决定了他们的理论不可避免地有不完全、残缺，甚至是荒谬之处。正因为这样，我们接受西方文论以后，要从草创阶段进入创造阶段，最起码用我们文学的经典文本来检验他们的理论。可以肯定的是，外国的理论在面对中国经典之时，必然有解释不通的地方。在中国的文学国情和来自西方的理论发生矛盾的时候，本该激活我们的传统智慧的潜在量，对西方文论加以扬弃，但是在绝大多数情况下，我们文学理论战线上的精英，却往往屈服于声势浩大的西方权威，一味以崇拜为务。

本来，不论是马克思主义还是解构主义，其本性都是批判的，对任何神圣教条都是采取反抗态度的。不过马克思主义强调的是批判和扬弃（有时还加上神圣的定语：革命的），而解构主义则强调对一切大前提、一切话语，乃至文化的解构。没有批判和解构，就不能从被动的接受、崇拜的状态中解放出来，就谈不上进入富于民族精神的理论创造阶段。但是，在我国，不管是马克思主义者，还是解构主义者，在初始阶段，似乎都曾忽略了这一点。

中国现代文论家从二三十年代起就比较系统地引进了马克思主义的文论，但是大部分是满足于照抄。所以 30 年代的马克思主义理论家如李初梨、朱静我、彭康、冯乃超，乃至钱杏邨等的文章充满了教条主义的幼稚和霸气，这构成了当年文论特有的景观。甚至冯雪峰、胡风、瞿秋白、周扬，包括鲁迅的文风[①]都未能完全保持学术所必要的冷峻的批判精神。但是，这些历史人物毕竟不同凡响，他们之中的佼佼者并非偶然地对马克思主义的一些基本范畴进行了非常认真地探讨、争论。当时恩格斯《致哈格纳斯的信》发现还不久，周扬和胡风就对其中关于典型、性格和个性的关系，展开了有声有色的争鸣。

到了 40 年代，对于马克思主义文学理论中的典型问题的研究，则进入了一个新阶段，以周扬为首的马克思主义者，力图将马克思主义文论中的典型问题引入中国现代文学的经典文本的解析中来。马克思主义文学理论的哲学基础是历史唯物主义的认识论，其文学价值是建立在社会革命的工具论上的。这与文学本身的审美价值之间存在着矛盾。早期的马克思列宁主义者意识到认识论和社会工具论的普遍性与文学艺术的特殊性之间存在着矛盾，于是就以解读中国经典文本的方式来探索这种特殊而精致的规律。虽然在初期，不免带着幼稚的色彩。其主要表现是，每逢遇到中国文学创作实践与马克思主义经典论述发生矛盾之时，不是以文学的特殊规律去丰富马克思主义文学理论，而是以哲学的和社会功利的普遍性来抹杀文学的特殊规律。

这就具体表现为两种倾向：一种是拘守于狭隘的社会功利主义，尽可能把这种矛盾政治化，把学术的多元探索纳入政治一元化的框架，不惜牺牲艺术本身的特点，以保证其符合政治乃至当时的政策。这可以周扬对《阿 Q 正传》和《女神》的阐释为代表。周扬为了把鲁迅对于阿 Q 精神的批判和毛泽东对农民革命性的高度赞扬这样的矛盾掩盖起来，极力回避阿 Q 精神的消极性，提出阿 Q 精神的典型意义在于其阶级觉悟和阶级地位不相称。这等于什么也没有说，首先，它不但适用于阿 Q，而且适用于一切落后农民（如老通宝）形象。其次，它也没有回答阿 Q 性格的艺术奥秘。在对郭沫若的解释中，周扬又回避了郭沫若“五四”时期相当极端的个性主义。郭沫若的《凤凰涅槃》中的泛神论其实是泛个性论的：“火便是我，火便是你，火便是‘他’，火便是火”，这里带引号的“他”在英语俄语里分别是 He 和 OH，本是代表上帝的意思。泛神便是泛个性，个性就是神（上帝）。周扬为了维护毛泽东对小资产阶级的个性解放的批判，又不影响郭沫若在国统区文化旗手的地位，就硬把这个神化了的个性，解释成：和你、我、他融合，就意味着和“人民大众”的结合。以至于直到今日许多研究郭沫若的学者，还不懂得在《女神》中（而不是在郭沫若当年的

① 鲁迅的一些论述文学的阶级性的论文以及和梁实秋关于文学的阶级性的论争，从严格的学术意义来说，可以说是社会思想批判的武断窒息了学术的严密性。

文论中）泛神论为何物[①]。

另一种倾向以胡风为代表，他不满于周扬的政治一元化的阐释，于是披上了约瑟夫（斯大林）的“外套”，以另一个马克思主义的权威来与之作学术上的抗衡，并宣布自身为唯一正确的、正宗的马克思主义理论。学术的力量自然不及政治的、组织的乃至法律的力量，其结果是整个流派遭受整肃。周扬和胡风两种倾向虽然相左，但是其根本方法则相同，那就是：争取学术思想的一元化权威，不同的是周扬有一元化的组织力量，而胡风则不拥有这样的条件。有人说如果胡风有周扬那样的条件，其结果则可能是相同的。他们所用的方法也有共同的特点，那就是：弹性而封闭的经学传统。这种东方中国所特有的解经，作为一种思维方法，其特点就是：经典对于可以同化的东西是有弹性的，对于不可容纳的东西，则是封闭的。在经典和事实发生矛盾时，我们的理论家，不是调节、开放经典，让事实转化为范畴、话语、命题，成为新的理论经典；相反，总是把事实加以弹性地曲解，以便使旧经典能保持完整和封闭，以维护旧经典的权威。至于那些实在为经典所不能同化的，不管是多么符合客观实际的观点、命题，则毫无例外地遭到抹杀。

但是马克思主义文论家中，毕竟还有一些有勇气、有才气的，勇敢地面对艺术特殊规律，将马克思主义的经典文论所不能解释的问题，作出突破性的解释，提出崭新的命题。他们已经不再以成全马克思主义经典的“凡是”为唯一的目标。我指的是何其芳先生在 1956 年讨论阿 Q 性格时提出的“典型共鸣说”。他认为最高的典型的共性，并不是一个阶级的共性，而是表现了“人类共同的弱点”。不管何其芳先生当年这个论点包含着多少缺陷，但是从学术观念和方法的构建来说，他总算突破解经，踏上了理论创造的阶梯。事实上，这个范畴的提出，就意味着政治解经方法的失败。本来这一步是可以成为文论史上崭新一章的前奏的，但是 1957 年以后痛苦的历史打断了这个进程。因而虽然以后又有所谓“形象思维”的讨论，但是不管有多么热闹，也不能突破解经的老套，形象思维的范畴也就不可能成为深度研究成果的有效载体。因而我们在艺术的特殊性和规律性方面，至今很难说有多少实质性的积累。

除此以外，我们自然还有一些其他范畴的研究，虽然也有挣脱解经的某些迹象，但是在这过程中提出的新范畴却没有得到连续性的研究。如对于内容和形式这一对范畴的研究限于为权威命题寻找例证，即使这个范畴有所分化，如有人把形式范畴分化为内部形式和外部形式，仍然是有权威根据的。一旦有人把形式范畴分化为原生形式和艺术的规范形式，二者之间的矛盾，就没有什么人有兴趣去作进一步的探讨了。最后是不管怎么说，都无法打破内容决定形式，形式对内容具有反作用这样一个框架，甚至连席勒的关于“形式扼杀

① 参阅本文集之《新的美学和新诗论》卷中论述《女神》的文章。

内容”的命题被简单地纳入了形式对于内容的反作用这样的老生常谈中去。因而就不可能有什么学者把这个黑格尔的命题加以深刻地扬弃[①]。

我们的学术研究缺乏深度，很大程度上是由于研究不能集中在艺术本身的特殊范畴上，对于范畴的研究也就谈不上连续性，范畴作为研究成果的积累的作用就很难得到发挥。如王元化先生不同意权威的从感性认识到理性认识的二分法，提出了三分法的从感性到智性再到理性的学术观念。对于这样一个从方法论到文学观念都无疑很重要的原理，学术界并没有引起什么热烈的反响。在王先生提出这个问题的前后，学术界正处在不断制造和更新热点的过程中，光是 80 年代中期，我们就从方法年到观念年，从结构主义到解构主义，走马灯式地更新着热点。

马克思主义的文论引进了半个多世纪，还不能很好地解决艺术本身的特殊规律问题，反而由于简单、粗暴地演绎结合着行政手段的强制造成了许多悲剧。以至于到了新时期，新一代的理论家就反其道而行之，对这半个多世纪的学术成果表示了极端的轻蔑。他们干脆走向了西方文论。这就造成了 80 年代以来的，可以称之为这个世纪以来的最大规模的引进，同时也就造成了 20 世纪文学理论范畴的最大程度的断裂。一时间文论新潮澎湃，从人文主义到科学主义，从结构主义到解构主义，甚至连 20 世纪初弗洛伊德、德・索绪尔的学说都变成了文学的“新观念”，引起了持续多年的“新名词大轰炸”。经过了十年以上的兴奋，回过头来冷静地思考，不能不承认，新引进的许多西方文论，大都并非文艺理论，而是文化哲学理论。马克思主义的文论之失就在于，它的认识论哲学无法演绎出文艺本身的特殊性来，它的意识形态理论堪称博大精深，但是它讲的总是普遍性，一讲到文艺的特殊规律，它就卡了壳。但新引进的文论，不管弗洛伊德和荣格的心理学、萨特的存在主义、福柯的权力话语，乃至胡塞尔的现象美学当然和马克思主义相去甚远，但是在一点上和马克思主义文论是一样的，那就是它们都执着于意识形态、文化价值，所说的是文学和文化的统一性。它们的理论不管怎么演绎，都不可能导出艺术本身的任何特殊规律。对于这些理论和对于马克思主义的文论一样，本来也应该有个从草创到成熟的批判过程。最起码的就是首先拿它来解释我们民族文学的经典。我们的前辈马克思主义理论家为了深造、分化一个马克思主义的范畴，曾经付出了鲜血甚至生命的代价。我们抛弃了他们已开始分化、深化的范畴，走向现当代西方文论，但是绝大多数的西方文论并未直接给我们提供文学本身系统的特殊规范。这是因为，意识形态在它们那里和在马克思主义那里一样占有很重要的地位。后现代主义作为一种哲学理论，虽然有一批文学理论家在研究，但是它基本上还

① 不能深化的另一原因是，等到新一轮的西方文论引进潮流到来时，我们又轻率地跟着别人放弃了内容形式的二元对立范畴及其方法。

不能算是文学理论，要把它们这一类理论转化为文学理论，同样要经过一个解读中国文化经典，提出有异于它们现成的理论范畴的漫长过程。虽然我们这一代，也许并不一定要付出周扬、胡风他们那样悲剧性的代价，但是要把西方的哲学文化学理论中国文学化，所经历的精神痛苦可能并不一定比他们那一代少。

西方文化哲学理论中的现成范畴、话语，既可能成为探索新航路的出发点，也可能成为我们前进的障碍。这是可以根据福柯的学说就能得出的结论。新名词（术语、规范、话语）大轰炸，只是学科范畴断裂、混乱的表现。说实在的，这也并不是今日的伟大发明，而是 30 年代马克思主义文论在学科草创时期幼稚的表现。我们的任务并不是拿中国文学去作西方文论的例证。在我看来，凡是西方理论家已经到达的范畴，都应该竖起一块牌子：满足于逗留在他人领域称雄者不算好汉。

新时期的文论，至今还没有到达当年马克思主义者所达到的阶段，我们连拿中国的经典文本去检验西方文论的系统工作还没有做，至今还没有出现一本以存在主义或者现象美学作为理论基础的中国文学史，更没有一本在这种理论指导下的中国文学批评史。这就谈不上从这些外国人发明的主义中，发现与中国文学创作和文学观念的矛盾，加以分析，再结合中国文论的传统衍生新范畴，使之体系化，建构新的文论体系了。我们没有什么理由可以乐观起来。举一个最浅显的例子，按照福柯的学说，任何话语都潜在地包含着传统文化的某种成见，在现成的话语中充满了陷阱，因而对于任何大前提，任何范畴、任何话语都要加以消解。但是他的理论中包含着悖论：既然“一切”大前提（话语、范畴）都包含着成见，那么你所说的“一切大前提都要加以消解”不也是一个大前提（话语、范畴）吗？是不是也要包含在消解之列呢？如果包含，则这个大前提就应该消解，如果不包含，那么，所谓“一切大前提”的“一切”，就不能成立。这个大前提对于任何现成的思想更没有任何约束，有一个年轻的学者说，一切的话语都是一堵墙，那么你这一句话是不是一堵墙呢？如果是，那你究竟说了些什么呢？对于这样的基本问题没有很好地解决，我们匆匆忙忙地引进的话语、新名词越多，文学理论学科的范畴的形成、深化、衍生、互相联系、达到自洽的可能性就越小，话语、范畴之间的混乱、断裂就越多，这就是说，离严格意义上的文学理论的学科所要求的范畴之间的自洽性就越遥远。

论当代喜剧的形式和亚形式①

当代中国观众最渴求的是喜剧，可中国文学和艺术中最缺乏的恰恰是喜剧，退而求其次，相声便成了宠儿，然而相声的容量毕竟有限，且多数限于滑稽，未能普遍上升到幽默的层次，不可能长期满足十亿观众对于戏剧的渴求，于是逐渐有点失宠，代之而起的是小品。小品在世界舞台上，并不限于喜剧，它可以是非常抒情的，甚至是悲剧的、抽象的。在中国，小品本是戏剧学院教学过程中的一种形式。一旦进入电视以后，在短短几年内几乎是偏激地选择了喜剧的单一道路。不过小品在兴盛了几年以后又有一点元气不足的样子，遭到要求比较严格的观众的挑剔，甚至抨击了。自然，也同时出现了一些喜剧性的电影故事片、电视连续剧，一些著名的笑星，如陈佩斯、赵本山都投身于喜剧影视的制作。出乎意外的是，在小品中浑身是戏的笑星们，到了故事影片和电视连续剧中却大都捉襟见肘，显得有些窘，完全失去了他们在喜剧小品中的自由、自然和自在，甚至连他们的笑都似乎变成苦相了。

这不能简单地责备笑星们。

与其苛责笑星们缺乏才气，还不如责备剧作家们对于喜剧形式理解太粗糙。

小品本是戏剧的非主题性片段，当然，它可以有喜剧性，但是小品的喜剧到目前为止，大体上还只是喜剧形式中的一种亚形式——那就是闹剧。从内容上来说，他们所表现的只限于一些小人物，而且是智慧和能力都不高的一群，在品格上也往往是赖皮而善良，自私而又天真的一伙，他们被甩出了生活的正常轨道，力图提高自己的自信自尊，而又往往用了实质上是缺乏自信自尊的手段，因而出了小小的洋相，倒了不大不小的霉，可最终也没有被生活的车轮碾碎。这些善良的赖皮、愣充好汉的胆小鬼、虚荣心十足的土老帽儿、不

① 发表于《文艺理论研究》1993年第5期。

称职的男保姆之类，自作聪明，要尽花样，可往往正在自以为得计之时自食其果，有时甚至还在自讨苦吃之时，自得其乐。

自然，也有少数表现的是善良人物的聪明机智，甚至有在要花招以后良心发现的，但是，在整体上，他们和前述人物属于同一范畴。其喜剧性乃出乎他们自尊愿望和倒霉后果的自相矛盾，他们外部动作和内行活动的不协调，他们适应环境的失败。

从情节的构成上看，它是单一的不可靠的动因的层层误会导致荒诞后果的，从动作上看，是虚拟性的，在细节上是超越了现实的具体性的，带着很强的表意性，有时甚至达到戏曲舞台的象征性，这一切与环境的概括性构成和谐的统一。因而留给观众很大的想象空间，即使夸张作态，也不失其妩媚。这正是闹剧的优越性。

当前比较成功的“喜剧小品”都有这种“闹”的特点，凡闹得红火的都有相当强烈的现场效果。我看过一个叫作《街景》的小品，表现一个农村专业户（男主角）与一个城市个体户（女主角）的约会，双方的台词常常是对仗的、动作甚至是对称的，在语言结构上有巧合的戏谑性、在舞台调度上有滑稽的图案美。从总体构思来说很完整、也很凝练，没有什么多余的动作和琐碎的语言，因而闹出了水平，闹出了台上台下水乳交融的气氛。小品作家们在这样的象征环境中，积累了相当丰富的经验，这样的风格相当快速地普及化了。因而凡能把角色写得进入这种“闹”的规定情境，有了“闹”的自我感觉，能够以“闹”的连锁情节逗起观众共鸣的都达到相当的水平。自然，也有作家把角色写得太闹，缺乏现实与虚拟之间的协调而导致失败的。但是，更多的是情节的单因导致的后果不够火候，没有闹出气氛来。这大抵是剧作家，不知“闹”需要对现实环境和细节的超越。他们往往像写话剧一样，为现实环境所拘，其结果是把戏写凉了。这些作家的失误在于不开窍，不洒脱，放不开，自然也就闹不起来。提高到编剧理论上来说，就是不了解闹剧的亚形式规范的戏谑性，不明白闹剧与正剧在逻辑上的不同，更不懂得在闹剧中，人物关系与一般喜剧的不同。

对于一个献身艺术的作家来说，他的生活积累，他的情感和意志的修养自然是十分重要的。但是，还有一个东西也有同样的重要性，那就是他的艺术修养，而在艺术修养中最容易被忽视的，就是他的形式感，尤其是亚形式感。

中国作家普遍缺乏形式的自觉性、文体的自觉性，这可能是由于形而上学地理解了“内容决定形式”，许多剧作家对于艺术形式本身的强制性规范作用、迫使内容就范，形式创造内容的功能缺乏足够的估计。他们往往只看到内容对于形式的制约作用，而看不到形式，尤其规范的艺术形式会“扼杀”一部分不适合其规范的内容，这是德国诗人、美学家席勒说的。这并不难理解，例如，唐玄宗天宝十四年安禄山、史思明作乱，当局错误地强制哥舒翰出击，潼关失守，长安不保，玄宗乃经甘肃逃往四川。这是白居易《长恨歌》所依据的历史内容，但是这么复杂的逻辑顺序，对于抒情诗的单纯形式来说根本无法容纳，于是白居易以大诗人的气魄“扼杀”了这曲折的逻辑因果，而代之以很单纯的想象化的因果关系，“渔阳鼙鼓动地来，惊破霓裳羽衣曲”。也就是安禄山在渔阳地方敲响的进军鼓，像地震一样传到长安，使得杨贵妃的舞曲不得不中断了。白居易不得不在这里扼杀了一部分历史生活的内容，而且创造了一种奇妙的超现实的逻辑因果，他之所以能这样做，而且为历代读者所欣赏，就是因为他所运用的抒情诗的形式规范给了他这样想象的逻辑自由。

成熟的艺术形式不同于草创形式，它的规范性使它成为先于其具体内容的预期框架。这种框架有它的自身的逻辑，这种逻辑可以超越日常生活的实用逻辑和科学的理性逻辑。这在抒情诗中已经是比比皆是，在戏剧作品中则更是明显。不过，对于一个剧作家来说，他的艺术水平不仅表现在艺术形式的逻辑超越于生活的逻辑，更重要的是他应该对不同艺术形式以及亚形式规范的微妙差异有高度的敏感。一个作家如果不能辨别诗与散文形式对作家想象的不同导向，是不可能有什么艺术鉴赏力和表现力的。一个话剧演员如果感觉不到用话剧表演方式来演电影将给电影带来巨大的损害，他（她）是不可能演好电影的。

不同形式的不同规范之间差异，是如此精妙，如此巨大，以至于没有一个大作家能完全掌握全部形式的不同奥秘，即使托尔斯泰那样的伟人，也只能在小说中展示其才华而写不出成功的剧作本来，就连鲁迅那样的大师也只是在短篇小说和散文中表现他的创造力，而写不好白话新诗。

对于不同艺术形式规范的微妙差异的真知灼见正是艺术修养的体现，相反，对于不同形式的微妙区别的漠视或缺乏敏感正是艺术水平低下的表现。

一些小品作家写闹剧小品时，得心应手，他们凭着经验和直觉便驾驭了小品的闹剧性。可是，也许社会过分殷切的期待和报刊过分廉价的赞扬，多少有点从精神到物质上都把他们宠坏了，以至于他们之中很少有人能有时间作艺术形式的探索。因而，导演和评论家很少认真地指出他们艺术上的局限，这种局限不仅是个人的，而且是他们赖以生存的形式的局限。

这就产生一种盲目性，一种对艺术形式和亚形式的盲目性。这种盲目性的特点就是将狭隘的闹剧（喜剧的一种亚形式）经验用之于一切喜剧。

带着这样的盲目性，他们投入了喜剧故事片和规模比较大的喜剧电视连续剧的摄制。他们似乎并不完全理解主题比较广阔，内容比较严肃的喜剧（如轻喜剧）与闹剧在亚形式规范上有极其微妙然而又是极其不可忽略的差别。由于喜剧传统的薄弱，我国的当代喜剧的各种亚形式规范还没有充分地分化，抒情喜剧、通俗喜剧、轻喜剧、闹剧、冷面喜剧甚至还没有各自形成经典性杰作，因而亚形式规范常常互相混淆，而这种混淆又成了喜剧艺术发展成熟的严重障碍，这就必然导致喜剧及其亚形式理论的混乱和贫乏。许多喜剧作品常常是被当作正剧隔靴搔痒地胡吹，由于普遍缺乏喜剧形式的自觉，评论家们既没有对其文学剧本以喜剧的美学准则加以微观分析，更谈不上对各种喜剧艺术及其亚形式的历史发展作宏观概括，因而剧作家本应负起的推动中国当代喜剧形式规范的形成和亚形式规范分化的历史任务甚至还没有被明确提出来。

这就造成喜剧美学准则的双重混乱。

第一重混乱是喜剧准则为正剧准则所淹没。许多作家、观众和评论家都为某种自发的正剧优势所惑，实际上以正剧准则去评价喜剧作品而对其中的喜剧美学成分不是茫然不解，就是死守正剧的框架对喜剧作品横加非议，最明显的莫过于对《秋菊打官司》的幼稚批评了。有一种议论认为《秋菊打官司》是不真实的，至少是不深刻的，原因是秋菊所遇到的官员都是好人，包括那个欺侮人的村长本质上都是善良的，没有丝毫贪枉的意念。这种批评代表了一种思维模式、一种思想方法，那就是把现实与艺术的统一性作为最高准则，用这种寻求统一性的思想方法，分析一般艺术已经是片面的了，因为艺术与现实除了一致性以外还有矛盾性。正确的批评方法、思维模式，至少应该把艺术与生活的统一性与矛盾性结合起来。艺术自然不能歪曲现实，但也不能等同于现实，艺术的生命不仅来自真实性，而且来自假定性，而假定性又因为艺术形式和亚形式的不同而不同。对于一个追求某种喜剧性的作家来说既有权力假定让秋菊到处碰到坏人，也有权假定让她到处碰到好人。秋菊之所以到处碰到好人，并不完全由现实决定，甚至也不完全由作家的主观情感决定，这里还有一个因素，那就是抒情喜剧的形式规范，抒情喜剧特有的逻辑。这种逻辑比正剧的逻辑对于现实的实用逻辑和科学的理性逻辑有更大的超越性，不如此就不足以把观众的心灵带入假定境界。不发挥将谬就谬的逻辑，不超越逻辑的一贯性（同一律），不从形式逻辑的同一律中解放出来，就不可能造成逻辑错位的异常效果，也就不可能把观念从现实的严峻环境中解放出来，从而也就不可能在预期失落的过程中有所顿悟，然后心神领会地笑起来。

而要做到对现实逻辑的超越，就不能不将人事关系简化，环境的细节概括化。尤其是情节逻辑单纯化。喜剧作家既可以像果戈理在《钦差大臣》中那样，将人物关系简化为毫无例外的相互欺骗，也可以像马克·吐温在《百万英镑》中那样让男主角遇上一连串的善良人物。对于抒情喜剧逻辑来说，情节因果越是单线化，越是容易达到超越现实的单因直进的层层放大的怪诞结果。拘于现实多因多果的互相制约，相互交错的复杂关系，则必然导致正剧效果的递增，从而也就导致喜剧的怪诞效果的递减。

对于戏剧逻辑的单因怪诞连锁递进的特殊规律也许并不是每一个喜剧作家、评论家都无所知觉。但是，即使有所知觉也往往停留在经验层次上，远远还没有达到理论上的自觉程度。因而在正剧逻辑的强大优势冲击下，评论家常常不是自动缴械就是随波逐流，降低自己的水平，讨好观众。

剧作家、评论家、观众对喜剧美学准则的盲目性，互相影响，推波助澜，造成了一种恶性循环，使得中国当代喜剧美学完全处于以自发性为特点的幼稚状态。这种低水平状态和广大观众对于喜剧的渴求形成了强烈反差，以致观众饥不择食、食而不化；喜剧小品作家、演员的盲动冒进，甚至悲壮牺牲。这种牺牲之所以是悲壮的，原因就在于他们辛辛苦苦投入了很大的创造热情，但是他们完全没有意识到闹剧小品的狭隘特性，根本无法适应内容比较严肃的轻喜剧故事片和电视连续剧。（这正是中国当代美学准则又一重混乱。其特点是闹剧与轻喜剧的混淆。）

当赵本山去演电视连续剧《一村之长》时，实在令人有惨不忍睹之感，尤其某些在闹剧中很容易产生交流效果的动作、插科打诨，到了连续剧中变得夹生、格格不入，令观众木然、惶然，甚至哭笑不得。

首先，《一村之长》的情节并不具有闹剧性，它不是那种由一个可笑因子通过直接连锁反应，层层递进的闹剧结构。恰恰相反，它基本上是一个多种因果关系交错的情节结构，因而它没有明显的怪诞性层层加码的效果。虽然它也有一些喜剧性荒谬的因素，但是并不占据情节与人物关系的核心，可以说，《一村之长》充其量不过是个轻喜剧。而轻喜剧并不像闹剧那样充满从怪异走向荒诞的递进效果，因而赵本山在小品中发挥得相当淋漓的闹剧才华，就无所施其计。其结果是，赵本山的手脚好像给捆住了，完全失去了在小品舞台上的自由和自如，而当他想发挥一下他喜剧的夸张动作的特长时，却又与具体的、逼真的布景和现实的人事关系发生了矛盾，因而显得生硬、不和谐，给人一种不尴不尬之感。赵本山的才气好像一下子走向了反面，弄巧成拙，丑角变成了醜角。

其次，许多比较成功的小品演员都在探索自身的个性与某些角色的固定联系，好像有一个相当普遍的现象，那就是越是成功，越是走红的小品演员，他的角色越具有固定性：陈佩斯善良的赖皮，赵本山狡猾的乡巴佬，黄宏自作聪明的糊涂虫，宋丹丹土得掉渣的自尊，由于缺乏竞争力，被生活甩出了轨道，他们在恢复自己的自尊方面做得很失败，可在自我安慰方面却往往能自得于一时。由于角色的固定，他们对性格的自相矛盾、怪异、荒谬的挖掘越来越深，而其语言与形体的假定性也越来越驾驭自如。他们在这方面，不但是如斯坦尼斯拉夫斯基所说的那样“进入了角色”，“浸”入了规定情景之中，而且也在形体动作的虚幻性方面达到了布莱希特所追求的某种“间离效果”。正是因为这样，产生了小品演员暴发的明星效应。对于那些最走红的小品演员来说，不但角色固定了，而且形式也固定了；不但形式固定了，而且连他们所讲的方言的腔调都固定了。在这种情况下，如果剧作家充分爱护这些笑星，本应帮助他们在固定化的同时丰富化，如卓别林、哈罗德等美国早期无声喜剧明星那样。笑星们自己，本应认真确定自己艺术发展的战略方向。闹剧就闹剧，土老帽儿就土老帽儿，一辈子就像卓别林那样闹一个角色，而观众也乐于一辈子只接受一个角色，这是城市大众文化创造明星的一种法门。这样就要求剧作家，不是写了剧本让有希望的笑星来适应自己的风格，而是让自己去适应笑星的个性，就像契诃夫当年专门根据某一个演员的气质和艺术个性写角色一样。然而，中国的影视界，缺乏这样雍容大度的战略，连闹剧和轻喜剧的微妙差异都懒得钻研的剧作家、导演和影视评论家一起陷入了一种可怕的盲目性。

这种盲目性并不限于赵本山，电视剧《狂生徐文长》也是一样。剧作家在屏幕上特别提醒观众是“轻喜剧”，但是观众却轻不起来，也喜不起来，其原因是编剧和导演都对轻喜剧的特点缺乏细致斟酌。《狂生徐文长》中的故事，大都根据民间传说，其中有些关键细节是传说性的，因而在一定程度上是超越现实的具体性的。例如，其中一个故事是这样的：徐文长为逗引一位小姐，故意将一包水果留在路上，待小姐与丫环发现，以为是他所遗失，乃唤他回来。可徐文长却硬说水果少了，诬称一定是小姐偷吃了，小姐否认，徐文长乃提议闻一闻小姐口中有无水果味，小姐无奈只好同意让他吻了。这个关键细节在语言艺术中本来有传说的虚幻性，很难用逼真的影视镜头直接表现的。一旦直接以视觉形象表现就具有闹剧性，与轻喜剧的形式特点有很明显的冲突，然而剧作家和导演却不谙于此，仍用适用于轻喜剧的逼真镜头作正面表现；不过导演似乎也有一点惶惑，出现在屏幕上的是用仰视镜头拍摄的小姐与徐文长接吻，虽然没有让嘴唇相接的部分占据画面中心，可仍然令人感到十分生硬。原因是在传说中虚幻的接吻被放在完全显示的环境中，既有具体的亭台，又有活生生的丫头在旁，而且在光天化日之下，这种现实性很强的镜头，不但破坏了人物与环境和谐，而且损害了徐文长的形象，不但没有给人一种机敏可爱之感，反而给人留下流里流气的印象。其实，如果导演不以轻喜剧的现实逼真性处理而是更多运用传说的虚幻性，用比较虚幻的闹剧逻辑处理，则可以完全避免这种拙劣的效果。

这个问题本来在前几年的《济公传》中已经出现了。济公许多解决矛盾的方式，在民间故事中，由于语言并不提供直观形象，所以不管多么超越现实的逻辑因果，读者仍然能够毫无扞格地领会，可是把这种情节因果用可视的图像落实下来以后，就常常给人以煞风景、格格不入之感。如果导演更多地考虑闹剧的方法，更超脱一些，就不那么生硬了。在这种场合中，光是追求和现实的统一性是不成的，甚至加上对喜剧形式的考虑也是不够的。更重要的是应该把闹剧、通俗喜剧、冷面喜剧、轻喜剧、抒情喜剧等喜剧的亚形式规范，加以精致地区别，应该用最大的力量寻求那既不违反现实又能表现作家、导演、演员的个性，同时又能符合喜剧亚形式的基本规范的途径。

在这方面，最聪明的方法当然不能全凭盲目的实践。任何一种形式的发展，都不是凭空的、孤独的创造，无所依傍的创造意味着从零开始，从猿到人的摸索曲折缓慢而费事。形式的发展和分化都少不了姐妹形式的借鉴。对于当代影视戏剧来说，最切近的借鉴首先是中国古典戏曲和地方戏曲中相当丰富的喜剧角色和表演程式；其次还有西方戏剧，包括默片时代许多表演手段。如果《济公传》和《狂生徐文长》的导演和演员能够更多地学习京戏中的丑角形体动作和卓别林、劳来、哈台、哈罗德等西方戏剧的夸张得出神入化的表演，就不至于那么拘泥，济公和徐文长的形象就可能更和谐一些，更可爱一些，更自然一些，不至像现在这样多少有点半生不熟的感觉了。

自然，不论是西方的戏剧还是中国古典戏剧，毕竟还是远了一点，更直接的是中国的当代戏剧。但是中国当代影视中，喜剧极不发达，喜剧作品寥寥无几，比起美国电视中差不多三分之一的娱乐节目都是喜剧性的，真是太可怜了。福建电视台拍了那么多电视剧竟然没有一部是喜剧片，这与广大观众对于喜剧的渴求简直是故意抬杠。

正是因为这样，喜剧影片、喜剧电视剧的经验和教训就特别应该珍视。连续剧《济公传》虽然在风格上还不和谐，但游本昌却因而名声大振，但是令人大惑不解的是，比起《济公传》，在喜剧艺术上更为和谐的《编辑部的故事》却遭到不该有的冷遇，其实它的水平并不亚于受到过分赞扬的《瞧这一家子》和《喜盈门》。当然，有些评论家对《编辑部的故事》做出了肯定的评价，但是很少有人对其中喜剧成就加以认真的分析，非常奇怪的是有些评论家毫不掩饰对王朔的偏见，对他使用了一些从来不用之于任何其他作者的高标准苛求。这正说明了中国影视界陷入自相矛盾的悖论之深：一方面，由于喜剧的幼稚和贫乏，世界上最广大的观众对于喜剧怀着有史以来最强烈的渴望；另一方面，当喜剧艺术取得相当可观的成绩时，观众评论家却仍然以正剧的眼光漠视它。事实上，在《编辑部的故事》中那些最成功的地方大体都是喜剧，而且它们正是在《济公传》《狂生徐文长》失败的地方取得了成功。作家与导演在现实的、具体的背景和虚幻的单因直进的怪异效果之间取得了风格上的和谐，这是一种比轻喜剧更超越一点的和谐，既不像轻喜剧那样现实，又比轻喜剧怪异。这是一种颇为独创的和谐，它没有 50 年代末的《五朵金花》那种在喜剧中诗意的抒情，又没有 60 年代《李双双小传》那种在幽默感中渗入相当严峻的性格冲突，《编辑部的故事》中的喜剧，以表现一个泼妇折磨自己丈夫为代表，虽近荒诞却又无损于环境背景的逼真，甚至人物语言的现实性与将谬就谬的喜剧逻辑也未发生扞格，文学剧本和表演达到了难能可贵的和谐，他们在创造轻喜剧与闹剧之间的风格时，表现了相当精致的分寸感。

要结束喜剧形式和亚形式规范的长期混乱，不能过分指望从研究黑格尔、康德去得到有效的、迅速的澄清。最切实的办法应该是从现代和当代喜剧的实践过程中去总结历史的经验和教训，在此基础上，再参照西方喜剧的形式和亚形式美学的经典，还要把中国戏曲丑角表演的种种超越特色融化进去，以形成具有中国特色的喜剧美学的形式系统范畴和准则。只有这样，才可能尽早地结束中国目前这种美学形式和亚形式范畴及准则的蒙昧状态。

然而，最不该遭到忽视的，恰恰是最轻率地遭到了忽视。因此，至今广大观众期望最深的喜剧仍然停留在自发性的盲目的草创形态上。前一阵（1992 年）上演的《爱你没商量》中，安启森和范建平本来是深度的喜剧性角色，可是一些评论家却离开人物的喜剧特点，而以反对“侃”爷为由加以轻浮的否定。事实上光是范建平对于麻将的一番妙趣横生的议论就比许多水平不错的相声更有深度，也更有幽默感。可是，一些根本没有认真看完这个连续剧的评论家却非常轻率地把它忽略过去了。与其说这些制造喜剧蒙昧的评论家在和广大观众对喜剧的强烈渴望开了一个玩笑，还不如说他们在当代喜剧史上自以为得计地出了洋相。

微观分析、理论独创和教条主义①

20世纪中国文艺理论从西方引进思想资源有两大高潮，第一次是30年代到50年代，第二次是80年代至今。两次高潮，都在一定程度上解放了思想，开阔了眼界，具有开一代文风的历史功绩。特别重要的是，近二十年间，引进比较系统，几乎跨越了西方文论一百多年的历程。文艺理论与世界哲学美学和文化学的距离缩短了。我们已经能够近距离地、面对面地观察把变幻当作生命的西方文论。在有些尖端部门，中国文论已经不再满足于百年来洗耳恭听的姿态，而是力争以旋风式的发展，上升到和他们对话的平台。但是，真正的对话是要有自己的名堂的，这不但要有理论的高度，而且要有精神的高度。我在《从西方文论的独白到中西文论对话》中强调过：对话（包括战争武器的对话和恋爱中躯体的对话）不但能了解对方，而且能更深地了解自身。但是，我们当前的状态还不能说已经达到与西方对话的状态，这不仅因为我们是弱势文化，而且还因为我们精神上的不清醒。

任何一种外来文化学说要在中国生根，起码要经历三个阶段。第一是单纯引进的阶段。外国文化理论引起广泛共鸣，崇敬之情压倒了冷峻的分析，从而激起了对中国文论的批判，历史的片面性在所难免，“澄明”部分常常掩盖了“遮蔽”的部分。第二是发现了外来文化的局限及其与中国文化的冲突，教条主义的硬搬倾向和对之分析和修正的倾向便交替产生。教条主义的照搬，必然伴之以文风浮泛、空疏和虚张声势。而中国文化真正要与西方文论磨合，必然要对之进行分析和批判，迫使其发生变异，甚至对其加以同化。在此期间的学派分化、斗争和折磨，造成众声喧哗，正是中国文化从被动走向主动，从幼稚走向成熟，从接受上升为独创的起点。第三个阶段才是：外来文化与中国文化结合产生超越外来文化的中国化新学说。思想文化演变、衍生的过程，和经济技术、政治体制不同，滞后效应是

① 发表于《文艺理论研究》2003年第5期。

历史的规律。因而，这个过程相当漫长曲折，不可能是暂短的。从白马驮经，到唐代大量翻译佛经，再到与中国儒家学说结合，产生禅宗，流派分化，这其间至少经历了好几百年。社会主义学说，从苏俄二月革命以后，进入中国，到西方马克思主义进入我们的视野，经历了从高举教条主义神圣旗帜的浮躁姿态，到后来局部被证伪、修正、补充，克服危机，登上新高度，付出了至少四代人的智慧，其中还包括鲜血的代价。

重温这一切历史经验和教训，对于清醒地评估当前引进的态势，确定处于何种历史阶段是十分必要的。无可讳言，当前文论主流，仍然处于对西方文论疲惫的追踪阶段，很少正面涉及西方文论的缺陷，西方文论与中国文学的矛盾和冲突不是被回避，就是被消解。具体分析的缺乏，与西方文论本身的挑战和怀疑的根本精神，是背道而驰的。批判（或者解构）气魄的缺失，使得我们的文坛很难改变对西方文论仰视的状况，开创平等的对话阶段。生搬硬套、虚张声势的粗糙文风令人想起教条主义这个久违了的字眼。

但是，毕竟80年代的新名词大轰炸早已烟消云散了，90年代以抢占话语制高点为满足的风潮，也逐渐平息。现在提出对于西方文论的批判性审视，并不是超越历史阶段性的苛求。李欧梵先生在"全球文艺理论二十一世纪论坛"的演讲中提出了这个问题，他勇敢地揭示了西方文论流派虽然纷纭，但是，却很难达到对于文学文本的有效解读。李先生以挑战、怀疑西方权威为荣，而内地文论界，以服膺崇拜西方大师骄人，似乎是两个历史阶段的声音。李先生的文章写得很幽默：

> 话说后现代某地有一城堡，无以为名，世称"文本"。数年来各路英雄好汉闻风而来，欲将此城堡据为己有，遂调兵遣将把此城堡团团围住，但屡攻不下。从城墙开眼望去，但见各派人马旗帜鲜明，符旨符征样样具备，各自列出阵来，计有武当结构派、少林解构派、黄山现象派、渤海读者反应派，把持四方，更有"新马"师门四宗、拉康弟子八人、新批评六将及其接班人耶鲁四人帮等，真可谓洋洋大观。
>
> 文本形势险恶，关节重重，数年前曾有独行侠罗兰·巴特探其幽径，画出四十八节机关图，巴特在图中饮酒高歌，自得其乐，但不幸酒后不适，突然暴毙。武当结构掌门人观其图后叹曰："此人原属本门弟子，惜其放浪形骸，武功未练成就私自出山，未免可惜。依本门师宗真传秘诀，应先探其深层结构，机关再险，其建构原理仍基于二极重组之原则。以此招式深入虎穴，当可一举而攻下。"但少林（按：解构）帮主听后大笑不止，看法恰相反，认为城堡结构实属幻象，深不如浅，前巴特所测浮面之图，自有其道理，但巴特不知前景不如后迹，应以倒置招式寻迹而"解"之，城堡当可不攻而自破。但黄山现象大师摇头叹曰："孺子所见差矣！实则攻家与堡主，实一体两面，堡后阴阳二气必先相融，否则谈何攻城阵式？"渤海（按：读者反应）派各师击

掌称善，继曰："攻者即读者，未读而攻乃愚勇也，应以奇招读之，查其机关密码后即可攻破。"新马四宗门人大怒，曰："此等奇招怪式，实不足训，吾门祖师有言，山外有山，城外有城，文本非独立城堡，其后自有境界……"言尚未止，突见身后一批人马簇拥而来，前锋手执大旗，上写"昆仑柏克莱新历史派"，后有数将，声势壮大。此军刚到，另有三支娘子军杀将过来，各以其身祭其女性符徽，大呼："汝等鲁男子所见差也，待我英雌愿以薪新攻城之法……"话未说完，各路人马早已在城堡前混战起来，各露其招，互相残杀，人仰马翻，如此三天三夜而后止，待尘埃落定后，众英雄（雌）不禁大惊失色，文本城堡竟然屹立无恙，理论破而城堡在，谢天谢地。[①]

李先生把西方众多文论的现状描绘成处于破产状态，可能过于悲观，理论的价值也许并不限于对文本的有效解读，为理论而理论的理论，也很难说完全没有理论价值。但是，西方文论诸流派对于文学文本缺乏有效阐释功能，这个不争的事实，却有碍于文论本身的发展。当然，西方文论并不绝对拙于文本之分析，福柯、德里达的文化文本分析还是其原创性之基础，只是弱于文本的诗学分析，而我们言必称西方大师的学者对此大而化之，只选择了他们对于文学性的不屑一顾的姿态。

其结果是理论的高速发展和文学性有效阐释的退化孱弱形成了鲜明的对照。浮泛文风应运而生风靡一时：讲起前卫性的宏观理论，滔滔不绝，一旦落实到微观文本，需要作诗学的具体分析，就捉襟见肘，甚至谬误百出。一些不乏理论修养的学者，面对一首普通的诗歌，作微观阐释往往成为从表面到表面的无效劳动。每年高考的语文试卷，一接触到古典和现代当代诗歌，伪问题和荒谬的"标准答案"屡见不鲜（参见本人《标准答案还是荒谬答案》，《中华读书报》2000 年 12 月 12 日）。甚至进入中学语文课本的"赏析"文章都有语无伦次者。1992 年人民教育出版社的初中语文课本第一册选了贺知章的《咏柳》（碧玉妆成一树高 / 万条垂下绿丝绦 / 不知细叶谁裁出 / 二月春风似剪刀）。一位权威学者为之写了"示范性"的"赏析"，说这首诗之所以好，就是因为：第一，它写出了"柳树的特征"；第二，不但写了柳树，而且写春天，这在唐诗中是"不多见的"；第三，它的比喻很形象，"好像从纸面上突出来一样""很巧妙"；第四，它不但歌颂了春天，而且赞美了"创造性的劳动"。新潮学者有权利嘲笑这种机械唯物主义和艺术工具论的陈词滥调，完全是教条主义的无效阐释，扼杀了经典之作的艺术神韵。但是，要一些学了结构主义、解构主义、现象学、接受美学、权力话语学说、文化批评、俄国形式主义的学者，对这个细胞形态的样品进行微观分析，却也并不见得内行，很难保证其文风会精致到哪里去。例如，从新批评的角度来说，可以想象，无疑应该把焦点集中在"二月春风似剪刀"这个比喻上，但是，它

① 李欧梵：《世纪末的反思》，浙江人民出版社 2002 年版，第 274—275 页。

并不是新批评所推崇的“暗喻”，而是一个“明喻”，这个比喻是太不“蒙胧”了。从现象学来说，首先要把诗人笔下的柳，“悬搁”起来，“还原”为植物的柳，以之和诗中的柳相对照。头两句：“碧玉妆成一树高，万条垂下绿丝绦”，这是贵族化的审美趣味，在贵族诗人眼睛里，平凡的杨柳有了物质上的珍贵（丝和玉）质地，才能是精神上审美的。从话语学说来分析，这是当时的国家话语、公共话语，正是因为这样，这两句不算精彩。后面两句，诗人找到了自己的个人话语，把春风比作剪刀，显然是杰出的，前无古人，后无来者。是不是可以说，有一点平民色彩呢？由着读者想象好了。但是，问题还是没有解决。为什么春风似剪刀，就一定能动人呢？有俄国形式主义“陌生化”的理论可以解释。因为“春风”被大胆地“陌生化”为“剪刀”远远地超越了日常语言的“自动化”的联想。在贺知章以前，谁的想象力能把春风和剪刀联系在一起呢？高度的陌生化，就产生了高度的艺术感染力。但问题还是没有解决。并不是一切陌生化都能产生这样的艺术效果。把春风比作剪刀，是陌生化，很生动，如果换一种刀呢？“二月春风似菜刀”不是也很“陌生化”吗？为什么就不伦不类了呢？这说明，众说纷纭的西方文论还并没有深入到汉语诗学的这个层次。人家没有想到这个地方，这不能怪人家，他不懂汉语，他没有兴趣到此一游，恰恰是为你留下了发展的空间。人家用的语言，是语法词法都有形态（性数格、时态、语态）变化的欧洲语言，他们的“陌生化”（包括暗喻）是受到语法、词法形态规则的严格规范的。他们的形态变化，只有语法意义，是没有词汇意义的。但是，汉语实词却基本没有语法词法形态变化规则的制约。我们的语法和词法有自己的一整套独特的、潜在的规范，其特点之一是以具有词汇意义的词素来完成表达。研究汉语的特点，是我们自己的事，不能指望人家准备好了，放在盘子里，送上门来。“二月春风似剪刀”之所以精彩，是由于汉语词法中并列的结构，两个词素均具有词汇意义。本来把春风比喻为剪刀，似乎是不符合一般心理学联想的相近、相似的规律，春风引起的联想和剪刀的联想有冲突。刀的锋利和春风的柔和是不相容的，但是，由于前面有了“不知细叶谁裁出”的“裁”字，在汉语里，有“裁剪”这样的词语，前面有了“裁”字，“剪”字就自然而然地带出来了。诗歌是语言艺术，心理学的一般规范要服从话语的规律。汉语和英语、俄语不同，不论是“剪裁”还是“裁剪”，“剪”和“裁”是并列的，在意义上同样重要，“裁”字和“剪”字，在汉语里有如此亲密的关系，而“剪”又和“刀”字作为一个词，又是现成的，用俄国形式主义的话来说是“自动化”的。因而，它们和“春风”的冲突就被完全消解了。在欧洲语言里，这两个词语，是没有必然联系的。比如，英语中，不论裁还是剪都是一个字：cut。刀是 knife，而剪刀，则是 scissors，把 spring wind 和 cut，knife，scissors 联系起来，是很粗暴的。

从汉语的角度来说，光有俄国式的“陌生化”是不妥的，“陌生化”是有条件的，在表层意义上的陌生化，受到每一个词素深层意义的制约。“陌生化”既然讲的是语言，语词联想的“现成性”可以救助其不足。表层陌生化的，要以深层的“现成化”（也就是俄国形式主义者所反对的“自动化”）作为基础。我们不能责备不懂得汉语的斯克洛夫斯基，但是，我们不能不为中国学人感到迷惑，为什么不在外国人不懂的地方寻求理论的独创性突围呢？过多地重复人家的话，只能让思想麻木。现象学不是说，要把一切现成的、天经地义的东西“悬搁”起来，在“还原”中“去蔽”吗？只有把人家的理论用汉语来加以“去蔽”，才能从中衍生出自己的独创的生命，哪怕不能进入“原创”，有一点“亚原创”或者“次原创”也行啊。人家的理论是要学习的，重复人家的话语是没有出息的，重复得越起劲，越是可能陷于空疏的教条主义，最起码的是要把人家的东西和自己的经典文本结合起来。这看起来也许属于小儿科的玩意儿，但是，人家普罗普和格雷马斯，从宏观和微观上几乎用手工业的方式，分析了民间故事的模式，连罗兰·巴特都分析过巴尔扎克一篇并不著名的《萨拉辛》。福柯在进行文化考古，分析欧洲的《性史》和刑罚也是细致入微的。我们在接受人家的理论的时候，为什么满足于拿人家的结论，却把人家不辞辛苦得出结论的过程和方法丢掉呢？离开了方法和过程，就是买椟还珠，越是把人家的结论当作圣经加以引用，离开人家的根本精神就越远，当了教条主义者还自豪快乐。

问题的严重性还在于，我们的文学教育也随之教条化，一些博士硕士从中学到大学就没有受过多少艺术的熏陶，许多人只是在外语上有竞争力，把西方文论梳理一遍已经筋疲力尽，文本分析的训练还没有开始，就直接开始了博士学位论文的写作，其结果只能是从理论到理论的演绎，缺乏对经验作第一手概括和分析的素养，还误以为为文之道大抵不过如此。殊不知，概念的演绎毕竟是第二手的，而经验的概括是第一手的，人家西方大师本身的原创性，也是从自身经验材料的第一手概括开始的。而演绎法的最大特点是把结论包含在大前提中。早在休谟的著作中就指出演绎法不能产生新知识。因而，纯粹用演绎法进行学术研究，是很难不被理论“遮蔽”的。而要不被“遮蔽”，冲破“遮蔽”，最起码的就是要有微观分析的过硬工夫。宏观概括不容易，这是大家都知道的，而微观分析之难，则往往被轻视了。不是普遍大于特殊，而是特殊大于普遍。在特殊的个案中，有普遍的观念中没有的东西。许多在宏观上可以大而化之地蒙混过去的问题，一到微观分析就变得很空疏。越是小儿科式的细胞形态的分析，越有可能像放大镜，暴露出宏观概括所遗漏的重大理论端倪。如朱自清的《荷塘月色》，从五六十年代到今天，有几十篇解读文章，观念上多少有些不同，但是其方法却如出一辙：大抵是从“四·一二”事变以后，小资产阶级既不能走向革命，又不能同流合污的苦闷。从传统的社会反映论来看，在宏观上可能是无可置疑的，就是从结构主义来说，首先寻求人物在社会结构中的定位也是天经地义。但是，离开了微观分析，对个案没有内在的、深邃的洞察，你根据什么把它安置到某一社会结构的层次中去呢？正等于在自然科学中，一个元素，可以用宏观的方法，在周期表中找到它的位置，确定其基本性质，但是，如果你在微观上，对这个元素的原子量，原子结构中质子的数量，尤其是外层电子的数量不了解，怎能知道它应属周期表的第几周期，属于什么族的元素呢？在自然科学中，达尔文式的宏观建构成为十九世纪的三大发现之一，而拉瓦锡不过是做了一个很微观的燃烧的实验，发现了氧，就打破了燃素说，不也成为近代化学的开山鼻祖了吗？

因而，把朱先生的这篇文章加以彻底的微观分析，并不意味着仅仅是为某种西方文论提供一个例子。不论从反映论还是从结构主义来看，朱先生的这篇文章内在的矛盾还是比较复杂的：第一，文章中“便觉是个自由的人”，并不一定是政治的苦闷，可能是从家庭伦理的压力下解脱下来的“自由”；其次，他写的并不是什么抽象的自我。他明白说了，他有两个自己，一个是“平常的自已”，一个是“超出平常的自已”。这个“超出平常的自已”，也仅仅是离开妻子以后大约半小时的自由想象而已。个性、自我，并不是一成不变的，而是取决于环境条件时间的。平常的自己是宏观的，不讲时间、地点、条件，统一的。而微观的，则瞬息万变。这一点就连余光中都忽视了。他批评说，晚上出外，居然不带太太。其实就是不带太太才有瞬时的自由可言。他在幽僻宁静的月色中，体验“独处的妙处”。“妙”在何处？“什么都可以想，什么都可以不想”“便觉是个自由的人”，他宁静到连“树上的蝉声和水里的蛙声”都充耳不闻，可同时却想到南朝宫廷男女调情的场面，而且还感叹：“这是一个热闹的季节，也是一个风流的季节，可惜我们已无福消受了。”什么都可以想，他想的就是这些潜在意识里的“骚动”。这就是超出平常的朱自清的“自由”。他在给俞平伯先生的信中，把这称作“刹那主义”。

原来我们以为个性就是一种保持一贯的稳定性，而从微观文本分析中我们却发现，个性是因具体的时间、地点、条件而产生变异的。从五六十年代到今天，稳定的、不变的人性观念是无法阐释朱先生这篇经典散文的。朱自清先生在这里给我们显示了一种半小时的个性，我们的理论还没有来得及从中概括。从这里，是不是可以想到我们脑袋里的所谓个性是不是陷入了德里达所反对的形而上学了呢？是不是可以提出个性的层次化的范畴呢？在政治层次上，如许多论者所见到

的那样，朱先生在革命与不革命间徘徊和苦闷。而在伦理上，如在平常的个性是个谦谦君子，而非平常的自我，却在离开了妻子时，任情地想一些风流的场面而且叹息自己无福消受了（这和他在《桨声灯影里的秦淮河》所表现的是一脉相通的）。然而教条地演绎西方文论注定要把这一伦理的苦闷与政治苦闷的对立和联系加以“遮蔽”。这是从文化角度来

说，政治的层面可能还是比较表面的，是比较容易看到的，而文化心理的层次，是比较深层的，因而很容易被忽略。理论就这样取消了感觉，同时也就取消了自己发展的生命。不善于微观分析，导致了我们对于明摆着的事情视而不见，这就是我们常常感到“失语”的原因之一。引进西方文论，要从疲惫地追踪的初级阶段上升为平等对话的阶段，不能光是重复人家的话语，起码是自己有话要说，这是挑战和怀疑的起码本钱。宏观的概括和演绎是一种方法，微观的过细分析是另一种方法。

可惜，眼看这种在自然科学中常常导致重大突破的个案分析方法在文学研究中长期遭到漠视、歧视，甚至渺视，不得不令人扼腕叹息。

微观分析是宏观理论的基础[①]

文学理论之所以有必要，就是因为它对文学文本能作有效的阐释，有助于解读的深化和创造。但是，欧美学院派文论有以拒绝文学创作经验为荣的传统，当前流行的文化批评派更不把文学性（艺术性）当一回事，而我们对于他们的弱点，并没有清醒的认识。其结果是，根据他们的理论写出来的文学史和文学评论，不可否认。有许多长处。但是，一到微观的文本分析就真有点“失语”了。这种可悲的现象在科班出身的大学生和研究生中尤为严重。说起宏观，甚至是宏观理论来，下笔千言，有倚马可待之势，要他来一点文本分析，立即就顾左右而言他。就是勉强挤出一些，也往往是在无须阐释的地方平面滑行。

种种无效阐释，使得一些课堂成为套话和空话的最大集散地。这对于师范大学中文系的教学尤为致命。因为，到了中学课堂上，照搬“前卫”的理论，学生是不买账的，他们最为期待的是对于文本细致的分析。微观分析的欠缺，导致了骇人听闻的荒谬，全国高考语文试卷连年出错。2003 年的阅读题要求指出王维的“泉声咽危石，日色冷青松”中的关键词（诗眼），并申述理由。标准答案是“咽”字和“冷”字。要把这两个字的妙处讲出来，表面上看来，是小儿科，但是，标准答案却出了洋相，说是：这两个字惟妙惟肖地把幽静的“景色”表现了出来。命题者唯恐考生不明白，还在“景色”后面加上括弧：意境。这就是典型的无效阐释，说难听一点，是昏庸阐释。其实，“景色”（泉声）本身来说，根本就不可能“呜咽”，日光的物理性质也不可能是“冷”的，这是信奉佛学的诗人悲凉的心情与幽僻景色的猝然遇合。标准答案的作者连客观的“景色”和主客观和谐交融的“意境”之间的起码差异都不懂，对哲学上和美学上的主体和客体都没有辨别能力，这实在令人扼腕叹息。前几年全国语文考卷曾有题要求指出郑敏的《金黄的稻束》所涉及的时间，是否

① 发表于《北京大学学报》2003 年第 5 期。

在“暮色降临”以前。其实，诗歌不但在时间上，而且在空间上，都以不确切见长，时间和空间的浮动正是诗歌想象自由的基础（参见孙绍振：《标准答案还是荒谬答案》，《中华读书报》，2000 年 12 月 12 日）。这说明命题者用散文的思维代替诗歌的思维。

据说许多此类荒谬“分析”，大都出自一些现当代诗歌的鉴赏词典之类的书籍。此类书籍本该以微观分析见长，但是，就实际情况来看，执笔者几乎都是微观分析的马大哈，以空泛赞叹和文献介绍为主，遇到文献上没有的东西，就只能装腔作势，以其昏昏，使人昭昭了。

我们美学和文学理论的进展，一到中学语文教学权威那里，大抵是水过鸭背。

文学教学的基础就是对文本直接的解读和体悟。从认知的规律来说，本来就是从个别到一般，再从一般到个别。没有对于文学文本的具体理解和感受能力，对文学的一般规律和历史规律的理解就失去了基础。

在福建师大中文系的基础课程中，近十年来增加了一门，这就是“文学作品解读及方法”课。这门课由全系最为权威的教授来讲授，它首先要把解读文学文本的特殊价值观念和具体分析的方法落到实处。长期以来，由于这门基础课程的长期空缺，导致了严重的文学教条主义后遗症。不仅在师范大学，而且在许多综合大学，不少把生命奉献给文学的青年，就是到了盛年，甚至老年，成为权威，也还是文学的外行。2003 年人民教育出版社的高中二年级语文课本中选了徐志摩的《再别康桥》。居然一些省重点中学的特级教师不知道这种每句话都明明白白的诗有什么可讲性。这里，没有一望而知的社会意义，也无法用反映了什么来阐释其价值，更找不到什么文学评论直接、切实地说明这首诗动人的奥秘。我告诉他们，所谓分析，对象就是矛盾，矛盾是潜在的，你要用“还原”（和现象学相通的）的方法把“告别”的内在矛盾揭示出来。矛盾的第一层次在于：通常的“告别”是和人告别，而这里实际上不是和什么人告别，而是和云彩告别。第二层次：和云彩告别是不可能的，这实际上强调和自己的情感告别。第三个层次：为什么是轻轻、悄悄地呢？因为诗人是来寻梦的，是一个人来寻觅（重温）当年的美好记忆的。和别人说话可以大声不同，和自己的内心、自己的回忆对话，只能是轻轻地、悄悄地，因为，梦是无声的。第四个层次是：当他写到“载一船星辉”，要唱出歌来的时候，好像激动得不能自已似的，但是，他又说，歌是不能唱出来的。理解这首诗的关键是“沉默是今天的康桥”“悄悄是别离的笙箫”，无声是最美好的音乐。这表明了这是诗人的默默回味，自我陶醉，自我欣赏。懂得了这一点，才能更好地理解、体验最后一段呼应了开头的“轻轻”，变成了“悄悄”：“悄悄地我走了，正如我悄悄地来。”第五层次：在默默的回味中离开了，“我挥一挥手，不带走一片云彩”。从客观世界，没有带走什么东西，美好的回忆是不用带，永远跟着自己的，别人不知道，是自己私有的、秘密的。重温一下，就心满意足了。

从某种意义上来说，微观分析比之宏观的演绎更见功夫，缺乏微观分析作为根基，宏观的学术理论就必然要成为空洞的、虚弱的套话。不改变长期以来重宏观而轻微观的积习，就很难培养起文学的悟性，学问做得再大也是空的。被吓人的理论和文献弄蒙了头，皓首穷经却并不真正懂得文学的悲剧，古今中外皆有。

讲了多少年的具体分析，大都是落空的。因为，分析的直接对象是矛盾，而矛盾并不是放在盘子里，而是要自己去发现的。“还原”的方法，就是发现矛盾的操作方法。初级的“还原”是想象出未经艺术加工的“原生状态”，和作品中的形象比较，从比较中找到差异，揭示出矛盾。比较，按照黑格尔的学说，有同中求异，异中求同，据之进行具体分析，由此建构起系统分析层次：第一，价值观念（真善美）的还原和比较；第二，艺术感觉和科学实用感觉的还原和比较；第三，情感逻辑和理性逻辑的还原和比较；第四，历史的还原和比较；第五，文体的还原和比较；第六，流派的还原和比较；第七，风格的还原和比较。

在这样丰富的矛盾系统中分析，就可能是比较具体的了。而我们习惯了的那种社会学和语言学的方法，不能说没有一点好处，但是有一个坏处，就是很难避免线性思维，把复杂的问题简单化，把审美情感粗糙化。

第四辑　学术自述

从新的美学原则到幽默逻辑学

我不知道自己怎么一来就成了“文艺理论家”。第一次听到别人当面用这个名堂称呼我是在 1985 年，那是秋天吧，我出差北京顺道到《文艺报》编辑部去探访老同学陈丹晨先生。在他的办公室里，我第一次被他称为“新派理论家”。后来，我到社会科学院文学所一个讲习班去讲课。讲完之后，人民文学出版社理论编辑室的李昕先生说，他们已研究决定，请几位“有影响的理论家”各写一本书，每本二十多万字，作为一套丛书。我说，出理论书是要亏本的。他说，“要亏就亏个‘值’”。

这时，我才意识到我自己并不十分重视的那些“理论”，原来达到了一个国家级出版社愿为之亏本的程度。这是令我十分惊喜的，当时在旁的（福建师大中文系）汪文顶先生说：“你现在出名了，可不能随便再乱骂人了。”

那本书就是日后的《美的结构》。

回想起来，我本是个写诗的，只因一个偶然的机遇，参加了 1980 年在广西南宁和桂林举行的一次诗歌讨论会。为了参加会议，我写了我生平第一篇学术论文。到了会场上，我也不想发言。记得是到了大会发言的最后一天，会议主持人张炯先生请我“放一炮”。他是我老同学，知道我好放炮、抬杠。我就糊里糊涂答应了，条件是：“放在最后一个，时间是下午四点半。”我想发完言以后，大家就吃饭了，留不下什么印象也不丢脸。

那时，正在争论“古怪诗”（那时还不叫“朦胧诗”，“朦胧诗”的命名是七八月份《诗刊》上那篇《令人气闷的朦胧》引发的）问题，许多评论家表示“看不懂”，主张要“引导”。我就说：“这就很古怪了，你既然看不懂，又凭什么去‘引导’人家呢？难道凭你干饭比人家吃得多吗？胡子比人家长吗？”此外我还说了一些在当时是有一点骇世惊俗的话，如我说 20 世纪 40 年代以后田间不断改变形式和风格，其结果是在艺术上“全军覆没”。我的话使得本来已经准备结束的大会掀起了风波，会场上鼓掌的自然不少，表示恼火的也很多。于是决定第二天继续大会发言，我被当成冒失鬼反击了一天。

我没有想到，从那以后，我就被卷入了理论争论。后来，我在德国特里尔大学的图书馆中看到英文本的《毛以后的中国社会和文学》（美国哈佛大学出版社出版），其中有郑树森教授（WilliamTai）所做的一篇文章，他说，那时，我的论点是“最不正统的”（most unorthodox）。我奇怪，为什么自己并没有这种感觉。过了五六年，在天津，我第一次遇到小说家郑万隆，他说，你看起来很文雅的嘛，怎么过去听人说，你在南宁会议上是一个抢话筒的家伙。

由于那一次发言，引起了《光明日报》《诗刊》以及后来的《福建文艺》的约稿，我也就稀里糊涂地卷入了朦胧诗的大论战，并且写出了至今仍在部分同行之间颇有争议的《新的美学原则在崛起》。

由于陷入了论争，我不得不系统考虑美学的基本问题，又由于我所担任的课程的需要，我不得不进行大量的阅读。其结果是我再也写不出诗来了，有一度我曾转入小说创作，开初的势头甚好。我的第一篇小说《暮雨中的自行车》在福建省评奖委员会中已评为二等奖，但是由于那篇“崛起”文章闯了一点祸，评奖不了了之。我又转入了理论的学习与研究。

我没有完全专注于诗，而是集中力量思考文学创作，包括作家的心理素质、形式感、观察力、感受力、表达力等一系列问题。起初我还想就朦胧诗再发表一些观点，主要是朦胧诗的局限和可能带来的危机。但是由于当时的形势，我似乎陷于四面楚歌之境，回过头来批评朦胧诗有“投降”之嫌，所以就一直没有写。直到 1989 年春我才写了《新诗潮的困窘与出路》，批评当时完全离开了社会环境，走向与原生的自我内心对话的倾向。这篇文章本来已在六月份的《羊城晚报》排成小样。我考虑到其主导与我的朋友们的观念相去甚远，有挑起内战之嫌，遂请《羊城晚报》撤稿，直到四五年以后才在《文论报》上刊发出来。但当时已从朦胧诗发展到后现代，反文化、反语言的潮流已经泛滥，委婉的异议和批评并没有引起广泛的注意。只有“非非”派的主将周伦佑先生，后来在给我的信中表示，他已经理解了我的意思，并在《非非》复刊之后，适当修改了他们的策略，那就是不再对传统的语言、文化、诗艺一味地说“No”，同时也学会了说“Yes”。

但是，他们的转化非常有限，中国当代新诗至今仍然没有摆脱盲目追随西方从现代派走向后现代，甚至伪现代和伪后现代的潮流。20 世纪二三十年代以来，西方的现代派诗歌和绘画、造型艺术、意识流小说都是对传统美学文化价值观念的反叛，以极其彻底为特点，义无反顾的叛逆，以其痛快淋漓令年轻一代为之倾倒。但它同时又是一种艺术的探险和试验，像哥伦布离开旧大陆一样是充满了风险的，然而我们诗歌艺术的哥伦布们却缺乏风险意识，以至于我的朋友徐敬亚先生所做的“一九八六现代诗歌大展”，其将近百种流派的旗帜最后连影子都没有留下。

我不得不指出，他们有像20世纪40年代以后的田间那样遭受了艺术上全军覆没的厄运。中国新诗从1980年以后无疑取得了历史突破，然而无可讳言，也付出了惨重的代价，在有些精神浪子那里诗歌艺术的家底被败坏一空。

我觉得，作为诗歌评论家，我们是既有值得自豪之处，又应该有自谴之处。最主要的失误是从20世纪80年代中期，我们的诗歌理论肤浅而虚荣地陷入了超前意识的盲目追逐之中。

对时髦虚荣缺乏批评的勇气，是一个诗歌评论家缺乏道德勇气的表现，我为之感到人格的自卑，故在很长一段时间内，我对我国诗坛上发生的许多怪事保持沉默。我至今很不理解，明明西方诗坛在步入后现代以后，其艺术探索已付出惨重的代价——诗歌脱离了读者，连诗人亲自朗诵，有时是挖空心思化了妆的朗诵，也吸引不了听众，多少诗刊处于奄奄一息之中——难道中国诗歌非得重复一下这样悲壮的历程吗?

正因为这样，我从80年代中期把注意力转向了一般美学问题尤其是美学中的形式问题。收在《美的结构》之中的一些文章可以代表我研究的收获。它是以对俄国车尔尼雪夫斯基的“美是生活”的批判开始的。这个命题本系20世纪60年代车氏在他的大学毕业论文中提出来的。从思想方法上来说，他注意到了生活与艺术的同一性，却忽略了二者的矛盾性，这是违反辩证法的。尤其是违反当代中国辩证法大师毛泽东先生反复强调的科学研究的对象是其特殊矛盾基本准则的。

根据毛泽东双向逆反的辩证思维，艺术的本质不仅仅在于它与生活的同一性，还在于它与生活的矛盾性，虽然严格说来，他只点出了在量上的差异：所谓更典型、更集中、更强烈等，而未曾提出在性质上、审美价值上艺术与理性认识的矛盾。但是，就他的哲学观念来看，他强调矛盾的特殊性。如他研究战争，说战争有其普遍性矛盾，革命战争有其特殊性矛盾，中国革命战争又有其不同于俄国革命战争的矛盾。而在中国革命战争中，第一次国内革命战争的长驱直入，与第二次土地革命战争的运动战、第三次抗日战争均有其特殊矛盾。由此可推出：文学艺术的特点在于其特殊矛盾，也即其特殊价值取向。

哲学、历史、伦理是理性的，其价值取向是真与善，而艺术是情感的，其价值取向是美，三者不是重合的，也不是半径不等的同心圆，而是错位的。真善美不完全统一，也不完全分裂，而是互相错开的同心圆。在三者并不背反、分裂的前提下，三者错位的幅度越大，其审美价值越高。若三者错位达到分裂的程度，则变为诲淫诲盗，错位越大，审美价值越低。

艺术的特殊矛盾还在于它有一个形式问题。艺术形式不完全是由内容决定的，它是客观生活、主观个性情感之外的另一个要素，因而艺术的细胞形态，不是二维的而是三维的结构。艺术审美价值的增值不仅要与善和真拉开距离，形成错位结构，而且要与艺术形式规范形成“对位”[①]结构。内容的错位与形式的对位是艺术生命的内在机制。在这样的理论基础上，我对许多中外经典文本多少自觉地作了些解释。除了在论文中所包含的以外，那就是我在香港三联书店出版的《孙绍振如是说》了。

本来，这本书中的文章是我为香港一家报纸所写的专栏。熟悉香港报刊的人都知道，一般香港报刊上的专栏文章，严肃的很少，香港人忙碌、紧张，报纸随看即丢。出乎意外的是，我的读书专栏突然冠之以“孙绍振如是说”这样一个令我受宠若惊的栏目，并且引来了一些好评，以致三联书店一位素未谋面的女士舒非，一再表示要为我出一选本。等到这本书以多少有点大言不惭的《孙绍振如是说》为名在1994年出版以后，我才发现，其受欢迎的原因在于我在这本书中贯彻了我的错位与对位结合的美学主张。

到了20世纪80年代末90年代初，我国的当代文论已经突飞猛进，结构主义、解构主义、现象学、权力话语论等纷纷引进。年轻学者的许多文论其观念之新，术语之炫曾经使我自卑。虽然我也曾几度出访欧美，多少读了一点洋书，但是由于这些西方文论除苏珊·朗格比较重视文艺形式之外，都太过以意识形态为务，使我常常感到格格不入。主要原因是这些西方现代前卫文论对于文艺特殊矛盾并不十分强调，而我却以为纯用意识形态的理论来解释文学艺术，我们已经吃了不少苦头。忽视艺术的审美价值与形式本身的开放性规范，受制于内容决定形式的教条（黑格尔那里来的），曾使我国当代文论走向绝境。

难道把苏联的意识形态论换成西方的意识形态论就能解开艺术奥秘吗？我觉得还是持重一点好。而且，我还注意到一个现象，那就是中国当代的文学理论过剩，过多的旗号一如20世纪80年代中期的诗歌，但对于经典文本的解释，尤其是真正艺术魅力的阐释却凤毛麟角。当然，对于当代文学作品的批评，就更囿于思想，而不及艺术了。而另一方面，一些重要的领域，如幽默学却十分冷落。中国到美国去的留学生数以十万计，学文学、哲学、语言学的比比皆是，而美国并不是一个哲学乃至语言学的原创性大国，倒是一个幽默大国。一个偶然的机遇，我在去德国之前，用原始的归纳法写了一本《你会幽默吗》在香港出版（在内地的版本给改成一个令人哭笑不得的名字《幽默答辩五十法》），由于中央电视台一位领导的欣赏，我被请去作了二十集的《幽默漫谈》。

---

① 这里借用了作曲法术语：对位是复调音乐的写作技法，即根据一定的规则以音对音，将不同的曲调同时结合，从而使音乐在横向上保持各声部的独立与相互间的对比和联系，在纵向上又能构成和谐的效果。

这正是我去美国之前，自然触发了我对美国 20 世纪 50 年代以来幽默艺术的关注，就我在美国掌握的资料而言，中国的幽默学还停留在对十八九世纪及 20 世纪早期的康德、叔本华、弗洛伊德、柏格森的介绍上，留下了一个世纪的空白。同时，非常巧合的是，我发现我在研究美学中建构的“错位”范围，可以自然地扩展到幽默学，尤其是幽默逻辑学（而不仅是西方所热衷的幽默心理学）中去。由此我分析了康德、叔本华、弗洛伊德、柏格森的幽默和笑的理论，发现他们的不足主要是受西方自亚里士多德以来就很强大的一元逻辑的束缚。幽默的特殊逻辑既非一元贯穿到底的逻辑，亦非二元平行逻辑，而是介于二元与一元之间中道突然岔道、篡位，或者错位的逻辑。由此不但可以顺利补充康德笑产生于期待的失落的学说，也可以从理论上阐释中国相声艺人“理儿不歪，笑话不来”的经验。

幽默逻辑与理性的一元逻辑和情感的极端逻辑之不同就在于它是从一种显性逻辑的期待落空之后，悄悄地转向了隐性的另一逻辑，对显性逻辑的落空和隐性逻辑的落实，形成一种怪异，笑和幽默由此而生。

以上这一切将是我正在努力建构的幽默逻辑学的核心，这也许是我较好的一本著作。可惜由于社会活动的繁忙，我至今尚未将应读的经典文本读完，其中包括我从美国带回的十几本复印资料和美国依阿华大学一位教授提供的一本美国 20 世纪 50 年代以来幽默研究成果目录。

就在我把专注的目光转移到幽默学的开始阶段，又一个偶然的机会来了，我的朋友辜健先生在香港报刊为我提供了园地，让我发表一些关于欧美生活的散文。于是我就写了一系列追求幽默感的散文，不知是美国一个什么幽默理论家（也许是赫伯·特鲁）说过，幽默的最佳表现是自嘲，而我的散文中就不知不觉地充满了自嘲。后来写多了，题材也就不限于旅居国外的生活，逐渐写到身边来。我自然读了一些以往不太注意的王力先生、钱锺书先生、梁实秋先生、柏杨先生、余光中先生还有林语堂先生的散文，颇受了一些影响。柏杨先生的不怕丑，钱钟书先生的歪理用经典材料论证，王力先生的骈散兼及，余光中先生的现代诗语与古典词汇结合都给我莫大影响。而我自己在文学修养上自然不能望大师之项背，故只能在歪理歪推上面施展自己的笔墨，表现自己调皮的天性。

读了我近来出版的散文集《面对陌生人》，我还深深感到，我的文体觉悟和风格觉悟都太晚，目前每抓到一种题材都要像胡风所说的那样和它搏斗、拥抱，才能把它改造成近乎自己想象的那个样子。

虽然我的幽默散文和我的幽默逻辑研究都是刚刚开始，但我的自然年龄已近花甲，我不知道上帝能不能允许我走到我所向往的学术终点，但我的努力本身就是一种生命的享受。

从反映论到审美价值论[1]

有一个很奇怪的现象，许多读者和同行都感到惊讶，那就是从 1960 年大学毕业后，直到 1978 年，这期间 18 年的漫长岁月，我只写过一两篇评论文章，而到了 1979 年，特别是 1980 年以后，却一发不可收。这不能纯粹从外部世界去找原因，我并没有被错划为“右派”，从理论上来说，我并没完全失去发表学术见解的权利。但是，整整 18 年，我只记得在学术上追求真理的冲动越来越淡泊，雄心壮志越来越被政治上庸碌的自我保存所代替。18 年中我不知道我有能力写出理论文章来。虽然，对于理论，我高中时代便有某种特殊的爱好，在大学时代，还有一番心雄万夫的“自我设计”。极“左”思潮的泛滥虽然没有把我卷入生活的最底层，但是却把我追求真理的自信心摧毁到最大限度。当来自生活、来自文学的历史和现状给我的启示与流行的文艺理论发生矛盾时，我的习惯不是根据事实去修正理论、发展理论，而是反过来，将来自客观现实的启示消灭在萌动状态之中。在那么长的时间里，在流行的、现成的教条面前的自卑感，使我的心灵对文学现实的历史发展失去了感应力，我的良知和理性长期沉睡，我不敢相信自己的眼睛耳朵和自己的逻辑概括力。但是，我始终并未失去在真切感受基础上形成自己的概念的能力，尽管有时我都有点害怕自己那么轻易地形成了与流行观念大不相同的观念，这使我惶惑而苦恼。

1978 年，关于真理标准的大辩论帮助我恢复了追求真理的信念，在反对现代迷信的历史潮流中，我的良知被唤醒了。毕竟检验真理的标准只有一个，那就是实践，一切学术的根本生命归根到底只有一句话，那就是实事求是。

那些被实践证伪的传统观念，不管我们曾经用多强烈的感情宣传过，甚至用神圣名义捍卫过，却再也不能窒息我的思维活力了。1978 年以后的思想解放具有某种迟到的启蒙的

① 发表于《福建论坛》1989 年第 2 期。本文原为 1989 年准备出版的“闽派文论丛书”之一《孙绍振集》的序言，后因故未出版。

色彩，它召唤着我们冲破禁区进行划时代的思想突破。像一切历史性的思潮一样，它遇到了顽强的阻力。这种阻力不来自外部，而是来自内部，主要是来自自己的思维定式。在编撰这个集子的过程中，我更深切地意识到了这一点。对于我写于 1980 年上半年以前的某些论文我颇为踌躇，其中的某些重要观点，我已经与之告别了；但是作为一个现象，它带着深刻的历史烙印——这种烙印不仅对于我个人来说是真实的，而且对于现当代文学的历史发展过程也是真实的。它是中国追求思想解放的一部分知识分子在一段时期中的灵魂的底片，我不能否认它的存在。但是由于篇幅的关系，考虑再三，没有把这段扭曲心灵的历史记录收入本书，这就是《李季的艺术道路》和《阮章竟的艺术道路》①。

当然这并不意味着，我其他的乃至后来发表的文章就没有受旧的思维模式的束缚的痕迹了，相反，越是到后来，我越是感到：观点在改变，可是基本的思维模式仍然是旧的。那正值 20 世纪 80 年代初期，伤痕文学对禁区的冲击，反思文学对历史的回顾，使我感到莫大的振奋。我很快意识到，在相当长一个时期内，我们的文学所表现出来的生活和我们在生活中所感受到的，存在着那么大的裂痕。往往是我们在生活中最强烈的感受，恰恰是文学中最缺乏的。这对于一个自命笃信唯物论的反映论的人来说，不啻是一种黑色幽默。

虽然，我这种苦闷具有哲学的性质，但是，我却不长于纯哲学的思辨。我不习惯于从一个哲学的大前提出发，演绎出一套又一套的观念系统来。

我毕竟是一个从创作实践走向理论研究的人。在好长一段时间里，我轻视概念的抽象和演绎的伟大作用，我只是凭着自己有限的创作和欣赏经验，以归纳作为基础，形成自己的观点，并以之作为逻辑的起点。所以在最初阶段，我并没有发现认识论——反映论的思维模式与艺术的审美追求之间有什么微妙的不可回避的冲突。即使发现了某种不合拍之处，我也不难在概念上作些弥补，乃至在观点上作些曲解，以成全反映论模式，在这方面我并没有遇到多大的困难。

但是，我痛切地感到有一种东西比哲学固定模式更强大，那就是艺术规律本身。反映论所追求的客观与主体的对等件，在艺术中几乎是致命的，一旦艺术观念充分觉醒了，反映论的模式就不可避免地遭到挑战。

可以说，我的艺术观念的觉醒远比哲学上的觉醒要早得多。

促使我艺术观念觉醒的是舒婷的出现。虽然，我与舒婷同在福建省，但在 1979 年之前，我并不清楚她的存在，我从蔡其矫那里读过她那些广为传抄的诗中有限的几首。大约是 1979 年，福州市马尾区文化馆印行了一个诗刊叫作《兰花圃》，由诗人孙星凯主持。虽然只是个区级的油印刊物，却有好几个省的诗人在上面发表诗作。舒婷的诗最早就是在这

① 在编辑本文集时，我还是把这些论文和其他同类的文章收集在卷中。

个刊物上发表出来而且引起了好几个省的读者的争执。就是在这个刊物上，我第一次读到系列的舒婷的诗和她回击性的短文。我要承认，我不但被她的诗迷住了，而且被她那反对文艺是教育工具的文字及尖锐和坚定的语气震慑了。在那些诗中，我好像第一次感觉到了我本当早已感觉到的东西，然而非常惭愧，在这些感觉被舒婷说出来以前对于我好像是不存在似的。我的感官和心灵一下子被唤醒了，我的神经末梢好像第一次在自己的肤体里重新伸展直到遍布全身。我开始真真切切感到我自己的存在而且能够充分阐明我的感觉了。我当即给孙兴凯寄去了一封信大为欢呼一番。

不久，《福建文艺》的魏世英决定发表舒婷的诗并且公开展开讨论。当我得知这个消息的时候，已经看到一些讨论稿的清样了。魏世英对于讨论所达到的深度不满足，当时就有请我参加的提议。应该说明的是，那时我的主要精力在诗歌创作方面，对于我自己能否写出理论性很强的文章来我是没有把握的。大学毕业以后近 20 年，我没机会去试探一下自己在这方面的潜在的能量。由于舒婷的出现，使我产生了小试一番的冲动。我有一种一代人的太阳正在落山，另一代人的太阳正在升起的感觉，于是欣然应命，没想到从此卷入了一场旷日持久的论战。1980 年 1 月我写了《恢复新诗根本的艺术传统——舒婷的创作给我们的启示》，油印后在一个舒婷作品的讨论会上分发，我记得那个会上争论很激烈，以致舒婷都哭了。但是气氛并没有恶化，我们以绅士式的若无其事的样子等舒婷到走廊里去擦干眼泪，很有学者风度地发言。

该文后来登在《福建文艺》1980 年 4 月号上。文章发出来的时候我正在广西南宁（后来移师桂林）参加全国第一次新诗理论讨论会，在会上我介绍了自己为这个会议撰写的论文《新诗的民族传统和外国影响问题》，其结果是引起了轩然巨波，争论相当激烈，甚至出现了紧张的对峙，会议一下子分裂，达到了互相嘲弄的边缘，不过那还是友好的嘲弄，在会议结束时我的主要反对者——诗人黄勇刹、方冰都还来和我祝酒。《光明日报》一个很有眼力的老编辑约请我写了《诗和小我》。8 月份《诗刊》卷入争论，我正好在北京参加新组建的诗歌理论刊物《诗探索》编委会，于是又被《诗刊》约请写了《给艺术的革新者以更自由的空气》。就在这时，《诗探索》编辑部邀请当时在为诗刊《青春诗会》专栏写作的舒婷、顾城、梁小斌、徐敬亚、高伐林等座谈。当时我为他们的议论比我更彻底而震惊，我感到了一种心心相印的喜悦，受到了鼓舞。后来，10 月份《诗刊》在北京定福庄召开的座谈会上，我的思想开始了系统化的过程，不过，在会议结束时，《诗刊》评论组向我约稿，我并没有肯定地回答。没想到回到福建不久，《福建文艺》也召开了诗歌座谈会，好几个省的理论家都来了，在会上我读到了顾城、梁小斌、杨炼、徐敬亚他们的诗论的打印稿，那些振聋发聩的议论，虽然还没有来得及上升为理论的逻辑系统，但是它的新异和刺激性却使我惊叹不已。就在会议举行期间，我溜回家去写成了除了开头短短两节，近五千字（除了第一段两百字），不分段落的《欢呼新的美学原则的崛起》（发表时改为《新的美学原则在崛起》），这时是1980年10月。

这篇文章一度被《诗刊》退稿，后来编者又来信索回，1981年3月文章带着诗刊编辑部批判意向明显的按语发表了出来，我成了“自我表现”论的代表。在这以后，它带给我的麻烦和欢乐是同样的多。

现在想来，那是十分幼稚可笑的。在持续三年，反复两次的对我的围攻中，据我不完全涉猎，上至北京，下至外省的文艺和非文艺刊物、报纸发表了不下百篇的文章，集中批评我的自我表现论。虽然我此前没有写过多少评论文章，对于许多行家必知的“门牌号码”十分陌生，但是我行文时仍然是相当谨慎的。我运用了黑格尔的正反合的辩论思维模式，把我所主张的和我所不感兴趣的东西结合起来，在文章中要求把自我变现和抒人民之情结合起来。但我所要求表现的并不是抽象的自我，而是“生活融入心灵中的秘密”，我所反对的是直接表现“我们所习惯了的”（许多批评我的同行故意把这个定语省去了）“英勇劳动忘我斗争的生活场景”。今天，如果允许我心平气和地说句公道话，我的这种主张在美学上并没有多少越轨犯规的东西。不管什么样的自我，什么样的心理，都是来自生活的，也可以说是生活的反映。正因为这样，1984年《文艺报》的李基凯先生来访问的时候说，他读过我所有的文章，他觉得我的时间观基本上还是唯物论的反映论。我当时轻率地同意这个说法，直至今日，我仍然认为我是个特殊的唯物论者。我觉得反映应该不是直接的镜子式的、被动的，而是主动的、多层次的、客观信息接受主体图式（Schema）的“同化”变异的。我所强调的是主体心灵要得到充分的尊重，要怀着一种像哥伦布发现新大陆那样的冒险精神去发现它的奥秘。当时我并不太清楚这种奥秘的核心，于是给了它一个非常笼统的名字——自我。

每个人都有自我，每个人的心灵活动都只向自我公开。人是伟大的，他可以洞察宇宙和原子的奥秘，但人最不了解的，就是自我的心理活动，以至于产生了一种怪异现象，那就是比较深刻的感觉、知觉，情绪的变幻，意念的产生和消解，不是被自我，而是被别人（艺术家）发现、描述、阐述说明的。在舒婷说出一系列的感觉和意念的活动以前，许多人并没有意识到它们的存在。甚至不在少数的知识者，明明人家替你说出来了，你还在否定她。

绝大多数人，除了大艺术家（小艺术家还不行），对自己心灵的活动是无能为力的。反映论从词源学来说把人的心灵比作一面镜子，不管这种比喻是否恰当，这面镜子却不能成为自己的镜子，也许正是在这一点上有着认识论哲学与美学之间的矛盾。

就在“崛起”引起麻烦之时，我收到了数以百计支持我的信件，同时还有许多支持者从省内外来访问我，其中有一个学音乐的姑娘非常直率地对我说：你的文章不过是痛快地出气，并没有多少美学。这句话我觉得真是打中了要害，对照那些糊涂地跟随一种声势来批评我的文章，她的话最叫我难忘。当是我莞尔一笑：“我本来就不懂得什么是美学。”真的，我甚至还未来得及把科学认识和艺术审美之间的矛盾作为一个理论问题提出来。当时，对于美学的抽象思辨我抱着敬而远之的态度。

早在20世纪50年代中期，我在做大学生的时候，听过蔡仪先生的美学课。上了整整一个学期的课，我只记得四个字：美是典型。此外还恍惚记得，由此而引申出来黄金为什么是美的以及为了论证这个观念，用马克思引用莎士比亚的诗句，除此以外，便都还给了蔡仪老师。今天想来，之所以如此，也许并非由于天性过分愚钝吧，而是由于蔡仪先生的美学仍然是一种认识论原理的标准演绎，与我的创作过程的体验尖锐冲突所致。

我在“崛起”中所说的主要原则还没有进入美学的核心，我的思维仍在外围徘徊。艺术如果纯粹是一种认识，那它的规律和功能与科学的认识就可能等同。当时我已经明确，艺术的功能不同于政治，不能从属于政治，功能的不同是由于机制的不同。艺术与科学（政治）的不同机制在哪里呢？这正是我要探索的，但是我的探索被铺天盖地而来的批评打断了。

许多批评者，不但没有从认识工具论向审美机制自身的目的论前进，反而向认识工具倒退。正因为这样，他们一些批评我的人无法证明“自我表现”究竟为什么要不得，只得采用最最幼稚可笑的贴标签的办法。其中程代熙先生居然说“自我表现”是叔本华的货色，那时候叔本华名声是很不好的。这自然是十分外行的话。据我知道，叔本华是反对“自我表现”的，他的理论中有一个核心观念叫作“自失”。他主张艺术家要“忘了他的个体，忘记了他的意志，他自己只是作为纯粹的个体，作为客体的镜子而存在”“天才的性能就是……在直观中遗忘自己，完全撤销了自己的人格”（见《作为意志和表象的世界》）。程代熙还把“自我表现”扯到他认为很可怕的现代派艾略特那里去。对于西方现代诗歌研究有素的江枫曾经著文指出：艾略特恰恰是主张逃避自我的。所有这一切不仅仅是一种常识的错误，而且是一种思想方法的悲剧，其法门就是把你的观点和一个当时普遍认为是老牌资产阶级的家伙粘在一起，然后把资产阶级的标签轻而易举地贴到你头上。我很难弄通他们脑袋中那种赞成自我表现的就是老牌资产阶级，反对自我表现的就是老牌的无产阶级的逻辑。其实，事情哪有这么简单呢！荣格是反对自我表现的，他可沾不上无产阶级的光。郭沫若在《女神》的《梅花树下的醉歌》中鼓吹过，“我赞美这自我表现的主体”，这是一种宇宙观。他在《三叶集》中还主张诗的特性就是“自我表现”，我想，不管程代熙怎么有学问，都不可能把郭沫若划入老牌资产阶级之列。当然，他可以说，这是郭沫若的早期思想，他后来成了共产主义者，就放弃了这种思想。但是他晚年的《蔡文姬》有一篇著名的《序》，在那里他明明白白地说过：“蔡文姬就是我。”

长期以来我之所以没有对程代熙那样奇怪的批评作答，其原因不外两个：第一，对于一个连《女神》和《三叶集》都没有仔细念过的人，要和他讨论诗的问题，实在太费劲。第二，我对我自己当时受到围攻的“自我表现”论并不太满意。我深深感到有各式各样的“自我表现”，它既可能是革命的，也可能是不革命的，“自我表现”可能出于各式各样的思维模式，既可能是传统的认识—反映—工具模式，也可能是新的审美目的论的模式。

对这问题的思考，断断续续地花去了我差不多四年的时间。直到 1985 年年底，我躲到北京的一套空房子里撰写《文学创作论》最后一章的时候，不得不要求春风文艺出版社准许我到沈阳去重新修改已经交稿的前面几章。原因是在这本书的前半部我还是从文学是一种认识反映的工具的逻辑起点出发的（具体来说就是从丹纳的《艺术哲学》出发），而写到后来发现文学不可能只依附于认识反映客观世界的目的。在开头，我虽然感觉到这二者之间的矛盾，但尽可能调和，总是不由自主地用黑格尔的方法强调双方的同一性（即正反合的合）。而事实上，并不是一切都能纳入黑格尔的二分法的统一体中的。在《文学创作论》写到下半部的时候，艺术审美的独立价值已经充分显现出来，这时我深深为我这几年的沉默而庆幸。但是，春风文艺出版社的领导没有同意，他们说，等到你把开头修改好了，又可能要修改结尾了。

理论的发展自然离不开争论，但是抓不住要害和脱离历史和现状的论争，对于理论的发展肯定是弊大于利，至于那些扣帽子的论争就不用说了。因而在以后的一段时间里我研究的重点是审美价值，其特点是它与实用价值、与科学的认识价值的关系。为了这一点，我还作了些哲学的准备。应该说明的是，当我接触到审美的价值论的时候，我有种醍醐灌顶而又似曾相识的感觉。原因是，早在大学生时代，我读过的朱光潜先生的文章，其理论基础就是康德的审美价值论。他的《我们对于一棵古松的三种态度：科学的、实用的、审美的》深深藏在我的心灵之中。但是，一直被权威的机械唯物论压抑着，处于沉睡状态，而新时期的争论，把它唤醒了。

传统的哲学太过信任我们本来并不十分可靠的理性了。许多号称唯物主义的理论家恰恰把客观对象看得太简单了，而对于自己所使用的概念判断、推理、形式逻辑、辩证法的功能又看得太伟大了。其实，人所使用的一切符号、一切思维方法都不可能绝对客观地复制客观对象和它运动的过程。人对世界的任何一种判断都只是从一种方向按着一种目的向对象的一个层面用一种符号切入，而切入前提首先就是省略和偏离，其次是把主体过去有限的经验或思维模式用之于无限和未来，这最多是一种概率性的推测。严格说来，一切判断都有人的有限目的、有限经验和有限符号的限制，都不可避免地打上人的有限性的烙印；不管什么样的科学原理都是人的主体“预结构”与客观信息“同化”的结果。严格说来，世界上一切的认识都带着价值判断的特性。离开了价值判断，人就可能变得茫然了。可是人往往忘掉这一点，以至于在很长一段时间里，在研究艺术审美时还以为自己能按照生活的本来面貌反映生活。

这是一个很复杂的问题。虽然，康德在他的《判断力批判》中早已提供了深邃的价值美学，但是过分抽象的思辨使他的理论带上某种神秘色彩。他的思辨方法主要是演绎法，由于演绎法本身的局限，它的特殊结论往往就包含在他的普遍性大前提中。事实上过分偏执于演绎法，使他的许多范畴都脱离了经验而变成静态的，甚至是僵化的。而归纳法恰恰最有利于将生动的文学创作的历史经验结晶为逻辑的范畴，它能使逻辑的范畴的内涵不断随着历史的发展而发展，从而获得动态的生命。这就需要把归纳的方法和演绎的方法、历史的方法和逻辑的方法统一起来重新研究实用的善、科学的真和审美的美的范畴。我不能拘泥于康德抽象的思辨，不想屈从于概念到概念的演绎，我确定了我的任务在于把概念的演绎与生动的经验的归纳结合起来。

我研究的结果是：真善美三者的关系并不像我们传统的文艺理论理解的那样是统一的，基本重合的，或者只有量的差异。相反，它是有三种不同的价值判断，三者不能混同正等于不同名数不能相加。对于科学的认识来说，最有价值的是普遍性最大的、特殊性最小的东西，当普遍性递增到无穷大，特殊性递减到趋近于零，这就是科学的公式和原理，所谓放之四海而皆准者是也。把这个认识价值极高的公式直接搬到文艺创作和欣赏中去，只能产生公式化、概念化的顽症。对于科学来说，越是例外的，越是缺乏认识价值的；对于艺术来说越是特殊的，越是美的。但如果过分放纵了特殊性就会产生胡编乱造的庸俗的东西。审美价值与科学的认识价值之间是一种错位的关系，而不是互相分立的，它们只是互相错开，而不是互相脱离。在这个限度之内，错开的幅度与审美价值成正比；越出这个限度，就走向反面了。

在这基础上，我建构了我的“错位”范畴。这是我的理论核心范畴。其意义不仅仅在于文学理论，而且在于哲学方法论。古希腊的形式逻辑学，其核心范畴是同一律：A 就是 A，A 不能既是 A 又是 B。其特点为 A 和 A 是重合的，和 B 是不相干的。到了辩证法则发展为：A 和 B 处于对立统一之中。二者虽然可以相互转化，但是，其本身仍然是处于分立状态，是不重合的。形式逻辑的同一律和辩证法的一分为二，都带有人为划分的性质。我提出的“错位”则不同，A 和 B 既不是重合的也不是分立的，而是交叉的：部分重合，部分不重合。从生活和心灵来说，是最普遍的存在，比之形式逻辑的重合和辩证法的一分为二要普遍得多。这种情况被亚里士多德和黑格尔忽略了，因而也就一直被熟视无睹。

这是审美价值本身的规律，也是方法，我们必须充分尊重。当然这还只是它的外部规律，只涉及它与科学认识价值之间的关系，至于它内部结构的内部矛盾，我们还研究得不够。而离开了内部规律，外部规律是不可能研究得很深入的。

关于内部规律的第一个层次，那就是它的内容与形式之间的关系，它不同于其他任何价值观的地方就是审美形式有一种规范作用，在一定历史条件下，符合形式规律的审美价值就升值，不符合的就贬值。艺术形式不同于一般形式之处就在于它不但有初级原生的形式，而且有高级的规范形式。传统文艺理论把形式范畴看成僵化的，就不可能看到这一点。规范形式与审美心理活动之间的关系，也是动态的。有时形式规范推动了审美心理的发展，有时艺术的发展则以打破形式为条件。内容不可能绝对决定形式，特别是规范形式不但不为内容所决定，相反，可能决定内容。这就是俄国形式主义者为什么把故事和本事分别开来的原因。本事在规范形式中至少有部分是被消灭的，绝大部分则是被强迫就范，甚至被创造出来的。我最后的结论是艺术形象、艺术美，不能光是到客观的真中去找寻，也不能光从客观的真和主体的诚中找寻，它存在于客观的真与主观的诚与形式的动态建构的三维结构之中。所有这一切研究成果，都收到 1988 年人民文学出版社的《美的结构》中。

对审美价值作了这些研究以后，再回过头来看，1980 年“崛起”前后那些文章，很明显地感到价值观念还没来得及精致地分化。文艺与政治的关系，归根到底是一种审美价值观念和科学认识、社会实用价值之间的关系。从 20 世纪 30 年代到 70 年代，我们比较多地认识到几种类型价值观念之间的重合，而且把这种重合性强调得过了头，因而播下了公式化、概念化的顽症的孢子。到了 80 年代文艺不一定从属于政治的命题提出了，事实上开始了三者错位关系的过程，我的“崛起”就是这个认识过程中的一环。当时我强烈感到的是三者混同的危害，强调审美价值与社会的认识作用以及与政治的实用价值的不同。不过我还没有找到恰当理论范畴，用了大量感性的语言，因而缺乏理论的严密性，行文也不是无懈可击的，但是只要我强调的三种价值的错位还没有达到绝对脱离的程度，我的论述就基本上是正确的。即使带着某种片面性，那也是历史的片面性，而不是逻辑的片面性，不是思维的跛脚，而是历史脚步的交替。历史的片面性是不可避免的，而且往往是思维深化的形式。

正是因为这样，不管“崛起”一文给我带来了多少麻烦，多少不可弥补的损失，我仍然想起了普希金的两句诗：

而那过去了的一切，

将成为亲切的怀恋。

从工具论到目的论

——答《文艺理论研究》

夏中义（下称“答”）：现在已逼近（20）世纪末了。从百年中国文论的角度看，新时期十年应是值得我们去反思的重头篇章。思想学术史，说到底，属于文化考古学领域，亟需研究一块块活化石；孙先生正是这么一块难得的活化石——因为孙先生是新时期十年文论那段历史的参与者、创造者，同时也是它的守望者、反思者。我们是在1985年春于厦门大学出席“全国文学研究方法论讨论会”时结识的，曾亲眼领略您在会上崛起的风采。现在想请您从“方法论年”谈起，即为什么1985年能成为中国新时期文论史的一个独特的“方法论年”？为什么“方法论”命题在当时会激起巨大反响？而今学界又该怎样评估它？

孙绍振（下称“答”）：这涉及一个对文学性质、功能的理解问题，还有对文学理论理解的问题。但是纵观中国当代文学史，我们又不能不说，这是一个非常严重的问题。我们要理解文学，都希望有点理论。要理论干什么？还不是为了理解文学，进行文本分析。理解文学的目的，首先是为了解读，其次，对于一些有雄心的人来说，是为了创作。我自己就是这样的。因而我在我最早的著作《文学创作论》的后记中曾经有这样的表述：

> （20世纪）50年代初期，当我还是一个天真的少年，我的心就被文学震慑了。很快，文学就成了我生命的一部分。我不敢相信自己具有作家那样非同凡响的气质和才华，但是对那创造摄人心魄的罗网的事业却是心醉神迷，我把热情和青春奉献给了文学。自然，我不满足于阅读、陶醉，我总是强迫自己反复探寻那构成形象的奥秘。我怀着极其虔诚的心去读那些世界文学史上的经典著作，凭着我孩子气的纯真，我想在反复阅读中窥破那神秘的规律。但是，我往往大失所望，我只能被形象俘虏，而不能主动地解剖那些形象，勘破形象构成的天机。于是我开始如饥似渴地阅读我所能接触

到的一切文学评论文章和文艺理论书籍，然而我的失望更大。当时，我读的那些文章没有一篇能使我那饥渴的心感到丝毫的满足。我发现凡我所能理解，并且是不费力气就能举一反三的东西，那些文章就大讲而特讲，凡我所不能理解梦寐求索的东西，那些文章不是一笔带过就是空谈一气。有那么多的文章异口同声地说形象是如何重要，可是没有一篇文章告诉我，形象是怎样构成的。当时我已经在化学课本上读到门捷列夫的周期表。一想到元素周期表，我对人的聪明和智慧就惊叹不已，可是一看到文学理论，作为一个人我又变得自卑。一个最蹩脚的化学家都知道水是由二分氢、一分氧化而合成的，一旦成为水，氢的自然性质、氧的助燃性质就走向了反面——灭火。可是当时的文艺理论告诉我形象就是生活。那么，形象既然与生活没有区别，为什么那么多生活经验丰富的人又不能创造形象呢？形象与生活的区别究竟在哪里呢？作为一个中学生我始终不能为那些堂皇的理论所折服。

进入大学中文系以后，我学到了更多的文艺理论，所有理论都在强调生活与形象的统一性，当时我几乎有点愤懑，在我看来这就好像没完没了地强调氢和氧的性质和水的性质没有区别一样。我深深感到强调形象与生活的共同性就掩盖了形象与生活的特殊矛盾，这样的理论事实上都是一些系统的空话，对培养作家构成形象的能力是没有什么切实效用的。任何统一性都是矛盾的统一，事物的本质在于特殊矛盾之中，掩盖了矛盾就混淆了本质。我开始怀疑这些理论出了大问题，但是当我向同学诉说这种怀疑时，我被告知，理论就是理论，它不能管那么多实践的事；而且苏联人、法国人、德国人、美国人都是这样主张的。

然而我并不服气，我对那些脱离创作实践，对作家的构成形象不起积极作用的理论始终采取怀疑，甚至是不能忍受的态度。文艺理论的生命来自于创作实践，理论的权威应该在指导实践的过程中确立。当创作都对理论采取敬而远之的态度时，不是创作者愚昧，而是理论的架空。后来，有一次我得到一个信息，说是绝大部分作家都对这种理论采取调侃态度，有世界闻名的大作家甚至把这种理论家比作牛虻、虱子，顿时我有一种心花怒放的感觉。那时正是夏末，我看见一个卖冰棍的，有十支冰棍卖不出去，我欣然把这十支烂冰棍买了下来，非常痛快地吞了下去。

粉碎“四人帮”以后，我一连好几年有机会对解放军艺术学校文学系、福建师大中文系和一些作家创作学习班讲课，但我总是怀着某种不安的心情，每当我意识到我所讲的与我在大学里所不能忍受的那些空话有某种共同性时，我总禁不住感到心慌、脸红，甚至有某种冒汗的感觉。

我的信条是凡于创作无用的于理论也无用，为了于创作者用，我宁愿牺牲一点理论的森严性，宁可败坏理论家的胃口，我决不败坏作家的胃口。我当然也追求理论的系统性、严密性、自洽性，我把我最宝贵的年华，最宝贵的热情都献给了理论，正因为这样，生命不应该白白奉献，生命的价值应该换取创作的价值。

文艺理论与文艺创作的脱离，不管有多少理由，都不是可以夸耀的事，当然理论可以是理论家世界观的一种表现，理论家和作家一样有表述自己看到的世界的权利，这种权利不应该只属于作家。但是，最好的理论应该是既表现了理论家自己，又能给作家以具体的帮助，这好像是体育理论，当然应该有体育评论员，对每一场比赛、每一个运动员加以评论，不同的评论员有不同的选择。但是光有评论员还不够，还得有教练员，最大的功勋并不属于评论郎平的评论员，而属于培养了郎平的教练员。最好的评论员起码应该是一个称职的教练员。如果一个国家一个教练员也没有，却充满了见解独特的评论员，那这个国家的体育运动水平是很难迅速提高的。

最好的评论员不应该为自己只会评论而不会当教练而自豪。

当然，我并不敢僭妄到这种地步，以为自己已是一个称职的教练员，但是我要选择这个目标。

就是怀着这样的信念，我阅读了大量的文学理论，最卑谦的目的就是让我更能洞察文学形象构成的奥秘。但是，我发现，这样的希求是有点过分奢侈的。

文学史上最成熟、最经典的作品是天衣无缝的，许多权威的经典理论，往往用直观的方法、印象的方法，把印象条理化，就产生了《文心雕龙》《诗品》，但还缺乏科学的范畴。正因为此，“五四”以来，我们较系统地输入了西方的办法，从丹纳的《艺术哲学》到马克思主义反映论，几十年来，在中国发展成一套强调社会政治功利的文论。如果将20世纪20年代到50年代看作一个段落，那么，其特点正在于注重研究文艺的社会性质，或者说文艺的政治功利方面讲得比较详尽。但完全从社会功利论角度去看文学，或完全从哲学反映论角度去看文学，对创作带来了公式化、概念化的顽症。从30年代的标语口号化，到60年代“写中心”“画中心”，确实暴露出此类文论在实践中的危机。所以这一代理论家如胡风、冯雪峰、周扬等，虽都付出艰辛劳动，也有成绩，但对文艺本身的性能或“内部规律”好像越搞越糊涂。1959年林默涵曾把文艺学归结为几个关系：如文艺与生活的关系；文艺与政治的关系；文艺内部百花齐放问题；文艺批评的政治标准第一与艺术标准第二的关系；等等。表面看来似乎已经很系统且中国化了，但艺术本身的性能仍没解决，如政治标准第一，艺术标准第二，怎么说都颇难用于对文学经典的美学解读。至于说，文艺内部的关系，好像接触到了艺术形象的奥秘了，然而，却是“百花齐放”这样的政策。只要文学形象的构成规律不揭示，所有的理论都经不住推敲，不免落空。

这个观念，我非常坚定，而这想法最初正是从毛泽东那儿来的。我读过毛泽东在抗大的讲稿《辩证唯物主义纲要》的手抄本。毛泽东的哲学论著《矛盾论》和《实践论》就是《辩证唯物主义纲要》的两章，其他还有真理论、范畴论、连环论，一共十讲。他在序言中很谦虚地讲：我这个辩证唯物主义讲稿“也不是好的”，真正的辩证唯物主义要在中国生根，必须用它来批判（我们叫解读）中国传统的哲学，只有完成了中国传统哲学的批判，辩证唯物主义才可能在中国生根。我深信这一点。所以我认为，包括马克思主义在内在的所有文论如果不能用来系统解释中国文学经典，同样不能在中国生根发芽。比如用引进的文学的阶级性理论去解读中国古典文学就很难。以《三国演义》为例，毫无疑问是经典，但如用阶级论去分析就完了，因为小说中的英雄都是军阀，而黄巾起义中的农民英雄在小说中的位置则是盗贼。用这理论去解释《红楼梦》也很难，如把它看成阶级斗争史，《红楼梦》艺术价值何在？中国文坛在 50 年代对李煜的解释也产生了困惑：一个荒淫皇帝，亡国之君，他的诗在艺术上却不朽，为什么？当时北大有个青年学者就说李煜词之价值在于“爱国主义”，因为“落花流水春去也，天上人间”“无限江山，别时容易见时难”，在抗战时期，被许多爱祖国青年吟诵，表明李煜爱江山，留恋故土，这就是爱国主义。这当然很荒唐，李煜爱的是失去了的封建朝廷。我曾看过周扬在第一次文代会上的报告，印象不深；到第二次文代会，他的报告更经不起重读，因为周扬报告中所表扬的下列作家，如王安友、谷峪、董迺相等都已被历史遗忘，就是刘绍棠、从维熙、邓友梅当年的作品，而今也不能卒读了，倒是周扬所批评的孙犁及其小说《风云初记》，不写抗日烽火，而写儿女情长，却留下来了。不妨说，孙犁的作品是 50 年代初仅存的艺术硕果。显然，我们的批评标准出了问题。

进入新时期，“思想解放”以后，人们感到不仅仅是批评标准，其实整个基本理论都需要调整。这个调整意识最早可追溯到 1956 年前后，当时提出了文学艺术的特征问题。马克思主义文艺学的核心是真实论、反映论，即把文学等同于对社会的理性认识。文学价值在哪里？在于真实。真实是什么？典型。典型是什么？典型是反映社会生活阶级斗争的本质的代表。但对认识社会有价值的作品不一定有很高的艺术价值，而有很高艺术价值的作品也不一定有同样的社会认识价值。比如《阿 Q 正传》，在早期的马克思主义者钱杏邨看来，阿 Q 反映了“一个死去的阿 Q 时代”。后来周扬则加以正面解释，说阿 Q 形象的关键在于它的阶级性问题，按毛泽东社会革命论看，农民是革命先锋，像阿 Q 那样的贫农（雇农？）应是革命先锋，但阿 Q 作为一个典型，一个精神模型，却是落后甚至麻木的。这些矛盾难以解释，周扬便这么说，《阿 Q 正传》的意义不在于阿 Q 精神的可耻，而在于阿 Q 的社会地位与思想觉悟之间发生了矛盾：亦即按阿 Q 的社会地位他应该革命，哪里有压迫哪里就有反抗，但阿 Q 的精神却麻醉了他，《阿 Q 正传》就反映了这一现实。如果不是鲁迅，而是换一个人这么写阿 Q，就很可能会被认为是歪曲了农民革命英雄的形象。农民英雄应该像什么样呢？应该像《红旗谱》里的朱老忠。但阿 Q 是经典，不能否认它，这就需要不断想办法作新的解释。何其芳提出了一个“典型共名”说，认为最高级的艺术形象不一定是反映了某一阶级的某种特点，不是高尔基讲的有阶级的代表性的人，而是反映了“人类共同的弱点”，能够成为精神现象的通称的形象，才是最成功的文学形象。比如哈姆雷特，比如堂·吉诃德、贾宝玉。可这样又产生了另一问题，它完全没有阶级性了。李希凡曾想把“阿 Q 精神”跟封建官僚地主在清末因受帝国主义侵略而败北后的自我安慰联系起来，这自然是腐朽没落阶级的精神特征，但阿 Q 是农民这一点无法讲通，所以也不能解决问题。不能否认多个阶级的共鸣现象：《阿 Q 正传》一出现，不同阶级的人们都感到自己身上就有“阿 Q 精神”，正如列宁讲奥勃洛莫夫的慵懒精神并不限于农奴主，他在整个俄国精神生活里存在着。可见马克思主义文艺学在阐释文学艺术的本身特点方面，确实走不远。后来有一个声势浩大的美学讨论和后来所谓“形象思维”问题的争论，也想解决文学艺术的本身特点，闹得沸沸扬扬。粉碎“四人帮”后，《人民日报》发表了毛泽东致陈毅的信，指出文艺要“形象思维”，可最终也未解决问题。在我看来，“形象思维”这提法就值得斟酌。“形象思维”是相对逻辑思维、理性思维来讲的。我非常怀疑形象能思维。第二，纯粹的“形象思维”也不太通。若“形象思维”相对于逻辑思维而言，那么，形象本身有没有逻辑？形象如有逻辑，又是怎样的逻辑？亦没答案。“形象思维”讨论一场空，结果大家都厌倦了。

总之，中国革命文论经过如此漫长的曲折与困惑，到新时期，学界已普遍痛感，中国文学研究若再这么囿于反映论及社会学的狭隘视野或方法框架，实在是没有出路了。为什么 80 年代中期林兴宅用系统论研究阿 Q 性格如此轰动，直接酿成 1985 年为“方法论年”呢？这除了刘再复的鼓动外，根本原因是林兴宅的研究方法已经不是先前的流行方法，其实它并不是文学的方法，而是自然科学的方法。我知道系统论最初是从生物学来的，后来进入科学哲学，这就给我们耳目一新之感。作为边缘学科的系统论，既然可以有效地用到社会统计学、军事、运筹等方面，那么，也可以用于对文学的艺术奥秘的探讨。于是，林兴宅就一下子成了英雄。当时我虽很兴奋，但也有很大保留。我不太懂自然科学，但我读过一些自然科学史，知道系统论首先是系统方程的量化科学，系统优化是在严格量化的基础上实现的；而文学研究偏偏不是量化研究，而是定性推测，这在根本上是矛盾的。林兴宅的阿 Q 性格分析表面上很系统，但系统里到底漏掉多少东西，这在自然科学的量化计算过程中马上能检验出来，但在人文学科中就很难，这是一个局限。当初我虽然热情欢呼过，但心里仍不免打鼓。我本来以为系统论会搞很多年，没想到竟一年就完了。虽然林兴宅写了一些文章，陈辽还写了系统论的书，但历史证明，这个方法慢慢地会被淡忘的，以至现在再说用系统论去解决文学艺术问题，大家会觉得好笑了。

夏中义：你刚才详尽地叙述了“方法论年”何以能在历史上应运而生的深远背景，以及林兴宅在“方法论年”倡言用系统论来研究阿Q性格的有趣场景。我的体会是：与其说林兴宅在“方法论年”所起的作用是建设性的，不如说是破坏性的；与其说他为大陆文学研究提供了一把金钥匙，一个现成而健全的方法系统，还不如说他扔响了一个炸药包，将先前大陆文学研究所固有的，由反映论与社会学来一统天下的世袭领地，炸出了一个缺口。由此，学界从林兴宅身上所看到的，似是某种方法论的解放，而不是赐给了我们一个文学研究的终极性科学范型。孙玉石曾说林兴宅在阐述阿Q性格系统时所用的学术资源，大多是他人的研究成果，言下之意，林兴宅的方法更新并没为阿Q性格研究贡献新的资源；我更愿倒过来看，若林兴宅能用系统论方法，将他人的成果梳理且整合得非常条理乃至别致，别致得连孙先生这样的专家也为之心动，这至少说明：文学研究不仅可以认识论与社会学为方法，同时亦可用包括系统论在内的其他思维法则。若此论成立，则只让认识论与社会学方法来垄断文学研究之现存秩序也就失去了合法性。我以为林兴宅对“方法论年”的贡献似在于此。同时，这又表明孙先生的话是对的，即要把握文学的审美奥秘，光靠思维方法是不够的。还亟需文学观念的更新，亦即看你能否真将文学作为艺术来观照或体悟。因为大陆文论及批评，相当长一段时间，并不将文学当作艺术来研究，而往往作为非艺术对象来借题发挥。因此，我很想听听你的高见，为什么“方法论年”后的1986年又紧接着成了“观念年”？

答：我觉得这是讲到要害上的，从“方法论年”到“观念年”是很自然的转化。“方法论热”很快过去了，或者说幻灭了。大家寻找新的出路时，发现方法与观念不可能分开，观念可能更重要。传统文论之所以把它的哲学基础安在认识论、反映论上，其出发点便是一个观念问题：即文学价值靠什么决定？是文学本身来决定，还是依附另外什么东西来决定？反映论认为文学价值在于帮助人认识社会矛盾，是可用来改造社会的工具。这就是说，文学价值是由非文学因素决定的，比如说抗战时期解放区的“街头诗”，40年代的“枪杆诗”，其价值正在于鼓舞斗争，越直接越好。这种价值不可否认，但与“枪杆诗”“街头诗”性质与功能相同的“天安门诗抄”，为什么很快被人忘记，有的“街头诗”如田间的，至今人们还记得一些？这便表明文学除政治实用价值外，还有艺术价值，这一价值便跟艺术本身的观念有关。究竟是社会、现实、政治的价值长久呢，还是艺术价值长久？西方“为艺术而艺术”的理论认为艺术价值比较长久。过去我们都把文学价值确定为是某种社会斗争的工具，可以说是一种文学工具论。从孔夫子的“兴观群怨”，到汉儒不把《诗》当诗，而当成“经”，一直到周扬、冯雪峰、胡风实际上都把文学当工具，所以我们传统的文学观念都是工具论。文学是否只是工具呢？毛泽东是把它当武器的，用来“团结人民、教育人民、打击敌人、消灭敌人”，这在战争年代，革命斗争激烈的年代有这回事；但很多文学经典并非这样，比如《红楼梦》。有人讲《红楼梦》是封建社会的百科全书，毛泽东说：“阶级斗争史”“四大家族兴衰史”，我却读出《红楼梦》里什么都有，就是没经典意义上的阶级斗争，更没有农民起义。书中有“乌进孝交租”，当然是写经济剥削的，而乌进孝本来就是富农、大管家。《红楼梦》若把那张账单去掉，并不影响《红楼梦》的艺术价值，它在《红楼梦》里是次要的，小说真正动人的地方不在于此。如果纯用阶级论，就说不清为什么丫环们都不愿离开受剥削、受压迫的大观园，要离开就要哭，要死；而且晴雯对宝玉还真有情；受压迫的袭人则愿意当小老婆。所以把阶级观念硬加给曹雪芹，违背了唯物主义，实际上这是工具论造成的。这就提出了一个问题：文学艺术到底有没有自身的独立价值？

后来“观念年”的要害，就是要寻找艺术本身的价值，也就是从工具论到目的论，即不再把文学艺术当工具，而认为艺术有它本身的目的，因而才有它独立的价值。这也就是说，也许某作品描写了阶级斗争，但其价值不一定是图解阶级斗争。比如《水浒传》，严格地从阶级观点来看，它是“阶级调和”论，反贪官，不反皇帝；它的价值并不在阶级斗争不阶级斗争，或是投降不投降，而在于表现了当时老百姓对英雄人物精神的向往。《红楼梦》也是这样，它有阶级矛盾的痕迹，如刘姥姥游大观园，从下层阶级的眼光看贾家的奢侈与腐化，但它的价值并不滞留在这里，它塑造了刘姥姥和贾府上的太太小姐丫环的内心世界、心灵奇观，非常复杂、非常丰富，是多层次、多声部的交响。我们再去看 1956 年讨论李煜词，其价值也不在所谓“爱国主义”，而在它表现了封建皇帝也像普通人一样偷情，爱妻子，背井离乡后怀念故园，“梦里不知身是客，一晌贪欢”“无限江山，别时容易见时难”等。李煜是作为一个人，而不是作为封建地主阶级的头子，在抒写他的心态，在这种情况下也可以动人，虽然是一个反封建的知识分子，但看他表达得这么好，几百年来，也被广大读者欣赏。我想，即使是革命家也会爱读。这就是艺术欣赏和体验所追求的本身目的。“观念年”的最大意义就在于提出了艺术本身的目的。过去王尔德“为艺术而艺术”是被批判的，现在回过头再看，它不是没有道理。把文学作为一种独立的心灵创造，独立的审美体验，不一定要依附于功利，这便是“观念年”给中国文坛带来的共识。观念明晰了，我们再回首看中国文学史，就比较容易解释了。比如阿 Q，我们不必非说它反映了辛亥革命失败的原因是“假洋鬼子”不发动阿 Q 起来革命，而且不准阿 Q 革命等等，“假洋鬼子”拿根文明棍不一定就是革命派；阿 Q 的革命亦未必是真革命，无非是把秀才娘子的床拿来睡一下，鲁迅是在嘲笑他，调侃他，反讽他，但他的确体现了阿Q精神，体现了人内心丰富的、复杂的、扭曲的、怪异的、自私的、丑恶的、愚昧的、落后的、麻木的东西，这不仅仅是某一阶级特点，也许是人类共有的特点，这就不是社会、政治的价值，而是审美价值了。

夏中义：你讲“观念年”讲得很漂亮，已入佳境。现在我还想听你对新时期文论的学科重建的看法。“文革”前中国大陆文论，基本上是周扬指令以群主编《文学的基本原理》那套系统，只有一种声音，一个话语框架。新时期文论所以值得学界怀念，因为它确乎一度甚为健旺，除方法、观念有大幅度突破或更新外，文论各分支的学科重建亦呈“百花齐放”之势；从文艺心理学、文学社会学、文学语言学、文学批评原理到接受美学等等，委实涌现出“文革”前无可比拟、难以想象的可喜格局。

答：经过“观念年”后，整个文论话语都解放了，能从多视角去研究文学本身的问题了。你刚才讲了那么多“学”，我更器重其中的两个“学”：一是文艺心理学，一是文化语言学。80年代初把弗洛伊德“解放”出来后，很多人不能接受，《文艺报》有位理论家就不能接受，写文章批评鲁枢元。弗洛伊德的深层心理学对人的精神世界的分析是非常有创见的，但他把性心理提升为一切创造的根源，未免绝对。弗洛伊德提出人的心理不是单层次、平面的，而是多层次、立体的，是意识和潜意识的双重结构，而潜意识比意识还强大，这无疑是伟大的发现。所以如果我讲新时期文论，诸如文化原型、神话批评、接受美学似乎都是局部的，最主要的是文艺心理学，它是总体的。另一类则有结构主义、解构主义、现象学、存在主义，包括福柯的话语理论等，令人眼花缭乱，而且在西方都是显学，在中国可以说是理论前沿，给中国文学批评家打开了视野，使得原来以群主编的文论的框架顿显贫乏。的确给我们提供了丰富的思想资料，开拓了思维空间，这一实绩不可低估。但我仍感到有些不足，我总认为文论应研究文学艺术的自身特点或“内部规律”。我们以前的流行文论热衷于文学的本源或“外部规律”。比如说，文学是什么？文学是社会生活的反映。这就像研究水，不直说水是什么，却回答水是天上掉下来、地上冒出来、海洋里存在的。结果，关于水的本质或奥秘，我们仍不清楚；直到发现了氧，发现了燃烧，燃烧产生二氧化碳，知道水的结构是 H_2O，两分氢、一分氧，氢是可以自燃的，氧是助燃的，而水又是可以灭火的，这样我们对水才有了真正的理解。“观念年”后，我们研究文学本身的目的，不外乎揭示人的审美情感或以情感为核心的人的内心世界，这就是文学的艺术奥秘之所在，亦即文学的终极价值所在。这价值本该有的，本是核心，但把握它难呀，就像乌龟，狗要咬它，无法咬，所以总在讨论先从头咬呢，还是先从尾巴咬，讨论半天还没动口，而乌龟仍缩在壳里。现在理论进展之可观，就在于可从它本身去了解，把乌龟壳撬开，直接研究它的心脏、血液、神经系统……文艺心理学正是这样，借助结构主义的方法研究它本身的结构、要素和层次，这是一个非常重大的突破。而研究艺术本身的基本结构当然离不开研究人的内心结构，这是最关键的，这本身就是目的。这个目的达到了，它可能为社会现实服务，也可能仅仅为了更好地认识自己，自我体验。穆旦的诗长于自我体验，但无需排斥艾青的诗，艾青的诗因为社会服务而成为经典，穆旦的诗也可成为一种经典。列宁曾揭示马克思哲学有两个来源：费尔巴哈的唯物主义与黑格尔的辩证法。马克思是黑格尔的学生，他是唯物主义加辩证法。但就文艺理论来说，黑格尔美学是理性的，艺术是理性的感情显现，至于艺术本身的目的、审美价值、审美情感的价值等，他是不太清楚的。德国古典哲学并非只有费尔巴哈和黑格尔，还有一个康德。康德的《判断力批判》比起黑格尔的美学要深刻得多，因为他的真善美是三维价值体系、实用价值、认识价值；审美价值，他是三元的。黑格尔是理性一元的，所有的艺术价值都服从于它的理性认识价值；康德则赋予艺术以独立的审美价值，不一定要依附于理性。由于马克思早年是青年黑格尔派，对康德可能体会不深，所以在列宁的眼里，马克思跟康德没关系。也因此，所有马克思主义的经典文论，比如恩格斯的“典型论”，实际上是社会认识论；普列汉诺夫艺术起源于劳动的观点，强调实用的善和认识的真，都提不出一个独立的审美价值。俄国卢那察尔斯基多少强调了文艺的独立价值，但这是极为难得的例外，后来的费兰契、卢卡契也不能明确地接受艺术的审美价值。我们在 1985 年后能提出审美价值论，我觉得是跨了一大步，这一步功不可没。这是很多人一起完成的，现在很难讲清楚是谁率先提出这一点，这是某种思潮，而思潮是不可能只属于个人的。1986 年是“观念年”，1987 年黄子平跟我讲现在是“语言年”，其实“观念年”还没来得及深入、发展、普及，还没来得及提高，又变成“语言年”了。1988 年后就不知算什么年了。以后又引进了很多西方理论进来：权力话语、现象学、结构主义、符号学都来了，包括系统论的余波，控制论……这些理论除文艺心理学我衷心拥护外，其他理论我多少有点怀疑。为什么怀疑？科学的发展都是从怀疑开始的，但我不是无原则的怀疑，我觉得福柯的话语理论也罢，现象学也罢，存在主义也罢，结构主义也罢，它们本身不是文艺理论，而都是某种文化哲学理论，它们不关注艺术本身的特点。

夏中义：权力话语也好，现象学也好，既然它们不是文艺理论，仅仅用它来解读文学不利于剖析文学的奥秘，不妨暂且不谈它。眼下我想问孙先生第四个问题。我们刚才是从方法突破、观念更新、学科重建等角度来谈新时期文论的，谈得很畅快。我们是在逼近世纪末时谈的，于是难免会把新时期文论放到百年中国文论动态演化的历史框架去作比较性考察。我想问孙先生：若与本世纪初的“五四”文论、三十年代“左联”文论、四十年代延安文论，顺延到新时期前的大陆主流文论相比，孙先生眼中的新时期的文论，就其所呈示的实绩及影响而言，应享有何种历史地位？当然我并不苛求你对此作详细甄别，仅仅请给出自己的印象式总体评判意向。

答：新时期文论在中国百年文论框架中，是最丰富、最具有潜在发展的能量的，可以说达到一个高潮，而且预示了非常广阔的前景。如果我们回顾“五四”文论，当时大量的是浪漫主义，再加上丹纳的带着机械唯物论色彩的现实主义。30年代对俄苏文论的介绍也是较粗浅的，鲁迅也只是看了普列汉诺夫的《艺术论》和苏俄文艺论战的资料而已。当时“左联”除了周扬、冯雪峰、胡风外，一般的理论家还较幼稚，往往师承苏联的三流学者（如维诺格拉多夫）。总的来说，过于一元化。当然，还有另一批人文主义理论家，包括梁实秋、朱光潜是取得很大成就的，尤其是朱光潜，打下了一个心理美学基础，可惜由于社会历史原因，没得到充分发挥，至1942年后文学工具论便达到极点，一直发展到“文革”期间“写中心”“演中心”“三突出”“样板戏”，走到了文化专制的极致，从理论走向非理论，变成法律，变成制裁作家艺术家的工具。胡风在50年代给中央的意见书曾提出作家思想改造，题材差别论、民族形式论等“五把刀子”问题，它在“文革”已变成“一把刀子”，这就是文化专制，把机械唯物论或工具论变成法律，这是一个历史的惨痛教训。新时期以此为殷鉴，为文学理论的探讨，为文学的观念、方法、价值多方面的探讨，提供了比较自由的心理空间和理论背景。新时期的文化哲学取向是多元的，艺术对人的心灵的探讨也是多元的。“五四”时期比较天真；30年代左翼比较粗暴；40年代和“文革”则比较专制。我觉得新时期文论比较多元，但是，还是有问题的，距离建立我们期待中的，能真正阐释艺术奥秘的文论系统，还有一段路要走。这有两个问题：第一，要系统解读中国经典文本。以所谓话语理论为例，我曾经跟德国汉学家顾彬发生争执，按他的话语理论，中国当代文学从1949年以来，不过是一元化的政治话语、权力话语，因而中国文学就是一堆垃圾。我提了一个问题：你如何解读《三国演义》？《三国演义》里的话语全是王朝正统话语，如何解释《三国演义》的艺术成就？用王朝正统的话语体系可以写出一部中国经典，成为当时世界文学史上成就最高的长篇，这至少说明那个话语理论在美学领域没有普适性。我的意思很明白，引进国外理论的目的之一，就是要能解读中国经典文本。结果无非有二，有的能解读，有的不能。我们不能满足于它能够解释的部分，更应关注它不能解释的部分，因为这正是我们理论创新的起点。它跌倒的地方，正是我们可树起旗帜来的地方。但我们许多年轻的、懂外语的、留学回来的、懂点西方理论的学者很少有这份自觉，他们往往不是去寻找西方理论同中国经典文本的矛盾，而是满足于西方理论跟中国经典文本的一致，正是在这一点上，我敢说他们其实不比中国早期的教条主义者高明多少。以茅盾为例，因为列宁讲过“全部的哲学史是唯物主义和唯心主义的斗争史”。茅盾写《夜读偶记》，就将此套成“中国文学史就是现实主义和反现实主义斗争史”。虽然茅盾学问很大，但这么生搬硬套，总不免可笑。第二，要把中国传统文论的基本范畴、概念融会贯通。在西方文论中发现漏洞，能否利用中国文论的资源来弥补？来颠覆？这个要求也许太高。至少也可用西方文论来解读中国传统文论的重要范畴或话语，比如研究一下中国人讲的“性格”，跟西方人讲的“性格”是否一样。“性格”这词第一次在中国文学作品中出现，是在《水浒传》里：武大郎在被潘金莲毒死前曾讲，“你现在把我毒死，……我的老二回来以后，你须知道他的性格”——这个“性格”跟西方文论的“性格”含义是一致的，我们必须善于解读这些现象。如果我们在解读中国经典文本的过程中，联系中外有影响的理论范畴，有所融会贯通或发现矛盾，由此开拓出新的话语、范畴、概念的广阔天地，经过几代人努力，我想在下世纪，是可能建立有中国特色的文艺理论的。

夏中义：谢谢你接受我这次讨论，没想到孙先生在理论上是一个民族主义者。

（花志红录音并整理）

我的桥和我的墙[1]

将二十年来的学术论文浏览一通以后，我第一次看清楚了自己全部理论其实只有四种成分。第一，作为美学观念基础的是康德的审美价值论；第二是作为具体方法的结构主义；第三是作为内容的弗洛伊德的心理层次分析。而将这三者统一起来，使之成为系统的则是黑格尔的正反合螺旋式上升的辩证法模式。[2]

除了黑格尔的哲学，我是有意识地花了两年的工夫对原著进行过钻研以外，其他两方面，却是无心插柳柳成荫。

第一次得知自己和康德的思想有联系，是在 1985 年的某一天，我在中国社会科学院文学研究所的一个讲习班，作了一次讲座，人民文学出版社理论编辑室的李昕先生听后对我说："你的文艺思想，属于康德的体系。"

我不禁大吃了一惊。把我的名字和这样的大师联系在一起，实在不但有点愧不敢当，而且惶惑莫名。

那时我还没有认真地念过康德的原著。康德那从概念到概念的玄虚演绎，和我的天性不太相容。康德的三大《批判》[3]一直放在我的书架上，连封面的灰尘都轻易不敢造次去拂拭。读康德的书所要下的决心，可能不亚于参加喜马拉雅山登山队。多少比我刻苦的朋友，都感叹康德的原著有如"天书"。康德对于概念细部微妙关系像科学家对于原子核中的微粒

---

① 发表于《山花》2000 年第三期。本文为《审美价值结构与情感逻辑》(华中师范大学出版社)的序言。

② 这个说法看起来，还不够完全，应该加上第五点，我作为作家的对于小说诗歌和散文的创作直接经验。另外，我对俄国形式主义、美国新批评、亚方结构主义、德里达、福柯、伊格尔顿、乔纳森卡纳都有专文批判。对于结构主义，我只是用其结构思路和层次方法，突破其共时性的普遍模式，用具体分析还原出文本的唯一性和不可重复性。

③ 即《纯粹理性批判》(1781 年)、《实践理性批判》(1788 年)和《判断力批判》(1790 年)。

子那样着迷。大师在概念的演绎的迷宫中流连忘返，享受创造的满足，完全不管演绎法的局限，丝毫没有露出以实证、归纳来弥补演绎法不足的苗头，连稍带感性的例子都懒得举一举，除了一个名不见经传的小鱼小虾一样的诗人以外，甚至对同时代的歌德、席勒都不屑一顾。他的神秘和抽象，他的经院哲学的繁琐，把作为大学生的我吓住了。读这样的天书，不拿出生命的几分之一，不可能有任何成效，作这样生命的赌注，真是太奢侈了。

我告诉李昕先生，我对于康德一向有一种敬而远之的谦卑，生命于我只有一次，与其奉献给康德去折磨，不如痛饮一些令人心旷神怡的学术甘露。但是李昕的微笑中含意十分明显，过分谦虚恰恰是美德的反面。他以不容分说的坚定宣布：约我为他们这样的权威出版社写一本书，就以我演讲中康德的价值观念为中心。如果没有足够的新著，也可以将已经发表的论文，按一个主题系统地编辑起来也行。

临行他补充说：这不是他个人的意见，而是编辑部的计划。虽然明知可能要亏本，但编辑部一致的意见是："要亏就亏个值。"

反正，和康德这样的大师联系在一起除了增加我名字的含金量以外，没有什么坏处，我也就横下一条心答应了下来（值得庆幸的是，这本《美的结构》后来并没有导致人民文学出版社亏本）。

接着，我比较系统地阅读了我的绝大部分的论文，我不得不承认，我对自己的了解不如李昕准确。在我的论文里的确充满了康德的审美价值观念，白纸黑字，无可否认。

从写那篇《崛起》的时候开始，我就非常坚定地相信文学的特殊价值和政治的、实用理性价值的区别，在稍后的《论诗的想象》中，就发展到集中揭示文学（诗歌）在想象和逻辑上与科学和实用功利价值之间的不同。尽管当时，我刚刚从文学创作的直觉中解脱出来，还不善于用康德的"鉴赏判断"这样的术语讲话。我甚至还没有注意到表示"审美"的话语，在宗白华的译本中叫作"鉴赏判断"，而朱光潜先生却坚持把它翻译成"情趣判断"。

我不得不硬着头皮读了一点康德的原著。这个过程，在现在的回忆中是"亲切的怀恋"，但是在当时，为那艰涩的话语而弄得痛不欲生的体验却至今历历如在目前。康德的确是博大精深，走进他的庄严的哲学大厦，我只有眼花缭乱的感觉，哪里来得及分析。但是我却是一个不可救药的无神论者，对他头上的星空，胸中的道德律，尤其是他的宗教观念，却不甚了了。但是这绝不妨碍我沉醉在他的文艺美学中，享受着醍醐灌顶之感。

我读任何学术著作，都没有像读康德这样，感到的智商不足，就是我反复钻研过的《判断力批判》，至今也只能算是一知半解，读到艰难处，我不能不几度颓然长叹，几度自怨自艾。但是，这并不妨碍我把康德当作经典，根据我自己文学创作和欣赏的经验，对他采取为我所用的立场。凡他的神秘体系中，与我不合的地方，我决不歪曲自己，而是公然地采取“六经注我”的方法，用我的文学经验和理解去填充乃至修改他。

康德在审美价值论中对于非功利性、非认识性、非逻辑性的论述，为我的思想提供了强有力经典根据。我终于有信心把我长期酝酿的《审美价值结构及其升值和贬值运动》写了出来，对真善美统一的传统说法发出挑战。我没有像康德那样让真善美三者在一般层次上处于对立的地位，而是让它们处在互相交叉的关系中，提出了真善美三维“错位”的观念。从此“错位”形成了我日后整个学术思想的核心范畴。由此延伸出去，不论是我的小说，还是幽默理论，都是以“错位”范畴为基础。小说（与散文和诗歌的区别）拉开人物与人物心理的感知的错位，而人物对话的深层规律是人物与人物之间以及人物心理的表层和深层的感知“错位”。

20 世纪 90 年代初，鉴于西方现代和当代的幽默学研究大都集中在心理学方面，我力图从幽默逻辑学方面获得突破。幽默在心理学上的特点，康德、叔本华、柏格森等已经说了不少，而在逻辑学方面的特殊性西方理论家的成果却并不太丰富。我得出的结论是：西方大师，往往囿于西方强大的一元理性逻辑，连康德也不例外。其实，幽默在逻辑上的特点，就是超越了一元理性逻辑，但是它并没有陷入一元逻辑，而是在中途滑入另一重逻辑，我把它叫作“二重错位逻辑”。我指出康德的“背理—预期—失落”说和叔本华的对象与概念不一致说、柏格森的机械镶嵌说之所以不完善，其原因都在于陷入二元理性逻辑而不能自拔。其实，康德在《判断力批判》中“美的分析”的第一节就有一句很重要的话：“鉴赏判断是审美的……从而不是逻辑的。”可惜他没有往非一元逻辑上发挥。

正是在这样的文献系统研究的基础上，我完成了从《崛起》以来整个学术思想系统化。

有很长一段时间，我不太明白，为什么康德的价值观念和我的会一拍即合。细想起来，这可能是因为当时我在北京大学读书的时候，受到了朱光潜先生的重大影响。虽然在 50 年代中期，朱先生由于众所周知的原因，他失去了讲授理论的权利，只能在西语系教英语作文。有好几次，由于不满足于蔡仪先生的课堂上反复强调“美是典型”，我很想跟随我的朋友，英语专业的一个班长，一起去到朱先生家里，借交英语作文之机向他请教。后来，我的一个好朋友还成了朱先生的助教，走访的条件更加成熟，但苦于对权威的矜持，历史的机遇随着念头的一闪而一去不返。

朱先生在 50 年代中期，尤其是反右时期的沉默过去以后，已经活跃起来了。对于当时朱先生和蔡仪、李泽厚的美学大辩论的每一进展，我都是紧紧追随的。尤其是朱先生的文章，包括那些“批判”康德的和批判从康德系统出来的克罗齐学说的文章。还有那些具体分析中国经典作品的小品（如《谈美：给青年的十二封信》），我广为涉猎。现在想来，朱先生观念就是这样深深地塑造了我最初的美学观念。

最近，我在《新的美学原则在崛起》中发现一段话，谈到同样的一棵树在诗人、科学家和木材商人的眼光中是不一样的。这就是康德的科学的真与实用的善与艺术的审美之间的区别的观念，恰恰是朱先生的一些谈美文章的意思的翻版。严格地把政治的实用和认识的真区别开来，是朱先生对我最大的影响，也因此使得我与蔡仪先生的“美是典型”、周扬所本的车尔尼雪夫斯基的“美是生活”（的真）长期格格不入。

朱光潜的文章，对我从50年代就开始了潜移默化的过程。到了80年代初，审美价值观念可能已经根深蒂固，正因为这样，我才敏感到朦胧诗的艺术价值，不能用传统的时代精神等社会功利的价值去解释，相对于传统的美学原则来说，它是一种“新的美学原则”。

当时我还不能从艺术上正面去回答它究竟是什么样的价值，直到我写出了《文学的三维结构和作家的内在自由》和《审美价值结构及其升值和贬值运动》，对于康德学说的零碎知识，系统化起来，并且加以发展。在康德那里，真善美三者是并列的，而我则认为三者不是分离的而是交错的，我给了它们一个范畴：错位，以此为核心范畴构成了真善美三维错位的系统自洽。

我的说法是，在文艺美学中，真善美不是统一的，而是三维错位的。在不完全脱离的前提下，三者的错位幅度越大，则审美价值递增，反之则递减。朱光潜先生所谓主观与客观的统一，既不能统一认识的真，又不能统一道德的善，只能统一于美。由于认识价值和道德的实用价值均是理性的，在人类社会生活中（通过学校教育和社会教育）占有优势，所以只有通过艺术形式的审美规范，才能保证超越理性，统一于情感的审美。在这种统一中，审美价值与认识价值、道德的实用理性的错位是和艺术的审美形式规范的定位结合在一种张力结构中的。

而在审美的形式规范中，人物与人物的心理关系如果是统一的，也就是说心心相印的，则形成诗性；如果人物与人物之间的心理是相错的，则形成叙事文学的，尤其是小说的特性。而幽默逻辑结构的特点则是，它不是认识论的一元逻辑的贯通，也不是二元逻辑的分裂，而是二重错位逻辑。亦即在一元逻辑行不通而导致失落的时候，另一重逻辑突然贯通了，达到了顿悟。

现在看来，在系统化的过程中，所依仗的不仅仅是康德的审美价值论，还有另一个要素，那就是结构主义。这一点，也不是我自己首先感觉到的。

90年代初，我的研究生陈加伟不止一次对我说，我的文艺思想核心是结构主义。这种说法给我的震动，不亚于李昕所说的我是属于康德体系。

我虽然零零碎碎地读过一点结构主义的著作，可是从来没有认真读完过任何一本。我所关注的结构范畴，大都是属于自然科学和心理学的。至于文学流行一时的符号学、语言学和结构主义，我并没有十分用功地钻研过原著。

为了编辑论文选集，我又一次浏览了我的学术论文。我不能不承认，我的学生说得比我想的要更正确些。在我最重要的学术论文中，有那么多文章是分析艺术文本的内部的、深层的结构和层次的。不论是对中国古典诗歌节奏，还是对于绝句结构的分析；不论是对小说的艺术形式规范、人物心理的错位结构，还是对于幽默的逻辑结构的二重错位结构的分析，都明显带着早期结构主义的特点。

对结构分析的爱好，似乎是自发的，但是并不是从娘胎里带来的，而是在50年代语言学老师对我耳濡目染的结果。我指的主要是王力老师、高名凯老师和朱德熙老师。王力、高名凯都是从法国语言学院留学归来的，在他们的讲授和课本中，德·索绪尔是经常提到的名字。显然，当时，他们不能不把德·索绪尔符号学说披上一层社会交际工具的主流话语的外衣。但是他们研究语言的方法，却充分强调了语言超越逻辑、约定俗成的性质。在这方面，朱德熙先生尤其令人难忘，他的理论基础是结构主义的。从他那里我知道了美国结构主义者布龙非尔德。他在课堂上分析现代汉语的语法结构，完全抛开了内容，醉心于语法内在结构的剖析。他好像不是一个教师，而是一个古希腊罗马的雄辩家。他的课程是北大中文系最为叫座的，去得稍晚就难找到座位。往往是连走廊上、暖气管上都坐满了人。现在看来，我在“文化大革命”浩劫期间为了自娱而写作的《论绝句的结构》和《我国古典诗歌节奏的结构》（原名）在方法上几乎是对他的亦步亦趋的模仿。

虽然，我对于现代汉语语法毫无兴趣，但是朱先生那种把自我肯定与自我非难结合起来，推进论点深化的思考方式及魅力四射的雄辩，却深深地迷住了我，只能用如痴如醉来形容。和许多教授着重于结论的宣布加例子的“证明”不同，朱先生并不着重结论，他把主要精力放在得出结论的曲折过程中。从他那里我第一次体会到学术研究要有如打乒乓球一样，要左推右挡地防守，作理论上的免疫的工夫，才能自由地拓开思维的空间，获得自由创造的前提，得出可靠的结论。从他那里，我明白了，为什么大多数同学厌恶流行的文风：引用某种权威话语作为大前提，举几个相应的例子，就算完成了论证。朱先生习惯于在材料的基础上，得出初步的结论，以正例说明，接着又以反例限制甚至动摇这个论点，把论点也就是语言深层结构的研究，推向新的层次。如此反复再三，最后得出自己的结论。但是他并不以为这就是真理的终结，常常又举出新的材料，说明自己学说的局限，目前对于这些材料，还不能作恰当的阐释。他跟着又指出，如果不用这种阐释，而改用其他学者（包括当时很权威的苏联学者——如龙果夫、鄂山荫教授）的说法，虽然能够解释这些例子了，但是却有更大的漏洞。他举些例子，引起了我们的微笑。这种微笑不但是对他的赞赏，而且是体验到自己心智成长的喜悦。

许多权威的教授，虽然令我肃然起敬，但是，他们只有证明，却没有证伪，只有正例，而没有反例，连黑格尔的正反合的模式都很少能遵循。他们传授的知识启迪了我的心灵，奠定了我最初的学术信息的基础，但是，他们却不能给我以思考问题的方法。虽然，他们习惯于把结论当作终极真理，却不能让我无条件信仰，而朱德熙先生却并不是要求我信仰，他的全部魄力就在于逼迫我们在已经有的结构层次上，进行探求，他并不把讲授当作一种真理的传授，而是当作结构层次的深化。他特别强调的是：如何攀越重重障碍，而不是回避无处不在的绊脚石。

我的心智得到了最大的满足，如今想来，正是这样的满足，养育了我最初的追求形象内在结构奥秘的学术信仰。五十多年过去了，当我重读关于绝句的结构，古典诗歌节奏的动态和稳态结构的文章，深深感到朱先生的精神烙印和他的学术遗传基因。正是这样的结构主义的语言学基础的深刻影响，使我对于俄国形式主义、布拉格学派、法国结构主义者，叙述学的许多文本分析一见钟情之惑。

这种一见钟情，有一点奇特的地方，那就是：很少是先从他们那里得到理论，然后作文本的验证。更多的是，我自己先对文学形式有了一定的体悟，形成了观念，甚至已经在写作论文了，才发现了他们的一些说法，完全可以成为我的佐证。这在我写《论小说的审美规范》（后改为《论小说的横向结构和纵向结构》）时最为明显。我论文的写作的过程中，得出小说与散文和诗歌的区别在于即使相爱的人物之间也有心理错位的结论时，中途去天津参加文学观念的学术讨论会，从一个精通法语的青年学者那里，得知托多罗夫研究法国爱情小说得出一个模式：当 A 爱上 B，B 并不爱 A，A 设法让 B 爱 A 时，A 却发现他已经不爱 B 了。我不禁兴奋莫名，立刻请他从法文翻译出来。并且把它写在了我的论文里，作为一个学术佐证。等到文章登出来，书也印出来了，我才知道，这并不是托多罗夫的发明，而是俄国形式主义者什克洛夫斯基的首创[①]。

现在看来，对于结构主义和俄国形式主义和布拉格学派文献的涉猎不足，是一种不幸，但是，从另一方面来说，也是一种幸运。因为，结构主义者力图从文学的文本概括出某种公约的通式，这与文学的不可重复的创造性是不相容的。

使得我逃避了这种致命的弱点的，还有两个原因。

第一就是上面已经提到过的我对于西方许多文论，采取的并不是系统接受的方式，而是根据我对于文学特殊性的理解，能为我所用则留之，不能为我所用则弃之。在我看来，

---

① 斯克洛夫斯基：《故事和小说的构成》，《小说的艺术》，社会科学文献出版社 1999 年版，第 86 页。

最重要的不是结构主义文论中许多深层的模式的揭示，而在于对于艺术特殊性阐释的深度。我有过从事创作的体验，文学特殊性，是生命的生命。结构主义乃至叙事学对于叙事模式的揭示，不可能满足我对于文学特殊奥秘的追求。如果屈服于结构主义的权威，就不能忠于我自己对艺术形象的体验。在克服结构主义抽象通式的不足这一点上，弗洛伊德、荣格的心理学说帮了我很大的忙。结构主义探索的叙事模式，是空洞、抽象的，但是，弗洛伊德和荣格的无意识和人格面具的心理学说却帮我把这个空白填充了。

当然，我认真地钻研现代心理学著作的时候，也并没有忘记心理学作为一种学科，它探求的是人类心理的共同性，而文学则相反，它的目的是揭示每一个人物内心独特的、不可重复的密码。我却并不想委屈文学，把它当作心理学原理的例证。我不过是把弗洛伊德和荣格的学说，作为一种方法来加以吸收，把多层次意识和结构主义结合起来，如果结构是形式，而心理的复合层次则赋予之以纵深的内涵。

我的文论里充满了那么多的心理学的内容，这使得我和当代西方的语言转向，尤其是权力话语学说和某种意义上的现象学发生了矛盾。因而，在这方面，我时常怀疑自己，是不是显得保守了一些？我的朋友南帆先生也不倦地向我灌输福柯的学说，我当然也时时为之怦然动心。在南帆先生的大量学术文章的软性的包围中，我不能不认真对待当代文论的语言转化问题。我被迫去读读现象学文论，读福柯的著作，但是，不知道为什么，收效不是很大。这也许是因为，现代心理学对于人的心理深层的分析，早在50年代读鲁迅翻译的《苦闷的象征》时，就深深渗透进了我的灵魂，它帮助我理解文学的许多奥秘，然而，现象学却是排斥心理分析的。我非常困惑，既然，把文学当作召唤结构，但是，如果读者没有任何艺术的心理储存，你能召唤出多少深厚的东西来呢？至于权力话语学说，太过于把意识形态当作研究的中心，把文学形象的特殊性看得太不重要，对我说来就不能不显得不可亲近了。

最能调和我的心理学倾向和西方文论语言学转向的矛盾，莫过于拉康了。他把精神分析学与结构主义语言学结合起来的考察，用语言符号学来解释精神分析学的经典命题，用能指与所指的关系重新阐释了弗洛伊德的无意识，这使我备受鼓舞。他认为无意识不像弗洛伊德所说的那样是混乱的，而是和语言一样是有组织、有结构的，语言的作用正是对欲望加以组织。他把无意识的研究从弗洛伊德的心灵内部解放出来，而放到了人们外部网络关系中去。他认为，能把这种复杂网络关系说清楚的只有语言。这就是拉康所谓的“语言革命”。但是他的一个相当武断的命题又阻挡了我和他的沟通。他宣称，不是无意识先于语言，而是语言先于无意识，至少是二者几乎同时出现，无意识事实上是语言的产物。这种学说，在我看来，类似于先有鸡还是先有蛋的伪问题，与我长期以来对文学的欣赏和创造惊心动魄的体验相冲突。创作的痛苦常常是明明有一种微妙、精彩的感觉，然而，只可意会而不可言传。歌德就曾说过，艺术家就是能够把别人说不出来的潜在的感觉用恰当的语言说出来的人。我国古典文论关于言与意之间的论述向来就是以二者的矛盾为基础的。古典诗话和文论中留下了那么多“苦吟”和“推敲”的经典范例，都是为一种可意会不可言传的潜在的感觉寻找恰当的语言。按拉康的理论这一切都无法解释。

这也许是我的传统语言观念的顽固性作怪罢。在我年轻的时候，就形成了语言是“思想的物质外壳”的观念，当无意识还没有孕育成意念的时候，从哪里来的语言呢，如果有了明确的语言，无意识就成了意识了。

拉康的“语言革命”对我是有冲击的，然而，似乎却没有强烈到促使我在理论上作根本调整的程度。正是由于这样，其他的一些西方文论，包括福柯和罗兰·巴尔特，虽然在意识形态的深刻上，我对他们十分敬佩，他们的文学思想也有令我惊叹不已之处，但是却没有把我打动到调整自己去适应他们的体系的程度。

使我逃脱了结构主义抽象模式的第二个原因是，我的许多文学观念并不是首先从某种文论中得到的，而是从作品的欣赏、解读中慢慢体悟到的，在形成观念以后，才用黑格尔的正反合模式和螺旋式层次上升的方式转化为逻辑系统的。在西方文论中，我很少享受到为某一种观念所迷，对百思不解的文学现象突然有了恍然大悟的幸福。我的许多比较深刻的思想，大多是自己读经典文本体悟到的。西方文论中许多精彩的东西，如果没有这样的文本体悟作现象学者所说的“预结构”，肯定是不能达到皮亚杰所说的那样“同化”的，很有可能如水过鸭背，在思想中留不下任何痕迹。

我想，任何一个文学理论家，必须有两种功夫。第一当然是对理论文本的理解力，第二就是对文学文本的悟性。我觉得，前者虽然经常在发挥作用，可是后者却更加重要。直接从文本中洞察文学的奥秘，抽象出观念来，形成自己的话语。这种直接抽象的功夫，正是一切理论原创性的基础。这种功夫太难了，并不是每一个人都能直接构成自己的话语的，大多数人才不得不采取间接的办法，借助西方的和中国古典文论和现成话语，不是从文本出发，而是从权威的话语出发。当我读到中国和西方理论大师的经典之作中精辟语言的时候，兴奋是自然的。从这里我们看到了人的才气、人的原创力，不接受大师的熏陶是不行的。即使是充满原创性的天才人物那里，生命也是有限的，人不能指望自己像祖先那样在理论上作从猿到人的进化，一切从零开始。人类文明的积累性，迫使我们不能不把生命中最大部分时间投入在接受经典理论成果的钻研上。

显然，这里包含着风险。用伽达默尔的说法，权威的话语既是思想的桥梁，又是阻隔心灵视觉的墙。任何权威的话语的澄明作用和障蔽作用都是互相渗透的。所以，在接受任何权威、大师的话语的时候，不能忘记：接受不是为了重复，而是为了把他们当作自己思考的桥梁。忘记了这一点，大师和权威就可能变成横在自己心灵视觉前面的黑色的墙。不管经典理论是多么的优秀，总是有其障蔽的成分。因而，发现其障蔽，就和接受其澄明成了同样重要的任务。否则，就不能完成自己的创造天职。从这个意义上来说，我深深赞赏福柯的权力话语学说，正是他从理论上揭示了人们在无意识取消自己思考权力的秘密。但是目前，我觉得最值得忧虑的是一种倾向，接受了大师的观念，往往却忘记了大师的精神的根本：即使是桥，也不能停留在桥上，花上一辈子时间，看人家的学术风景。造物主赋予我们只有一次生命的意义如果仅仅消耗于此，那就是太大的奢侈。

正是在这种意义上，自然科学理论家波普尔的只有证伪才能发现新的真理的学说对我具有特别的鼓舞力量。我佩服西方文论学者，他们一般并不以师从某一大师为荣，相反以向大师提出挑战和怀疑为荣。正是因为这样，我才在《西方文论的引进和中国经典文本的解读》中提出，以中国经典文本检验西方文论，在检验的过程中，光是满足于证明他们的有效适应范围，是没有出息的。从这个意义上来说，证伪高于证明，以证伪来推动学术的发展，是一种规律。

当然，这种“六经注我”的方法，有利于我充分发挥想象，开拓思维的空间，赋予我在话语和范畴上创造和放达地将自己的观念体系化的自由，甚至让我有勇气在字里行间保留某种情感的冲动。但是它也使我在文献的系统化上，在对基本范畴、概念的内涵的界定上比较薄弱。因而，我的文论虽然有比较强的可读性，但却缺乏严格的、积极意义上的学院气息。

当然，我可以安慰自己，一切学术不可能完美。但是，我要弄明白的是，目前根据自己的气质和学养作出的选择，是不是宿命的？是不是还有一些自由的空间被我自己习惯的话语障蔽了？我想回答是肯定的。在今后的岁月里，我所能够做的只是，在历史和遗传气质给我划定的圈子里，发现并解脱任何自我遮蔽。

附：

在西方文论失足的空白中系统建构①

《我的桥和我的墙》写于2000年，从那以来十多年，我以手工业式的方式，对四百余篇文学文本作出审美个案分析，分别出版几本书，出乎意料受到读者的热烈欢迎，其中

① 本文原为《我的桥和我的墙》的前言。为统一体例，现作为本文附录收入，题目为编者所加。

《名作细读》已经重印到十次。这使我更自信，不再对西方文论，尤其是当代西方文论一味洗耳恭听，我的取向不再是在人家取得胜利的地方学步，而是在他们失足的空白中，在他们宣告无能为力，徒叹奈何的审美文本分析方面作出自己系统的建构。其总结性成果就是北京大学出版社的《文学文本解读学》。这本书的序言在《中国社会科学》一发表，文艺报的熊元义先生就以令人感佩的敏感，在该报发表了一整版对我的访谈。这个访谈又引起了解放军艺术学院的朱向前教授的注意，他在《解放军艺术学院学报》2013年第4期上发表了《超越“更有难度的写作”》，在谈到学院派理论与文学本体的问题，西方文论和中国文学批评、文学理论的生命问题时，谈到了我：

> 今天人们把“80后”批评家称为“学院派”，当然是褒义，是肯定，如前所引的“博”“专”“后”的概括等等。放眼当下的理论批评阵地和队伍，也几乎都成了清一色的“学院派”（曾经所谓的“作协派”批评家大概也只剩下雷达、白烨、贺绍俊等三五人了），总体反映了当代文学理论批评队伍素质的专业化提升过程。但我的意见却是要反其道而行之，越是在学院派一统天下的情况下，越要对学院派的弊端保持警惕。
>
> 记得近30年前——1984年秋，由于我的引荐，徐怀中先生特邀福建师大的孙绍振教授北上面对首届军艺文学系，讲述他那本即将问世的洋洋60万言的填补当代文学理论批评空白的开山巨作《文学创作论》。在我看来，孙著是一本“在森严壁垒的理论之间戳了一个窟窿的于创作切实有用的好书”，为此还应《文学评论》之邀撰写了万字书评《“灰”与“绿”——关于〈文学创作论〉的自我对话》（载《文学评论》1986年第1期）。孙绍振亦藉此创造了一个在军艺文学系讲课最系统持久（一连5个半天）的纪录，至今无人企及（一般情况下，任何专家、教授、作家都只给每届讲一堂课），而且深受学员好评。
>
> 此后多年，莫言等人都曾著文忆及当年听孙先生讲课时所受到的震动和启发。而孙先生，就是一位当代文学理论前辈中为数不多的才子型且西学修养极为深厚的资深学院派，他与谢冕、张炯等同为北大同班同学，但又操得一口流利的英语。1982年冬，我有幸与孙先生同为福建省文学奖评委，入住鼓浪屿某宾馆比邻而居一礼拜，每天清晨听他在阳台上面对大海用英语朗读西方经典原著一小时，那份优雅的做派真真把我佩服死了。结果他却摇摇头，淡然道，当年我是我们班英语最好的，再不捡捡就真要忘光喽。
>
> 然而，就是这位孙先生，数十年来，立足本土，鹰视前沿，及时追踪西方文论英美诸学派，“入乎其里，出乎其外”，始终对学院派坚持一种扬弃的姿态。恰巧，半个月前——2013年6月17日的《文艺报》“理论与争鸣”整版发表了《建立中国特色

的文学批评学——文艺理论家孙绍振访谈》，文中观点一以贯之，他认为，带着西方经院哲学传统胎记的“西方文论一味从概念（定义）出发，从概念到概念进行演绎，越是向抽象的高度、广度升华，越是形而上和超验，就越被认为有学术价值，然而，却与文学本体的距离越来越远。文学理论由此陷入自我循环、自我消费的封闭式怪圈。”“归根到底，这使文学理论不但脱离了文学创作，而且脱离了文本解读。”他具体指出其根本软肋——

“第一，号称‘文学理论’却宣称文学实体并不存在，伊格尔顿在《二十世纪文学》、乔纳森·卡勒在《文学理论·导论》中坦然如此宣称。这样的危机对2000多年来西方文学理论来说，如果不敢说是绝后的，至少可以说是空前的。第二，他们几乎不约而同地宣称，对于具体文学作品的解读的‘束手无策’是宿命的，因为文学理论只在乎概念的严密和自洽，并不提供审美趣味的评判。第三，他们绝对执着于从定义出发的学术方法，当文学不断变动的内涵一时难以全面概括出定义，便宣称作为外延的文学不存在。第四，他们的理论预设涵盖世界文学，可是他们对东方，尤其是中国古典文学和理论却一无所知，他们的知识结构和他们的理论雄心是不相称的。”

孙绍振的结论是：“西方文论失足的地方，正是我们的出发点，从这里对他们的理论（从俄国形式主义到美国新批评，从结构主义到文学虚无主义的解构主义，从读者中心论到叙述学）进行系统的梳理和批判，在他们徒叹奈何的空白中，建构起文学文本解读学，驾驭着他们所没有的理论和资源，和他们对话，迫使他们与我们接轨，在文学文本的解读方面和他们一较高下。也许这正是历史摆在我们面前的大好机遇。”

在出版我的专著《新的美学原则在东方崛起》的时候，编者要求我写篇序。在序言中，我总结三四十年来的学术道路，总结从20世纪80年代的《文学创作论》到今年的《文学文本解读学》的学术探索，头绪如此纷繁，虽苦心孤诣，亦难以提纲挈领，不免陷于繁琐。为了取巧，我先是引用了《我的桥和我的墙》，但是，那只涉及我2000年以前的情况。恰好一个偶然的机会看到朱向前教授对我的评论，顿觉引用他的论述，可能比较客观、中肯，这样讨巧的事，何乐而不为？

2015年1月15日

原创性：唯理论和经验论的互补①

我年轻的时候，对文学理论感兴趣的目的很简单，第一，希望通过文学理论获得关于文学形象魅力的奥秘，我的目的非常具体，解读文学作品，从一首小诗，到一部长篇，只要能揭示一点艺术的道理来我就满足了。第二，在欣赏的基础上，如果可能，获得创造形象的能力。正是出于这样一种朴素的愿望，20 世纪 50 年代中期，我选择了北大中文系。但是不久，我就后悔了，我把生命中最有活力的那一段奉献给了文学理论，可是越学越觉得那样的理论不但不可爱，相反，越来越可恨。当时主流文学理论最基本的命题是周扬从俄国人车尔尼雪夫斯基那里引进的“美是生活”。我觉得这样的命题当然没有错，但是说了也等于没有说，因为生活和艺术有着根本的区别，可是文学理论最多只承认二者之间仅有量的、程度上的差异。从方法上来说，这种理论所强调的是生活和艺术的统一性。这与我所学到的马克思、黑格尔的辩证法，事物的本质在于内在和外部的矛盾的信念在根本上背道而驰。尊重艺术本身的规律的愿望被反复申说，但是由于艺术与生活的矛盾被忽视，总是不得要领，甚至连所谓“形象思维”的讨论也流于空谈，公式化概念化的创作和批评成为不治之顽症。

教条式的演绎俄国文论，并不能解决中国文学的问题，到了 20 世纪 80 年代初，主流文论的衰败就是必然的了。跟着而来的是西方文论的大规模引进，全新的、多元的话语和方法的确为当代的文学理论带来了生机。我国文论进入了一个可能是“五四”以来最为繁荣的时期。但是，在繁荣的外表之下，也不是没有问题。那就是我所追求的文学形象的奥秘，艺术魅力的规律，仍然没有得到令人信服的解决。除了少数例外，新时期引进的西方文论，比之传统的主流文论并不更重视艺术本身的奥秘。某些西方大师根本就没有把文学

① 发表于《文艺争鸣》2000 年第 5 期。

与文化的区别当作一个探索的课题。从方法论上来说，当然有了进步，文学与现实的区别（例如是一种想象）倒是得到了重视，但是文学与非文学的意识形态的统一性得到了空前的强调，艺术与非艺术之间的区别却公然遭到了蔑视。文化价值和艺术价值的矛盾被忽视的结果就是审美价值上的后退，文化价值第一，甚至唯一成为潮流，和40年代政治意识形态标准第一，形成两个历史时期有趣的对称。

当然，不应否认，文学理论在阐释文化心理的潜在成规，在揭示意识形态对人无形的约束方面，取得了巨大的进展，但是文学形象作为一种艺术文本，它的特点、规律却依然是一片模糊。如果文学理论只是长于文化学的、意识形态潜在成规的揭示，那又为什么把它叫作文学理论呢？把它称为别的任何理论不是更名副其实吗？

这不是一个纯理论问题，文化价值和艺术价值从来没有像今天这样被混淆。一系列问题在逼迫着文学理论家作出正面的回答。关于经典、大师的称号，在艺术上是不是应该有一个相对稳定的共识，茅盾和金庸在中国现代当代文学历史上，对于长篇小说这样一种文学样式的艺术贡献，如果可比，究竟是谁的贡献更大一些？如果把赵树理这样的作家称为“大师”，那么在艺术上是不是还有二流作家？联系处于类似的政治文化语境中的苏联作家肖洛霍夫，赵树理在艺术上如果真有开拓，那么他是不是也有艺术上后退的成分？余秋雨的散文，是诗性的、抒情中渗透着文化智性的思考，能不能像朱大可先生那样仅仅以“煽情”为由，将其一笔抹杀？像《白鹿原》那样语言上如此芜杂、冗赘，其文化价值与艺术价值是不是存在着矛盾？当陈忠实笔下长达三千字的求雨的大场面，众多人物的知觉、行为、语言没有差异、错位，对于长篇小说这样的叙事文类，在艺术上是不是一种败笔？

没有理论显然是不成的，但是一些主体性很强的理论在艺术上却在不断制造盲点。本来，光凭常识和阅读经验容易达成的共识，一旦上升到非常抽象的理念，就变得神秘万分。也许，一切文学理论都不可避免地带着某种与惊心动魄的审美阅读经验为敌的副作用。但是人们又不能完全依靠经验来系统地解决问题。有史以来，人类为文学所创作的理论浩如烟海，最为理想的办法就是首先梳理人类全部文学理论宝库；可是要穷尽全部理论宝库，一个人的生命绝对是不够的。

因而对于任何一个把生命奉献给文学理论的人来说，就不能不作必要的选择。

我在为自己的论文集《审美价值结构和情感逻辑》作序的时候，回顾了我二十年来的学术道路，这样说过自己的全部理论其实只有四种成分。第一，作为美学观念基础的是康德的审美价值论；第二，是作为具体方法的结构主义；第三，是作为内容的弗洛伊德的心理层次分析；第四，将这一切综合起来使之成为系统的，是黑格尔的正反合螺旋式上升的辩证法模式。上述四种成分只是给了我在方法上和观念上的向导，这样的向导，对于所有文学理论领域的学人来说，都是一样的。如果仅仅依靠这四种成分，充其量不过是重复了大师们已经阐述的理论而已。大师们的学术成果不过是一个基础，一个学人的创造，不能光凭学识。因为学识并不等于原创性，有时，过多的学识还有碍于原创性的升华。我想，我的理论建构，还有一个重要的元素，那就是我作为作家的创作经验，因而我擅长于从作者的眼光进行经典文本的，特别是个案的、微观的解读。

对于一个真正的学人来说，更重要的是，对于学术大师的超越，而超越的基础就是自己对于文学作品的特殊的体悟、独特的发现、在此基础上建构起来的独创的理念以及由此而衍生出来的观念的系统。没有第一手的对文本的悟性和特殊的解读，就谈不上在理论上的创造和突破，最多不过是学术摊贩而已。

不管如何把前辈大师的文学理念加以准确地阐释，仍然达不到原创性的境界，真正的理论家应该在文学经典文本的体悟方面独辟蹊径。从体悟的经验直接抽象为观念，正是原创性的开始，没有直接抽象的勇气，没有把单纯的观念衍生为系统的勇气，就不可能有任何理论的创造。事实上大多数西方文论大师（也许，康德是个例外），他们的理论就有很大一部分是从经典文本的独特解读中获得的。这在中国尤其如此，我们的诗话、词话、小说和戏曲评点，都是从创作论的角度对文本进行艺术的品评的。我在这方面也有体会，一些我自认为比较好的见解，观念的萌发并非来自大部头著作的演绎，而是对经典文本的体悟。

最明显的就是我全部理论的核心范畴——“错位”，最初就是从阅读海明威的小说触发的。我发现海明威的主人公的对话常常不是心口如一的，其真实意图往往是被说出来的话掩盖着，潜在意向往往蕴含在对话的空白之中。起初我只是把这种现象叫作“心口误差”，后来，我发现不但是海明威，而且是一切经典小说中，动人的对话都有这样的特点。几乎所有小说中人物，哪怕是关系极其亲密的都有这样的现象。小说和诗歌不同，在诗歌中，人物可以是心心相印的，而小说如果心心相印，不是小说失败了，就是小说该结束了。小说中人物有一种“心心相错”的特点。它既不是二元对立的，也不是一元延伸，而是部分重合的，部分外溢的：我把它命名为“错位”。

在 1986 年，在天津一个学术会议上，从一个青年法国文学专家那里得知托多罗夫研究法国爱情小说，得出一个公式：当 A 爱上了 B，而 B 并不爱 A，A 乃设法使 B 爱上了 A，当 B 爱上了 A 以后，A 却发现自己不爱 B 了。我立即请他把这一段给我翻译出来，引用在我当时正在写作的一篇论小说的审美规范的论文中。后来我读到俄国形式主义更多的论文，才知道这个公式并不是托多罗夫的发明，而是斯克洛夫斯基的首创，他是在解读普希金的诗体小说《叶甫盖尼・奥涅金》时，对奥涅金和达姬雅娜的爱情故事的归纳。他认为这是一切“不美满的爱情小说”的“通式”。[①]

钻研了更多的经典文本以后，我得出的结论是：在小说中人物的心理情感“错位”是一种规律。不仅仅存在于不美满的爱情小说中，而且是一切艺术上及格的小说中的共同特点。从林黛玉到安娜，从《复活》到《卡拉马佐夫兄弟》，从《阿 Q 正传》到《变形记》毫无例外。不管是朋友还是战友，不管是夫妻还是兄弟，只要处于同一精神结构之中，他们之间的心理错位的程度和他们的艺术感染力成正比。一旦心理（感觉、知觉、想象、幻觉、语言、行为）“错位”消失，小说叙事的“心心相错”就变为诗的“心心相印”，抒情的审美价值可能是升值了，但是叙事的审美价值却贬值了。

以此观念来解读《三国演义》，特别是其中的“赤壁之战”，更证明了这一点。鲁迅曾经批评过罗贯中把诸葛亮写得“多智而近妖”。以“心理错位”观念来衡量，这种批评就有两个方面的不足。第一，仅仅从认识价值（真实性），而不是从审美价值（心理错位）来衡量小说人物；第二，仅仅是对单个人物进行分析，而小说是一种人物与人物之间“心理错位”的艺术，因而不能不从人物之间的心理关系来分析。

诸葛的“多智”，从现代自然科学的认识价值来看是不真实的，但是古代英雄传奇的艺术感染力不在于是否有自然科学的真实性，而在于情感上的“错位”性。《三国演义》表面上是军事集团的斗智，而斗智充其量是一种实用价值。而其真正的艺术力量却不完全在实用的斗智，而在于斗气，而斗气，是审美情感“错位”，是不智的，缺乏实用价值的。

诸葛亮超人的“多智”是他的盟友周瑜“多妒”刁难的结果。而诸葛亮神秘的、冒险的“多智”又引出了曹操的“多疑”。由于“多疑”“多智”的冒险乃取得胜利，又刺激了周瑜更加“多妒”。《三国演义》魅力的奥秘，就产生于这种从“多智”到“多疑”，又从“多疑”到“多妒”的循环的“心理错位”之中。

这种“心理错位”的循环，不但是构成《赤壁之战》而且是一切成功小说艺术力量的奥秘。不管是否有情节，“心理错位”正是小说与散文、诗歌之间最为根本的区别。小说艺术最基本的、普遍的规律就在于此。正是由于对于这种规律的确信，我才始终对于《白鹿原》在处理大场面上人物之间的心理缺乏错位幅度，坚持批评态度，这是艺术上很幼稚的错误，是艺术上不及格的表现。

这里涉及一个思维方法上的关键问题。通常引进西方文论最为普遍的方法是根据其大前提，进行演绎。演绎法是科学思维的基本方法。但是，正像人类一切思维方法都有局限，都有遮蔽性一样，演绎法也是有局限性和遮蔽性的。主要是由于它的大前提必须是无所不

① 斯克洛夫斯基：《故事和小说的构成》，《小说的艺术》，社会科学文献出版社 1999 年版，第 86 页。

包的（如太阳天天从东方升起），大前提不周延，就不能进行演绎。表面上结论是由大前提演绎出来的，但是实际上无所不包的大前提早已把结论包含在其中了。因而，演绎法究其根本来说，只能是从已知推出已知，而不能推演出未知；充其量，它只能为已经确定的大前提解难题，举例子，作证明，而不能证伪（不能推演出总有一天太阳会不从东方升起了），不能发现新的真理。这是早在休谟已经明确了的。

光凭演绎，是不可能有原创性的。演绎法时刻都需要归纳法的帮助，但是归纳法也有局限。归纳法所得出的普遍性命题（如一切的命题都有澄明性和遮蔽性），指涉是无限的，需要无所不包，但是人的经验是有限的，以有限加有限，达到 N 次，仍然是有限的。因而归纳永远也不可能解决人的有限经验与普遍性命题之间的矛盾，这是人类思维的悖论。正是因为这样，光凭归纳就可能陷入狭隘经验的牢笼。因而经验论与唯理论本来是可以互补的。文学理论家必须有鉴赏的经验、悟性和灵性，也要把很大一部分生命用在钻研理论经典上。很可惜，在文学理论建构中，人们对于唯理论迷信已经达到很严重的程度，演绎法的局限，往往被遗忘了；只怕理论知识不足，而不怕连起码的审美悟性都没有。

就主导倾向来说，目前文学理论的主要方法是演绎法。引进的西方文论，大体属于文化哲学理论，其外延包含着文学，但是其普遍性的内涵却并不包含文学的特殊性，仅仅凭普遍性大前提（其本身的普适性就没有经过必要的解构和证伪）并不能演绎出文学的特殊性来，因而要得出文学，特别是中国当代文学的许多特殊性质，应从经典文学文本（包括西方文学的经典文本）的解读中，进行第一手归纳和直接抽象。

相对而言，要从经典文本的阅读中直接抽象出观点，从个别的观点衍生出系统的观念来，再经过反复验证将之上升为范畴，比之从现成的理论前提进行演绎要困难得多。也许正是由于困难，归纳法变成了新时期文学理论研究中一个小小的冷门。做冷门功夫需要特别的耐心。从 1985 年形成“错位”观念，到 1988 年将“错位”上升为范畴，引申到宏观“真善美三维错位”结构中去，其间经历了 3 年，而到把“错位”范围从文学审美中扩大到幽默中，已是 1992 年的事。那时，我在中央电视台主持一个叫作《幽默漫谈》的节目，并没有什么特别的理论参考，仅仅凭着对于几十个幽默文本的微观解读，事先毫无理论建构的准备，却在演播厅中即兴讲出了幽默在逻辑上的特别在于：既不是二元分离的，也不是一元到底的，而是一元逻辑运行到了中途，一元逻辑发生失落，由于一个概念被偷换，在另一条思路上，又贯通了，我把这叫作“逻辑错位”。

当然，这只是一时的灵感，为了证明这一点，弥补基于直接经验归纳的不足，我不得不系统查阅了康德、叔本华、柏格森、弗洛伊德的文献。这个过程还没有结束，至今还有从依阿华大学复印来的长达数百页的《美国近年来幽默研究论文提要》没有来得及细读。

虽然如此，我已经从康德、柏格森之间找到了互相间的矛盾，又找到了互相间的联系，为康德的“预期的失落”，找到逻辑上的原因——一元逻辑的中断，又为柏格森的“预期落实”说，找到了逻辑上的原因——逻辑在中断后又重新巧合地贯通，最后指出，幽默不产生于显性的一元逻辑的“失落”，而是产生于隐性的“错位逻辑”的顿悟。等到写成论文和专著，提出情感的递增，导致滑稽上升为幽默，而智性的递增，导致幽默上升为讽刺的规律，把文章发表出来，已经是四五年以后的事了。

建立中国特色的文学批评学

——文艺理论家孙绍振访谈①

熊元义： 自从 1981 年《新的美学原则在崛起》发表以来，您一直在文艺批评和文艺理论这两个方面勤奋耕耘，取得了丰硕的成果。中国当代社会的发展正由赶超的模仿和学习阶段逐渐转向自主的创造和创新阶段。在这种历史转折阶段，中国当代文艺理论界在精神上绝不能因循守旧，而要奋发图强，开拓创新；绝不能对一切强有力的和崇高的东西麻木不仁、无动于衷，而要有对崇高和尊严的强烈感受。您认为中国当代文艺理论在与西方文艺理论的碰撞和交流中应该如何发展？

孙绍振： 从 20 世纪 80 年代起，中国文学理论界冲破了封闭性的蒙昧，享受了放眼全球的兴奋，在强烈的落伍感的驱迫下，文学理论界把相当大的热情献给了西方理论，一波又一波的新理论被当作普罗米修斯的火种引进，表现出“饥不择食”的贪婪，其更新速度之快，可能创造了吉尼斯纪录，这可以从急于改变弱势文化处境的心态得到解释。20 世纪 80 年代的“新名词大轰炸”的实质乃是抢占话语的制高点，在话语解放中体验节日的狂欢，由之而产生的最乐观的预期乃是“发出自己的声音”，在最短期间与世界文论最高水平接轨，在学术前沿平等对话中，展示中国文学理论的更新和建构。然而，多年的实践证明这种“乐观主义”多少带有空想的性质。平等对话的起码要求乃是有话可对，也就是具有自己的、不同于对方的话，如果所说和对方一样，那就是废话。问题在于，许多热闹非凡的话语都不是自家的，问题是人家的，大前提是人家的，方法也是人家的。将西方文论奉为“放之四海而皆准”的真理，充其量不过是为之举出中国的例子而已。这就不能成为对话，而是仆人对主人的“喳”。

① 发表于《文艺报》2013 年 6 月 17 日。

西方文论不管什么流派均以对权威的质疑挑战为荣，故天马行空，以原创性和亚原创性为生命；中国人则鲜有把西方权威当作对手（rival）进行质疑和挑战，故只能爬行，疲惫地追踪。 在这一点上，倒是美国人比我们清醒，在他们从欧洲引进大量思想资源以后是有所质疑的。美国理论家 J·希利斯·米勒对 20 世纪 60 年代以来从欧洲大陆的大规模引进的理论进行了反思，得出了一系列发人深省的结论：理论并不如一般人想象的那么“超脱大度”（“impersonal and universal”），而是跟它萌发生长的那个语境所具有的“独特时、地、文化和语言”盘根错节、难解难分。又如，在将理论从其“原址”迁移到一个陌生语境时，人们不管费多大的劲总还是无法将它与固有的“语言和文化根基”完全剥离。“那些试图吸收外异理论，使之在本土发挥新功用的人引进的其实可能是一匹特洛伊木马，或者是一种计算机病毒，反过来控制了机内原有的程序，使之服务于某些异己利益，产生破坏性效果”。我们引进的那些西方理论、我们热情追随的“大师”，是不是“一匹特洛伊木马，或者是一种计算机病毒”呢？是不是“反过来控制了机内原有的程序”，对我们的理论建构“产生破坏性效果”呢？这是值得深思的。乔纳森·卡勒说过，作为理论，其本身的准则就是反思。难道我们接受乔纳森·卡勒的理论就不该反思吗？而反思的起码条件不是俯首帖耳，而是站起来，理直气壮地冲着西方文论进行反质，提出西方人没有提出的问题，迫使其接招、就范，此乃改变一代人被动状况的唯一道路。

熊元义：的确，中国当代文艺理论家接受西方文论应该有所批判和反思。但是，中国当代文艺理论家的这种批判和反思必须有两个立足点。一是中国当代文艺理论家是主动创造的。中国当代文艺理论家只有立足本民族的现实并在文化上主动反映和创造新的文艺理论形态，才能真正批判和反思西方文论。否则，就只有被动接受的份儿。二是中国当代文艺理论家在创造和接受中厘清中国传统文论和西方文论各自的优势和劣势。您是怎么看待这个问题的？

孙绍振：西方文论所表现出来的智商被认为可以列入当代最高层次。这一点，是否毋庸置疑姑且不论，和他们对话必须有相应档次的智商，则可以肯定。但是，“最高层次”是多方面的组成，不是铁板一块，不可能各个方面都是绝对平衡的，其不平衡正是我们应该分析的对象。最明显的乃是在文化价值和意识形态方面，他们发挥到极致，这是他们的强项。这一点，可能是世界的共识。要和他们的强项对话，对之发出质疑和挑战，难度是比较大的。问题是，他们有没有弱项呢？我相信，没有一种学术文化群体是没有弱项的。最为明显的就是他们在文学审美价值方面表现得极其软弱。第一，号称“文学理论”却宣称文学实体并不存在，伊格尔顿在《二十世纪文学》，乔纳森·卡勒在《文学理论·导论》中坦然如此宣称。事情荒唐到这种地步，除了用“危机”，很难用任何其他话语来概括，这样的危机对 2000 多年来西方文学理论来说如果不敢说是绝后的，至少可以说是空前的。无视西方文学理论如此之危局，就看不到我们的机遇。第二，他们几乎不约而同地宣称，对于具体文学作品的解读的“束手无策”是宿命的，因为文学理论只在乎概念的严密和自洽，并不提供审美趣味的评判。第三，他们绝对执着于从定义出发的学术方法，当文学不断变动的内涵一时难以全面概括出定义，便宣称作为外延的文学不存在。事实上，由于语言作为声音符号的局限性，一切事物和概念的内涵都有定义所不可穷尽的丰富性，并不能因此而否决外延的存在。第四，他们的理论预设涵盖世界文学，可是他们对东方，尤其是中国古典文学和理论却一无所知，他们的知识结构和他们的理论雄心是不相称的。

西方文论失足的地方，正是我们的出发点，从这里对他们的理论（从俄国形式主义到美国新批评，从结构主义到文学虚无主义的解构主义，从读者中心论到叙述学）进行系统的梳理和批判，在他们徒叹奈何的空白中，建构起文学文本解读学，驾驭着他们所没有的理论和资源，和他们对话，迫使他们和我们接轨，在文学文本的解读方面和他们一较高下，也许这正是历史摆在我们面前的大好机遇。

熊元义：文学理论与文学创作的确存在矛盾。文艺理论家解决这种文艺理论与文艺现象的矛盾，一是调整原有的文艺理论，适应文学创作的巨大变化；二是批判那些坏的文艺现象，引导文学创作的健康发展。这二者在不同的时候可以偏重，但却不可偏废。否则，文艺批评家不是与新生的文艺现象失之交臂，就是与即将灭亡的文艺现象同流合污。您如何解决这个矛盾？

孙绍振：理论只能来自实践，文学理论的基础只能建立在文学创作实践上。创作实践不但是文学理论的来源，而且应是检验文学理论的标准。创作实践尤其是经典文本的创作实践是一个过程，艺术的深邃奥秘并不存在于经典显性的表层，而是在反复提炼的过程中。过程决定结果，高于结果，从隐秘的提炼过程中去探寻艺术奥秘，是进入解读之门的有效途径。如《三国演义》中的“草船借箭”，其原生素材在《三国志》里是孙权的船中箭，到《三国志平话》里是周瑜的船中箭，二者都是孤立表现孙权和周瑜的机智。到了《三国演义》中则变成孔明“草船借箭”，并增加了三个要素：盟友周瑜多妒；孔明算准三天以后有大雾；孔明算准曹操多疑，不敢出战，必以箭射稳住阵脚。这就构成了诸葛亮的多智是被周瑜的多妒逼出来的，而诸葛亮本来有点冒险主义的多智，因曹操多疑而取得了伟大胜利，三者心理的循环错位，把本来是理性的斗智变成了情感争胜的斗气，于是多妒者更多妒，多智者更多智，多疑者更多疑，最后多妒者认识到自己智不如人，发出“既生瑜，何生亮”的悲鸣。情感三角的较量被置于军事三角上，实用价值由此升华为审美经典。这样的伟大经典的构成历经了一代代作者的不断汰洗、提炼，耗费时间不下千年。这一切奥秘全在于文本的特殊性，无论用何种文艺理论的普遍性对之直接演绎，只能是缘木求鱼。

此外，文学作品的价值和功能最终只有在读者阅读过程中实现。文学解读以个案为前提，它关注个体而非类型。由于文学作品的感性特征往往给读者一望而知的感觉，但这仅是其表层结构，深层密码却是一望无知甚至是再望仍无知的。因此，文学需要解读，深刻的解读就是深层解密。让潜在的密码由隐性变为显性，并化为有序的话语，这无疑是提高文学文本解读的有效的艰巨任务。

理论的基础和检验的准则来自实践，理想的文学理论应是在创作和阅读实践的基础上作逻辑和历史统一的提升。然而，西方文论家大都是学院派，相对缺乏创作才能和体验。本来，这种缺失当以文学文本个案的大量、系统解读来弥补，但学院派却将更多精力耗于五花八门的文学理论（如“知识谱系”）的梳理。这些文论家的本钱，恰如苏珊·朗格所说，只有哲学化的“明晰”和“完整”的概念。他们擅长的方法也就是逻辑的演绎和形而上学的推理。这种以超验为特点的文学理论可批量生产出所谓的“文学理论家”，但这些理论家往往与文学审美较为隔膜。这就造成一种偏颇：文学理论往往是脱离文学创作经验、无力解读文本的。

在创作和阅读两个方面脱离了实践经验，就不能不在创作和解读的迫切教学需求面前闭目塞听，只能是从形而上学的概念到概念的空中盘旋，文学理论因而成为某种所谓的“神圣”的封闭体系。在不得不解读文本时，便以文学理论代替文学解读学，以哲学化的普遍性直接代替文学文本的特殊性。这就导致两种倾向：一是只看到客观现实、意识形态和文学作品间的直线联系，抹杀文学的审美价值和作家的特殊个性；二是以文学批评中的作家论，以作家个性与作品的线性因果代替文本个案分析，无视任一作品只能是作家精神和艺术追求的一个侧面和层次，甚至是一次电光火石般心灵的升华，一度对形式、艺术语言的探险。即使信奉布封“风格就是人”的著名命题，似乎成为世所公认的真理，其实，以文学批评中的作家论代替文本分析，也不可避免会带来误导。用鲁迅的国民性批判思想去解读《社戏》中对乡民善良、诗意的赞美，就文不对题；用“哀其不幸，怒其不争”解读《阿长与山海经》也不完全贴切，因为文中另有“欣其善良”的抒情。在某种意义上，即使是黑格尔所说的“这一个”，也是一种普遍性追求的表现，而文本个案只是作家的这一次、一刻、一刹那体验与表达。在文学作品中，作家的自我并不是封闭、静态的，而是以变奏的形式随时间、地点、文体、流派、风格等处于动态中。作品的自我，并不等于生活中的自我，而是深化了、艺术化了的自我，有时甚至是理想化了的“反自我”。因此，文学文本解读不仅应超越普遍的文学理论，而且应超越文学批评中的作家论。

追求普遍性而牺牲特殊性，这是文学理论抽象化的必要代价。从某种意义上说，文学理论越普遍，涵盖面越广，就越有价值。然而，文学理论越普遍，其外延越大，内涵则相应缩小。而文学文本越特殊，其外延递减，内涵则相应递增。不可回避的悖论是，文本个案以独一无二、不可重复为生命，但文学理论是对无数唯一性的概括。在此意义上，二者互不相容。文学理论的独特性只能是抽象的独特性，并非具体的唯一性。文本个案的唯一性，与理论概括的“独特性”构成永恒的矛盾。二者不是同一矛盾中的矛盾，故其悖论非数学公理中的绝对悖论。

当然，这并不仅是文学理论，也是文学解读理念的悖论，甚至是一切理论都可能存在的矛盾。但是，一切理论并不要求还原到唯一的对象上去。文学文本解读则相反，个案文本的价值在于其特殊性、唯一性。

由此可知，文学解读学与文学理论虽息息相通，但又是遥遥相对的。

追求个案的特殊性正是文学文本解读的难点，也是它生命的起点；但是，对于文学理论来说，局限于文本个案的特殊性却可能是它生命的终点。理论的价值在于作“文本分析”的向导，但是，它对所导对象的内在丰富性却有所忽略。文本个案的特殊内涵永远大于理论的普遍性。因而，以普遍理论为大前提，不可能演绎出任何文本个案的唯一性。因此，文学理论不可能直接解决文本的唯一性问题，理论的“唯一性”“独特性”只能是一种预期（预设）。说得更明确些，它只是一种没有特殊内涵的框架。文本的特殊性、唯一性只有通过具体分析将概括过程中牺牲的内容还原出来。这是一个包括艺术感知、情感逻辑、文学形式、文学流派、文学风格等的系统工程。

熊元义：本来，文艺理论是文艺批评家在把握文艺现象时的指南，不是裁剪文艺现象的现成公式。有些思想糊涂的文艺批评家却没有这样做，而是在按照文艺理论裁剪文艺现象。这就难免出现失误现象。尽管独创是艺术的第一特性，但是，这种艺术独创既有可能是有意义的，也有可能是无意义的。如果盲目崇拜精神生活的例外，个体的审美感受，那么，就无法区别有意义的文艺创新和无意义的文艺创新。文艺批评家如果盲目地追新逐异，就可能阿世媚俗。您 20 世纪 80 年代初大力支持当时的诗歌新潮，90 年代末您有力地批判了当时的诗歌新潮。看来，您并不是肯定所有的诗歌创作现象。

孙绍振：严格地说，一切事物和观念都具有不可定义的丰富性：第一，由于语言作为声音象征符号系统的局限，事物和思维的属性既不可穷尽，又不能直接对应，它只能是唤醒主体经验的“召唤结构”；第二，一般定义都是抽象的内涵定义，将无限的感性转化为有限、抽象的规定，即使耗费千年才智，也难达到普遍认同的程度；第三，一切事物和观念都在发展中，不管多么严密的定义都要在历史发展中不断被充实、突破和颠覆，以便更趋严密。一切定义都是历史过程的阶梯，而非终结。由此观之，定义不应是研究的起点，而是研究的过程和结果。若一切都要从精确的定义出发，世上能研究的东西就相当有限。

自然，离开严密的定义，文学研究也难顺利、有效地展开。在此关键问题上，马克思主义文论的经典作家具有相当深刻的认识，普列汉诺夫在《论艺术》中说过，研究不能没有“严格地下了定义的术语”，但是，一个“稍微令人满意的定义，只有在它的研究的结果中才能出现”，所以，研究就面临着“为还不能够下定义的东西下个定义”的难题。对此，他提出“暂且使用一种临时的定义，随着问题由于研究而得到阐明，再把它加以补充和改正”。

严密的定义实际上是内涵定义，不完善的内涵定义与外延（事实）的广泛存在发生矛盾。轻率地否认对象的存在就放弃了文学理论生命的底线。西方文论家也强调问题史的梳理，但他们的问题史只是观念、定义的变换史，亦即为定义和概念（知识）的历史。这就必然造成把概念当成一切，在概念中兜圈子的学术。成功的研究都只能是先预设一个临时定义，然后在与外延的矛盾和历史发展中继续深化、不断丰富它，最后得出的也只能是一个开放的定义，或曰“召唤结构”而已。观念和定义的变换是一种显性结果，它的狭隘性与对象的丰富性及历史发展变换的矛盾，正是观念谱系发展的动力。谱系不仅是观念和定义的变换系统，更是观念与对象的矛盾不断被丰富、颠覆和更新的历史。

片面执着于观念演变梳理的失误还在于，对“理论总是落伍于创作和阅读实践”这一事实的忽视。与无限丰富的创作和阅读实践相比，文学理论谱系所提示的内容极其有限。同样是小说，中国的评点和西方文论都总结出了“性格”范畴，但我们却没有西方文论的“典型环境”范畴。这并不意味着中国小说创作没有“环境”因素，《水浒传》的“逼上梁山”为其一，只是尚未将之提升到观念范畴。同为诗歌，中国强调“意境”“乐而不淫，哀而不伤，怨而不怒”，西方文论却强调“愤怒出诗人”“强烈感情的自然流泻”。其实，许多中国古典诗歌也注重强烈感情的表现，如屈原的“发愤以抒情”（《九章・惜诵》），只是未形成普遍的概括，但是有实践：“长太息以掩涕兮，哀民生之多艰”；西方文学中也有非常节制情感的诗歌，如歌德、海涅、华兹华斯的一些诗作。因而，仅梳理理念只能达致概念的完整性和系统性，实际上与复杂对象及其历史性相比则不成谱系。

可见，推动知识观念发展的动力是创作实践，而非知识观念本身。文学理论的生命来自创作和阅读实践，文学理论谱系不过是把这种运动升华为理性话语的阶梯，此阶梯永无终点。脱离了创作和阅读实践，文学理论谱系必定是残缺和封闭的。问题的关键在于，文学理论对事实（实践过程）的普遍概括，其内涵不能穷尽实践的全部属性。与实践过程相比，文学理论是贫乏、不完全的，因而理论并不能自我证明，实践才是检验真理的准则。

在此意义上，一味梳理观念谱系的方法即便再系统也带有根本缺陷，这表现在：从概念到概念，从思想到思想，脱离了实践的推动和纠正机制，带着西方经院哲学传统的“胎记”。

当然，观念史梳理的方法也许并非一无是处，它所着眼的并不是文学，而是观念变异背后社会历史潜在的成规。但无论是在性质还是功能上，它与文学解读最多也只能是双水分流。

熊元义：为了改变中国当代文艺理论界唯西方文论是从的积习和有效地克服西方文论的局限，您提出了建构文学文本解读的理念。您能否进一步地谈谈？

孙绍振：西方文论一味从概念（定义）出发，从概念到概念进行演绎，越是向抽象的高度、广度升华，越是形而上和超验，就越被认为有学术价值，然而，却与文学文本的距离越来越远。文学理论由此陷入自我循环、自我消费的封闭式怪圈。文学理论越发达，文本解读越无效，滔滔者天下皆是，由此造成一种印象：文学理论在解读文本方面的无效，甚至与审美阅读经验为敌是理所当然的。文学解读的目标恰恰相反，越是注重审美的感染力，越是揭示出特殊、唯一，越是往形而下的感性方面还原，就越具有阐释的有效性。归根到底，这使文学理论不但脱离了文学创作，而且脱离了文本解读。

文学文本解读无效或者低效，是由于读者的心理预期状态（图式 schema）的平面化，以表层的一望而知为满足。其实形象是一种立体结构，它至少由三个层次组成。一是表层的意象群落，包括五官可感的过程、景观、行为和感性的语言等，它是显性的。在表层的意象中渗透着情感价值，这就构成了审美意象。意象不是孤立的而是群落式的有机组合，其间有隐约相连的情志脉络，这是文本的第二个层次，可称之为意脉（或为情志脉）。其特点为：第一，意脉以情志深化表层的意象。第二，对表层的整体意象在形态和性质上加以同化。第三，意脉所遵循的不是实用理性逻辑，而是超越实用理性的情感逻辑。这在中国古典诗话中叫作“无理而妙”。第四，在具体作品中，不管是小型的绝句，还是大型的长篇小说，意脉都以“变”和“动”为特点。意脉是潜在的，可意会而难言传。要把这种意味传达出来，需要具体分析原创性的话语。缺乏话语原创性的自觉和能力，往往会不由自主被文本外占优势的实用价值窒息。在中层的意脉中，最重要的是真、善、美价值的分化。与世俗生活中真、善、美的统一不同，文学文本是真、善、美的“错位”。它们既不完全统一，也非完全分裂，而是部分重合又有距离。在尚未完全脱离的前提下，三者的错位幅度越大，审美价值就越高。三者完全重合或脱离，审美价值就趋近于零。保证审美价值最大限度升值的是文学的规范形式，这是文本结构的第三层次。作家的观察、想象、感受及语言表达，都要受到特殊形式感的制约和分化，主观和客观并非直接发生关系，而是同时与形式发生关系。只有当形式、情感和对象统一为有机结构后才具备形象的功能。只有充分揭示主观、客观受到形式的规范制约，文学理论才能从哲学美学中独立出来，通向独立的文学文本解读学。值得注意的是，形式的稳定性与内容的丰富发展是一对永恒的矛盾。内容是最活跃的因素，它不断冲击着规范形式，规范与冲击共生，相对稳定的规范形式在积淀历史经验时也不能不开放，不能不随着历史的发展而突破和更新。

不可讳言的是，不管什么样的形式规范，都是共同性的概括，都不能不以个案文本特殊性的牺牲为代价。而文本个案解读的任务却是把独一无二的特殊性还原出来。这正是文学解读的有效性不可回避的矛盾。本来，最干脆的方法似乎就是直接对个案感性文本作直接的具体分析。当然，这不是绝对不可能，但是却有难以想象的难度。直接分析的对象是矛盾，然而文学文本却是天衣无缝、水乳交融的，个案的特殊矛盾是潜在的。要把这种矛盾揭示出来，才有分析的对象。

人的心灵是很丰富的，哲学（逻辑学等等）只要表现其理性，其情感审美方面则更为丰富复杂，没有一种文学形式能够将之全面地表现。因而，在数千年的审美积累中，文学分化为多种结构形态，以不同的功能表现心灵的各个层次和方面。诗歌的意象乃在普遍性的概括，不管是林和靖笔下的梅花，还是辛弃疾笔下的荠菜花；不论是华兹华斯笔下的水仙，还是普希金笔下的大海；不论是艾青笔下的乞丐，还是舒婷笔下的橡树，都是没有时间、地点、条件的具体限定的普遍的存在。在诗里，得到充分表现的往往是心灵的概括性，甚至是形而上方面，在爱情、友情、亲情中，人物都是心心相印的，具有某种永恒性的，故从亚里士多德《诗学》到华兹华斯都以为诗与哲学是最接近的。而在叙事文学和戏剧文学中，个体心灵在不同的时间、地点、条件下表现的差异性是绝对的，而且处于动态之中，情节的功能在于，第一，把人物打出常规，显示其纵向潜在的深层心态，列夫·托尔斯泰在《复活》中说“他常常变得不像他自己了，同时却又始终是他自己”。第二，不管是爱情还是友情、亲情，心心相错才有个性，才有戏可看。俄国形式主义者维·斯克洛夫斯基说：“美满的互相倾慕的爱情的描写，并不形成故事……故事需要的是不顺利的爱情。例如A爱B，但是B不爱A；而当B爱上A时，A已不爱B了……可见，形成故事不仅需要有作用，而且需要有反作用，有某种不相一致。”故在抒情诗歌《长恨歌》中，李杨爱情不但超越空间（在天愿作比翼鸟，在地愿为连理枝），而且超越时间和生死（天长地久有时尽，此恨绵绵无绝期）。而在洪昇的戏剧《长生殿》中，则是要偷情吃醋，发生情感错位的。故杨玉环两次吃醋，李隆基两次后悔迎回最为精彩。依照这个形式模范的错位理念，托尔斯泰修改《复活》，表现了主人公特殊的错位。第一次对话的局限在于，玛丝洛娃对聂赫留朵夫从心灵的表层到深层，只有仇恨，只有斩钉截铁的对立。定稿的优越在于，纯情少女变成了妓女。以妓女的眼光看待来人，在感知上又不完全是对立，而是错位；公爵真诚的求婚，她却认为是蠢话，但同时又有互相重合之处，她向他要钱来买烟，并且不让他把钱花在看守长身上。同样是对待钱，一个是要用来挽救她，同时拯救自己的灵魂，一个却用它来买香烟。这也正显示了玛丝洛娃虽然认出聂赫留朵夫，但是她的深层记忆并未完全被唤醒，纯情少女的记忆还被表层的妓女职业心态所封冻。这也正说明她的痛苦有多深。

这样的分析当然可以说比较有效，但是，潜在的矛盾并未完全消除，个案的唯一性仍然不能不与规律的普遍性相联系。但是，这里的规律的普遍性（深化心灵层次和心理错位），是用来阐明文本的唯一性的，正如用纯粹的水（一氧化二氢）说明林黛玉的泪水和武松的酒水，并没有以牺牲其独一无二性为代价，而是对文本的唯一性作出更加深邃的阐释。

然而，问题并不这样简单，因为，把读者带进作家创作过程的资源，虽然并非罕见，然而比之浩如烟海的文学作品来说，毕竟是凤毛麟角。这样的模式缺乏普遍的可行性。要把潜藏在水乳交融、天衣无缝的文学形象之下的矛盾揭示出来，还要借鉴现象学"还原"的方法。也就是把形象"悬搁"起来，当然，和现象学不同的是，不是为了"去蔽"，而是把形象未经艺术化的原生状态（认识理性、实用理性的）想象出来，与审美形象比较，分析其差异或者矛盾。

就规范形式本身而言，首先，它并不是一个抽象的层次的框架，而是多层次的立体结构。其次，它也不是某种纯粹形式，而是与内容息息相关的。因而具体分析，不但有形式的方面，而且还有内容的方面，不但有逻辑的方面，而且有历史的方面。

就形式方面而言，第一层次是意象分析，这就要进行艺术感知的还原，揭示出感知变异的根源是情感，如吴乔所说，好像把米酿成酒，"形质俱变"，乃是结果，情感审美乃是原因。第二层次是情感逻辑的还原，揭示出情感逻辑与理性逻辑的差异。李商隐《锦瑟》中的名句"此情可待成追忆，只是当时已惘然"，好就好在自相矛盾。"此情可待"，说的是眼下不行，但是可以等待，未来有希望。可是，等待的结果，不但是落空，而且早在"当时"就明知是空的（惘然）。明知没有希望还要把没有结果的等待当作希望，深刻地表现了李商隐式的绝望的缠绵、缠绵的绝望。清代诗话家贺裳、吴乔把这叫作"无理而妙"。现代派诗人甚至喊出"扭曲逻辑的脖子"的口号，从某种意义上正是这种规律的表现。这种逻辑就是审美逻辑，在叙事和戏剧文学中，则更为复杂一些，人物的自相矛盾越是多元，越有个性。第三层次的具体分析，借助流派的还原和比较。形式规范是相当稳定的，与最活泼的内容发生冲突是不可避免的，因而，发生种种变异是正常的，当某种变异成为潮流，成为共同的追求，包括自觉的和不自觉的，就成为流派。不同流派在美学原则上有不可忽略的差异甚至反拨。浪漫派美化环境和情感，象征以丑为美，把徐志摩的《再别康桥》的潇洒审美和闻一多的《死水》的以丑为美笼统地当作抒情诗，无异于瞎子摸象。但是，流派仍然是众多作品的共性，要达到作品的唯一性，就还要具体分析第四个层次：从风格的还原和比较中入手。也就是在同一流派中不同的个人风格，更重要的是在同一作家笔下不同作品的不可重复的风格。如《再别康桥》中的潇洒温情不同于《这是一个怯懦的世界》

的激情。最可贵的风格并不是个人的，而是篇章的，越是独一无二的、出格的，越是要成为阐释的重点。有时连统计数字都可能成为必要的手段，如在写战争的《木兰词》中，通篇真正涉及木兰参战的只有“将军百战死，壮士十年归”。在被认为是叙事诗的《孔雀东南飞》中，叙事的只有 122 句，对话却占了压倒优势，364 行。《醉翁亭记》中，一连用了 21 个“也”字等等。这类出格的表现，很难不对普遍的形式规范有所冲击，有所突破，有所背离。这种背离是一种冒险，同时又可能推动规范的发展。这才是艺术的生命线所在。

就内容而言，通过还原进入具体分析，主要是母题的梳理。任何天才杰作，其主题都是历史传统的继承和发展，李白的《将进酒》使得传统的生命苦短的悲情母题变成了豪迈的“享忧”。武松打虎使得“近神”的英雄变成“近人”，比之《三国演义》对英雄的理解，大大进了一步。《简・爱》把英国小说传统中美人与高贵男性的爱情变成了相貌平平和一个瞎了眼睛的男人终成眷属。所有这一切对母题的突破，都是文本唯一性的索引。

文本的特殊性、唯一性，不是一步到位的，而是在层层具体分析中，步步紧逼的，第一层次的具体分析，得出的结论，有如普列汉诺夫所说的暂时定义，后续的每层次的分析，都使其特殊内涵递增，也就是定义的严密度递增，层次越多，内涵愈多，则外延愈少，直至最大限度地逼近唯一文本。

文本特殊的唯一性只有凭借这样系统的层次推进，才有可能逼近，解读的有效性才有可能提高。不论是反映论还是表现论，不论是话语论还是文化论，不论是俄国形式主义的陌生化还是美国新批评的悖论、反讽，都囿于单因单果的二元对立的线性哲学式的思维模式。文学解读上的无效、低效似有难以挽回之势。西方对之徒叹奈何已长达百年，可以说西方文学理论已经陷入了空前的危机，这正是我们的机遇。在他们徒叹奈何的时候，发出自己的声音，建构我们的文本解读学、中国特色的文学理论，此其时矣。

附录

追求原创：不泥国粹，不拜洋人[①]

叶勤（以下简称“问”）：有一个很奇怪的现象是，在许多学人的眼中，您是属于新派、前卫的文艺理论家，但是，实际上，我们读您的书，您似乎并不追随西方前卫文论，对之保持相当的距离，有时甚发出毫不含糊的批判。这是为什么？

孙绍振（以下简称“答”）：非常感谢你提出这样的深邃的、切中要害的问题。在正统的、保守的文学理论家眼中看来，我从《新的美学原则在崛起》开始，就是疯狂的叛逆。我反对的就是机械唯物论和狭隘功利主义。在批评一些位高权重的前辈（如陈涌、侯敏泽）时，用语是非常尖锐的。但是，对于从90年代开始涌入中国的西方解构主义文论大师（如德里达、福柯、伊格尔顿），我也持批判态度，同样是比较不客气，比较严峻的。我把自己最宝贵的生命奉献给了文学，而他们却用了一些在我看来是非常武断的逻辑否定文学的存在。这是我不能忍受的。

在西方当代文论海啸似的冲入我国文坛之时，绝大多数同仁摄于西方强势文化的霸权，可谓望风披靡，唯西方前卫文论马首是瞻。的确，人家成就辉煌，在意识形态方面，在文化批评方面，开拓了深邃的、崭新的领域，达到了时代的高度。但是，这些文论号称文学理论不但公然宣称文学虚无，而且振振有词地强调文学理论不解决文学本身的问题，只是提供批判的方法，文学理论的意义乃是对文学的存在表示质疑，这是很荒谬的。但是，这样的荒谬一下子风靡全国，滔滔者天下皆是。当然，这不是偶然的，人家有长处，有突破。但是，他们的突破，不是在文学内部，而是在所谓的“外部研究”，也就是在意识形态方面。

对于文学的“内部研究”，他们也不是没有成绩，例如韦勒克·沃伦的《文学理论》、

① 发表于《社会科学论坛》2006年第17期。

苏珊·郎格的《情感与形式》都用了相当的力气论述到文学的内部结构，但是，他们只是讲了一些零碎的知识，并没有讲出什么深刻的、规律性的东西来。俄国形式主义和美国新批评倒是认真研究了文学内部规律，但是，他们不但无视康德的审美价值论，根本不管文学作为人学的以情感为核心的知情意立体的表现，而把涉及心理的学说当作缺陷。他们强调学术规范，把历史资源的系统梳理视为至要，但是，他们却对康德的审美价值论，对黑格尔的美是理念的感性显现完全视而不见。在伊格尔顿的《二十世纪西方文学理论》中，也只是把弗洛伊德的精神分析学说当作一种知识加以介绍，并没有借此深入到文学内部去。俄国形式主义倒认真从文学内部的规律提出了文学性的问题，但却宣称文学之感人，不是由于情感，而由于“词”，由于词语的“陌生化”。这就是开始了西方文论 20 世纪所谓“语言转化”。接着进行文学内部研究的美国新批评，不但把文学感染力局限于修辞，而且把修辞仅仅归结为“反讽”“悖论”“张力”等等。这些我都有专门的文章加以批判。①

他们从海德格尔起就反对文学与心理，与审美情感的关系。但是，他们并没有一个人用审美情感，用人的感觉、知觉、情感、意志这样多层次的心理结构来系统地研究文学，从个案的解读到文学史的发展，在他们那里还是一片空白，就匆匆忙忙地跑到解构主义去了。我就觉得，这样的大而化之的学风，是很糟糕的。我就偏偏不和他们一样，我不反对文学的语言分析，但是，把它和心理学的方法（不仅仅是弗洛伊德的性心理学说）结合起来，系统地建构起《文学创作论》《文学文本解读学》。在四五百篇文学文本的个案微观分析的基础上建构自己的理论体系，与西方文论遥遥相对。在这方面，我觉得和西方文论争一日之长短是有必要的。

问：您曾经说过对自己的定位是两代人之间的过渡，从前一辈的理论家到 20 世纪 90 年代那些后起的理论家之间的过渡。但是在我们看来，有许多后一辈的学者在学术规范化方面做得并不如您，您运用自己创造的理论范式进行文学研究，特别注重方法的问题，比起那些只知道搬运西方理论的后辈学者的所谓学术研究要规范得多。

答：我说自己是从 20 世纪 80 年代的理论家到 90 年代后期的过渡，是有一定的道理的。80 年代主要是冲击旧的规范，冲击僵化的、权威的主流意识形态以及脱离实际、束缚思想的方法；在 80 年代中后期，也引进了一些新的东西，像弗洛伊德、结构主义语言学等等，其实也并不新，弗洛伊德就是 20 世纪早期的东西，这叫破中有立吧。到 90 年代，又引进了以后现代为代表的所谓“后学”的一系列理念，虽然我都不太陌生，但熟练驾驭的程度不如陈晓明、南帆他们。从这个意义上说，过渡的历史定位大概是没错的。

① 见孙绍振：《美国新批评细读批判》和《俄国形式主义者陌生化批判》，均见本文集之《文学文本解读学》。

但是我跟我的同代人有一点不同，跟年轻的理论家也有一点不同，那就是我在冲击旧的教条的时候，非常注重自己的原创。传统的教条主义者都非常强调“我根据什么”，根据马列主义，或者根据什么权威的说法，这个当然重要，但是我始终感觉到，你光根据这些，是不够的。为什么呢？我有两个想法：第一，如果说你根据黑格尔的美学、康德的美学或者亚里士多德以来的西方文学理论，这些理论本身是他们那个历史时代的产物，是他们的历史现状的一种抽象，这些是宝贵的遗产，但是他们没有看到我们所看到的东西，没有我们中国的经验。他们的理论往往都是以普遍形态出现的，比如亚里士多德说一切的文艺都是模仿，但他看见过一切文学没有？他只看到古希腊的文学，没看到中国的东西，也没看到埃及的东西，也没看到英国的东西，怎么能讲一切文学都是这样？他没有资格讲这个话。他们把自己狭隘的经验当作整个人类全部历史的经验，这样必然有漏洞，必然是不完全的，用我的话来说，是虚幻的完整性，虚幻的普遍性。

第二，这些大师的理论都有一个特点，它们是直接从经验概括出来的，不是根据什么人的理论再加以演绎出来的。像亚里士多德、康德，他没有说，他的诗学美学是根据谁的理论，他也没有什么注解，用那个权威的名字来占领一个制高点。王国维写《人间词话》，他的“有我之境”“无我之境”也没有引用谁的话。大师都是直接从经验概括出来的，当然同时也包含着对前人的研究成果的融会贯通，他不在乎我们奉为神明的学术规范，他的研究是原创性的、突破性的，学术规范是其次的，主要是思想的突破、观念的形成、方法的更新和尽可能地形成一套自洽的体系。这就是大师最可贵的东西。当然对一般人来说，做学问必须非常严格地讲学术规范，最严格的就像钱钟书那样，或者像陈寅恪那样，他们的注释言必有据，是他们思想的底蕴。而我们现在流行的以注释的多寡为准则，则导致了无思想的学术垃圾而泛滥。一般人不能从直接经验实行原创，只能从前人或权威的说法里面吸取思想资源，有了思想资源才能继续思考。但是，过度依赖权威，也可能压抑了自己的独立的原创性。

所以学术的发展有两种道路，一种是大师的奇峰突起，为后人铺一条坦荡的道路；但是一般的学者没有大师那样的能力，所以必须跟着大师转，等而下之者甚至跟着“小师”转，大师讲了什么，“小师”又讲了什么，先把它整理一下，几千年学术资源，整理一下就花了很多生命，甚至整个的生命。如仇兆鳌，用一辈子的工夫注释杜甫，大抵只是研究的起点。又比如说，研究鲁迅吧，你把研究鲁迅的所有的文章看一遍，大概你的这一辈子最有活力的年华也就差不多了。所以讲到学术规范，我讲老实话，我是不得已而遵循之，因为我不是大师啊。但是，要保持清醒，遵循学术规范，牺牲也是很大的，甚至可能付出白白耗了一辈子的代价。

问：我们认为学术规范应该有不同层次的含义，首先是形式的规范，就是现在很强调的引用、注释之类，这是为你的研究在学术史上确定一个位置，你是由哪里进入学术研究的脉络；而更深一层的则是强调学术的增长，知识的积累，看你为学术史增添了什么新的东西，并且你提出的问题不是凭空产生的，而是能够跟前人的研究连成一部问题的发展史。我们说您的学术研究在规范化方面做得比后辈学者好，就是从第二个层次的意义来说的。首先，您提出了一些新的研究范式，比如“错位”；其次，您所关注的问题，比如文学性，比如诗歌、散文、小说的特殊规范，这些都是对以前用阶级性抹杀文学性，以及把散文当作诗歌来写或是把诗歌当作小说来写的文学理论的一个拨乱反正。

答：我和南帆讨论过一个问题，我们一致的看法是：认为从学术本身的发展道路来看，应该有两种道路：一种是常规的积累，第二种是非常规的发展，或者说常规的突破。常规的积累非常强调学术规范，无一字无来历，每一种思想的来源，它的原生状态是怎么样的，后来发展是怎么样的，怎么积累起来的，锱铢必较的，这些都是非常重要的。但这种常规性的积累会产生一个问题，就是在概念里兜圈子，变成繁琐哲学，其结果是束缚思想，弄得自己的思想是次要的，创新的精神是次要的。人家怎么说的变成最主要的，这是很可警惕的一个问题。为什么讲学术积累讲到非常严格的时候，往往有一种脱离实际的倾向、经院哲学的倾向、教条主义的倾向？我有一种感觉，越是拘泥于学术规范，越有可能使思想受到束缚，而反过来说，不太讲究学术规范的时候，往往是创造历史的时候。最突出的例子，五四运动时期，激进和保守两派的斗争，以胡适、陈独秀、鲁迅、钱玄同为代表的激进派是不讲学术规范的，对传统的东西一味抹杀。鲁迅讲翻开中国历史一看，写满仁义道德，全部是吃人；胡适讲中国古典文学是死文字写出的死文学；陈独秀把中国古典文学全当作山林文学、贵族文学，都要打倒；钱玄同主张废除汉字，人过了四十岁就该枪毙。到了 1955 年、1956 年中国文字改革委员会还想把汉字拉丁化。幸亏这个行政措施包括所谓文字改革委员会后来为实践所否决，无疾而终。而反对新文化运动的那些人，主要是东南大学那帮人，胡先骕，梅光迪，也是留学生啊，他们的著作都是很讲学术规范的，或者说在学术规范方面的瑕疵不如“五四”健将那么大，但这些人恰恰是没有思想的。而陈独秀、胡适早期的文章就是一股冲劲，这股冲劲成为推动历史进步的原动力，因为它是直接从经验原创性地概括出来的。他们看到中国的思想文化传统不行，中国要改革，来不及去做规范的论证，这是历史的要求。当历史要前进的时候，学术规范不一定是个好东西，这个时候我们不能从定义到定义、从理论到理论去研究问题，我们要从经验出发，直接经验可以产生原创性的思想，这是学术规范所没有的。有的时候，拘泥于学术规范是书呆子气的，是要误事的。因为学术规范讲的是前人见解，而学术的可贵则是发现前人没有的见解。历史的实践却是第一性的，前人的思想不管多么深邃，都是要受到历史批判的，因为前人的局限性，只有在历史发展中才能洞察。如改革开放，如果进行学术化的理论论证，光一个姓资还是姓社的问题，可能要吵到死还是吵不清楚。这个问题，只有实践才能解决。所以邓小平很明智地提出：不争论。不理解的人，以为这是经验主义，但这是有理论根据的。因为说到底，理论并不能靠理论来证明，证明理论、创新理论的唯一途径是从实践经验概括，突破颠覆权威。

我曾经说过这样的话：在20世纪80年代以后，强调规范，我们付出了代价。在80年代，你有思想，有一种新的观念、新的突破，你就带着自己的立场、观点、方法，跟旧的东西迎头相撞，管它什么学术规范不学术规范。到了讲学术规范的时候，就不是这样了，你只要有知识，关于历史的知识就可以了，知道人家过去怎么说过，就算是有学问了。当然对历史现象进行重新审视，这个也不错，但是我认为，带来的问题就是和权威唱反调的，对权威进行批判的自由没有了，自己的思想生长点和形成层都受到了无形的束缚。满足于学术规范的风气造了大量的学术垃圾。

问：可是学术规范也是为了杜绝这种学术垃圾。学术规范强调知识的增长、知识的积累，就是为了防止产生这些简单重复的学术垃圾，你必须为学术史增添新的东西，才叫积累。

孙：是啊，有两种增添的办法：一种就是讲学术规范的，强调连续性和知识谱系的；还有一种就是像我在《新的美学原则在崛起》中所做的那样，或者像五四时期的，勇于对权威经典进行颠覆，把学术谱系造成断层，有什么就先亮出来，然后你在以后的研究中再把我列入哪个谱系。

问：类似于横空出世。

孙：对对对。你应该承认要有这样的气魄才能成大气候。比如当时胡适的《文学改良刍议》，他就是讲中国的古典文学是死的文字写出的死文学，陈独秀更进一步，说是：贵族文学、腐朽文学，他也没有论证为什么是这样。但是这些“没规范”的东西却是后来的学术研究经典文献，成为历史坐标。这也是一种学术发展的道路：非常规的、横空出世、爆发性的，切断常规谱系的学术规范。五四时期就是这么一个阶段，先秦时期也是这么一个阶段。所以我们讲学术规范有好处，但也要清醒，任何好处中都包含着坏东西。学术规范中之所以有坏处，就是由于演绎法本身的弱点，逻辑秩序本身的弱点，它必然带来极大的问题，就是类似科举考试的问题，科举考试必须根据四书五经，必须根据朱熹的注解来注，这很有规范啊，但是代所谓圣贤立言，就得扼杀自己的思想。

问：这注定就没有知识的增长了，都是在前人的概念里头兜圈子？

孙：但实际上死守学术规范必然造成这样，学术给你定死了，资源给你定死了，思考的方法给你定死了，即使有增长也只是量的增长，它不可能有颠覆性的增长，颠覆性的增长必须突破旧的思想，突破旧的规范：我不跟你讲这一套了，我们换一套来玩。像中国的禅宗跟原来的佛教，距离非常遥远的，他们在讲禅宗的时候哪管你玄奘的翻译怎么样，他根本就不看书，连文盲也可以顿悟。这就给所谓六经注我以充分的自由。学术的发展除了来自学术自身逻辑的发展，也有来自历史的要求，当历史权威的惰性到了僵化得荒谬的时候，你还用他们规定的一套跟他辩论，结果只能是真理愈辩愈不明。这时，最好就是不跟他讲规范，我就是摸着石头过河，直接从经验概括，得出与前人做梦也想不出来的东西。让你发火，让你骂娘，我也无所谓。当年王明瞧不起毛泽东，说你算什么马列主义者，马列主义的主要著作还没有翻译成中文。毛泽东怎么回答？反对本本主义，山沟里出马列主义！毛泽东的那一套，主要靠实践中进行原创性的归纳。当然轻视理论也有问题，这就是狭隘经验论，埋下了日后的危机。但如果拘泥于理论规范，就没有毛泽东了。

问：或者我们可以这么说，大部分的学者要遵守规范，而少数学者打破旧规范、创造新规范，比如您提出一个文学研究的新范式“错位”，就是打破了过去那种滥用对立统一的旧规范。

孙：正是在打破旧规范、创造新规范的过程中，最容易出创造性的，从表面上看不讲理，不规范，实际上是一个新的规范在诞生。

我们现在回过头看，20世纪80年代我们就处在这个阶段，不但是打破旧的学术规范，而且在创造新的规范。但问题在于不是所有的人都这样做，旧的规范是打破了，但新的规范没有创造出来。而那个时候我意识到了，我跟刘再复说，我们要创造自己的基本概念、基本范畴。刘再复创造了一个“二重组合”，我创造了一个“新的美学原则”，就是：“你们不屑于做时代精神的号筒，也不屑于表现自我感情世界以外的丰功伟绩。他们甚至于回避去写那些我们习惯了的人物和经历、英勇的斗争和忘我的劳动的场景。”“他们和我们50年代的颂歌传统和60年代的战歌传统有所不同，不是直接去赞美生活，而是追求生活溶解在心灵中的秘密。”艺术的本性就是“追求生活溶解在心灵中的秘密”，而不是什么反映生活、时代精神号角之类。这是我创造的，我凭经验知道这是新的，但是这个没有讲清楚。

而他们在讲真善美统一的时候，我发现了不统一，至少在文学创造领域是不统一的，于是我就创造了一个“错位”，真善美既不是统一的，也不是分裂的，而是相互交叉的。这是三种价值的“错位”，但是在艺术形式这个层次上又恰恰要“对位”，要规范。就是说，当客观和主观必须交融的时候，它要服从形式规范。我研究了三种文学形式：诗歌、散文和小说，它们各自的“错位”和“对位”。然后再把“错位”范畴拿去研究幽默，从逻辑上去研究幽默，发现了幽默逻辑就是“错位”的。我自己反思过，有人可能瞧不起用逻辑去研究幽默已经落后了，应该用流行的“能指”“所指”去研究。但我觉得不行，正是因为大家都用“能指”、“所指”了，就不缺我一个了。而且我以为，那样研究起来大而化之，我只研究幽默的逻辑形式，内部的结构。所以说“错位”是我的核心范畴，至今为止，这个“错位”算是我独创的。但是，实际上，我又想，人类研究对自然、社会、思想的研究，起初是古希腊的形式逻辑，以同一律为核心，A 就是 A 不能是 A 又是 B。到了黑格尔，发现 A 中就有 B，A 是和 B 作为对立面统一在 A 里的。这样的哲学思维已是人类的最高境界了。但是，我觉得不管是亚里士多德还是黑格尔，他们所看到的世界和思维，看 A 和 B 都是界限清晰的，小葱拌豆腐——一清二白。但是，实际上，世界和思维能够这样简单清楚划分的是很少的，更多的是交叉的，部分重合，部分分离的。亚里士多德和黑格尔为了研究的方便，把交叉和重合划分开来了。但是，我想这是唯一的选择吗？难道交叉的本身就不能研究吗？我研究的结果是，用交叉的，或者用我发明的说法“错位”来研究，比之他们的权威的办法要有效得多。

后来我又创造一个范畴叫“审智”。光用审美来阐释文学，不够用啊，怎么办？像康德一样创造新范畴是我的追求。我们非常粗浅地理解康德，把人的情感、感觉跟人的抽象思维分开，把这叫作审美。但是把人的抽象思维、科学思维跟人的审美思维绝对地分开，在文学艺术领域过分地强调了人的感觉和感性，如果不用演绎法而用归纳法来看，理论上的跛脚就很明显，是站不住脚的。几乎所有的大文学家、大艺术家，都不是仅有感性情感，而是有非常深厚的思想和理念。比如说屈原，有他们自己的忠君思想；比如说《三国演义》的正统思想，《水浒传》的逼上梁山的思想；还有《红楼梦》的佛家思想。夏志清说，中国所有的小说家都没有自己的哲学，只有《红楼梦》有自己的哲学。到了 20 世纪，现代派、后现代派的东西都非常强调理念，尤其是荒诞派，基本都是理念。不仅文学是这样，艺术也是这样，抽象艺术就是只有感觉和理念，没有感情。现代派诗歌还提出过放逐抒情的口号。所以我创造了审智这个范畴。我用审智的观点去解释谁呢？余秋雨和南帆。余秋雨他不完全是审智的，他是从审美到审智的一座断桥，断桥这边是传统的抒情散文，断桥那边呢，是南帆，南帆的散文才是真正的审智，当然在南帆后面还有一大批追求智性的散文家，如周晓枫等。所以你要解决余秋雨的问题，不能根据任何一种现成的审美理论，原型批评啊，文化批评啊，法兰克福学派啊，伯明翰学派啊，解构主义啊，都不能直接解决南帆和余秋雨的特殊性。我就是从我的阅读经验出发，用我自己创造的观点去阐释我们当前的问题，这叫摸着石头过河。摸得差不多就把观念上升为范畴。

人一辈子，绝大多数，说的都是别人的话，权威的话，就连我这个非常强调原创的人，活到 70 岁，真的总结起来也很可怜，到现在为止我说了几句话呢？能进入现代文学史的，

“新的美学原则”是什么并没讲清楚，原因是被大批判打断了。真正能够拿得出来的，一个是“错位”，一个是“审智”，还有一个“形式规范”，还有吴励生指出的，情感逻辑，所有这些东西，说得夸张一点就是我的原创。但是，想起来也很可怜。几十年的生命，天天在说话，大都是别人的，属于我自己的才这么一点点。

问：可以说您创造了自己独有的研究范式和一套相当完整的理论体系，您是从强调原创性的角度来质疑规范对于思想的限制，而我们认为，在原创之后，还有一个怎么继承以及超越的问题，只有一代又一代在传承和超越基础上的知识积累，才能构筑起我们自己的知识大厦，而不是只能仰视西方的知识大厦。那么这种知识的传承、超越、积累，都应该是学术规范的题中应有之义。

答：我想起我的学生郜积意博士说的一句话。他看了《文学创作论》以后，说真好，但是孙老师，你生不逢时，这个时代是搞大理论，而你是搞微观的。这说起来就有点宿命论的味道了。

问：准确地说，有些人，不是搞大理论，而是搞空头理论，照搬西方、不顾本土实际的空头理论。所以您的理论在这个时代显得特别稀缺，因此也特别具有深入研究的价值。

答：我在努力追求一种用来分析作品有效的理论，但是这样的理论几乎没有。为什么呢？现在这个潮流不到火候，大量吸收西方文论，还处在一个消化的过程，我认为，这个过程需要两代人的工夫，甚至三代人，而我们现在还在第一代，等到消化到一定程度，他就会发现这里面有问题，它不合用，要有我们中国的理论。

你看朱光潜刚出来的时候，鲁迅他们都非常瞧不起他，甚至胡风那一伙人都把他骂得一塌糊涂，黄药眠批判他也很难听，是“食利者的美学”也就是剥削者的美学。这篇文章原名《论食利者的美学》先是在《北京师范大学学报》1956 年第 1 期上发表，后来又在当时很权威的《文艺报》第 14 期上转载。但是这只是过眼烟云，现在还是朱光潜有生命力。因为朱光潜不是把自己的全部精力用来介绍西方的东西，他同时把中国传统的经验、传统的概念融会起来，形成了自己的体系。当然我的学问没有朱光潜那么大，但我对文本的体悟在许多方面可能和他有一点同调，但是他毕竟没有对数以百计具体的一个案做过那样多的分析，也没有建立一种独创的文学解读学，而我继承了他，发展了他，写出《文学文本解读学》。从这个意义上来讲，我觉得我有存在的价值。

问：可见原创性和本土性在您的理论中是一体两翼，换句话说，您创造理论是为了解决中国的当代文学及文学研究中存在的基本问题。

答：我认为，引进任何一种西方的思想，都不可能解决中国的全部问题，不要指望它能很好地解决。要解决中国的问题，有两条道路，第一条是先引进，但是引进任何西方的东西，要经过漫长时期的与中国传统结合，第一阶段都是非常幼稚的，幼稚表现在，非常兴奋，非常崇拜，非常惊叹，非常迷信，以为得了金钥匙，因而也非常教条，这是第一个阶段。非常不幸的是，我们 20 世纪 90 年代以后一直到现在，如果历史地看，现在还处在第一个时期。大概要经过一二十年，才可能有中国式的创造性，其特点就不是教条主义而是“修正主义”。当然有人是主张跟中国的古典文论相结合，这是完全正确的，我觉得更重要的一点，是跟我们古典经典作品以及当前的经验相结合。如果对自己古典的，当前的经验一点感觉都没有了，那我们搞研究也会落空。

还有一条道路是从经验出发，直接进行第一手的归纳，适当地结合古人和西方人的文化观念，在进行归纳的过程中，形成自己原创观念的时候，要做修正的工作，当然有的是修正西方的大师，有的是修正我们的古人。“审智”就是对“审美”的狭隘性的修正，“错位”也是对“一分为二”的修正。你们用西方的、古人的话语去解释，我就用中国的、我自己的话语去解释，现在有人花很多工夫去研究中国古典文论，这也是好的。但就我的长处来说，我是直接从当代开始，适当联系西方，力争直接从文本中概括出来。不管中西古典文论多么权威，他们对于文学现象的概括都有盲点，有空白。与其把主要精力用在他们已经说出来的东西上，还不如把更多精力放在他们没有说出来的东西上。

比如说小说，西方的小说理论有一个现实主义理论，已经讲了环境和性格的问题、个性和共性的问题，但共性和个性老讲不清楚，那我换一种说法：人物与人物之间，他们的情感越是紧密，他们互相的情感错位幅度越大，则越有个性。比如说猪八戒和孙悟空，觉慧和鸣凤，贾宝玉和林黛玉，安娜和渥伦斯基，因为关系无比亲密，错位幅度大到生死都不顾，才成为不朽的个性。如果二者统一了、完全重合了，或者绝对分离了、分立了，没有关系了，就不生动了。觉民和琴表妹，在封建家长包办婚姻的压迫下，他们俩永远是一致的，所以读者对他们的印象最淡。沙和尚在任何情境下，他没有自己的意见，没有跟别人拉开什么距离，总是随大流，读者就对他没什么印象。

当然我们也可以从西方的理论中找到一些呼应，结构主义晕头转向打破这种二元对立的模式，提出“矩阵模式”：A、非 A、反 A、非反 A 构成一个人物关系的“矩阵”。但是，没有成功。北师大有一个教授用之解读《祝福》，把柳妈说成是封建文化代表，成为导致祥林嫂死亡的执行者。其实《祝福》的深邃之处，就在封建礼教杀人是无形的，是没有人格化的凶手的，凶手就在每个人的头脑中那种对寡妇的荒谬的成见。俄国形式主义者斯克洛夫斯基讲爱情小说，当 A 爱上了 B，而 B 并不爱 A，A 努力让 B 爱上 A，但是当 B 爱上 A 之后，A 却不爱 B 了。这是很有见地的。我觉得我是从不同的道路上走向了跟他们相同的一面，当然也有不同的一面。我认为斯克洛夫斯基的概括力还不够，那种 A/B 模式并不限于爱情小说，而适用于一切小说人物构成个性的“错位”规律。我用自己的理论来分析《三国演义》里周瑜和诸葛亮、曹操的关系，鲁迅批评诸葛亮“多智而近妖”。我说不是的，他的生命力不在于他的认识是超科学的，而在于人物之间、战友之间的情感的“错位”。周瑜和诸葛亮虽然是战友，但是他多妒。多妒的人逼着多智的人做出非常冒险的决策，但碰上曹操这个多疑的人却成功了。他们形成这样一个情感三维的错位，三个就都有个性了。我这个分析跟他那个 A/B 模式有点像，我更进一步概括了，拓展了更大的外延，那就引进了 C，不仅在恋爱中的第三者（如薛宝钗），而且是在盟友中的中介人物，是什么呢？在诸葛亮、周瑜和曹操之间还有一个人：鲁肃。鲁肃在这三个人的关系当中很独特，他既是周瑜的部下，又同情诸葛亮，同时又用大惑不解的眼光去看周瑜和诸葛亮，这种关系就不是 A 或非 A 矩阵模式所能解决的。用我的“错位”来解读，鲁肃的个性之所以鲜明就在于他既与周瑜，又与诸葛亮情感有“错位”，介在诸葛亮和周瑜之间，使得周瑜与诸葛亮的关系更多元地错位，构成更复杂的网络性的错位。

我在上海交通大学做了一个演讲，讲鲁迅。很多人都把他当作一个伟大的思想家，他的思想成长过程研究得非常多了，但是从来没有人研究鲁迅作为一个艺术家的成长过程，我指出，在鲁迅的心灵当中有两个东西互相统一又互相矛盾，一个他作为思想家，表现在艺术上的成就是杂文；第二个他作为艺术家，表现在艺术上的成就是他的小说。这两者好像是互相统一的，又是互相矛盾的，实际上鲁迅作为思想家更早成熟，作为艺术家要晚，这是我用归纳法研究出来的。他的第一篇小说《狂人日记》实际上不像小说，更多是杂文，思想家压倒了艺术家，直接把自己的思想说出来，他说中国古代五千年的历史，写满了仁义道德，字里行间却全是吃人。鲁迅自己后来跟傅斯年写过一封信，他说《狂人日记》是“很幼稚的，作为艺术品不该是这样的”。那么应该是怎样的呢？鲁迅说他最喜欢的小说是《孔乙己》。为什么是《孔乙己》呢？我就分析了。第一，他是一个悲剧性的人物，一个为科举制度败坏了的悲惨生命。但是，他每次出现却无例外地带来了欢乐。他的结局是死亡，是在不同人眼里有不同的孔乙己。小店员“我”，他对孔乙己的表现不以为然，哪怕孔乙己对他表示善良，他也是不屑一顾的。在掌柜眼里，就是还欠着写在水板的十九个铜钱。第二，《孔乙己》整个的结构有一个核心，就是笑，本来店里很沉闷，只有孔乙己出现了大家才会开心一点。但每个人的笑是不一样的，一个是小店员的笑，不屑的；第二个是大家的笑，调侃的：你念了这么多书，秀才还没有混上？孔乙己很狼狈。所有人的笑的意味都不一样，笑的情感距离“错位”幅度拉得很大。虽然这篇小说没有什么了不得的情节，但是因为每个人的笑不一样，不同的人有不同的方位、不同的取向、不同的情感角度，有了这样的“错位”，这篇小说就成了艺术品，它的艺术性比《狂人日记》要高。

如果根据西方的理论来演绎，我们就只能看到《狂人日记》在反封建、在启蒙上的伟大，看不到《狂人日记》在艺术上的薄弱。用归纳法就不难看出拉开距离的、错位的笑，这个关系不是矩阵的关系，也不是 A/B 爱情不同步的关系，而是多元的、无限丰富的人的心灵的奇观。

问：您特别强调自己运用的是直接从经验出发的归纳法，从经验得出来的才是原创性的；刚才您还提到演绎法的局限。像您这样重视方法论在中国的文论家当中似乎是比较少见的；另一方面，对于方法论的自觉应该是一个理论体系成熟程度的重要标志。

孙：有两种理论研究的方法，一种是从权威理论出发，从理论演绎下来。第二种是直接从做实验开始，就像物理学一样，一种是理论物理学，像爱因斯坦那样，用数学方法演绎出来的；另一种是实验物理学，像丁肇中、杨振宁那样，我就研究一个原子、一个中子或一个质子，然后得出普遍的结论。我们引进西方文论最为普遍的方法是根据其大前提进行演绎，演绎法是人类思维的基本方法，但正像人类一切思维方法都有局限性和遮蔽性一样，演绎法也有局限性和遮蔽性。由于它的大前提必须是无所不包的，表面上它是由大前提演绎出了结论，但实际上它的大前提早已把结论包含在其中了，如果不把结论包含在前提之中，它就不可能是无所不包的，因而，是不周延的，无法进行演绎的。演绎法就其根本来说，只能是从已知推出已知，而不能推演出未知。光凭演绎法，只能在已有的范式中解难题，是不可能有原创性的。这一点早在休谟就已经说得很明白，得到广泛认同了。

就总的倾向来说，目前文学理论的主流方法是演绎法。现在引进的西方文论，大体属于文化哲学理论，其外延包含文学，但其普遍性的内涵并不包含文学的特殊性，仅仅靠这个普遍性大前提并不能演绎出文学的特殊性来，正如从水果的概念中不能演绎出苹果的特点来一样。因而要得出文学，特别是中国当代文学的许多特殊性质，只能从经典文学文本，包括西方文学的经典文本的解读中进行第一手的直接抽象。我的着重点是先从苹果中归纳，然后再从不同于苹果的其他水果归纳出水果的内涵。

相对而言，要从经典文本的阅读中直接抽象出观点，从个别的观点衍生出系统的观念来，再经过反复验证将之上升为范畴，比起从现成的理论前提进行演绎要困难得多。也许正是由于困难，严格的归纳法变成了新时期文学理论研究中的一个冷门。

最明显的就是我全部理论的核心范畴——“错位”，最初就是从阅读海明威的小说触发的。这个“错位”范畴在我的理论中贯彻始终。小说的对话为什么精彩？精彩就精彩在我讲的话你听不懂，你听出了另外一个意思，但是，读者却听懂了。我讲的话你听懂了，读者也听懂了，那不叫对话，那叫废话。戏剧也是这样，为什么西方的电影中的对话你们觉得好看，对话比较有味道？就是因为这一点。

问：我觉得归纳法特别适用于理论的证伪，但是要用它来证实某个理论的时候，它就存在一个致命的问题，既不可能穷尽所有的经验，但它却从有限的经验一下跳到普遍的结论去，这是致命的一跳。

孙：归纳也有局限，理想的方法应该是两种方法的统一。我年轻的时候读过研究恩格斯的文章，说到历史的和逻辑的、归纳的和演绎的、分析的和综合的统一。从这个角度讲，我是从归纳里分析，它有什么好处？它比较原创，恰恰是演绎法漏掉的东西它捡起来了。我并不否定演绎法的重要性，演绎法是个网，网是可以打鱼的，但它会漏水，如果要舀水，那我可以用瓢嘛，我并不否认网的重要性，但我看到它的不足；我也不否认瓢的局限，经验主义的不足是比较狭隘，它不能周延，它往往是个案分析，但我不认为它是完美的。所以要各种方法互相补充，在自然科学理论中，这叫做在二者中保持“必要的张力”。但是，历史的发展总是有片面性的，因而不同的历史时期有不同的侧重。我很有信心地说我的方法是可行的，但我并不认为我这种方法总结出来的东西都是完美的，我总结出来的东西往往比较强调普遍性中的特殊性。我想这应该是允许的吧，当大家都在搞演绎的时候，我去搞归纳作为一种补充，作为它的漏洞的一种补充。比如说我提出的审智，还有审美的情感逻辑，这些都是直接从经验中来的。

你刚才说归纳法的“致命的一跳”，这可能是这样的，比如说牛顿，据说（只是据说）他是看到一个苹果掉下来，他的想象猛地一跳，跳出个万有引力来，这是演绎不出来的。

问：从分析过程来看，事实上归纳法只是您的出发点，或者说是一种理论立场，是对当前一味进行理论推演、理论搬运的畸形现象的一种反拨，而更重要的是您在归纳过程中所展示出来的理论概括的能力，包括深入分析的能力，分析出这么多的层次出来，而且一层一层地深入，同时又能够上升到一定的理论高度来进行总结和概括，比如说提出错位的范畴，以及提出诗歌、散文、小说这三种文学形式是一个发展的链条。我们觉得，这个应该是您能够做到原创的最重要的因素。

孙：你说得有道理，我用的不完全是归纳法。归纳法是个出发点，我的框架还是辩证逻辑的框架，也就是黑格尔的正反合思维模式：对立统一，走向反面，在一定条件下互相转化。我研究小说、诗歌、散文，它们的发展就是一个运动的过程，运动就是矛盾、对立，在一定条件下走向反面。先讲诗歌，后讲散文，再讲小说，三者不是平行的，而是在正反合中转化的。诗歌的内在矛盾，其局限性转化为散文的优越性，散文的内在矛盾，其局限性转化为小说。我可以吹牛地说，在对文学形式进行研究的时候，在分析诗的特点、散文的特点、小说的特点的时候，做到了系统性的、内在的自洽。好多西方文论和中国古典文论都是就诗歌论诗歌、就散文论散文、就小说论小说。我可能是第一个把它们统一起来的。

我是非常原始地从感性得出来的，诗歌、散文、小说，它们从胚胎来说，都是客观生活的某一个特点和主观情感的某一个特点结合，但是要成为形象，还需要和形式结合形成一个结构，也就是遵守形式特点。怎样才能美呢？必须有形式规范。客观的生活和主观的情感与不同的形式发生作用，产生不同的形象。如果客观的生活是概括的，（当然个人的感情必须是独特的）那这就是诗。诗的概括超越时空。散文的特点是，客观的生活是特殊的，主观的情感也是特殊的，但是散文的情感是一元的。而小说的特点是，客观的生活是特殊的，多种人物的情感是多元的，发生了误差，拉开差距，形成了错位，就像诸葛亮跟周瑜、曹操、鲁肃那样，要在这么多元的、复杂的、交叉的、错位的关系里边，小说才有艺术的感染力。我的核心概念是错位，真善美的错位，但是艺术形式要定位，文学的各种特殊形式都有其特殊的形式规范。

我对文学形式的划分，不用二元对立的方法，而是用三分法，把文学形式分为诗歌、散文、小说。

从诗歌演变到散文再到小说，这是从形式来讲。从内涵来讲，诗是更接近哲学的，因为它是概括的；亚里士多德把诗歌跟历史比，诗是普遍的，历史是个别的，他讲的是形式，我把他修改一下，引申到内涵上来。诗是形而上学的，概括普遍心灵的；而散文是形而下的，概括日常生活的。

我所使用的主要是逻辑的方法，但我也力图把逻辑的延伸和历史的发展尽可能地结合。我的出发点不是文学性的定义，而是文学作品中最普遍、最常见、最一般或者说是最纯粹的现象：形象/意象。逻辑的起点是形象的“胚胎”。“胚胎”要得到形式的规范才能成为审美形象。形式规范要遵循逻辑层次，同时隐含着历史的演进过程，在诗与散文之间，在散文与小说之间，在风格与流派之间，都交织着逻辑发展和历史转化，体现着从建构走向解构的宏观过程。例如，在诗歌中，浪漫派的情感的过度放纵变成滥情，必然导致抒情的放逐，现代派冷峻的“主智”就应运而生，审美就越来越倾向于审智。在小说中，从片断情节到完整情节，从完整故事到完整人物，从无性格到有性格，从不强调环境，到强调环境决定人物，从情节、性格、环境的强化到淡化，是一个逻辑的过程，又是一个历史的过程：从创造形式、积累形式，规范形式到颠覆形式，这是一个历史的过程。我用西方文论的思辨理性来创造自己的体系。

问：在您新出的那本《文学性讲演录》[①] 的自序里，您就谈到了历史方法的局限性问题，强调要用逻辑的方法来研究文学性。对文学性的坚持，在您的文学研究中也是一以贯之的，先是对以前那种用阶级性取代文学性的主流文论的批判，接着是对各种文化哲学用哲学性取代文

① 该书后经大幅度改写。

学性的批判。对于现在甚为流行的用文化研究取代文学研究的论调，想必您也是不赞同的。

孙：这本书要讲的主要问题就是文学性的问题。文学性的问题我是很坚定的，不能因为外国人讲文学很虚无我们就跟着虚无了。西方有些人如伊格尔顿、乔纳森·卡勒认为文学是一个很虚幻的东西，伊格尔顿认为对于文学从来就没有一个准确的说法，没有准确的外延，也没有准确的内涵，因而文学是非常可疑的，他以英国文学为例来证明这一点。那什么叫文学呢？我觉得这是诡辩。比如说我们研究文化，谁能给文化下一个定义？到20世纪70年代就有上百种定义，难道说我们就可以说文化不存在了？因为他说文学原来不是这个样子的，后来变成另外一个样子，将来不知道会变成什么样子，所以文学是虚幻的，这用的是历史的方法。但是历史的方法也有局限性，它把一切事物都看成是流动的，把流动看成绝对的，绝对就没有固定的形态了，那就没法概括了。而我们要研究的都是抽象的概念，比如我们研究氧，空气中存在氧，氧还存在硫酸里边，存在石灰里边，还存在花里面，水里面，真正的纯氧只有那么一点点，其他的都是不固定的。你怎么研究它？有一种抽象的方法，并不需要把所有的氧都拿来，只要拿出一种纯氧，就能把氧的本质抽象出来，不管它是在水里，还是在石头里，只要它的原子的外层电子是6个的时候，它就是氧。这就是逻辑的方法。

马克思用逻辑的方法写《资本论》，但是，达到了与历史的统一；反过来，历史的研究也可以达到和逻辑的统一。比如我们研究中国的一段历史以后，对于中国历史不同于西方的特点，我们就可以归纳出这么一点：中国人的宗教观点是比较薄弱的，和西方的一神论相比，中国民间的多神论，或者可以说不存在什么严格的宗教观念。这就是从历史到逻辑。逻辑的方法就是把历史的差异暂时省略掉，不容忍这种概括性，你就无法进行思维。研究文学也是这样的，从历史发展来看，文学没有统一的内涵，也没有共同的外延，文学的历史是不断生成变化的，但是就在这个有限范围内我们还是有其相对的稳定性的，那就是要把各个具体文本的特殊差异暂时抽象掉，用逻辑的方法进行研究。

问：恩格斯总结辩证思维的基本方法有归纳和演绎、分析和综合、抽象和具体、逻辑和历史的统一，他的这个观点对您的方法论的影响似乎挺大的。

孙：在年轻的时候，我非常认真地读了恩格斯的作品，这句话大概是1959年第一次看到，到了1963年、1964年我研读《资本论》的时候印象更深，但当时没想到做学问，只是怀着一种改造自己的世界观虔诚地研读。当时，也没有做论文的打算，也没有做笔记，现在问我这句话出在哪里，我也忘掉了。但是从那以后，它成了我追求的思想方法。此外毛泽东著作我也读了很多，他也有好多思想影响了我，比如他强调特殊矛盾，要追求每一个事物的特点，每一个艺术形式都有它自己的特点，都要分析出来。这个是我到了华侨大学上了一年课，被打入冷宫以后的事。

我的理论的基本核心是经验论，不过不是一般狭隘的经验，而是马克思的实践真理论基础上的经验论。故我把创作实践和阅读实践作为文学理论的基础，而不仅仅把西方或者中国文学的知识谱系当作文学理论的基础。从方法上说，则是黑格尔的辩证法和马克思的辩证逻辑，再加上毛泽东的特殊矛盾分析；我着迷过经典理论家普列汉诺夫，他的《一元史观的发展》中对不利于自己最初论点的正面解析，使我后来对波普尔的“猜想与反驳”中的证伪说特别心领神会。在具体方法上，我受过结构主义的影响，因为我的老师朱德熙他的语言学是结构主义的。在文学观念上，我的观念主要是受朱光潜的影响，通过朱光潜我走向康德的《判断力批判》。光有这一切知识，还不够，最后，还有一项本钱，那就是我作为作家对艺术形象的感悟。在此基础上，我努力建构自己的一个体系，从《文学创作论》《美的结构》《论变异》到《文学文本解读学》，我自己觉得达到一种自洽。

但从细部讲起来，里面矛盾也是很多的，有时讲得很通，有时就不很通，只能是有局限的通。

还有争取逻辑的演绎达到历史的统一，统一了又分化，所以，我非常强调建构一个新形式，然后瓦解这个形式，再创造新的形式，这就是历史的过程。我觉得我讲得不够清楚的就在这里。照理说，诗歌里面尤其应该强调流派的更替：浪漫主义强调抒情，抒情到一定时候，变成滥情，抒情的美，走向反面，产生审丑，就是象征派的《恶之花》。《恶之花》它还是抒情的，到了现代派就不太放逐抒情，强调智性，到了后现代派连智性也不强调了。但我觉得从抒情到智性还有一条中间道路，虽然感情不强调了，但感觉还是有的，所以它是抽象的。这个讲得不够，小说的流派讲得也不是很够，你可以看出来，小说从原始的形态一直讲到魔幻现实主义，从情节的片断性到情节的完整，情节完整之后从没有性格到有性格，有了性格又取决于环境，环境的淡化，淡化了以后再产生魔幻，这条线索还是有历史过程的，它不仅是一个逻辑的规范，同时也是历史的范畴。但是我就是觉得，讲到散文就比较困难了，散文没有很好地做到逻辑与历史的统一。散文我说了三个东西：审美、审丑、审智，照理说，先有审美、审丑，再有审智吧，从逻辑上来说是这样的。但是，从历史来说，并不是，而是一开始就是审智的，例如先秦诸子的散文。散文的确是乱，做得比较困难，搞不起来。诗歌比较清楚，小说也比较清楚，就是散文比较薄弱。

问：从归纳法的角度来说，这正可以证伪“逻辑与历史的统一”的观点。根据您的主张，权威的说法就是用来打破的。

孙：其实那些西方大师的思想从哪里来的？他们也是从经验来的嘛。他并没有说我根据某个权威说的什么话，然后我来演绎，他们并没有这样做，是我们这样做了，而这是违背他们的基本原则的。他们向来把权威作为一个对手，英语叫 rival，但是我们呢，把权威作为一个大前提。我们引用了他们的观点，违背了他们的方法。

我不认为所有的东西都要根据某一个西方的理论才能说明白，西方人明白的东西不是无限的，他们不明白的东西要你去看出来。这不难嘛。但我们现在有一个不好的学风，直接从经验上来的东西被忽视。我今天上午看了一篇研究中国古典文论的文章，作者很有学问，但我觉得他们尽研究古人已经知道的、古人从作品里概括出来的理论，他们不研究古人在作品里没看出来的东西。比如说小说点评，金圣叹提出一个性格的范畴，但是，这位学者并没有看出金圣叹没有看出来的东西，比如，人物自身口头和心头之间的错位关系，人物与人物之间的错位关系，金圣叹就没提出来。我觉得如果太满足于引用古人的理论，就等于自己白活了。有性格的语言，如果不是诗歌，不是歌剧的独白，那必须是心口要误差、错位的。我们现在的文学研究是什么？外国人提出来的，前人提出来的东西，把它整理一下，是学问，我承认。但是有没有考虑到外国人没有看出来的东西，前人没有看出来的东西，我们现在能不能看出来？可以的嘛。我们看前人，可以用现代科学眼光去分析，就是要看到前人没有看到的东西，然后才有资格去评论前人。如果只是把前人说过的整理一下，前人不知道的我们也不知道，那还叫研究吗？这不是历史的退化吗？前人不知道的我要知道。从文本来看，比如杜甫的《春夜喜雨》，古人赞美的话很多啊，最有出息不过是全篇没有一个喜字，可喜字尽在其中。可这个喜字在哪里呢？古人的感觉到此为止。我就要接着下去说：第一，这个雨是夜雨，特点是无声的、无形的，是看不见也听不见的，但是他感到了，独自一人默默感到欣慰 / 喜悦，乃至把一片漆黑当作雨之美（野径云俱黑），因为越黑，雨越浓最后两句，“晓看红湿处，花重锦官城”，已经不是雨了，然而却是雨的结果。雨突然变得看得见，而且不是一般的看得见，而是非常鲜明的对比，不光有它的质感（湿的），而且有量感（重的）。这就是古典诗话没有看出来嘛。但现在的古典文学研究就是这样，把古人讲到的东西罗列一下，然后再赞叹一下就完了，这不是我所追求的。

所以第一，要看古人和西方人讲出来的东西；第二，要看古人和西方人漏掉的东西；第三，还要看古人和西方人搞错了的东西。这是我们的任务。但现在我们不是这样的，古人、西方人讲了什么东西，都是对的，然后拿现成的例子，证明它是对的。这种方法也不能说没有道理，整理学术资源嘛，梳理问题、母题史嘛，但是光这样是没出息的。我注重的是第二步的分析，看他们看漏了的，看走眼了的，去寻找他们看错了的，从他们所出的文本去找，我们也像古人一样去作第一手的概括。

问：从您对诗歌、散文、小说的统一性的追求来看，您是很注重理论的体系化的，根据一个核心范畴，构建出一个自洽的、有内在联系的文学理论体系。

孙：当然我也是比较形而下的，我没有上升到西方传统美学的形而上的美学的程度，他们超验的美学，接近神学的境界，我不想去追求绝对精神，因为我只对文学感兴趣。西方美学缺乏形而下的文本赏析，所以我是介于形而下与形而上之间的、从微观向宏观上升的。从中观的角度来说，我是形成了自己的一个体系。当我刚刚写出《文学创作论》，给我的一个朋友——华东师大的张德林教授看，他讲了一句话让我吃了一惊，他说："在我看来，你这本书比外国人写得好。"我想可能是我的朋友偏爱我，我想了好多年，也看了不少西方人写的东西，从最宏观的理论，到他们的文学写作的书籍，我觉得就是在这一点上我有外国人不及之处。

问：我们也这么认为，由您创造的"错位"批评理论模式有着一种特别有效的解释力和检验力。实际上，不同的批评理论模式的解释力和检验力有着不同的适应范围，西方的那些批评理论模式应该说有他们自己的适应范围，问题在于我们把它们照搬了过来就要失效，尤其是用来检验我们的文本实践时更是如此。

孙：我无法忍受文学理论与文学文本阅读那种惊心动魄的经验为敌。这个是非常奇怪的一件事，没有理论你还懂得挺多，有了理论却更不懂了。我当年念机械唯物论的文艺理论就是这个样子，我不读理论，我还懂得李白、杜甫，读了理论以后，你讲反映现实，怎么反映啊？如果从反映现实，或者从反映民间疾苦的角度来看，李白、杜甫的诗只有不多几首，这是白居易都说过的。那么除此之外其他的诗就没有价值了？恰恰是这些与反映现实无关的诗歌是有价值的，特别是王维的作品，他好多诗都跟国家的命运、跟战乱、颠沛流离无关，他写了禅宗的感觉、佛家的感觉，都很有艺术水平。当年我们千方百计想否定他，因为他不反映现实。但是我看到苏联人写的论中国唐代的文章，说唐代最大的诗人就是李白、杜甫、王维（我们讲是李白、杜甫、白居易）。历史证明人家是对的，因为艺术本身的价值摆在那里。

现在还有一个甚嚣尘上的观点，所谓"日常生活的美学"，说广告、城市雕塑、建筑、媒体这些都有美学。可以啊，但你并不能因此而得出结论：诗歌、散文、小说它们就不要审美了，二者并不妨碍嘛。但是现在却争论起来了，说文学不是中心，所以文学不重要，要取消文学。文学从来就不是中心，李白写诗的时候，是什么中心？还是政治中心、军事中心、经济中心嘛。日常生活的美学，并不是今天才有的，在古代的石器、钟鼎、官冕、建筑、用具、衣着、化妆品等等，可以说与史由下而上。我们的任务不是把这些实用品的装饰和文学的特点混同，而把它们之间的差异性揭示出来。这就好比研究花，这是一朵玫瑰花，那是一朵水仙花，它们也绣在唐朝仕女的衣裳上，我们就得研究玫瑰花、水仙花和绣在衣裳上的花的规律有什么不同。研究特殊矛盾，这也是我的思想方法的一个特点，特殊性里包含着普遍性，普遍性却不一定有特殊性。玫瑰花一定有花的特点，但是花不一定有玫瑰花的特点，你知道花不一定知道玫瑰花，而你知道了玫瑰花就知道了什么是花。这是很简单的一个道理嘛。

我现在年纪比较大了，不去参加那些大论战了，我保持我自己的一个独立的姿态，我搞我自己的。我就是对文学的事情还比较感兴趣。不管怎么说，没有一个人能够论证唐诗的文学成就是可以被否定的，没有一个人能够论证唐诗和宋诗或元诗是一样的，唐诗的艺术性就是比较高。很多人喜欢唐诗，而很少人会说我喜欢明诗，就是因为唐诗的艺术性比较高，这是不可抹杀的。你认为文学很虚无，但我就很执着，这里精彩的东西、值得奉献生命东西非常多。我也不跟他们论争，就是自己做一些具体工作，不惜花上十年工夫作几百篇的文本解读。你有本事，就来跟我争论这些具体的问题，不要空谈什么文学存在不存在、艺术有没有高低之分的问题。

问：我们也看到您这几年的精力基本都放在对具体文本的微观分析研究上，除了这本《文学性讲演录》，还有《名作细读——微观分析个案研究》《月迷津渡—古典诗歌个案分析》，那是教中学师生如何分析经典作品的。您的文学理论真正是做到了深入浅出，既形成一个完整的、自洽的、有高度的体系，也能够最直接地指导阅读实践和写作实践。如果说，衡量一个理论是否有效是以它的解释力和预测力为标准的，那您的理论在这两个方面都是非常有效的：对于阅读经验，它可以提供解释；对于写作，它提供的是预测——如果能够这样或那样写的话，一篇作品就具有较强的文学性。您称之为可操作性。

孙：是的，我的理论如果用来分析作品的话，很有用。虽然郜积意说我生不逢时，但我还是看到了希望，因为我看到福柯、德里达他们也是非常强调微观的分析啊，他们的理论跟微观分析是连在一起的。当然，他们分析的不是艺术，而是文化、政治等，但我们的理论，很少是从一个文本分析出来的，都是人家怎么讲，然后我们再举个例子，证明他们是对的。虽然我的书里面也有好多西方的理论，但这些理论都是拿来装点的，实际上我早就知道这个意思，只是为了说明我有学问，我就引用一点西方的东西。比如说我在分析文本的时候提出一个概念、一个方法：还原。其实那时候我根本就不知道现象学，大约是1990年在上课时突然冒出来的，后来发现现象学里也有还原法。现象学的还原法是一个哲学的方法，和我的还原法有相似又有差异。人家讲的是，一切观念都是经过人的意识污染的，为了研究，就要把它先悬搁起来，把它的原样还原出来研究，以免被它遮蔽。我讲的是对于具体文本分析的操作方法，你不要把它简单等同于现实的反映，它是现实的改造和心灵的和形式规范的结构表现，你要把它还原出一个原生状态，未经加工的状态。先想象一下，跟他加工出来的、经过艺术转换的状态有什么不同，有什么矛盾，然后你就可以分析，从这里出发去分析矛盾。

而我们传统的方法是什么呢？却是追求对象和文本的同一性。

以《荷塘月色》为例，《荷塘月色》写的是什么呢？一个人的淡淡的哀愁，一种孤独的感觉。为什么？因为当时大革命失败以后的知识分子都是这样的，体现出现实跟作品、文本的一致性，这就是传统的方法。但我的研究方法不是这样的，恰恰是研究现实跟作品的不一致性，不一致性才是你加进去的，你加进去的才是你的个性。所以我提出要用“还原”法，因为作品是个天衣无缝的东西，不这样你就没法分析。

要分析作品的内部矛盾，内在矛盾。这个就更难一点了，经典作品都是天衣无缝、没有矛盾啊。比如说《再别康桥》，论者都是赞美，表现了诗人离愁别绪啊，对康桥的赞美啊，讲了一大堆废话。他们为什么分析不了？因为没有现成的矛盾和差异。从文本内部分析出来，这里面有个矛盾：他一方面告别康桥，觉得康桥非常美，他要“放歌”；另一方面，他又说，我“不能放歌”“沉默是今夜的康桥”“悄悄是别离的笙箫”，放歌的兴奋、美好的回忆和沉默的矛盾，为什么呢？因为康桥的回忆是他一个人独享的，是不能跟别人分享的，所以他是跟云彩作别，不是跟校园告别，因为这是个回忆，这个回忆只有我自己才知道，别人不知道，所以不带走一丝云彩，带走的是我自己的回忆。

这种非常细腻的文本分析在西方文论里没有，要你自己去发明，你看并不难嘛，你慢慢去“还原”体悟他是怎么写的，发现他所省略留白的东西。我做这样的分析的时候，几乎不用什么参考材料，写完了，为了表示我有学问，加一点古典诗话的注解加进去。古典诗话小说评点有个优点，就是非常强烈的艺术感觉，缺点也就是都是感觉，它没有理性地分析语言。而西方文论呢？相反，理性语言很丰富，但是，艺术感觉很差。俄国形式主义者、美国新批评，就只会在用词上下功夫，在修辞上做文章。其实，许多好诗，好小说，是不用什么修辞手段的。“山雨欲来风满楼”没什么修辞，没什么比喻，也没什么朦胧，每一个字都很清楚，再精彩不过了。他们以为光凭修辞就够了，但是他们对于心灵的活动不清楚，就隔靴搔痒了。

问：跟着您阅读文本、分析文本真是一个愉快的过程，既是思维的训练，也是审美的享受。《文学性讲演录》里头最精彩的就是对文本的分析了。

孙：广西师大出版社编辑赵运士来信说，我那《文学性讲演录》把所有编辑都“迷倒”了，说这是一本“绝妙好书”，很好看。我觉得比《文学创作论》好看，里面有开玩笑的话，骂人的话，很有个性。没有空话，没有套话，每句话后面都有东西，我信心比较足。另外就是上课的语言比我写文章的语言好，讲得比较自由，有的任性、率性，有的动感情，有的发火，有的偏激，有的很幽默，开玩笑的话也蛮好玩的。我自己觉得创造了一种文体，叫作“演讲体散文”。后来，我真的把《演说经典之美》中的一部分和另外一些演讲稿编成一本《孙绍振演讲体散文》，由海峡书局出版。

问：说到上课，您是名师了，学生们都很喜欢上您的课，有什么诀窍吗？

孙：我认为一个文学教授或者文学教师跟自然科学的教授不一样，物理、化学你打开课本可能会看不懂，或者你不可能理解很透，但是文学的课本一打开一望而知，有不认识的字，去查查注解就明白了。所以数理化的教师就是原来不懂的你我让你懂，文学教师则反过来，你原来懂的我告诉你你不懂，“大漠孤烟直，长河落日圆”好在哪里？你不知道。那我告诉你，这里有个垂直构图的静态和动态交替的问题。我没讲之前，你虽然有感觉，但是你说不出来，这就是工夫啊，这个工夫是不好做的。为什么有些大学老师或者中学老师上课没有吸引力呢？就是你没有把问题提出来，因此显得没有智慧。如果凡是古人和外国人讲过的东西你都讲了，凡古人和外国人没讲过的东西你都不会讲，那么从根本上来说，你不像一个教授，如果你只是满足于梳理资源，至少你对自己定位太低。

如果没错的话，我觉得培养研究生应该这样：你把理论大概讲一遍，然后给你 30 首诗，30 篇散文，40 篇小说，让你做文本分析，根据你分析出来的东西，构建你自己的系统，这是完全可以的，我自己就是这样，我就是根据我读的小说、诗歌、散文，然后根据一点粗浅的理论，然后再加上我的归纳，就这个样子了。

经验与理论的双向运动①

叶勤、陈希我（以下简称“问”）：根据我们对您的了解，您对现在学界比较关注的学术规范的提法似乎不太以为然。您认为理论创造是一种突变式的创新，过多地讲规范会束缚创造力。那么我们今天就以您自己为例来讨论一下这个问题。您对中国文论界的贡献可以说是有目共睹，其中一些论文已经成为历史性的文献，比如《新的美学原则在崛起》，还有“错位理论”“幽默逻辑的二重错位”，都为汉语文论增添了新的知识。当然这些新知识首先是在批判前人的基础上获得的，但同时您也经常提到某些传统理论对您的影响，比如康德的美学理论。那么在您看来，知识增长与知识传统是怎样一种关系？

孙绍振（以下简称“答”）：我认为知识的增长有两个来源：一是来源于对理论经典的演绎和对其的批判；二是来自完全独立的创造。每个人都可以从实践经验、主要是创作实践和阅读实践体验中总结出知识来，这种知识是建立在直接经验的基础上的，在某种意义上讲是在前人的理论的空白上，或者就是对前人理论的颠覆。当然这只是一种理想的状态。

问：但是如果没有对知识传统的了解与掌握，我们甚至无法知道你创造出来的那些知识是不是新的。

答：是的，所以我说这只是一种理想的状态，更多的是来源于对经典的演绎和批判。从理想的意义上说，人的思想应该是独立的对客观世界的感应，是自己的创造，这是思想的本质。但是由于这种创造太困难了，只有少数大师才可能，一般人的聪明才智是非常有限的，不可能一下子就从第一手经验入手直接概括出观念来，因而必须从第二手的材料即前人的理论（也就是你们说的知识）获得支撑，从而进行突破。知识既是人类起跳的台阶，又是人类自我封闭的圈子，当你使用别人的话语和理论的时候，别人的立场、方法、价值

① 发表于《渤海大学学报》（哲学社会科学版）2007 年第 1 期。

观念、成见等等必然也同时束缚着你的思想。因此一般人的创造最多只有“亚原创性”。这就是恩格斯讲过的：人的思想的发展不仅仅是随着客观世界的发展而发展，而是在前人的思想资料的基础上进行加工。所以我们现在做理论研究必须梳理问题史，把前人对此课题研究的来龙去脉弄清楚，在这个基础上才有可能进行研究。

这就很容易产生两种不好的倾向：要么你凭空创造，结果变成一堆呓语；要么你在前人的基础上前进，却钻进他的规范里。这两种倾向都应该警惕。

问：那么应该怎么做呢？

答：我们既要学习前人的精神财富，又要突破前人的遮蔽，在把大师作为师承对象的同时，也必须把他作为对手。如果你没有这种对手的意识、挑战的意识、质疑的意识，那么你必然在吸收他的成果的同时被他限制。就像胡适说的，学者成了学究。可悲的是，学者大部分都会成为学究，尤其是在过分强调学术规范的情况下，因为规范太森严了，无一字无来历。仇兆鳌，他把一辈子用来注解杜甫，把杜甫诗里的每一个字都在古书上找到了出处，他花了一生的工夫积累了这么点资料，当然有其可贵、可佩、可敬、可爱之处，但是，在今天看来是不是对自己的生命太不珍惜了。今天的科学技术发达的程度已非仇氏当年所能想象。许多历史资源，在当年是十分难得的，今天用电脑检索一下就立马出现在眼前了。许多学者没有真正意识到时代的变化，还把积累资料当作学术研究唯一的工夫。这不仅在古典文学研究领域，而且当代文学理论研究领域都是普遍存在的现象。有些博士教授孜孜不倦，积累了相当丰富的西方文论的说法，梳理了一番，也就是逻辑化了一番，以为这就是学术了。非也，这是学术的起点，你所说的，都是人家说过的。你还没有说出自己的话，以重复权威的话为满足，就把自己的嘴巴封住了。当然，有些出息点的，就把权威的话加上自己的例证来说明权威的正确。这种情况在什么时候最严重？在引进一个新观念的时候、在思想变动的初期，都有这种以权威来抬高自己的情况，挟洋权威自重，说他变成学究，还是比较客气的，用口语说，应该是学术的二道贩子。

我觉得任何一个观念拿来的时候，都要用自己的经验将它重新阐释、批判一下，如果不能用自己的经验对它进行阐释、批判、分析、或局部地修正、或整体地颠覆，那就可能成为二道贩子。你要把自己放在跟权威平等的地位上，想一想我对文学的经验和感受真的跟他的一样吗？还是说冥冥中感到我的感受被他修改了？我的初感和那些权威并不太一样。有时他说了半天的，其实我早已知道，无非他用了一些比较精彩的理论话语，讲得比我周全，甚至讲得比较玄，比较晦涩，有时他还没有把我的体会讲清楚。

问：您说到了自己的感觉被修改，这个发现非常敏锐。我们可以看到有许多所谓的理论家，缺的就是自己的感觉。

答：我有一个论断：理论，我说的是好的理论，不是那种叫人傻的理论，在进入文本和阅读的时候，一方面它阐明了你的经验，很犀利；另一方面理论有它的狭隘性甚至封闭性，与阅读文学作品那种惊心动魄的感受为敌。比如你读一首诗非常漂亮，感动得不得了，结果用理论一讲，就非常粗糙，非常煞风景。像中国古典文论讲兴观群怨、感物思动，我就觉得很幼稚的。新时期以来一说到想象就引用刘勰的“视通万里”“思接千载”，其实想象并不是时间和空间的问题，而是逻辑的问题，本来不存在的逻辑我给它想象出来，这是心理的一种独特现象，但一引用刘勰这话，就变成了时间空间的问题，这就是被它限制住了，这话说明了你经验的一部分，经验的其他部分就被扼杀掉了。所以我觉得理论有时是会扼杀阅读经验的，迷信理论在许多情况下是害人的。

因此我提倡“亚原创性”或者“次原创性”，初级的原创性，就是用你的经验去修改、去部分颠覆、去充实这个理论。理论只是一个框架，需要你用你的才智直接从文本阅读经验里面去加以归纳，来把它充实起来，使它饱满起来，或者找到一个角度把它冲破，另外创造一个空间，这是我非常重视的一点。我曾在一篇文章里讲到我的理论来源有三个部分：一个是审美价值论，一个是黑格尔的模式，一个是结构主义的方式。后来我发现不对，还有一个，就是我自己直接从文本分析出来的东西，这四个东西加在一起才有活力。

问：看来对于学术研究，您还是更加强调创造的、突破的方面，而不是继承的、渐进式发展的方面。这可能跟您进入理论界的时代背景有关系，在20世纪80年代初期，中国的思想界有一种狂飙突进的气质；而到了90年代，就开始沉淀下来，更加重视学术而非思想，于是对学术规范的讨论也开始浮出水面。

答：我觉得做学问，不讲学术规范是不行的，但是讲多了以后，肯定是有一大批人被牺牲掉了。为什么呢？因为学术的发展有一个积累性和突破性的矛盾，这是从逻辑上来分析的；从历史过程来看，它分为常规发展和非常规发展两种阶段。在常规发展阶段，积累得比较多，讲规范也比较多；而在非常规发展阶段，它就要突破规范。因此在非常规发展阶段，是不怎么讲理的。像五四时期保守派和激进派的论争，你看激进派对中国古典文学的批评是毫不讲道理的，胡适把中国古典文学说成是死文字写出来的死文学，陈独秀说，是贵族的、山林的、腐朽的文学，周作人说是非人的文学，钱玄同说汉字要废除，鲁迅说打开中国历史一看，在“仁义道德”的字缝里全是“吃人”二字，这都是不讲理的。反过来我们看那些反对文学革命的人，东南大学那些人，胡先骕、梅光迪，他们的著作都是很讲学术规范的，注解、来龙去脉，非常清楚，但是他们没有思想。思想的发展、理论的发展，是要冲破规范的。这种现象不仅在中国有，在世界历史上也有，我就觉得应该研究一下法国大革命时期那些思想家是如何冲破当时的规范的。

在西方学术研究中很普遍的一种研究方法就是研究概念的内涵，像伊格尔顿的《二十世纪文学理论》，文学的概念无法确定，内涵不一致，外延也不一致，因此得出结论是文学性是不存在的。这就是从概念的内涵出发造成的谬误。内涵不能确定，但是，并不能否定外延的存在。由于人类的语言符号的局限，又由于事物问题不断地发展，故要对任何事物作一种不变的内涵定义，几乎是不可能的。例如，我是孙绍振，我从一个毛头小伙子，变成一个大学教授，又从一个有点青涩的学人，变成一个有自己理论体系的学者，你们能够对我下一个定义吗？不能。你们能用语言把我的成长都概括起来吗？不能。就算你们很有天分，把我的学术经历用很精确的语言概括出来了，可是你们能把我的生理特点，把我的心理素质，把我的精神历程，把我的婚姻、恋爱体验抽象出来吗？不能。可是，你能够因为不能对我下定义，就否认我的存在吗？不能。西方文论讲究学术规范，尽管很严密，可是百密一疏，在最为根本的问题上，却留下了一个天大的漏洞。我们在追随西方文论的学术规范的时候，对这个漏洞，由于对人家的崇拜，却视而不见，这不是很大的笑话吗？

正是因为这样，我认为西方文论虽然有极其高的成就，但是，追随他们不是唯一的办法。当这个办法走不通的时候，就要从外延，也就是从事实出发，从经验出发，开辟我们自己的路。

这本来不奇怪。在西方哲学史上有两个流派，一个是唯理论，一个是经验论。唯理论用的是演绎法，演绎法的好处是立论严谨，但是有个坏处就是一味用形式逻辑的三段论。三段论就其本质来说是不能演绎出新知识来的。休谟就指出过，演绎法的缺点就是把结论放在大前提里了。大前提要求周延，没有例外，但是，没有人能够把世界一切的事实和思想，都经验过，都概括在自己的观念中。因而，三段论要求大前提周延，而大前提根本就不可能周延。这就是演绎法的局限性所在。当然经验论也是有不足的，经验论要求把经验归纳为一个结论，这个结论必须是无所不包的，但是，这不可能。但是，我们可以把范围缩小，例如，在一定历史时期，在一定的范围，在一定的条件下，我们可以得出相对保险的结论，这就可能有相对的可靠性。范围限定得越小，它的可靠性越大。但是，它的可靠性越大，其理论意义就越小。这是它的局限性。故科学发展过程中，完全用经验论，也就完全用实证，尤其是例证，最可能陷入孤证，以偏概全。故逻辑实证主义也是受批判的。其可靠性也是受到批判的。而爱因斯坦完全用演绎也给20世纪的科学开辟了一个崭新的时代。因而学术的发展总是在规范与超越规范之间。

学术的常规发展是从权威的观点出发，非常规发展则是从经验出发。但是无论在哪种时期都不能仅仅从理论到理论，理论必须拿到实践中去检验。实践比之理论是无限丰富的，不管你从概念到概念多么严密，最后都必须用经验去补充；不管你怎样从经验中去补充，最后还是有漏洞，最后还得在实践的历史过程中去发展。不能迷信权威，不能迷信演绎法，不能迷信学术规范，反过来也不能迷信经验论。唯一要做的就是对唯理论、经验论、学术规范，不断地去找出它们的矛盾和漏洞，不断地去补充和丰富它，使它更加严密、更加细致、更加充实。

问：我们看到您的理论体系实际上就是这样建构起来的：不断运用新的经验来检验原先提出的观点，补充它或者推翻它，从而使理论层层地深入。而这个检验理论的过程同时也是一个非常精彩的文本分析的过程。您在这里可不可以给我们做一个简单的文本分析和理论检验，让我们初步了解一下具体的操作过程？

答：我可以举一个具体的例子：《三国演义》。鲁迅说诸葛亮多智而近妖，他这里犯了一个错误：把小说作为单个人来观察。小说不能以单个人来看。像诸葛亮的多智，不能单从科学上是否可能来看，而应该从人与人的心理"错位"来看。他的多智是被周瑜的多妒逼出来的，多智是冒险的——但是碰上了多疑的曹操，于是他的草船借箭就取得了胜利。多疑的失败了，多妒的也失败了，甚至不活了，只有多智的成功了。这种心理的概括就不是现成的，是我从经验中直接概括出来的。我原来是道听途说过什克洛夫斯基对爱情小说模式的概括：A 爱上了 B，而 B 并不爱 A；A 努力让 B 爱上 A，但是当 B 爱上 A 之后，A 却不爱 B 了；还有结构主义的矩阵模式：A、非 A、反 A、非反 A。但是没有这些西方理论我也照样分析，我是从不同的思路走向了跟他们相近一面，他们只是个框架，而我是有内容的。实际上我分析的跟他们还不一样，我分析出了更多的东西。在《三国演义》里面还有一个人，鲁肃。用鲁肃的眼光去看周瑜和诸葛亮的关系，他既是周瑜的部下，又同情诸葛亮，用他的眼光去看这两个人的矛盾，使得人物之间的情感关系更加多元。这是西方理论没有提到的，是我的经验，是我的创造，举例子不是为了证明人家正确，恰恰相反，是为了说明自己，如果真正是自己的创见，就不可能与他人完全一致。因而，在说明自己的时候，就要批判他人的不足。例如，不能像一些学者那样，用矩阵模式去套小说里的几个人物关系。事实上矩阵模式并不适用于中国古典小说，像《红楼梦》，如果说林黛玉是 A，那么谁是反 A？薛宝钗吗？不一定吧。按照我的分析，其实林黛玉本身就包含着反 A，她自己就包含着反对自己的元素。最明显的是，一位不乏权威的教授用矩阵模式分析《祝福》得出结论是柳妈成为封建文化的权力的代表杀死了祥林嫂。这就差之毫厘，谬之千里了。实际上鲁迅在《祝福》中展示的是，祥林嫂的悲剧是没有人格化的凶手的，凶手是在每个鲁镇人头脑中的观念，对寡妇的成见。所以你必须相信自己，跟矩阵模式的作者，比他更多的才智，才有本钱和他对话，把他作为一个对手。

问：我们感觉到您在面对具体文本时，有很强的分析能力，而不像现在许多学者，研究文学，对文本却没有感受力，只是从理论到理论。

答：我现在渐渐意识到，我在分析文本的时候，这个方面比较强，而这方面往往不是学术规范几个字能够概括、能够包含的。我写《文学创作论》时，常常写不下去，因为当时没有提纲，也没教学大纲，写不下去，我就去读作品，作品里有什么，我就把它转化为抽象的讽话语，观点就由此产生了，然后再把它逻辑化。

俄国形式主义者说“陌生化”现在影响很大，但是，第一，人家晚年也就是80年代，就公开宣布这个观念不对的，放弃了。可是我们至今还有上千篇的论文和专著根据这个观念在演绎。这可能是我们文论的一种耻辱。其实只要对之作起码的文本检验，就不难看出其片面和荒谬。我在课堂上说，二月春风似剪刀，是陌生化，二月春风似菜刀，也是陌生化。为什么前者是不朽的诗，而后者是笑话呢？可见陌生化是片面的。一个观念要成为学术范畴，逻辑起点就应该有相当丰富的内涵，至少要包含对立的统一。陌生化起码应该是离愁的陌生化。这是斯克洛夫斯基的前辈别林斯基提出过的“熟悉的陌生人”。陌生化的提出者绝对排斥与之相对的“自动化”是幼稚的。陌生化是显性的，应该建立在潜在的熟悉化之上。二月春风似剪刀，之所以精彩，是因为前面有一句“不知细叶谁裁出”，其中的“裁”字，为“剪”字留下了伏笔，裁剪，在汉语中是熟悉的、自动化的联想。没有汉语的“裁剪”这两个字联系在一起的自动联想机制，这个陌生化是不能成立的。

问：这样看来您其实是一位立足于经验的理性主义者。首先，您是从经验出发的，从经验归纳创造出自己的理论，而这些理论常常与某些西方理论殊途同归；其次，对于已经获得的理论，您又强调用自己的经验去充实它、丰富它，或者修改它、颠覆它，因此即便是那些殊途同归的理论也呈现出与西方理论不同的框架或细节。换句话说，在您的理论创造过程中有一种经验与理论的双向运动，正是这个双向运动使您的理论具备了强烈的原创性和本土性。

答：我一向主张，对理论尤其是西方理论要搞修正主义，西方的理论不一定适用于我们的情况。我最近看了一篇文章，谈五四时期知识分子的“挟洋自重”。现在也有不少人挟权威自重。我经常看见一些年轻学者，一说话就是哈贝马斯、德里达。这能说明什么呢？无非说明你读过他们的书，就算完全你读懂了！那么你对他的批判呢？你对他的检验呢？读懂了他的书，或者给他找到了例证，不说明你有创造性，也许只能说明你很可能变成学究。

在我看来，从已知的大前提和已知的例子得出已知的结论，这是没有用的。理论是一个框架，一个普遍原则，例子是一个特殊的、唯一的感性经验，你必须从特殊的经验里分析出大前提里没有的东西来，这个演绎法才有意思，才有价值。如果一个例子举出来就是大前提里面的东西，这个例子白举。每一个例子都应该是一个创造，每一个例子都必须用你自己的经验，包括文化经验和艺术经验去填充，去突破，去颠覆。

问：通过您前面所举的那些例子，我们感觉您的举例法其实就是以一种证伪的方式来推进理论，这是需要非常强的感受能力和思辨能力的。而感性能力和理性能力能够在一个人身上如此完美地结合起来，这在当前中国的文学理论家中是非常罕见的，因此您这种推进理论的能力在中国文论界也是非常可贵的。您刚才说到有不少学者挟权威自重，其实很有可能就

是因为他们缺乏上述两种能力。由此我们就不免有些疑惑：既然您有这个能力，为什么这几年要转去做中学语文教学改革的事情？我们知道一个人的时间和精力都是有限的，如果您把时间和精力放在继续推进您的理论上，那么您的理论体系是不是会更加完善或者更加精深？

答：这有两个原因：一是碰上一个机遇让我作语文教学研究，当然这也是我的愿望。我在研究学问时发现，我们研究了半天的理论在中学里是落空的，没有深入到广大读者心目中去，而要深入到下一代心目当中去，就要通过中学教学，否则不能真正变成我们的精神财富和艺术财富。第二个原因是我渐渐意识到，有两种方法来培养理论家：一种方法是学习理论，海量地理论学习，从理论到理论的培养，然后把经验作为理论的验证。古希腊的传统，就是从理论到理论的研究，从概念到概念的研究，这也是很重要的。还有一种方法则是从经验出发，从经验的总结开始，来形成理论。我要是培养一个理论家，给他一些理论，然后做大量的实验。古希腊的理论传统到了培根的时候就发生了转变，不再信服权威的演绎，科学家们通过实验、观察和归纳来得出理论，比如燃烧的本质就是通过实验发现的。近代化学理论就是这么发展起来的。

我研究幽默理论就是用的经验归纳法。当时福建少儿出版社找我写一本关于幽默的书，于是我借来20多本幽默故事，包括中国古代笑话集，然后做了50多张卡片，写了50讲，完全是用归纳法。后来到中央电视台做幽默漫谈，在这个漫谈快讲完的时候，我讲出来一个理论：幽默是逻辑错位。西方的幽默理论都是一元逻辑的，没有意识到幽默是二元逻辑的错位。当然这个错位跟我前面的文学理论有关，这个发现既是偶然的也是必然的。你们也看出来了，我的理论体系的核心是错位，起初是不自觉的，但是也可能是在潜意识里用这个体系来统一自己的理论。所以幽默理论首先是做节目时冒出来的，后来觉得很宝贵，过了几年才把它写下来。

经验归纳法是我的首要办法。另外我在很大程度上运用了黑格尔的思维模式，它很大地帮助我建构自己的观念，把自己的观念系统化。这些经验里最宝贵的是我讲出了一些别人没讲过的东西，比如说审智。原来都是说审美的，但是我发现审美不够用，没有什么大思想家、大艺术家是纯粹的审美，审美的深层必然有他的思想。从屈原开始，他就有他的思想、对国家的责任感，后来的李白、杜甫，《三国演义》《红楼梦》，都有作者的思想在里面，所以在审美之外还要再加上一个审智。这不是从前人的什么理论来的，我归纳一下就出来了，然后再去找康德的说法对比一下。

当然这里必须指出，经验论的方法也是有局限的。一切的方法都有它的局限性，包括历史主义的方法。现在新历史主义对文本的解读成为大家公认的一个方法，大家好像也没有意识到历史的方法有什么局限性。《资本论》的序言说，研究资本，不是研究它的历史过程，而是研究纯粹状态的商品，这就是逻辑的方法。商品里有矛盾，使用价值和交换价值的矛盾，具体劳动产生使用价值，抽象劳动产生交换价值，从整个社会来说，是等价交换，但是有一个不等价：

劳动力，就产生了剩余价值，大家追求最高利润的结果，使资本家剥削得越来越严酷，导致工人的绝对贫困化，进而导致了经济危机。这不是研究历史，而是从逻辑的形态里找到了历史发展的过程。我的研究方法也是这样的，我不是讲文学理论发展史，而是用逻辑的方法抽象出文学意象，文学意象的逻辑发展过程同它的历史发展过程是相一致的。另外我还有一个想法，也是恩格斯说的：人类的胚胎发育史，是人类发展的雏形。你只要找到一个细胞形态，这个细胞形态的历史就是整个宏观的历史。我的文学创作论就是从文学形象这个细胞形态来展开的。

当代的文学家强调事物的差异性，这没错，但所有的差异性都是以共通性为前提的。你说世界上没有两片相同的叶子，但当你说到“叶子”的时候，就已经承认了同一性。当然普遍性有可能掩盖特殊性，所以马克思主义强调具体问题具体分析，必须把特殊性反映出来。强调差异性并不意味着取消同一性，如果取消掉同一性，我们甚至没法思维，没法用语言表达，你要用语言表达就必须概括化、抽象化。在20世纪80年代我听过一个报告，说非洲的某个部族（好像是塞拉利昂）没有数的概念，问一个酋长他有几个老婆，他只能说张三李四王五，他不能把她们抽象为几个女人。我看过数学史，数学是怎么产生的？牧羊人点羊，他舍弃了羊的大小、公母和健康状况，把它们抽象为一只羊、两只羊。当他这样数的时候，就必须把所有的差异性去掉。一个人的思维能力首先取决于他有没有抽象的能力。

所以历史的研究不能离开逻辑的研究，如果取消了抽象能力，所有的理念都不可能存在。我们不能因为事物的无限差异性而取消了它们内在的同一性。现在西方文论是过分强调差异性，我在等待一个回潮。当所有的人都在用历史的方法搞研究的时候，我用逻辑的方法来搞研究，这也是一种方法，而且这个方法有它的合理性。做逻辑的研究必须把历史的具体性、历史的偶然性、历史的特殊性全部去掉，然后才能进行逻辑的研究。有了逻辑的观点之后，再进行具体的历史的研究，达到逻辑跟历史的统一。逻辑达到高度精致的时候它里面必然包含着历史。问题是我们现在的文艺理论没有这种逻辑和历史的巨大的含量和层次，往往是脱离了历史的逻辑，或者没有逻辑全是历史。

问：您看这里头其实有一个矛盾：一方面当前的中国文论界不重视经验归纳的方法，偏好从理论到理论的演绎；另一方面又在鼓吹历史主义的研究方法和差异性，忽视逻辑的建构。这其实说明大部分学者的双重欠缺：一重是立场和方法的欠缺，缺乏原创性；一重是能力的欠缺，缺乏逻辑推理能力。而您正好在这两方面与他们形成鲜明的对比，您既注重从经验归纳出来的原创性的东西，同时又能够运用逻辑的方法将之建构成一套理论。这对于中国文论界来说是弥足珍贵的，同时也是我们今天做这个访谈的最大意义之所在。

答：我是认为搞创造有两条路，一条是以权威的理论为基础，然后对之做局部的丰富，我的感性经验里有好多超越你原来框架的东西；第二条就是直接从经验出发，能跟你汇合就汇合，不能汇合我就自己创造出一个观念，比如审智和错位，然后尽可能地用这个观念把自己的经验贯穿起来。所谓创造性就是看出权威理论放弃了某些空间，而我就选择进入到那个空间里去。

但是这种创造方法同时也会产生一个问题：因为你是从自己的经验出发的，有时候跟西方的权威理论不是特别吻合，在别人看来就似乎没有什么学问，也不是学院派的做法。但是我无所谓，干吗要大家都一样呢？在中国的文坛上有这么多的理论家，有那么一两个人是经验主义的或草台班子的，为什么不可以呢？我有些东西能够讲出道理来，而且在课堂教学上是有效的，或者在演讲过程中能够得到肯定，那就可以了。至少我在对具体作品的解读，能够讲出别人看不到的东西，这就够了。我准备创造一个纪录，就是把文本解读的书写他几本，在这几本书出来，再写一本文学文本解读学，[①]人们就会发现有一个理论家他长于文本解读，感觉到这也是一条路径。人们对于文本解读的需求是很迫切的，在大学的和中学的课堂上，尤其是对古典文本的解读，废话太多，都是讲已知的东西。文本解读就是要从已知中提出未知，从而得到新知。

我有一个指导思想：理论最好能够指导创作和阅读，如果不能指导创造的话，至少要能对经典文本进行有效的阐释，而不是无效的阐释。所谓无效的阐释，一是歪曲，比如说“二月春风似剪刀”歌颂了创造性的劳动；二是重复，比如说这个比喻十分巧妙。有效阐释就是要讲出这个比喻为什么好，为什么比成菜刀就不好。

问：您提到理论要能够指导创作实践，我们知道您也写过《文学创作论》和《怎样写小说》这样的指导创作理论书籍。对此我们有一个疑问：文学创作是能够理论化并且成为一种体系的吗？或者说，根据某种理论指导出来的创作会不会成为一种模式化的创作呢？

答：对于这个问题我是这样想的：我会指出一些文学创作的基本规范，如果整个规范的框架和体系没有太大的错误的话，而你要达到我这个规范的话，就要经过无限多次的失败。这就像学游泳，光听教练讲怎么游是不行的，必须要到游泳池中去游了以后才能学会。如果说这个规范是模式的话，模式里边是存在着方法的，也是包含着经验的，模式是别人的，训练方法是别人的，哪怕是正确的模式也不可能一下子成功。这是其一。其二，即使你不畏艰难，反复练习也有可能失败，因为成功还需要才能以及其他因素，例如时间、客观条件、发表园地、得到认可的可能性等等。所以如果规范没有太大的错误的话，也需要九死一生的试探，但是至少有一条是有效的，就是帮助你欣赏别人的作品，确实有用的。另外我认为按照这个规范来写，至少写出一般的作品是可以的。如果你要成为一个托尔斯

---

① 这个任务到2014年已经完成了。我写了《名作细读》《月迷津渡：古典诗歌个案分析》《孙绍振如是解读作品》已经出版。2015年就要出版的有《孙绍振解读经典散文》，还有一本总结性的《文学文本解读学》，2016年《经典小说解读》。

泰，你需要才能，你还要突破规范，而要突破规范首先你要知道现成的规范是怎样的。突破规范是一种冒险，100 个人里可能只有 1 个成功的，另外 99 个都失败了，失败的原因很可能就是你对基本的规范不了解。新的规范不会凭空产生，它是在现有规范的逻辑延伸线上产生的。你要超越托尔斯泰，你必须知道托尔斯泰是怎样写的，我这本《文学创作论》就是告诉你托尔斯泰是怎样写的。在这个意义上，它对于创作应该是有一定的指导作用的。

非常值得鼓舞的是，我这个《文学创作论》在教学实践中得到了肯定。1985 年到 1990 年我在解放军艺术学院文学系讲这门课的时候，得到了当时作家学员的肯定，直到 2013 年 12 月底莫言在福清的讲座中，更是集中地给了我很高的评价，临别时，还说“谢谢栽培”。后来福州的东南快报的记者对此有如下的报道：

> 在福建师大福清分校的对话会上，莫言深情地提到，1984 年到 1986 年，他在北京的解放军艺术学院上学期间，孙老师给他们讲过七八次课，每次一个上午，给他留下了非常深刻的印象。“孙老师在课堂上跟我们讲诗歌、唐诗、宋词，我虽然是写小说的，但是，他的讲授，对我文学语言的改善、对我小说的意境的营造，起到了非常大的作用。在我们班的同学里边（记者按：这里有当时已经名满天下的李存葆、钱钢等），大家对孙绍振老师的课至今记忆犹新。在每个学期结束的时候，学校会做调查问卷‘本学期，你对哪位老师讲的课印象最深刻？给你的教益最深’孙老师的得票数是最高的。”

这个消息刊载以后，北京的读者石焘告诉我，早在他和王尧的对话那本书中，就对我表示感谢了。这位读者还把书中这一段话拍了照片发到我邮箱。莫言说到自己的风格不像一般作家那样一成不变，而是不断变化的：

> 有很多作家，包括“红色经典”时期的作家，往往一本书写完了，再写也是重复。他把自己的生活积累、亲身经历写完以后，再往下写就是炒剩饭。顶多把第一部书里剩下的边边角角再来写一下。[1] 全新的生活、眼前火热的生活、别人的生活很难进入他的头脑。进入了也不能同化。
>
> 我记得在军艺学习时，福建来的孙绍振先生对我们讲：一个作家有没有潜能，就在于他有没有（用自己丰富的心灵）同化生活的能力。

好了，到此为止吧，再说下去，自我表扬，自吹自擂就太明显了。

---

① 根据我在解放军艺术学院文学系知道的情况，当时名不见经传的莫言对已经名满天下的李存葆并不买账。在讨论会上时时对李发难。这一段批评“红色经典”作家的话可能指的是李存葆。

编后记

《美的结构》于1988年由人民文学出版社出版，收入本卷时删去《文学创作论》重复部分，增补与内容相关的部分之文章。主要增补内容为：第三辑“对西方现代文论的挑战”，重点增加了21世纪第二个十年的近作，共十余篇；第四辑“学术自述”6篇内容。